D0941339

EGON CAESAR CONTE CORTI

DAS HAUS ROTHSCHILD IN DER ZEIT SEINER BLÜTE

*

1830–1871

MIT EINEM AUSBLICK IN DIE NEUESTE ZEIT

MIT 30 BILDTAFELN UND EINER STAMMTAFEL

IM INSEL-VERLAG ZU LEIPZIG
1928

Who hold the balance of the world? Who reign
O'er congress, whether royalist or liberal? . . .
Jew Rothschild and his fellow-christian Baring . . .
Are the true Lords of Europe. Every loan
Is not a merely speculative hit,
But seats a Nation or upsets a Throne.

Lord Byron, Don Juan. XII, 5. 6.

PRINTED IN GERMANY

VORWORT

Der vorliegende Band führt die Geschichte des Hauses Rothschild bis zum Frieden, der den Deutsch-Französischen Krieg im Jahre 1871 beschloß. Auch diese Darstellung ist völlig unabhängig von irgendwelchem Einfluß und mit dem heißen Bestreben geschrieben, die geradezu märchenhafte Rolle, die die Familie Rothschild in den Geschehnissen des 19. Jahrhunderts gespielt hat, unvoreingenommen und unparteiisch darzulegen. Wo Originaldokumente und aufgefangene Briefe zur Verfügung standen, konnte ein besonders tiefer Einblick gewonnen werden; wo Briefe in von den Rothschild verfaßten Abschriften vorlagen, muß man immer die Möglichkeit in Rechnung ziehen, daß sie gegenüber den Originalen durch jene in wohlabgewogener Voraussicht verändert wurden, um z. B. auf Metternich einen bestimmten, von den Rothschild gewünschten, ihren Plänen dienenden Eindruck zu machen. Übrigens ein Vorgang, der für die Politik dieses Hauses nicht weniger charakteristisch und interessant ist, als die zahllosen übrigen hier verwendeten, unzweifelhaft unpräparierten, bisher unveröffentlichten Dokumente.

Noch einmal sei ausdrücklich darauf hingewiesen, daß von einer Vollständigkeit und erschöpfenden Ausführung des Themas nicht die Rede sein kann. Aus den mannigfachen und doch zusammenhängenden Bildern aber, die die vielen tausend gesammelten Dokumente zu zeichnen gestatteten, wird der Leser einen überraschenden Eindruck gewinnen von dem Wesen, der Arbeit, den Zielen und der Machtstellung dieses Hauses im 19. Jahrhundert.

Das der Arbeit angefügte Schlußwort macht natürlich am wenigsten Anspruch auf eine auch nur halbwegs kontinuierliche Darstellung; es hebt nur einige kurze, besonders markante Schachzüge der Rothschild in der Politik der letzten sechzig Jahre bis auf den heutigen Tag heraus, welche zeigen, wie das Haus Rothschild auch da, freilich unter wachsenden Schwierigkeiten, schwindendem Einfluß und mächtiger Konkurrenz neuerstehender reicherer Häuser bis in die allerneueste Zeit versucht hat, seine Stellung zu wahren, die internationale Politik zu beeinflussen und ihr allerdings mit immer geringerem Erfolg Wege zu weisen, die den Interessen des Bankhauses entsprechen.

Auch muß ich hier neuerdings einer großen Zahl von gütigen Förderern danken. So außer den im ersten Bande genannten Persönlichkeiten, denen der gleiche Dank auch für die Fortsetzung der Arbeit gebührt, Herrn Professor W. Alison Phillips und den Herren des Record Office und British Museum in London, die sich mir, dem Ausländer, in der gütigsten Weise hilfreich erwiesen. Dann den Herren: Ingenieur von Kurzl-Runtscheiner, dem wirtschaftlichen Fachschriftsteller R. Drapala, dem Herrn Justizrat von Meyer-Leonhard aus Frankfurt, endlich der Tochter des Malers Anton von Werner, Fräulein Lilli von Werner, die mir in entgegenkommender Weise Dokumente oder Bildermaterial zur Verfügung stellten.

Ich kann nur mit der Hoffnung schließen, daß auch dieser Band, der, wie ich glaube, in die Intimitäten und Kulissengeheimnisse der internationalen großen Politik wie wenige Bücher hineinleuchtet, das Interesse weiter Kreise finde.

Der Verfasser

INHALTSÜBERSICHT

FÜNFTES KAPITEL

SECHSTES KAPITEL

ACHTES KAPITEL

NEUNTES KAPITEL

ERSTES KAPITEL

DIE ÜBERWINDUNG DER KRISE VON 1830

Die gefährliche Lage, in die der plötzliche und unerwartete
usbruch der Juli-Revolution von 1830 in Paris und ihre
olgen in ganz Europa das Haus Rothschild gestürzt hatten,
außte mit Unterstützung des noch am wenigsten berührten
nglischen Hauses um jeden Preis beschworen werden. Ja-
aes und der von Wien nach Paris geeilte Salomon weilten
leichsam unmittelbar am Kriegsschauplatze, und ihnen
außte die wichtigste Aufgabe, nämlich das Hinarbeiten auf
ie Erhaltung des Friedens überlassen bleiben. Österreich
nd Frankreich, deren große Anleihen die Gebrüder Roth-
child knapp vorher unwiderruflich übernommen hatten,
außten dazu gebracht werden, nun, auch unter den ver-
nderten Verhältnissen in der Kapitale Frankreichs, Frieden
u halten, damit die Titres jener Anleihen, die sich noch
a großen Mengen in den Rothschildschen Portefeuilles be-
anden, wieder im Kurse stiegen und neuerlich ihr Publikum
änden. Im übrigen suchten sich die Brüder, wo irgend mög-
ch, jeder bei der schlechten Börsenlage drückend gewor-
enen Verpflichtung zu entledigen. Dazu waren besonders
ie Geschäfte mit Preußen geeignet, deren letztes die mit
em preußischen Finanzmanne Rother besprochene Kon-
ertierung der Pfundanleihe von 1818[1] erst am 8. Oktober
832 beendet sein sollte. Da konnte der Hebel angesetzt
verden, um ein Geschäft rückgängig zu machen, das nur bei
ünstigem Börsenwetter erfolgversprechend war und nun
nter so veränderten Verhältnissen und bei der Unfähigkeit

Siehe: Der Aufstieg des Hauses Rothschild, Seite 407.

aller Märkte Europas, Staatspapiere aufzunehmen, zu einem Verlustgeschäft werden mußte. Nathan wünschte, sich wenigstens nach dieser Seite hin freie Hand zu schaffen. In solcher Absicht entschloß er sich, zunächst bevor er noch in Berlin etwas davon verlauten ließ, durch großes Entgegenkommen und einen Vertrauensbeweis erster Ordnung die preußischen Finanzleute für sich einzunehmen. Preußen hatte nämlich für die im Jahre 1818 und 1822 mit dem Hause Rothschild abgeschlossenen Anleihen bei der Londoner Bank Sicherheiten[1] in Gestalt von Pfandbriefen und Gutscheinen hinterlegt, die von Nathan erst nach Jahren, wenn die Tilgung programmgemäß vonstatten ging, hätten zurückgegeben werden müssen. Nathan verfügte dies jedoch gleich, noch im September 1830, denn er sagte sich, die Papiere böten zu einer Zeit, wo niemand solche nehme, ohnehin keine große Sicherheit, und in Berlin würde es Eindruck machen, wenn Nathan sie so frühzeitig, lange vor dem Termin, zurückstellte. Der Erfolg dieser Handlungsweise entsprach durchaus den Erwartungen Nathans. Der Präsident der Seehandlung Rother schrieb ganz begeistert über dieses Entgegenkommen an seinen König und meinte, daß „nur das unbegrenzte Vertrauen, das Rothschild dem von Seiner preußischen Majestät ihm, Rother, anvertrauten Institut entgegenbringe", den Bankier zu diesem Schritt bewogen habe. Dabei benützte Rother freilich die Gelegenheit, sich selbst ein wenig beim König herauszustreichen. Er betonte noch, daß er das Benehmen Nathans um so mehr rühmen müsse, als er gerade jetzt, bei den eingetretenen kritischen Zeiten, so kulant gewesen sei.[2] Doch Rother sollte bald merken, warum Nathan gar so entgegenkommend und liebenswürdig

---

[1] Sie bestanden in Regierungsdomänen-Pfandbriefen im Betrage von 21547000 Reichstalern und Staatsschuldscheinen im Betrage von 14058000 Reichstalern. — [2] Rother an König Friedrich Wilhelm III Berlin, 8. IX 1830. Preuß. geh. Staatsarchiv.

1. „The Shadow of a Great Man“
Nathan Rothschild in der Londoner Börse (1836)

gewesen war. Schon in den letzten Novembertagen des Jahres 1830 traf Salomons Sohn Anselm im Auftrage Nathans in Berlin ein, um zu versuchen, den am 25. Februar 1830 mit der preußischen Regierung abgeschlossenen Konvertierungskontrakt entweder völlig rückgängig zu machen oder zumindest stark zu verwässern. Wohl war der Boden bei Rother gut vorbereitet, aber dieser, der sich seinerzeit seinem König gegenüber des guten Abschlusses so sehr gerühmt hatte, konnte doch nicht gut plötzlich die völlige Rückgängigmachung der Angelegenheit beantragen. Eifrig verhandelte er wochenlang mit Anselm, der all seine Überredungskunst aufwandte, um den preußischen Staatsmann für die Rothschildschen Pläne zu gewinnen. Mitte Januar berichtete Rother seinem König[1], daß das Bankierhaus Nathan Rothschild in London mit jenem unter den glücklichsten Aussichten eingeleiteten Geschäfte[2] infolge der letzten politischen Ereignisse in eine ungünstige Lage gekommen sei. „Die Fortdauer der finanziellen und merkantilischen Spannung in ganz Europa", schrieb Rother, „hat den noch hier anwesenden Bevollmächtigten jenes Hauses, den Freiherrn Anselm, zu mancherlei immer dringender wiederholten Vorschlägen, zur teilweisen Aufhebung oder Modifikation der Bedingungen des diesfallsigen Kontraktes vom 25. Februar 1830 veranlaßt. Bei den bestehenden Verhältnissen kann aber von einer gänzlichen oder teilweisen Aufhebung des Kontraktes — wie solche in den Wünschen des gedachten Hauses lag — nicht die Rede sein, und ich glaube, den Freiherrn von Rothschild in den durch sechs Wochen geführten mündlichen und schriftlichen Verhandlungen überzeugt zu haben, daß solches auch nicht mit der Ehre seines Hauses verträglich sein dürfte." Das war ja sehr schön

---

[1] Rother an König Friedrich Wilhelm III. Berlin, 18. I. 1831. Preuß. geh. Staatsarchiv. — [2] Nämlich die Konvertierung der 5proz. Anleihe gegen Emission 4proz. Obligationen.

gesagt, aber im Grunde war Rother doch bereits für die Rothschildschen Vorschläge gewonnen, welche im wesentlichen darauf hinausliefen, einen Rest 5proz. Papiere noch ungetilgt zu lassen und die Umwertung in 4proz. auf einen späteren Zeitpunkt zu verschieben. Gleich nach jenen scheinbar so kategorisch klingenden Worten fand Rother schon ganz andere und wußte seinem König die bittere Pille so schmackhaft zu machen, daß dieser geradezu einen Vorteil darin sehen mußte, wenn Preußen nicht auf seinem Scheine bestand.

„Es wäre zu wünschen," schrieb Rother seinem königlichen Herrn weiter, „daß auf diese Vorschläge eingegangen werden könnte, weil es mir bei etwaigen, bei den jetzigen Zeitumständen wohl nicht zu vermeidenden neuen Geldgeschäften für Euer königlichen Majestät Finanzen dringend nötig erscheint, daß dem Handelshause von Rothschild jede mit dem Kredit des Staates verträgliche Hilfe gewährt werde, indem das in Rede stehende Umwandlungsgeschäft offenbar mit so großen Verlusten für das gedachte Haus verbunden ist, daß die nachteiligste Spannung mit demselben die Folge davon sein würde. Sollte das Haus Nathan Mayer von Rothschild gezwungen werden, die kontraktmäßigen Termine auch in den jetzigen ungünstigen Zeiten pünktlich zu erfüllen, so würde dasselbe die neuen 4proz. Obligationen à tout prix an allen Märkten zu verkaufen suchen und dadurch dem diesseitigen Staatskredite einen sehr empfindlichen Stoß beibringen. Die Erfahrung hat gelehrt, daß Geldgeschäfte, in welchen die von Rothschildschen Häuser nicht als Vermittler, sondern als Gegner auftreten, keinen Fortgang haben, ja sogar ganz scheitern, wenn man sich mit geringfügigen und kraftlosen Individuen, wie sie leider die hiesige Börse aufzuweisen hat, einläßt." Rother führte dann detailliert aus, wie überall Bankrotte eingetreten und die Kurse gesunken seien, wobei die Rothschild so verlieren müßten, „daß", wie

2. Salomon von Rothschild
Nach einem Gemälde von J. Lieder

er schrieb, „sich diese Familie nur bei diesem Geschäft auf eine Vermögensverminderung von 3000000 Taler gefaßt machen muß, wenn der Effektenverkehr nicht einen neuen Aufschwung erlangt, welcher aber bei den sich täglich vermehrenden unglücklichen Zeitereignissen wohl nicht zu erwarten steht.

Das Haus Rothschild, oder vielmehr der erste Unterhändler, der Freiherr Salomon von Rothschild aus Wien, hat dies Geschäft (seinerzeit) wirklich nur als eine Ehrensache betrachtet, da eigentlich dabei auch bei den allerbesten Konjunkturen nichts zu gewinnen war, und ich habe es nur zu bedauern, daß gerade dieser brave Mann jetzt wegen seiner gemachten Zugeständnisse von dem größten Teil seiner Familie hart mitgenommen wird".

Trotz der einleitenden Worte befürwortete Rother also die Rothschildschen Wünsche, weil er den „unheilvollen Bruch" mit dem Hause Rothschild scheute. König Friedrich Wilhelm, der Rother unbedingt vertraute und von Finanzdingen nichts verstand, stimmte dessen Anträgen zu. Als nun Anselm Rothschild merkte, daß er auf weitgehende Nachgiebigkeit zu hoffen habe, wurden seine Ansprüche plötzlich größer. Nun wollte er schon keine Einschränkungen, die Rother an seinen Vorschlägen anzubringen versuchte, annehmen. Ja, er begann seine eigenen früheren Anträge noch zu seinen Gunsten zu verbessern, und das war wieder auf Nathans Einfluß zurückzuführen, der von allem Anfang an nicht ganz mit der Leitung der Angelegenheit durch den jungen, damals erst siebenundzwanzig Jahre alten Anselm einverstanden gewesen war und Anfang März auch noch Carl Rothschild, der damals in Frankfurt weilte, zur Hilfe nach Berlin sandte. Rother war nunmehr dem gemeinsamen Ansturm eines älteren und eines jungen Rothschild ausgesetzt, die denn die Festung mit ihrer Zähigkeit allmählich sturmreif machten.

Um seinen Bruder und seinen Neffen in ihrem schweren Kampfe im Interesse des Hauses zu unterstützen, schrieb Mayer Amschel aus Frankfurt gleichzeitig an den preußischen Finanzminister Grafen Lottum[1]: „Finanzminister von Motz seligen Angedenkens, welchem ich näher bekannt gewesen, hat hoffentlich während seinen Lebzeiten Hochdemselben keine so ungünstige Meinung von mir eingeflößt, sowie Ihnen auch der sonstige Verkehr mit meinem hiesigen Hause und dessen bisherige schriftliche Mitteilungen, da es mir leider zu mündlichen direkten an Hochdieselbe an Gelegenheit gebrach, Beweise meiner wahren Denkungsweise dargetan haben werden. Euer Exzellenz wissen nun, daß, seitdem wir des Glückes und der Gnade teilhaftig geworden, mit der Hohen preußischen Regierung in ehrende Geschäftsverbindung zu treten, unser eifriges unermüdliches Streben dahin ging, derselben unsere besten Dienste nach unserem ganzen Vermögen, frei von allem Privatinteresse zu weihen. Wenn nun die jüngste Operation durch die gewaltigen Zeitereignisse, die die Ordnung und Ruhe in vielen Teilen Europas in ihren Grundfesten erschüttert haben, zu keinem günstigen Erfolge bis jetzt noch gelangen konnte, wobei wir selbst nicht allein den Kummer einer mißglückten Operation, sondern auch noch den eines bedeutenden Verlustes tragen müssen, so haben wir doch die innige, feste Überzeugung dabei gewonnen, daß so, wie wir damit zu Werke gegangen, wir vor Gott und der Welt als rechtschaffene Leute dastehen können. Die Entscheidung unserer gerechten Sache, die durch meinen Bruder und Neffen erschöpfend erörtert worden ist, soll nun nach den Briefen derselben bald erfolgen. Wenn ich nun so frei bin, mein Anliegen um gütige Beschleunigung desselben vorzubringen, so wollen Euer Exzellenz den Grund in der jetzt so schwer bewegten Zeit und der

[1] Amschel Mayer von Rothschild an Graf Lottum, Frankfurt, 22. III. 1831. Preuß. geh. Staatsarchiv.

dadurch auf mich eindringenden vielfachen Arbeiten suchen, die alle zu versehen mir bei meinem zunehmenden Alter und nicht mehr so starken Gesundheit ein Schweres, fast Unmögliches wird. Es ist mir demnach die schleunige Rückkehr meines Bruders Carl, welcher dem dringenden Rufe zur Dorthinkunft Folge geleistet, sehr wünschenswert, da ich solchen, gleichsam als meinen rechten Arm betrachtend, ungern entbehre; Euer Exzellenz bitte demnach ganz gehorsamst, so viel in Ihren Kräften liegt, zur Erfüllung meiner geäußerten Wünsche geneigtest beitragen zu wollen; ich nähre die feste Überzeugung, daß die Entscheidung unserer Angelegenheit so erfolgen wird, als von den anerkannt gerechten und loyalen Gesinnungen der Hohen preußischen Regierung zu erwarten ist . . .“

Auf Grund dieses Schreibens und der fortwährenden Bemühungen der beiden in Berlin anwesenden Rothschild entschloß sich Rother endlich, seinem König zu melden, daß diesen die früher auf seinen Antrag von seiten des Königs zugebilligten Erleichterungen nicht genügend erschienen. „Sie schlagen die Gefahr,“ schrieb Rother, „welcher sie sich bei Erfüllung des Kontraktes vom 25. Februar v. J. aussetzen, und den Verlust, welchen sie selbst unter jenen erleichterten Modalitäten wahrscheinlich dabei erleiden würden, so hoch an und finden sich durch die nachteiligen Rückwirkungen, welche daraus für sie entstehen, in allen ihren Geldoperationen so gelähmt, daß sie die gänzliche Entbindung vom Kontrakt und eine definitive Feststellung der Summe, welche sie dabei aufzuopfern haben, als das Ziel ihrer Bestrebungen betrachten.“ Die Brüder machten sich erbötig, eine bestimmte Summe Geldes[1] zu vergüten, wenn sie ganz von den Verpflichtungen des Kontraktes befreit würden, unter der Bedingung aber, daß sie das ganze Ge-

[1] Etwa 145 700 Pfund, welche Summe aber durch verschiedene Abzüge auf bloß 53 825 Pfund zusammenschmolz.

schäft sofort wieder aufnehmen dürften, „wenn die Umstände sich günstig genug veränderten, um ihnen dies wünschenswert zu machen“. Rother empfahl seinem König nun auch diese neuen Forderungen der Rothschild zur Annahme, „da es recht und billig sei, von diesem Hause nicht größere Aufopferungen zu verlangen, als unumgänglich nötig sei, um die Vorteile zu erreichen, welche sich der Staat bei dem Reduktionsgeschäfte vorgestellt hatte“. Er meinte auch, es sei nicht ohne Schwierigkeit, das Haus Rothschild zur vollständigen Erfüllung des Vertrages zu nötigen, wenn es ohne Rücksicht auf seinen kaufmännischen Ruf solche beharrlich verweigern sollte. Überdies würde die Durchführung lange dauern und die staatliche Finanzierung in Mißkredit bringen. Also solle man alle Rothschildschen Forderungen annehmen, aber bei neuen Abkommen mit ihnen zur Bedingung setzen, daß die Genehmigung ihrer Anträge nur dann erfolgen könne, wenn sie sich verbindlich machten, in ein neues Darlehensgeschäft unter näher zu besprechenden und den jetzigen Zeitverhältnissen angemessenen Modalitäten für Seiner königlichen Majestät Staatskassen einzugehen. Freilich war sich Rother darüber klar, daß eine solche Darlehensoperation nur unter ganz veränderten Verhältnissen werde vor sich gehen können. „Die politischen Ereignisse der neueren Zeit“, schrieb er dem König[1], „und die drückenden finanziellen Verhältnisse aller großen europäischen Staaten machen es gegenwärtig beinahe unmöglich, auf den bisherigen Wegen große Summen als Darlehen zu beschaffen . . . Die von Rothschildschen Häuser haben durch die letzte französische Anleihe im Januar 1830 und durch das preußische Umwandlungsgeschäft der im Jahre 1818 negoziierten Schuld von 5 auf 4%, wobei sie eine Menge anderer Handlungshäuser beteiliget und diesen

[1] Rother an König Friedrich Wilhelm III. Nachträglicher Bericht vom 30. III. 1831. Preuß. geh. Staatsarchiv.

einen ungeheueren Verlust zugefügt haben, ihren Kredit für solche Anleiheunternehmungen gänzlich verloren. Sie finden zu solchen jetzt durchaus keine Teilnehmer, und wenn auch ihr Vermögen, nach einem angeblichen Verluste von 17 Millionen Gulden, immer noch von großer Bedeutung ist, so fehlt es ihnen doch auch an den zu neuen Geschäften dieser Art erforderlichen baren Mitteln, da ihr großes Eigentum, welches in Papieren aller europäischen Staaten besteht, gegenwärtig an keiner Börse versilbert werden kann. Die gedachten Häuser weigern sich daher, jetzt große Anleihen direkte zu übernehmen, und suchen solche, wie in Österreich geschah, in Kommission zu erhalten, Vorschüsse darauf zu machen und sodann die neu kreierten Obligationen zu den niedrigsten Kursen zum Nachteil der beteiligten Staaten zu verkaufen."

Nichtsdestoweniger wollte Rother doch versuchen, mit den Rothschildschen Häusern ein neues Geschäft bis zur Summe von mehreren Millionen Talern [1] gegen mehrjährig laufende Wechsel auf die preußischen Staatskassen einzuleiten. Wie er selbst sagt, wollte er trotz aller Bedenken doch wieder nur die Hilfe der Rothschildschen Häuser in Anspruch nehmen, weil die Berliner Bankiers, wie er meinte, „zu dergleichen großen Unternehmungen keine Kräfte besäßen". [2] Den Rothschild war diese Lösung sehr genehm, sie konnten zwar keineswegs schon fixe Verpflichtungen für ein solches Geldgeschäft auf sich nehmen, da sie genau wußten, daß ihr Haus momentan in Verlegenheit war; aber sie sagten auch nicht nein und wiesen Rother nach ihrer bewährten Gepflogenheit, um die

---

[1] Zunächst war ein Diskontogeschäft in der Höhe von vier bis fünf Millionen Talern geplant, später wollte man preußischerseits noch zu einer viel höheren Summe gelangen. — [2] Vergleiche hierzu des preußischen Historikers Heinrich v. Treitschke Bemerkung in seiner „Deutschen Geschichte im 19. Jahrh.", Leipzig 1897 V/506: „Es war Rothers Verdienst, daß die Gebrüder Rothschild den preußischen Staat als einen fast unnahbaren Kunden immer mit scheelen Augen ansahen!"

Sache hinzuziehen, an einen der anderen Brüder, nämlich Salomon in Wien. Der sollte in dieser Sache das letzte Wort sprechen. Vielleicht veränderten sich die Verhältnisse in der nächsten Zeit zum Guten, und dann konnte man sich nur freuen, wieder zu einem großen Geschäft mit dem preußischen Staate zu kommen. Sie waren Rother aufrichtig dankbar. Er war für sie wirklich Goldes wert mit seinem bestimmenden Einfluß auf den König. Ohne daß sich die Rothschild bindend zu dem neuen Geschäft zu verpflichten brauchten, willigte der König[1] in alles. Der Ablösungsvertrag vom 25. Februar 1830 wurde gegen Zahlung der früher erwähnten Entschädigung aufgehoben und Rother freie Hand gegeben, mit den Rothschild zu gegebener Zeit und nach freiem Ermessen ein neues Vorschußgeschäft einzugehen. Nun war Nathans Plan, sein Haus nach dieser Richtung hin zu entlasten, dank Rothers mächtiger Fürsprache geglückt. Nach dieser Seite hin waren die Rothschild also von einer großen Last befreit, und was den Wunsch der preußischen Regierung nach neuen Geschäften anbetraf, so wollte man wirklich, sobald sich nur irgendein Lichtblick bot, freiwerdende Kapitalien dazu benützen. Das sah dann stark nach Dankbarkeit aus und war dabei doch wieder ein Profitgeschäft wie ein anderes.

Diese guten Nachrichten waren auch dem in Paris um den Frieden kämpfenden James Rothschild sehr willkommen, denn er befand sich auf dem heißesten Boden, und die nach der Juli-Revolution stark gefallenen Renten, deren sein Haus noch so viele besaß, litten unter den inner- und außenpolitischen Gefahren, die den neuen Thron umbrandeten. Bisher waren die Dinge ja noch recht gut gegangen. In der Frage der Anerkennung des neuen Königs hatten so ziemlich alle Staaten, Österreich inbegriffen, klein beigegeben. Nur der Zar hatte sich am längsten zurückgehalten, aber die Gefahr

[1] König Friedrich Wilhelm III. an Rother, Berlin, 7. IV. 1831. Preuß. geh. Staatsarchiv, Berlin.

einer kriegerischen Intervention Europas in Frankreich, die sich in offen feindlicher Weise gegen Louis Philippes Thronusurpation gerichtet hätte, war beschworen.

„Alles“, schrieb Freiherr von Prokesch, der berühmte österreichische General, Diplomat und Orientalist, am 7. Dezember 1830 in sein Tagebuch[1], „liegt jetzt nur mehr an den Mitteln, und darin ist Rothschilds Wort gewichtig, der aber gibt kein Geld für Krieg.“ Als sich die Rente allmählich etwas zu erholen begann, kam neue Unruhe in die große Politik, da die Pariser Revolution nun auch in Italien Schule machte. Im Kirchenstaate und in den Kleinstaaten Mittelitaliens, wo unter Unterdrückung jeder liberalen Regung Inquisition und Unduldsamkeit herrschten, begann diesmal die Empörung. Der Herzog von Modena wurde in den ersten Februartagen aus seinem Lande vertrieben, in Bologna verkündete man das Ende der weltlichen Herrschaft des Papstes, und selbst Marie Louise mußte aus ihrem behaglichen Liebesneste Parma fliehen. Während die vertriebenen Monarchen Metternich um militärische Intervention Österreichs anflehten und sie auch durchsetzten, hofften die Aufständischen auf die Hilfe Frankreichs. Aber von dort her erhielten sie nur platonische Unterstützung. Die französische Diplomatie drohte wohl mit starken Worten, aber im stillen wäre Louis Philippe nichts unangenehmer gewesen als eine militärische Aktion, die ihn mit einer der Großmächte, die ihn eben erst anerkannt, in einen bewaffneten Konflikt geführt hätte. In dem Bestreben, dies zu vermeiden, unterstützte ihn James Rothschild im eigensten Interesse, wo er nur konnte. Wachsam saß er in Paris und fühlte dem König und seinen Ministern häufig den Puls, um dann den Brüdern und Neffen in allen Richtungen der Windrose seine knappen charakteristischen Bulletins vom politischen Krankenlager zu Paris zu senden.

[1] Aus den Tagebüchern des Grafen Prokesch von Osten, Wien 1909. S. 68.

„Die Renten waren 59,25,“ schrieb er am 14. Februar 1831, kurz nachdem die Nachrichten von den Aufständen in Modena und Bologna in Paris eingetroffen waren[1], „ich bin zufrieden, denn ich finde die Minister ganz für Frieden, und ich hoffe, die Sachen geben sich. Der König will Frieden; denn ich weiß, wie in Italien die Sachen ausgebrochen sind, wollte der Marschall Soult ein Lager an der Grenze errichten; der König war aber so dawider, daß er gar nicht mehr davon sprach, und wenn sich auch Österreich in die Geschichte von Modena gemischt hätte, so gäbe es auch nichts, denn man sieht, daß Österreich dazu Recht hätte, da er (Louis Philippe) zu schwach ist. Man ist nur für Frieden, ungeachtet alles dessen, was man spricht; wir sind gespannt auf die italienischen Nachrichten, da wir keine haben.“

Ja, das war es, wonach James immer hungrig war; nur Nachrichten, schneller und früher, als die anderen sie bekamen; das war besonders wichtig, wenn man wie hier die Rückwirkung eventueller militärischer Interventionen Österreichs in Italien auf die Börse in Rechnung ziehen mußte.

„Wir sind heute ruhig,“ schrieb James zwei Tage später an seinen mittlerweile nach Wien zurückgekehrten Bruder Salomon[2], „wie es heute abends sein wird, ist schwerer zu urteilen, aber alles sieht wiederhergestellt aus, und es ist zu hoffen, daß wir wieder Ruhe bekommen. In Italien sollen die Sachen nicht so schlecht stehen. Ich bitte Dich, lieber Salomon, sollte Österreich den Entschluß fassen, in das Päpstliche einrücken zu lassen, es mir sogleich wissen zu machen, indem es bestimmt auf die Renten ungünstig wirken würde; der Kriegsminister sagte mir gestern, es wäre sehr seriös, wenn das geschehen würde, das könnte Folgen haben.“

---

[1] James Rothschild an Salomon; von diesem Metternich vorgelegter Auszug. Paris, 14. II. 1831. Wien, Staatsarchiv. — [2] James Rothschild an Salomon; 16. II. 1831. dto. Auszug Wien, Staatsarchiv.

3. König Friedrich Wilhelm III. von Preußen

Mit Vorbedacht brachte Salomon diese Sätze zur Kenntnis Metternichs. Der Kanzler sollte von einer Intervention in Italien zurückgehalten werden. Die Rothschild, die um alles in der Welt jeden neuen Zündstoff im Interesse der Börse und auch im eigenen aus dem Wege räumen wollten, konnten nur wünschen, daß sich nicht etwa in Italien ein neuer Zankapfel zwischen Österreich und Frankreich zeige, der den bis dahin gegen Metternichs Überzeugung erhaltenen Frieden, wie sie wohl wußten, schließlich doch noch gefährden könnte. Aber sie mußten doch sehen, daß Metternichs eingefleischter Haß gegen alles Revolutionäre und der Legitimität Widerstrebende mächtiger war als ihr Einfluß. Metternich ließ, unbekümmert um die Drohungen von Frankreich her, österreichische Truppen den Po überschreiten und gegen die Aufständischen vorgehen. Das löste in London und Paris Panik aus. Nathan in England, in letzter Zeit wiederholt von Krankheit hart mitgenommen, war viel weniger optimistisch als in früheren Zeiten. Er hielt nichts von den Pariser Ministern und schon gar nichts von dem Ministerpräsidenten Laffitte, dem verkrachten Bankier, der sich vermaß, die Politik und die Finanzen eines Reiches wie Frankreich zu führen, während er nicht einmal imstande gewesen war, sein eigenes Vermögen und sein eigenes Bankhaus aufrechtzuerhalten. In schlechter Stimmung schrieb er seinem Bruder[1]: „Die Stocks sind gewichen, weil an der Börse das Gerücht ging, Frankreich habe an Österreich den Krieg erklärt. Nun war ich heute Abend bei ... (Name unleserlich), der sagte: wer kann den Franzosen trauen, sie sind täglich anders. Dann ging ich zu Bülow[2], der sagte: Rothschild, Ihr Bruder in Paris, glaube ich, wird irregeführt, denn das Ministerium

[1] Nathan Rothschild an Salomon; London, 5. III. 1831, für den Fürsten Metternich gemachter Auszug, Wien, Staatsarchiv. Solche Auszüge boten natürlich Gelegenheit, die Briefe für den Kanzler eventuell entsprechend zurechtzusetzen. — [2] Heinrich Wilhelm Freiherr von Bülow, preuß. Gesandter in London.

und der König halten kein Wort, sie sind täglich anders. Sie schreiben an Talleyrand[1] hierher: Preußen und Rußland schreiben freundlich und wollen keinen Krieg; die Franzosen aber müssen Krieg wollen ... An Talleyrand schreiben sie einen schlechten Brief, so daß er sich fürchtet, den Brief zu zeigen, und er sagt, er hätte keinen Brief.

Kurzum, wahrscheinlich lauter Intrige, bis man Krieg machen will. Ich sage, es ist kaum möglich, Friede zu erhalten, außer wenn sich die Leute in ihrem eigenen Lande totschlagen und der Laffitte herausgeht, der kein Gewicht mehr hat. Der bekannte Ouvrard[2] hat heute viele Stocks kaufen lassen, wahrscheinlich morgen bessere Berichte von Paris.

Nun, hier sagt Herries[3], daß Peel[4] sicher ins Ministerium kömmt und Wellington Foreign-Minister wird, und daß, wenn Frankreich nicht nachgibt, er überzeugt ist, daß die englische Armee nach Deutschland geht.

Nun, Du tust gut, dem König zu sagen, er muß fern sein und mit England nicht spielen, das nicht mit sich spielen läßt. Morgen gehe ich zu Talleyrand. England hat kein Zutrauen zu den Ministers; die Leute wollen nur Revolutionen, wo der alte Lafayette[5] hilft und weiß Gott wer. Minister und König müssen allein zeigen, daß sie keinen Krieg wollen, aber nicht täglich anders sprechen. Gehe zum König und sage ihm, daß Peel, Palmerston, Wellington ins Parlament kommen."

Mit diesen letzten Worten wollte Nathan seinem Bruder sagen, daß in England voraussichtlich wieder Tories ans

---

[1] Charles Maurice Fürst von Talleyrand-Périgord, nach der Juli-Revolution Botschafter in London. — [2] Französischer Finanzier und unternehmender Bankier. — [3] John Charles Herries, britischer Finanzpolitiker, dessen Vertrauensmann Nathan Rothschild war; Herries war zeitweise auch Schatzkanzler. Siehe Rothschild I. Band. — [4] Sir Robert Peel, engl. Staatsmann und Tory, bis 1830 Minister des Innern, bekämpfte die Reformbill des Ministeriums Grey. — [5] Marie Jean Marquis de Lafayette, der berühmte General und Staatsmann der großen französischen Revolution, der nach dem Juli-Umsturz von 1830 trotz seiner 73 Jahre wieder in den Vordergrund trat.

Ruder kommen würden und man daher auch dort eine Parteinahme für die Revolutionäre in Italien und sonst in der Welt nicht gerne sehen würde. James aber hatte eben die entgegengesetzten Nachrichten über die Entwicklung in England an leitender französischer Stelle gehört. Dort schmeichelte man sich, daß der liberale Grey mit seinem Ministerium im Amte bleiben und seine geplante Reformbill durchsetzen werde. Das gab der Regierung in Paris einen gewissen Rückhalt, und man dachte infolgedessen auch, etwas energischer gegen die konservativen Mächte, wie Österreich, auftreten zu können. So ein scharfer Wind hatte natürlich sofort Einfluß auf die den Krieg so sehr fürchtende Börse. „Die Renten sind heute sehr gefallen," meldete James aus Paris nach Wien[1], „weil man sagte, es würde in England eine Reform sein und eine Revolution ausbrechen, und daß von Österreichs Seite der Krieg erklärt worden wäre; wirklich aber glaube ich, weil 80000 Mann mehr Truppen unter die Waffen gerufen werden oder werden sollen und Frankreich nicht mehr so bestimmt gegen Österreich (aus) spricht, daß (dessen) Intervention nichts zu sagen hat. Durch dem (dadurch), daß England nun in dieser Lage ist, werden sie hier stolzer sagen: wir hoffen, Österreich interveniert nicht. Heute ist Saint Aulaire[2] abgereist mit den friedlichsten Instruktionen. Er soll zu den Revolutionärs sagen, daß Frankreich schlechterdings will, Italien soll bleiben wie es ist, und Sebastiani und Laffitte sind so friedlich, als man nur sein kann. Aber was hilft friedlich reden, wenn man das Gegenteil tut. Laffitte ließ mich mit Périer[3], Humann[4], Aguado[5] und den Receveurs holen, um

[1] James Rothschild an Salomon, Paris, 7. III. 1831. Auszug für Metternich, Wien, Staatsarchiv. — [2] Graf von St. Aulaire, damals franz. Botschafter in Rom, ab 1832 in Wien. — [3] Casimir Périer, Bankier u. Fin. Min. seit d. Julirev. Kammerpräsident. — [4] Jean Georges Humann, franz. Staatsmann, Deputierter und finanzieller Fachmann, der 1832 auch Finanzminister wurde. — [5] Führende Bankleute Frankreichs.

zu sehen, wie eine Operation zu machen wäre. Er spricht friedlich und sicher; wenn er Krieg wollte, würde er uns nicht zusammenrufen lassen."

Laffittes Ministerium lag jedoch damals schon in den letzten Zügen. Die Zusammenberufung der Finanzleute galt der Idee, im letzten Augenblicke noch dem sehr notleidenden französischen Schatze durch Verkauf von Staatswaldungen aufzuhelfen. Aber schon hatte Louis Philippe dem Ministerpräsidenten das Vertrauen entzogen und dessen Portefeuille einem anderen Finanzmanne, Casimir Périer, im geheimen angetragen. Die in eingeweihten Kreisen durchgesickerte Kunde hiervon hatte eine günstige Rückwirkung auf die Börse, die Laffitte schon längst ihr Vertrauen entzogen hatte. Der Name Périer war Musik in den Ohren James Rothschilds, denn es sollte ein Mann an das Ruder Frankreichs gelangen, der sein intimer Geschäftsfreund und guter Bekannter war, mit dem er seit Jahr und Tag alles Politische und Geschäftliche besprach. Hocherfreut über die günstigen Aussichten, die sich da für die Zukunft eröffneten, beeilte er sich, seiner Familie auf besonderem Wege davon Kunde zu geben.

„Liebe Brüder," schrieb er[1], „ich schicke Euch einen Kurier, weil die Renten gestiegen sind; wir blieben 3proz. 53,20, weil es allgemein heißt, Périer komme ins Ministerium. Ich habe Périer heute früh gesprochen, und er will bloß unter der Kondition annehmen, daß er wirklich erster Minister und nicht der König es wird, ... er will keinen Krieg; ich sagte ihm, ich bin heilig überzeugt, daß die fremden Mächte nicht daran denken, Frankreich zu attaquieren, und daß unser guter Fürst alles zum Frieden anwendet ... Nun mußt Du dafür sorgen, lieber Salomon, daß, wenn mein Freund Périer ja hineinkommt, daß man dieses Ministerium

[1] James Rothschild, Zirkulare an seine Brüder, Paris, 9. III. 1831. Wien, Staatsarchiv.

unterstützt, denn 32 Millionen Menschen, die sich in Revolution setzen, ist gefährlich für alle Länder. Und – sagte mir Périer – wenn man für den König was tun wollte, sollte man suchen, von Belgien ein Teil an Frankreich zu geben, das wäre eine wirkliche Stärke für den König, aber er dringt nicht darauf; er sagte mir, wenn die anderen etwas tun, so halten wir Frieden für ewig. Und nun, lieber Salomon, sehe ich Périer seit sechs Monaten täglich, und er sagte heute zu mir: ‚Sie bemühen sich nicht für Frankreich allein, sondern für ganz Europa, können auf mich rechnen, daß ich Ihnen nie eine Lüge sagen werde‘; er ist ein sehr braver Mann ... Nun sage ich Dir, ist Périer darin, so hängt es von den Mächten ab, Krieg zu haben oder nicht ... Ich sage der ganzen Welt, daß die Mächte nur Frieden wollen. Wegen dem hiesigen Anleihen sollen alle Kaufleute zusammengehen, und ich gehe mit, denn ich mag mich nicht ausschließen, noch weiß man nicht, was gemacht wird; aber wegen Périer habe ich Zutrauen, denn wenn wir Krieg bekommen, verliert er mit allen seinen Gütern und Fabriken; deswegen glaube ich an Frieden ...
Ich habe heute sehr lange mit Soult gesprochen, welcher auch sagt: wir verlangen nicht besser als zu desarmieren, sobald wir nicht alle Armeen über den Hals haben ... sind wir bestimmt mit Ruhe von außen, so kommt schon der Friede von innen. Périer sagte mir, er würde die Kammer behalten und nicht auflösen ... denn er kann auf diese Kammer rechnen. Mit Périer ists noch nicht gewiß, denn solange eine Sache nicht im Moniteur steht, glaube ich es nicht.“

In Österreich freilich sah es gar nicht nach Frieden aus. Die revolutionären Erhebungen in aller Welt jagten Metternich eine solche Angst ein, daß er trotz der schlechten Finanzlage Österreichs immer hartnäckiger auf große militärische Rüstungen drang. Graf Kolowrat, der mächtigste Mann im Staate nächst Metternich und mit diesem in vielen Belangen in eifersüchtigem Machtkampfe, hatte nur noch geringe Hoffnung, den Frieden zu erhalten.[1]

Man beschloß, drei gewaltige Armeen in Böhmen, Italien und Innerösterreich aufzustellen. Dazu mußten die nötigen Geldmittel beschafft werden, und obwohl es Salomon Rothschild ganz und gar gegen den Strich ging, Mittel für Kriegsrüstungen bereitzustellen, konnte er sich doch nicht ausschließen, als sich die österreichische Finanzverwaltung an die Staatsbankiers wendete, zu denen nebst Eskeles, Sina und Geymüller ja auch er gehörte, damit sie die Summe von 36 Millionen Gulden durch allmählichen Verkauf 5 proz. Metalliques aufbringen sollten. Schließlich war der dabei mögliche Kursgewinn und die 2 proz. Provision von einer so gewaltigen Summe auch nicht zu verachten.

Wirklich, nach Frieden sah es nicht aus, denn den österreichischen Rüstungen folgten natürlich sofort solche Frankreichs. Ein Staat stand finanziell schlechter als der andere, aber für Kriegsvorbereitungen warfen sie das Geld mit vollen Händen hinaus. Da war es nun von besonderer Wichtigkeit, zu hören, was für ein Ministerium sich schließlich in Frankreich durchsetzen würde. Immer noch zitterte James in Paris um seinen Freund Périer, denn noch war sein Ministerium nicht gesichert.

„Lieber guter Bruder," schrieb James in der Angst seines Herzens am 11. März 1831 an Salomon[2], „die französische Regierung schickt einen Kurier, und ich schreibe Dir zwei Zeilen mit ihm, um Dich zu benachrichtigen, daß wir alle Hoffnung haben, jetzt ein Friedensministerium zu bekommen.

Ich habe Périer heute früh um 7 Uhr gesehen; er sagte mir, noch ist nichts fertig, denn ich muß mit dem König eine

[1] Siehe Tagebücher des Karl Friedrich Freiherrn Kübeck von Kübau, I. Bd. II. Teil. S. 358. — [2] James Rothschild an Salomon, Paris, 11. III. 1831. Wien, Staatsarchiv.

Konversation haben, daß ich nicht als Kriegs- sondern als Friedensminister eintreten will, so daß wir die Frage der Intervention recht auseinandersetzen; denn wenn Österreich in der römischen Geschichte interveniert, so will ich keinen Krieg machen; ... und da nun die Nachricht angekommen ist, daß Modena am 6. von den Österreichern besetzt worden ist, so sagte mir Sebastiani: wir halten bestimmt Frieden. Folglich, wenn die Nachricht der Einrückung was gemacht hätte, so könnte er mir das nicht sagen. Eine Sache ist, daß die 80000 Mann unter die Waffen gerufen werden, welches mehr ist, um das Land zu beruhigen, als (um) Krieg zu machen.

Nun, ich gestehe, Périer beruhigt mich, weil er viel zu verlieren hat und nicht wie Laffitte zugrunde gerichtet ist ... Es wird viel von Rußland abhängen, welche Sprache solches führen wird. Meine schönen Träume von Ruhe, Frieden und von allem verschwinden, denn Périer läßt mir soeben sagen, daß Soult nicht zugeben will, daß er Präsident wird, und sich folglich das Ministerium nicht arrangiert — ist dieses der Fall, so werden die Alarmmacher davon profitieren, um vorläufig Lärm in den Straßen zu machen, und die ganze Welt wird an Krieg glauben. Es ist dies eine abscheuliche Lage. Ich schicke Dir wahrscheinlich einen Kurier, wenn etwas Neues ist."

Der Briefschreiber beschloß, seinen ganzen Einfluß in die Wagschale zu werfen, um Périer in den Sattel zu helfen. An ihm, James, sollte es nicht fehlen. Er ging direkt zum König und redete ihm zu, Périer doch ins Ministerium zu nehmen. Er sei ein ungeheuer fähiger, aktiver Mensch, der gute friedliche Gesinnungen habe, von Finanzen viel verstehe und seinem Lande treu ergeben sei.

Wirklich wurde nun am 13. März 1831 ein Ministerium Casimir Périer ins Amt gerufen. Mit Freude und Genugtuung sah James die positive Wirkung seiner Mühen. Er hatte in Paris, wie Salomon in Wien, im Interesse seines Hauses für den Frieden zu kämpfen, und die Ernennung Périers war, wenn auch noch nicht der Endsieg, so doch ein großer Erfolg seiner Waffen. Sofort meldete er die frohe Kunde seinen Brüdern und verlegte sich dann auf die Beobachtung der Börse und deren Verhalten gegenüber dem erfreulichen Ereignis.

„Vielgeliebter Bruder!", berichtete James darüber[1], „... es fängt gottlob mit Steigen an, und wir bleiben 53,70. Ich bin der Meinung, wir steigen, denn wir haben ein Friedensministerium, welches alles anwenden will, Frieden zu erhalten; sie mischen sich nicht in Italien ein, hoffe ich, das heißt, man muß es hier mit der Regierung zusammen machen, so daß der Pöbel nicht schreit und sagt, man habe die italienische Nation aufgeopfert. Wollen die Mächte Frieden erhalten, so müssen sie das friedliche Ministerium stärken und beweisen, daß sie Frankreich nicht attackieren wollen. Wenn es nur möglich wäre, daß Rußland und Österreich eine Deklaration machten, daß Belgien independent bleibt und Frankreich nicht attackiert werde, um die Leute zu beruhigen, denn hier glauben solche immer, man werde, sobald Rußland mit Polen fertig ist, mit Frankreich anfangen.

Nun, lieber Salomon, Du kannst leichter urteilen, und bitte ich Dich deswegen eine Explikation zu haben; denn ich ging zum König und sagte ihm, mein ganzes Vermögen und Familie ist in Frankreich, folglich werde ich Euer Majestät gewiß nicht irreführen und damit einschläfern, daß die fremden Mächte Frieden wollen, wenn sie im Schilde führten, Krieg zu machen, und für wen? Ich bin bestimmt (gemeint überzeugt), sie (die Mächte) wünschen Italien in Ordnung zu bringen und können nicht mit ruhigem Auge zusehen, wie man Feuer unter ihnen anlegt. Nehmen Euer Majestät

---

[1] James Rothschild an Salomon, Paris, 14. III. 1831. Wien, Staatsarchiv.

4. Casimir Périer

Périer ins Ministerium, Ihr Kredit steigt und alles geht besser.

Nun siehst Du, die Veränderungen sind gemacht, der König bezieht die Tuilerien, und das Ministerium soll eine Rede führen, um seine Prinzipe bekanntzumachen. Welchen Eindruck es machen wird, weiß ich nicht, indes meiner Idee nach nur einen guten, wenn sie die Kraft haben, es durchzusetzen; und ich sehe, man läßt soviel Truppen nach Paris kommen, damit man Furcht bekömmt . . . Nun hängt alles von den fremden Mächten ab, und darauf mußt Du hinarbeiten; denn erhalten wir den Frieden nicht, so kann keine Macht ihren Kredit erhalten, die Renten bleiben nicht so fest, wie ich gehofft habe. Casarus, ein natürlicher Sohn Ouvrards, verkauft das große Buch (Renten, die im großen Buche des Staates eingetragen sind) und schreckt dadurch die ganze Welt ab, auf Steigen zu spekulieren, und jedes bißchen Fallen macht hier gleich elenden Eindruck auf die Gemüter.

Ich gestehe, ich habe große Hoffnung und Zutrauen zum jetzigen Ministerium, denn sie haben Stärke und wollen den Frieden."

Auch aus England kamen von Nathan Nachrichten, daß dieses Land trotz seines liberalen und reformfreundlichen Ministeriums Frankreich nicht nur nicht zu kriegerischen Unternehmungen ermutigen wollte, sondern ihm in diesem Falle geradezu in den Arm zu fallen gesonnen war.

„Unsere Regierung", schrieb Nathan an Salomon[1], und dieser beeilte sich, es Metternich weiterzugeben, „hat sehr strenge Maßregeln gegen Frankreich genommen, welche in ganz Europa einen sehr guten Eindruck machen könnten; das heißt, sollte Frankreich sich nicht ruhig verhalten und mit den anderen drei Mächten anfangen, so werden wir uns mit den drei Mächten vereinigen, sollten aber die anderen

[1] Nathan Rothschild an Salomon, Auszug für Metternich, London, 15. III. 1831. Wien, Staatsarchiv.

drei Mächte mit Frankreich anfangen wollen, so werden wir uns mit Frankreich vereinigen.“

Also auch in England schien man auf Frieden zu halten. Der Name des neuen französischen Ministerpräsidenten galt aller Welt als Bürgschaft für Erhaltung des Friedens, und seine ersten öffentlichen Erklärungen in der Kammer sprachen davon, daß er den Grundsatz der Nichteinmischung vertrete. Hocherfreut berichtete James seinem Bruder noch über diese Erklärungen in der Kammer. Schon war neuerdings von einem französischen Anlehen die Rede, an dem auch James sich wieder beteiligen wollte, und seine Aussichten hingen wesentlich von der allgemeinen politischen Lage ab.

„Vielgeliebter Bruder!“ schrieb er am 19. März 1831[1], „ich schicke Dir einen Kurier, nicht des Geschäftes wegen, sondern bloß, um Dir für den Fürst Metternich die Rede der hiesigen Minister zu schicken, welche in England und Deutschland viel Eindruck machen muß —. Du siehst, ihr Prinzip ist Friede und nichts als Friede. Wenn nun Dein Fürst Metternich recht offen zu Werk geht, so machen sie hier, was er will, und ich bitte Dich, dort genau mit dem Fürsten zu überlegen, wie wichtig es ist, der Regierung die gehörige Stärke zu geben. Hier ist man fürs Fallen, aus Ursachen, daß die hiesigen Bankiers, der gewesene président du Conseil an der Spitze, verkaufen, weil ein jeder an der neuen Anleihe teilnehmen will, und ich glaube, sobald das Anlehen gemacht ist, wir ein großes Steigen bekommen; denn wir haben einen friedlichen Ministerpräsidenten, und man kann nicht sagen: der Minister betrügt Dich, er müßte denn die ganze französische Nation betrügen, müßte den größten Teil der Franzosen vor den Kopf stoßen . . . Ich habe heute Werther[2] und Apponyi gesprochen; die sind voller Zu-

[1] James Rothschild an Salomon, Paris, 19. III. 1831. Wien, Staatsarchiv. — [2] Karl Freiherr von Werther, preußischer Diplomat.

friedenheit über die Rede von Périer und glauben, ihre Regierungen werden gewiß alles anwenden, um das neue Kabinett zu verstärken, und Werther, der nur immer schwarz sieht, sieht nun weiß. Folglich bei mir ist eine Frage – halten wir Frieden oder nicht? Erfüllt Frankreich, was es sagt und was bei Périers Charakter nicht zu bezweifeln ist, so sehe ich nicht ein, warum man nicht sollte bald entwaffnen und wir wieder ruhige Zeiten bekommen können.

Ich bitte Dich nun, lieber Salomon, dringend, lasse dem Fürsten Metternich keine Ruhe, das hiesige Ministerium zu verstärken, und quäle ihn um Erhaltung des Friedens, den ganz Europa so nötig hat, da der Fürst allein die Macht hat, den Frieden zu erhalten. Er weiß und kennt Dich, daß Du ein grader, offner und ehrlicher Kerl bist, der gewiß immer mit Offenheit und Wahrheit zu Werk geht und alle meine Berichte, die ich Dir zeithero für ihn mitgeteilt habe, sich bewährt haben.

Gestern früh war Sebastiani[1] wütend, er erlaubte nicht die Intervention. Heute aber ist er wie ein Lamm, weil ihm der englische Ambassadeur eine kategorische Antwort über seine gestern geführte kriegerische Sprache abgefordert hat.

Glaube mir, lieber Salomon, Dein Fürst Metternich, der sich bis jetzt den unermeßlichen Weltruhm erworben hat, kann noch mehr zu seiner Unsterblichkeit beitragen, wenn er den Frieden erhält; da doch alle Kabinette nach seinen Beschlüssen handeln.

Schreibe mir Antwort, was der Fürst jetzt für Meinung hat, und kannst Du mir etwas von ihm zur Mitteilung an Casimir Périer schreiben, wäre es um so besser, weil solches das Vertrauen sehr vermehrt und stärkt."

Das war alles sehr schön, aber inzwischen hatten die österreichischen Truppen in Italien Fortschritte gemacht. Sie

[1] Sebastiani war auch unter dem neuen Ministerium Périer Minister des Äußern geblieben.

begnügten sich nicht mit der Besetzung von Modena und Parma, sondern marschierten der geflüchteten provisorischen Regierung Modenas nach Bologna nach. Auch diese Stadt hatte sich erhoben und die päpstliche Herrschaft abgeschüttelt. Allgemein hoffte man auf die Hilfe Frankreichs, aber sie blieb überall aus, die österreichischen Truppen rückten ein, und das päpstliche Regiment wurde mühelos in Bologna und Ancona wiederhergestellt. Das war natürlich auch für das Pariser Friedensministerium, das den Grundsatz der Nichteinmischung vertrat, sowie für James äußerst unangenehm, und er tat alles, um die in Paris auflodernde Empörung zu beschwichtigen und vor übereilten Schritten zu warnen. „Wie ich Dir früher schrieb," berichtete James seinem Bruder nach Wien[1], „war man hier wütend, daß die Österreicher in Bologna eingerückt sind; weniger über das Einrücken selbst als über die Mitteilungen Maisons[2], der seine Konversationen mit dem Fürsten, welche, wie es scheint, sehr stark waren, berichtet hatte. Der Fürst soll ihm nämlich für bestimmt gesagt haben, man würde nicht in Bologna einrücken und vorerst die Negoziationen abwarten. Das hat Sebastiani anfänglich so wild gemacht; nun steht aber alles gottlob viel besser. Gestern war die Note verfaßt, die nach Österreich soll geschickt werden. In dieser stand das Wort: ‚évacuez immédiatement Bologne.' Pozzo, Granville und meine Wenigkeit sprachen mit Périer, Österreich würde beleidigt sein und die Note zu stark finden. Solche ward im Conseil vorgelesen, und alle waren gegen diese Abfassung. Man hat eine neue gemacht, die sehr gelinde und gut ist, nur sollte darin stehen: évacuez promptement. Ich sah Périer deswegen. Die Note ist ja noch nicht übergeben. Ich will sehen, daß man dies ausläßt.

[1] James Rothschild an Salomon, 31. III. 1831. Wien, Staatsarchiv. — [2] Nicolas Marquis Maison, Marschall von Frankreich, damals Botschafter in Wien.

Wenn nun der Fürst die Lage der hiesigen Regierung betrachtet, so hoffe ich mit Zuversicht, daß wir den Frieden erhalten, denn das hiesige Kabinett bietet alles dazu auf. Nun, guter Salomon, tue das Deinige dazu; der Fürst wird einsehen, daß ich den Charakter des Casimir Périer richtig bezeichnet habe. Bleibt dieser brave Mann gesund, so ist er, wie Villèle[1], und er wird ganz in seinem Sinn arbeiten, aber der Fürst muß ihn unterstützen.
Ich hoffe, Seine Durchlaucht wird gnädig sein, Dir etwas geneigter zu diktieren, dessen ich mich gegen Casimir Périer sowohl als auch gegen den König bedienen kann.
Nun hängt alles, guter Bruder, davon ab, zu wissen, ob Österreich erklären wird: in Italien ist's nun ruhig; wir räumen das Römische, machen Konferenzen mit Zuziehung aller Minister in Rom, um die Lage Italiens herzustellen; dies wird über Krieg und Frieden entscheiden.
Ich bitte Dich nun ausführlich um Antwort, denn in 18 Tagen kömmt das Anlehen, und ich möchte mich zu regulieren wissen."
Frankreich blieb aber bei seiner platonischen Empörung in bezug auf das Einschreiten in Italien. James hoffte, wenn es nur Salomon gelänge, nun, da die Aufständischen überall vertrieben waren, Metternich zu weiterer Mäßigung, zur Rückziehung seiner Truppen und Lösung der Streitfragen, besonders im Kirchenstaate, durch eine Gesandtenkonferenz zu veranlassen, dann wäre schon sehr viel gewonnen und zu hoffen, daß der europäische Friede, wenigstens vom italienischen Wetterwinkel her, ungestört bliebe. Doch war Italien nicht der einzige vulkanische Boden. Da war noch Belgien, das sich nach der Juli-Revolution von Holland losgelöst hatte und gleichfalls in Hoffnung auf französische

[1] Villèle, Josef Graf von, Finanzminister und von 1822—28 Ministerpräsident; siehe seine Zusammenarbeit mit den Rothschild im ersten Bande dieses Buches.

Hilfe um seine Unabhängigkeit stritt. Also auch da Revolution, die die Ostmächte, an der Spitze Österreich und Rußland, mit scheelen Augen ansahen. Auch da, wie in Polen, hätte Metternich am liebsten Truppen einmarschieren lassen, wie er es in Italien getan. Aber dies hätte einen Kampf mit Frankreich wohl zur unvermeidbaren Folge gehabt. Da griff England ein, das niemand, auch Frankreich nicht, in dem seinen Inseln so nahen Belgien herrschen sehen wollte.

Die Londoner Konferenz, die sich mit der Unabhängigkeit und der belgischen Königsfrage befaßte, brachte auch Frankreich dazu, seine auf Belgien gerichteten Wünsche zurückzustellen, und das Ministerium Périer fand sich leichter in die Zugeständnisse. Nun verzichtete man schon auf den Wunsch, den Sohn Louis Philippes auf den Thron Belgiens zu setzen, und befaßte sich ernstlich mit dem von England vorgeschlagenen Kandidaten, dem Prinzen Leopold von Koburg. Immerhin, Belgien selbst wollte sich nicht mit dem Aufgeben Luxemburgs und den ihm gezogenen Grenzen einverstanden erklären. Metternich freute sich der maßvollen Haltung Frankreichs und James und Salomon nicht minder. Die Pariser Regierung hatte eine Note an Österreich gerichtet, die nach James[1] „gut ausgefallen war" und mit welcher, wie er erwartete, Metternich zufrieden sein würde. James hoffte, daß das Zutrauen, das Metternich in Casimir Périer setzte, auch weiter gerechtfertigt sein und die belgischen Angelegenheiten schließlich auch ohne ernstliche Gefährdung des Friedens geregelt würden. Freilich, unangenehm waren die Dinge in Belgien ja doch. Auf die Nachrichten, die von dort kamen, war die 3proz. französische Rente am 1. April 1831 wieder auf 46,70 gefallen, was James seinem Bruder Salomon traurig mitteilte. Dabei wollte man in Paris, daß die Österreicher möglichst bald das Päpstliche

[1] James Rothschild an Salomon, Paris 1. IV. 1831. Wien, Staatsarchiv.

wieder verließen. Hin und her schwankten die Aussichten des Friedens, und angsterfüllt verfolgte James täglich das außenpolitische Barometer und sein empfindliches Instrument, die Börse. In den ersten Apriltagen kamen allerdings mit den Tatsachen nicht in Einklang stehende gute und beruhigende Nachrichten aus dem Römischen und aus Belgien. Daraufhin sofortiges Steigen der französischen Rente.

„Ich komme eben von Périer,“ schrieb James am 9. April 1831, seinem Bruder nach Wien[1], „welcher mir sagte: ‚Es tut mir leid, daß die Rente so steigt, denn die Sachen sind noch nicht so ganz in Ordnung. Ich bin so zufrieden als nur möglich mit Apponyis Depeschen, aber wir müssen wünschen, daß die österreichischen Truppen so bald als möglich das Römische verlassen . . . Ja, lieber Rothschild, wir müssen beweisen, daß man auswärts auch Zutrauen in uns hat; kommen Sie morgen früh um 9 Uhr, so wollen wir ausführlich hierüber sprechen. Wir wollen und wünschen den Frieden . . . Ich bitte Sie, den Fürsten Metternich zu beruhigen. Die belgische Geschichte ist nicht so gut, denn die wollen das Protokoll vom 20. nicht annehmen und eher Krieg machen. Indessen lasse ich mich nicht abhalten, gehe mit den Alliierten; diese Frage, welche zum Krieg Anlaß geben kann, muß beendigt werden, und wir tun, was möglich ist.‘ Nun lieber Bruder, glaube ich, die Rente kann auf 60 gehen, aber dann könnten wir wohl zurückgehen, denn ich finde das zu toll. Die Unterschriften, die Renten zu 100% zu übernehmen, gehen stark, aber wie wird es bis 120 Millionen gehen?“

Wirklich gab nun Metternich in Italien klein bei, denn er wollte doch nicht das friedliche Ministerium Périer gefährden, das eventuell wieder einem chauvinistischen Platz machen konnte. Auch innerhalb des Kaiserstaates Österreich war eine mächtige Partei gegen den Krieg. Zu ihr zählte vor

[1] James Rothschild an Salomon, Paris, 9. IV. 1831. Wien, Staatsarchiv (Auszug).

allem Erzherzog Karl, dann Metternichs Widerpart, der Minister des Innern Graf Kolowrat und Freiherr von Kübeck, der immer wieder auf die durch fortwährende Kriegsrüstungen furchtbar geschädigten Finanzen hinwies. Langsam wurden die österreichischen Truppen nun wirklich aus dem Kirchenstaat gegen den Po zurückgezogen und hielten nur noch mit schwächeren Posten Ancona und Bologna. Auch blieb es nicht ohne Wirkung auf Metternich, daß die großen Hoffnungen, die er auf Rußland setzte, sich nicht erfüllten. Die Russen, die mit den hartnäckig kämpfenden Polen viel zu tun hatten, legten im April 1831 Preußen und Österreich nahe, gemeinsam gegen Polen vorzugehen, und Metternich war in seiner Liebe zum konservativen Zaren sogar eine Zeitlang nicht abgeneigt, diesen Wünschen Gehör zu schenken. Er versuchte in der Staatskonferenz[1], der auch Graf Kolowrat beiwohnte, diese Saite anklingen zu lassen, aber schon hatte Salomon Rothschild von diesen Plänen erfahren, die wieder unabsehbare außenpolitische Verwicklungen nach sich ziehen konnten. Mit dem Grafen Kolowrat stand er auch gut. Da diesmal sein sonst so intimer Freund Metternich etwas tun wollte, was nicht in seine Pläne paßte, so ging er eilends zu Kolowrat, warnte ihn vor dem russischen Abenteuer und bat ihn, in der Konferenz aufs entschiedenste dagegen zu sprechen, was Kolowrat, der jede Gelegenheit begrüßte, bei der er Metternich widersprechen konnte, auch aufs eifrigste tat. Die Haltung Metternichs in dieser Zeit brachte den Freiherrn von Kübeck dazu, über den Staatskanzler wie folgt zu urteilen:[2] „Der Fürst Metternich ist ein wahrer Pendel, der zwischen (dem russischen Botschafter in Wien) Tatitscheff oder dem Kriege und Salomon Rothschild oder dem Frieden sich hin- und herbewegt.“

---

[1] Kübeck, a. a. O. I. Bd. II. Teil, S. 383. — [2] Kübeck, a. a. O. I. Bd. II. Teil, S. 593.

Belgien blieb immer noch ein Herd ewiger Unruhe. Der belgische Kongreß wollte vom Verzicht auf Luxemburg und von den anderen Bestimmungen des Protokolls vom 20. Januar 1831 nichts wissen. Einzelne heißblütige Redner wünschten ganz Europa den Fehdehandschuh hinzuwerfen, und drohend versammelten die Holländer ein Heer an der belgischen Nordgrenze. Louis Philippe ließ sich bei der belgischen Regentschaft durch einen Sondergesandten, den General Belliard, vertreten, der beunruhigende Meldungen sandte. Die Wirkung in Paris blieb nicht aus.

„Die Renten", schrieb James am 11. April 1831 nach Wien[1], „fingen an 3% 59–5% 89 und – fielen plötzlich die 3% auf 55,50 die 5% auf 84. Das ganze kömmt von Belgien, indem General Belliard, der von Brüssel zurückgekommen ist, mitteilte, daß die Belgier entschlossen sind, ins Luxemburgische zu marschieren, der ganzen Welt den Krieg zu machen und nicht nachzugeben, wozu die Urteile der Polen über die Russen viel beitragen, welche ihnen den Kopf montieren.

Périer sowie Sebastiani sagen mir beide, sie gingen mit den Alliierten und ließen sich nicht von den Belgiern zum Krieg zwingen, aber hier ist man bange, daß die Regierung nicht stark genug ist, die Nation zurückzuhalten, und dieses zum Krieg führen könnte.

Nun teile ich Dir mit, daß ich Périer Deine Briefe, lieber Salomon, gleich vorgelesen habe, damit es nicht heißt, Österreich habe seine Truppen aus Italien zurückgezogen, nachdem es eine Note von Frankreich bekommen hatte, worüber er sich sehr gefreut hat."

Die belgischen Angelegenheiten waren jedoch nicht zu Ende. Sie sollten noch zu den gefährlichsten Krisen führen. Das französische Ministerium freilich fühlte seine Stellung sehr

[1] James Rothschild an Salomon, 11. IV. 1831. Auszug, Wien, Staatsarchiv.

befestigt. Das beste Zeichen dafür war, daß die 120 Millionen Anleihe, die zu 70 kaum ausführbar schien, nun zu 81,50 begeben werden konnte.

„Die Compagnie", berichtete James darüber[1], „hat gestern nachts das Anlehen zu 84 (was für das Publikum 81,50 heißt) auf wiederholtes Ansuchen der Regierung übernommen. Die meisten können dabei nichts gewinnen, weil sie darauf im voraus zu sehr niedrigen Preisen in die Contremine gegangen sind. Was geht das aber uns an? Die Sache gibt in jeder Hinsicht dem jetzigen Ministerium, besonders Casimir Périer, der den Frieden erhalten will, mehr Kraft und Popularität und das ist, was wir bezwecken, wollen und wünschen. Die Rede des Königs in der Kammer, die soweit gut ist, wurde von dem Publikum nicht kräftig genug gefunden. Man erwartet sich mehr von einer königlichen Rede. Er wollte die von Périer verfaßte nicht annehmen, sondern hielt die selbst verfaßte. Er scheint Eigenliebe hereinzulegen, diese Reden selbst zu machen . . Im ganzen scheint die Politik besser zu sein, da ich hoffe, die Belgier werden nachgeben, und Alles wird mit Gottes Hilfe gut gehen."

James in Paris blieb bei seinem Optimismus.[2] „Was die Politik betrifft, so finde ich die Regierung hier nur für den Frieden und nichts wie Frieden. Nur die polnische Angelegenheit montiert ein bißchen die Köpfe der Franzosen, aber nicht von Périer, den ich heute früh gesehen habe und der außer sich vor Freude war wegen der gestrigen Kammer, wo er in dem Elektionsgesetze eine Majorität von 300 Stimmen hatte. Die Kammern werden nun geschlossen und dann kommen die Wahlen."

Weniger ruhig war Nathan in London. Er hegte Besorgnisse wegen Belgiens, dann wegen Portugals, wo Don Miguel sich

[1] Auszug aus dem Schreiben James Rothschild an Salomon, Paris, 20. IV. 1831. Wien, Staatsarchiv. — [2] James Rothschild an Salomon, 13. IV. 1831. Wien, Staatsarchiv (Auszug).

rührte, und wegen der Reformbill des Ministeriums Grey. Er meinte zwar auch, es werde sich schließlich alles geben, „aber“, schloß er seinen Bericht[1], „leider macht jede Kleinigkeit in politischer Hinsicht das handelnde Publikum sehr konfus.“

Immerhin, die Wahl des klugen, England genehmen und Frankreich als Anwärter auf die Hand einer Tochter des Königs näher gebrachten Prinzen Leopold von Koburg schien auch die belgischen Angelegenheiten leicht und schnell der Lösung näher zu bringen.

„Ich freue mich recht sehr,“ schrieb James am 2. Juni 1831 nach Wien[2], „daß wir das Vergnügen haben können, Dir bessere Nachrichten zu geben. Die Rente fing auf die guten englischen Berichte 60,70 an und ist bis gegen Ende der Börse zwischen diesem Kurs und 61 geblieben. Am Ende waren mehrere Käufer, und man ließ uns sagen, daß das Gouvernement durch den Telegraph die Nachricht habe, daß Prinz Leopold mit der früheren Majorität gestern um ein Uhr zum König gewählt wurde. Wir haben es im Temps setzen lassen, und der Artikel ist so gut geschrieben, daß er wirklich sehr viel getan hat. ... An der Börse glaubt man allgemein, daß die belgischen Angelegenheiten in Ordnung sind. Nach unseren Briefen aber scheint es noch nicht ganz klar.“

Immer noch hielten jedoch die Ostmächte Österreich, Preußen und Rußland zum König von Holland, der das neue belgische Königtum des Koburgers nicht anerkannte und einfach als nicht bestehend verwarf. Darin lag noch immer der Keim zu einer großen, von Belgien her drohenden europäischen Verwicklung. Der französische Minister des Äußern Sebastiani sagte in jenen Tagen zu Rothschild[3]: „Trachten

[1] Nathan Rothschild an Salomon, London, 18. IV. 1831 (Auszug), Wien, Staatsarchiv. — [2] James Rothschild an Salomon, Paris, 2. VI. 1831 (Auszug), Wien, Staatsarchiv. — [3] James Rothschild an Salomon Rothschild, 10. und 11. VI. 1831. Auszug, Wien, Staatsarchiv.

Sie, daß doch Österreich nicht so stark und so öffentlich armiere."

Die Brüsseler Deputierten waren damals nach London gereist, um dort die näheren Bedingungen des Regierungsantrittes ihres neugewählten Königs zu besprechen. Immer noch wollten sie den Bescheid der Konferenz nicht anerkennen, wonach Luxemburg und Limburg an Holland fallen sollten. Nathan Rothschild suchte die Delegierten in London sofort auf und erfuhr von ihnen, daß sie Auftrag hätten, Holland für die Belassung dieser beiden Landgebiete bei Belgien eine Geldentschädigung anzubieten. Denn in diesem Punkte blieben die Belgier unbeugsam und zähe.

In Paris beurteilte James die Lage nach wie vor günstig. Er meinte, der Koburger sei weder für England noch für Frankreich eingenommen, welch letzteres Belgien ganz gerne einstecken würde. Die Hauptsache war aber freilich doch, daß die 3proz. Rente bei 60,70 und die 5proz. bei 89, also besser standen. Besorgt war er nur, daß der wieder eingesetzte Herzog von Modena, der sich höchst rachsüchtig und reaktionär gebärdete, nicht wieder ein Stein des Anstoßes werde.

„Übrigens läßt sich nichts urteilen," schrieb James[1], „die Rente steigt und fällt 5%-weis, und man muß jetzt ruhig bleiben. Der Allmächtige wird alles zum Guten lenken ... Sebastiani sagte mir: Belgien ist so gut als fertig und in Ordnung, und die Welt ist so wütend gegen mich, weil ich Frieden halten will, und man darf sich auf den Kopf stellen, wir halten Frieden; ich bin ein ehrlicher Mann, und was ich sage, das halte ich. Rechnen Sie auf Frieden, wenn nur der Fürst Metternich uns beistünde, daß der Herzog von Modena nicht solche Dummheiten machte, weil wir damit in der Kammer zu sehr attackiert werden.

[1] James Rothschild an Salomon, 22. VI. 1831. Auszug, Wien, Staatsarchiv.

Nun, du siehst lieber Bruder, der ist für Frieden im höchsten Grad, und meine gestrige Nachricht gab mir im strengsten Geheim der Marineminister.“

Schließlich gelang es, unter Vertagung der Frage von Luxemburg, die belgischen Delegierten zu den vom Prinzen Leopold für die Übernahme der Regierung vorgeschlagenen Bedingungen zu bekehren. Er begab sich auch, seinem Versprechen gemäß, nach Brüssel, obwohl er nur auf England und Frankreich rechnen konnte und die Ostmächte und den König von Holland nach wie vor zu Feinden hatte.

James sah in all den Ereignissen, deren endliche glückliche Lösung er erhoffte, einen Erfolg des konservativen Ministeriums, „seines Ministeriums“, wie er es vertraulich seinen Brüdern gegenüber nannte. Es hatte eben die Kammer aufgelöst und das Land durch Wahlen neu nach seiner Meinung befragt. Die ersten Julitage brachten ihm einen überwältigenden Erfolg. Die neue Kammer bestand in der großen Mehrheit aus Parteigängern des Ministeriums.

„Was diesem Resultate noch mehr Wert verleiht,“ schrieb Graf Apponyi aus Paris an Metternich, „ist, daß die Regierung sich scheinbar jeder Einflußnahme auf den Wahlakt enthalten hat. Der Baron Rothschild, der Wahlmann im Departement Seine et Oise, der auf seiner Besitzung in Ferrières über 15—20 Stimmen verfügt, bot den Ministern an, seine Leute gegen die Wahl des Generals Lafayette einzunehmen; man hat ihm gedankt und ihn gleichzeitig gebeten, das nicht zu tun. Man muß sehr viel Vertrauen in seinen glücklichen Stern haben, um in einem Augenblick der allerentscheidensten Krise so zu handeln.“[1]

„Ich habe das Vergnügen, mein lieber Bruder,“ schrieb James an Salomon[2], „daß ich nach allen meinen Nachrichten

---

[1] Graf Apponyi an Metternich, Paris, 7. VII. 1831. Lettre particulière. Wien, Staatsarchiv. — [2] James Rothschild an Salomon, Paris, 9. VII. 1831. Wien, Staatsarchiv.

nun über den Gang der Dinge viel beruhigter bin und daß ich allen Grund habe zu hoffen, daß auf unserem noch dunklen Horizont in Kürze Ruhe und strahlendes Licht wiederkehren werden.“ In den höchsten Tönen sang James das Lob des Ministeriums Périer. Freilich verhehlte er sich nicht, daß das Ministerium im Innern mit harten Gegnern zu ringen und Leidenschaften, Ehrgeiz und Eitelkeiten zu überwinden habe. Bis jetzt habe es jedoch mit Loyalität und Würde für den allgemeinen Frieden und die Harmonie unter den Mächten gekämpft, die das große Interesse der französischen Nation und ganz Europas bilden.

„Unser Ministerium“, schrieb James, „wird in der zufriedenstellenden Lösung der belgischen Angelegenheiten eine große Unterstützung finden. Die Anarchie in Belgien war der Herd, auf dem unsere Anarchisten das Unglück Frankreichs bereiteten, und nun sehen wir, wie Belgien sich beruhigt und sich organisiert ... Bald wird der Prinz Leopold kommen, um seinen Thron in Besitz zu nehmen. In Belgien wird Ruhe herrschen, und mit Energie wird gegen Unordnung und Verwirrung vorgegangen, die man dort zu sehen vermeinte. Indes dürfen wir uns keinen Illusionen hingeben, eine Opposition von 150 Gegnern, die einen geschickt und beredt, die anderen voll Ehrgeiz und Schlauheit, kühn und unternehmend, unterstützt durch grenzenlos weitgehende Preßfreiheit und ihre ebenso kecken wie perfiden Zeitungen, wird dem Ministerium einen schrecklichen Kampf auferlegen. Schließlich und endlich muß man mit seinem Urteil abwarten.“

James hatte sehr recht, trotz aller guten Anzeichen noch nicht völlig beruhigt zu sein. Die große belgische Krise sollte erst kommen und neuerdings die Gefahr des großen Zusammenstoßes der Ost- und Westmächte heraufbeschwören. Als König Leopold in Brüssel eintraf, da hielt es die Holländer nicht länger, am 2. August 1831 kündigten sie den Waffenstillstand und rückten mit einem starken Heere in Belgien ein. Leopold, dem nur schwache belgische Kräfte zur Verfügung standen, rief Frankreich und England um Hilfe an, und wirklich marschierten französische Truppen in Belgien ein. Die Nachricht erzeugte natürlich Panik in Paris: „Die Börse war heute in toller Bewegung,“ meldete James, „und die Renten blieben die 3proz. 53,20, die 5proz. 84.“ Das französische Ministerium sollte rekonstruiert werden, und James meinte, das neue würde noch stärker sein, weil die Kammer die Ultraliberalen fürchte. „Mir mangelt nur der Mut,“ schrieb James seinem Bruder, „und ich will nichts riskieren, sonst würde ich kaufen . . . Adieu, guter Bruder, sei ruhig, die Welt geht nicht unter. Ich bin zufrieden, daß die Kammer von ihren Dummheiten zurückkommt.“

Die Nachrichten über einen Wechsel des Ministeriums bewahrheiteten sich zu James großer Freude nicht. Périer blieb und wußte in geschickter Weise die Empörung Österreichs und Preußens, von denen man allgemein sofortiges militärisches Einschreiten befürchtete, durch die Erklärung etwas zu beruhigen, daß man die Truppen so bald wie möglich heimkehren lassen würde. Auch die Londoner Konferenz schritt sofort und energisch im Sinne des Friedens und der Beruhigung aller Gegensätze ein. Schon am 15. August schrieb James[1], alle Welt glaube, daß die belgischen Schwierigkeiten durch die strengen und sofort getroffenen Maßregeln rasch beendigt sein würden.

„Die große Furcht von gestern an der Börse,“ fuhr er fort, „daß Preußen zu Hilfe der Holländer Truppen schicken würde, ist heute ganz passiert, und wenn man kalt nachdenkt, so kann man nicht umhin, zu sehen, daß von allen Mächten Preußen am wenigsten Krieg verlangen konnte und am meisten getan hat, um ihn zu vermeiden. Man tadelt sehr

[1] James Rothschild an Salomon, Paris, 5. VIII. 1831, Wien, Staatsarchiv.

den König von Holland und kann kaum glauben, daß er so etwas unternimmt, ohne daß andere Mächte ihre Hülfe versprochen haben . . . Es ist aber zu hoffen, daß der König von Holland, wenn er die englische Flotte und die französische Armee sieht, nicht so hartnäckig sein und nachgeben wird. Wir haben gar keine Briefe von London heute, aber zweifeln nicht, daß die englische Flotte schon abgegangen ist, weil das Ministerium von hier aus noch geschrieben hat, daß sie hingehen sollte . . . Wir werden in einigen Tagen sehen, ob alle Mächte so sehr den Frieden wünschen, wie sie die ganze Zeit gesagt haben. Ich glaube, daß Rußland ihn nicht wünscht, doch dieses Gouvernement ist glücklicherweise nicht imstande, allein Krieg zu machen. Wenn es ruhig vorbei ist, so können wir auf Ruhe für einige Zeit rechnen, denn das Ministerium wird wieder Kraft bekommen; daß es für lange ist, müssen wir hoffen."

Und wirklich, die belgische Frage beschwor keinen europäischen Krieg herauf. Preußen entschloß sich, nicht zu intervenieren, Metternich wurde durch die einem solchen fernen Abenteuer widerstrebenden Kräfte im eigenen Lande, durch die gerade im August jenes Jahres in Wien um sich greifende Cholera und nicht zuletzt durch die steten Abmahnungen Salomon Rothschilds von einem kriegerischen Einschreiten abgehalten. Der widerstrebende König von Holland wurde durch englisch-französische Zwangsmaßregeln in Schach gehalten und die endgültige Lösung der Luxemburger und sonstigen Territorialfragen auf später verschoben. Diese bildeten noch lange das Kampfobjekt zwischen Belgien und Holland und führten nach Jahren zu einer Krise, von der noch zu sprechen sein wird. Doch was für das Haus Rothschild das wichtigste war, der große europäische Krieg war und blieb trotz aller revolutionären Erschütterungen vermieden.

Die beiden Staaten, deren Anleihen die Rothschildschen Brüder in ihren Portefeuilles bargen, wurden in keine kriege-

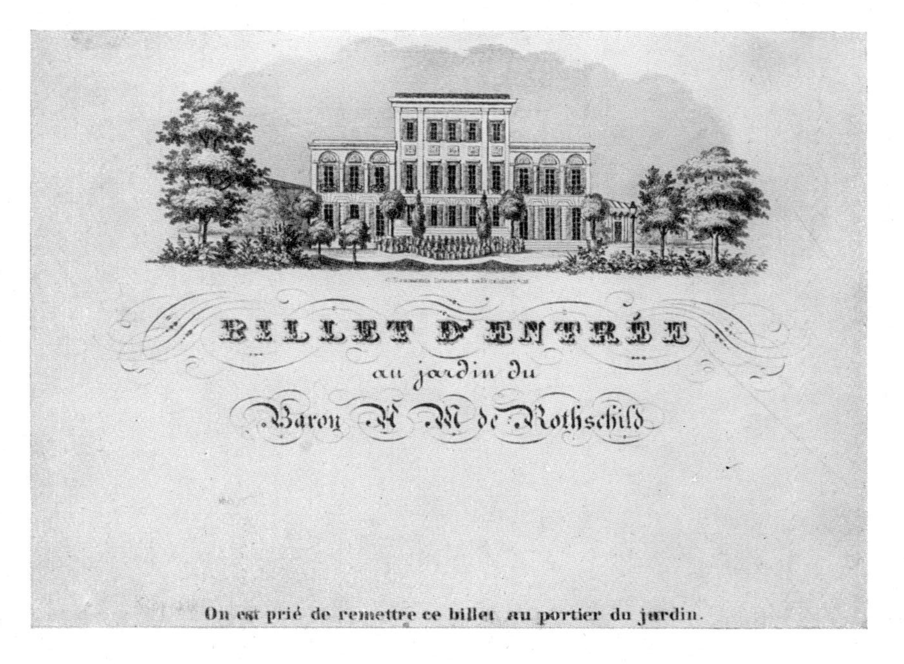

5. Eintrittskarte zur Besichtigung der Rothschildschen Gärten in Frankfurt

rischen Abenteuer großen Stils verwickelt, ihre kleineren militärischen Interventionen wurden verhältnismäßig rasch erledigt. Wohltätige Ruhe trat ein, die den Renten und sonstigen Papieren auf allen Börsen Europas Erholung gestattete. Damit war auch die größte Gefahr vom Rothschildschen Hause abgewendet. In Preußen seiner Verpflichtungen ledig, in Paris und in Wien im Besitze einer Masse steigender Papiere, über die politische Zukunft Europas für die nächste Zeit wenigstens beruhigt, gingen die Brüder daran, gewinnreiche Geldgeschäfte, die sie in letzter Zeit wegen der eigenen Geldknappheit und der unsicheren politischen Lage nicht zu übernehmen wagten, wieder zu beginnen. In der Kampagne nach der Juli-Revolution hatte sich unter den fünf Brüdern James am meisten ausgezeichnet. Er verlor den Kopf auch in den kritischsten Momenten nicht und bewahrte, wie seine Briefe beweisen, stets ein gut Teil Optimismus. Was er nur immer tun konnte, um zur Erhaltung des Friedens beizutragen, war geschehen, und er zeigte dabei eine unvergleichliche Aktivität und wahrhaft staunenswerte Geschicklichkeit. James war geradezu allgegenwärtig gewesen. Man sah ihn überall, in den Zimmern des Königs und der Minister, in den politischen Salons der Hauptstadt ebenso, wie an der Börse und in den Versammlungen der Industriellen und Kaufleute, die das wirtschaftliche Leben beherrschten. Überall predigte er Frieden und ruhig Blut. Das Gesamthaus Rothschild mußte ihm in jener Zeit wahrhaft Dank zollen. Vornehmlich dank seiner Arbeit konnte das Haus allen auch in dieser schwierigen Zeit geltend gemachten Anforderungen gerecht werden.

Zu Beginn des Jahres 1832 konnte die Krise des Hauses, die mit der Juli-Revolution eingesetzt hatte, als überwunden betrachtet werden. Zu diesem Erfolg kam noch als großes Aktivum die unvergleichliche Stellung, die sich James in so kurzer Zeit am Hofe des neuen Königs und der von ihm zur

Regierung berufenen Kreise Frankreichs erworben hatte. Der französische Ministerpräsident gab James oft früher als jedem andern Kenntnis von wichtigen Maßnahmen der französischen Regierung und teilte ihm z. B. wiederholt den Inhalt königlicher Reden in der Kammer schon am Tage, bevor sie gehalten wurden, mit.[1] Der Kredit des Hauses Rothschild hatte nur vorübergehend gelitten. Nun war die schwere Zeit überstanden, und der Ruf von der Solidität und Geldmacht des Hauses, auch unter den schwierigsten Verhältnissen, befestigte sich wieder in ganz Europa.

[1] Graf Apponyi an Metternich, Paris, 24. VII. 1831. Wien, Staatsarchiv.

ZWEITES KAPITEL

WECHSELWIRKUNG ROTHSCHILDSCHER ANLEIHEN AUF INNERE UND ÄUSSERE POLITIK 1832—1835

Die Vermeidung einer großen europäischen Krise und die durch das allmähliche Wiederansteigen der Renten bedingten Erleichterungen gestatteten dem Hause Rothschild nach und nach, allerdings unter besonderen Vorsichtsmaßregeln und Einschränkungen, finanzielle Vorschußgeschäfte mit Staaten und Privaten wieder anzubahnen. So wagten es Salomon und Carl Rothschild schon Mitte Mai 1831, die seinerzeit bei der Rückgängigmachung des preußischen Geschäfts für bessere Zeiten versprochene Vorschußoperation zu verwirklichen. Es wurde ein Vertrag zur allmählichen Beschaffung von 3 Millionen Talern abgeschlossen, und darauf wurden sofort 500000 Taler in die Seehandlung eingezahlt. Preußen war damals ebenso geldbedürftig wie Österreich, denn beide Staaten hatten, obwohl es schließlich nicht zum Kriege kam, doch große und kostspielige Rüstungen vorgenommen. Für Österreich galt das noch mehr als für Preußen. Dort war schon im Februar 1831 statt eines sonst erwarteten Überschusses infolge der militärischen Maßnahmen ein Ausfall von über 22 Millionen Gulden eingetreten, der im weiteren Verlauf des Jahres infolge der von Metternich immer wieder verlangten Rüstungen auf rund 85 Millionen Gulden anschwoll. Da blieb wieder kein anderer Weg als, wie der Metternichs Vorgehen scharf kritisierende Kübeck sich ausdrückte, „der Weg zum König der Geldmänner". Die vier Bankhäuser unter Führung des Hauses Rothschild gaben Österreich eine Anleihe von 30 Millionen Gulden zu 80 für 100, bedangen sich aber dabei ausdrücklich aus, daß sie von aller Verbindlichkeit enthoben sein sollten[1], falls es zum Kriege käme. Damit war ein doppelter Zweck erreicht: auf der einen Seite ließen sich die Rothschild ein in Friedenszeit gewinnbringendes Geschäft nicht entgehen, auf der anderen Seite schufen sie, durch die früheren schlechten Erfahrungen gewarnt, eine Versicherung gegen die von ihnen nicht gewünschte Kriegspolitik Metternichs. Denn die Klausel benahm dem Kanzler im Falle der Kriegserklärung die Vorteile der eben erhaltenen Anleihe.

Diese genügte aber Metternich nicht, und er sann hin und her, auf welchem Wege er noch zu barem Gelde kommen könnte. Da erinnerte er sich jener 20 Millionen Franken, die im Jahre 1815 aus der französischen Kriegsentschädigung für den Bau einer deutschen Bundesfestung bestimmt und bei den Gebrüdern Rothschild zu $3^1/_2$% angelegt worden waren. Das Geld gehörte allerdings dem ganzen Deutschen Bunde und nicht nur seinen führenden Gliedern Österreich und Preußen. Aber Rothschild war ein vertrauter Bankier dieser Staaten, und beiden war daran gelegen, zu Bargeld zu kommen. So verständigten sie sich bald darüber, das Geld an sich zu ziehen, unter dem Vorwand, daß Rothschild trotz wiederholter Aufforderung noch nichts zur Sicherstellung der bedeutenden Summe geleistet habe. Nun bemerkte man plötzlich, daß die Zeitereignisse den Kredit solidester Handlungshäuser untergraben könnten, Rothschild aber eine Sicherung nur in Papieren und nicht in Realbesitz leisten könne, da er keinen solchen habe. So bleibe also nichts anderes übrig, als daß die beiden „beaufsichtigenden" Staaten das Geld in eigene Verwaltung nähmen. Doch da gab es eine große Schwierigkeit: man wollte der Bundesversammlung nichts davon sagen, weil sie vielleicht Einspruch erheben konnte;

[1] Kübeck, a. a. O. Bd. II, 2. Teil, S. 412ff.

es sollte daher so aussehen, als hätte Rothschild die Verwaltung dieser Gelder unverändert beibehalten. Der Bankier verstand und nützte die Lage für günstige Gegenbedingungen. Das Geschäft wurde abgeschlossen, Österreich und Preußen erhielten je die Hälfte des Geldes, Rothschild blieb dem Bunde gegenüber der Schuldner, und Österreich und Preußen garantierten Rothschild nur die Flüssigmachung im Bedarfsfalle. Tatsächlich zahlten sie diese Gelder erst im Jahre 1846 an die Bundeskasse zurück.

Neben den staatlichen Geschäften des Hauses Rothschild liefen die Bitten zahlreicher Privater um Anleihen, die insbesondere von seiten des arg verschuldeten, vielfach über seine Verhältnisse lebenden deutschen und österreichischen hohen Adels an die Rothschildschen Häuser in Wien und Frankfurt gerichtet wurden. Unter diesen ragten die Ansuchen des durch seine Verschwendungssucht berühmt gewordenen Fürsten Paul Anton von Eszterházy, des Botschafters in London und Urenkels von Haydns berühmtem Brotherrn und Mäzen, hervor. Er hatte die nobelsten und kostspieligsten Passionen seines gleichfalls verschwenderischen Vaters geerbt, war aber der stark gehaltene Liebling des Kanzlers Metternich. Bei dem verschwenderischen Aufwand, von dem ganz London sprach, geriet er trotz seines gewaltigen Vermögens immer tiefer in Schulden und mußte seine Zuflucht zu Anleihen nehmen, die schließlich auch sein sehr großes Erbteil in ernste Gefahr brachten. Da entschloß sich Metternich, im Juni 1831 an Salomon Rothschild mit der Bitte heranzutreten, er möge ihm einen Rat zur finanziellen Ordnung der Angelegenheiten Eszterházys geben. Damit meinte er natürlich, daß Rothschild wieder borgen sollte, und bemerkte daher, daß des Fürsten Schwager, der Fürst von Thurn und Taxis, als Bürge in Betracht käme. Rothschild antwortete Metternich, daß seiner Meinung nach unter den gegenwärtigen, so sehr diskreditierten Verhältnissen des fürstlich Eszterházyschen Hauses Schulddokumente desselben, trotz der Bürgschaft des Fürsten von Thurn und Taxis, großem Mißtrauen begegnen würden. „Mein unmaßgeblicher Rat“, schrieb Salomon[1], „ginge daher dahin, daß Herr Fürst von Thurn und Taxis, nachdem derselbe einmal die edle Absicht zu haben scheint, seinem Herrn Schwager eine freundschaftliche Hilfe zu leisten, sich dazu entschlösse, die Anleihe selbst zu eröffnen ... Mein Haus in Frankfurt am Main, welches ohnehin seit einer Reihe von Jahren die Ehre hat, mit dem fürstlichen Hause von Thurn und Taxis in Verbindung zu stehen, würde sich, wenn es Seine Durchlaucht dazu auffordern sollte, der Ausführung dieses Geschäftes gewiß mit um so größerem Eifer unterziehen, als er für alle dabei interessierten Parteien eine besondere persönliche Anhänglichkeit bewahrt.“

Obwohl die Rothschild immer bestrebt waren, hochstehenden Familien nützlich zu sein, so sieht man doch aus dieser Beantwortung, wie vorsichtig sie auch dabei zu Werke gingen. Sie wußten dabei trotzdem die Kreditwerber in geschickter Weise so zu behandeln, daß sie sich dem Hause verpflichtet fühlten, auch wenn dieses die vorgebrachten Wünsche nicht voll erfüllte. Die einleitenden Worte eines Briefes des Fürsten Eszterházy an Salomon Rothschild aus jener Zeit[2] lassen dies leicht erkennen:

„Da mir Ihre freundschaftlichen Gesinnungen“, heißt es dort, „für unser Haus bekanntgegeben wurden und Sie sich auf meine Einladung auch zu mir bemüht haben, auch an meinen Finanzangelegenheiten wohlwollenden Anteil nahmen, nebstbei mich Ihrer Bereitwilligkeit, mir und meinem Sohne mit Rat und Tat an die Hand gehen zu wollen, versicherten, kann ich dies von einem Manne Ihrer bekannten

[1] Salomon Rothschild an Metternich. Wien 17. VI. 1831. Wien, Staatsarchiv. — [2] Fürst Eszterházy an Salomon Rothschild. Wien, 14. VII. 1831, Wien, Staatsarchiv.

ausgezeichneten Eigenschaften, der Sie nur Genuß im Wohltun und Dienstleistungen finden, woraus sich nur Ersprießliches hoffen und gewärtigen läßt, wohl nicht anders als dankbar annehmen."

Rothschild quittierte dieses Schreiben Metternich gegenüber mit der Versicherung, daß ihm nichts erwünschter sein könne, als mit dessen hoher Genehmigung zur Regulierung der fürstlich Eszterházyschen Verhältnisse mitwirken zu können. Fast nie tat Rothschild dergleichen, ohne vorher die Willensmeinung Metternichs einzuholen, denn das war eine Art Rückversicherung, im Falle das Geschäft nicht gut ausginge. Von Metternich befürwortete Anliegen fanden im allgemeinen bei Rothschild fast immer ein geneigtes Ohr, denn jedem „Entgegenkommen" ihrerseits, bei dem sie schließlich meist auch nichts verloren, folgte ein eigenes Anliegen auf dem Fuße.

Schon lange litten die Rothschild darunter, daß sie als fremde Juden in Wien und auf dem Gebiete der Monarchie wohl toleriert waren, ja durch ihren Reichtum und ihr Geschick Zutritt selbst in die höchsten Kreise gefunden hatten, aber dennoch nach wie vor an gewisse, für Juden geltende einschränkende Bestimmungen gebunden waren. Dazu gehörte vor allem die Verordnung, daß Juden innerhalb Österreichs keinen Realbesitz erwerben durften.

Immer noch wohnte Salomon Rothschild im Gasthof zum Römischen Kaiser, freilich mit seinen Beamten allein, zur Miete. Außerdem hatte es sich während der Krise der Julirevolution sehr empfindlich fühlbar gemacht, daß das große Rothschildsche Vermögen fast ausschließlich in Papierbesitz bestand, der von der Konjunktur an der Börse und von Krieg und Kriegsgefahr allzu abhängig war. So sann Salomon nach, wie dem abzuhelfen wäre, und fand bald wieder mit einer Bitte den Weg zu Metternich. Wie immer in solchen Fällen, begann Salomon zunächst mit der Aufzählung der

Verdienste, die sich sein Haus um den österreichischen Staat erworben habe:

„Durchlauchtigster Herr Staatskanzler[1]:

Als Seine Majestät der Kaiser durch den Gnadenbrief vom Jahre 1822 mich und meine Brüder in den erblichen Freiherrnstand zu erheben geruhte, durften wir uns schmeicheln, in unserer damaligen Lage irgendeinen Beweis von Anhänglichkeit an die geheiligte Person Seiner Majestät und das durchlauchtigste Haus Österreich abgelegt und Allerhöchstdessen Aufmerksamkeit verdient zu haben.

Wenn wir auf die seither verflossene Zeit zurückblicken und uns der mannigfachen Dienste erinnern, zu welchen wir im Laufe derselben von der hohen Staatsverwaltung berufen zu werden das Glück hatten, glauben wir uns, ohne unbescheiden zu sein, selbst das Zeugnis geben zu dürfen, daß wir nicht nur der früheren allergnädigsten Begünstigungen würdig geblieben sind, sondern uns vielleicht auch einige Ansprüche auf die fernere Gnade Seiner Majestät des Kaisers erworben haben . . .

Ich erlaube mir nur in gedrängter Kürze zu unseren Gunsten anzuführen, daß wir an allen großen Operationen, welche die Hohe Finanzverwaltung zur Durchführung der ebenso weise entworfenen, als kräftig begonnenen Maßregeln zum Behufe der festen Begründung des Staatskredits während dieses Zeitraumes einzuleiten für gut fand, jedesmal einen verhältnismäßig sehr bedeutenden Anteil genommen und mit Aufbietung aller unserer Kräfte zum Gelingen derselben beigetragen haben . . . Hochdieselben sind nicht minder davon unterrichtet, wie ich selbst unter den schwierigsten Zeitverhältnissen stets bereit war, meine besten Kräfte dem Allerhöchsten Dienste zu widmen . . . Euer Durchlaucht sind endlich auch allein in der

---

[1] Salomon Rothschild an Metternich. Wien, 21. VI. 1831. Wien, Staatsarchiv.

Lage, geneigtest zu würdigen, ob sich mein Haus außer seinen kommerziellen Beziehungen auch durch seine anderweitigen Verbindungen sich der Kaiserlichen Regierung nützlich und brauchbar zu beweisen in der glücklichen Lage war ...
Um was ich für mich und meine Brüder zu bitten mir erlaube, ist die Allergnädigste Bewilligung zum Ankauf von Gütern und sonstigem Grundeigentum in dem Umfang der österreichischen Monarchie. Wohl ist es mir bekannt, daß der Willfahrung dieses Gesuches gesetzliche Beschränkungen entgegenstehen. Die Gnade Seiner Majestät vermag jedoch in einzelnen Fällen Ausnahmen zu gestatten, und Eurer Durchlaucht geneigtem Fürworte dürfte es gelingen, von dem gütigsten und gerechtesten Monarchen durch eine wohlwollende Darstellung der etwa zu unseren Gunsten sprechenden Umstände die allergnädigste Genehmigung unserer gehorsamsten Bitte zu erwirken.
Wir glauben, uns dieser angenehmen Hoffnung um so getroster überlassen zu dürfen, als wir, weit entfernt, in dieser Allerhöchsten Begünstigung einem bloßen Hange nach Glanz und Größe zu folgen, keinen anderen Zweck damit verbinden, als den gewiß leicht zu rechtfertigenden, einen Teil des Vermögens, mit welchem die gütige Vorsehung uns gesegnet hat, auf eine allen Stürmen der Zeit trotzende Weise fruchtbringend anzulegen und, wie auch der Himmel über den Rest unserer Habe verfügen möge, den einen Teil wenigstens unseren Nachkommen fest versichert zu hinterlassen. Daß sich, sobald wir diesen Gedanken einmal aufgefaßt hatten, alle unsere Wünsche auf Akquisitionen in den kaiserlichen Erbländern, als jenen, welche den sichersten Besitz gewähren, konzentrieren mußten, bedarf wohl keiner besonderen Auseinandersetzung. Dabei wäre es ferner unser Wunsch, wenn uns die diesfällige Allerhöchste Genehmigung zuteil werden sollte, auf dem Grunde der zu erkaufenden Realitäten Majorate stiften zu dürfen, welche aber nur in der Familie Roth-

schild in der direkten männlichen Linie eines jeden von uns fünf Brüdern erblich sein sollten . . . Wir glauben es doch nicht ganz unberührt lassen zu dürfen, daß die hohe Staatsverwaltung bei der Allerhöchsten Genehmigung unserer gehorsamsten Bitte wohl auch ihren eigenen Vorteil einigermaßen geraten finden dürfte, denn da sie es gewiß nicht mit gleichgültigem Auge betrachtet, wenn ansehnliche Kapitalien in das Land gezogen und steuerpflichtig gemacht werden können, so wird sie es ohne Zweifel mit nicht minder lebhaftem Interesse wahrnehmen, wenn das Grundeigentum in die Hände solcher Besitzer übergeht, welchen die Mittel zu Gebote stehen . . . durch einen größeren Umschwung von Kapitalien auch auf die Industrie und gewerbetreibende Klasse vorteilhaft zurückzuwirken.“

Die Bitte widersprach gänzlich den geltenden Gesetzen; es mußte neuerdings eine Ausnahme gemacht werden, die unter der übrigen Judenschaft jedenfalls großes Mißvergnügen hervorrufen mußte; denn allen wollte man Erwerb von Grundbesitz noch lange nicht gestatten. Metternich war zwar sehr für die Bewilligung, denn die Rothschild wollten ja in Österreich für mehrere Millionen Boden kaufen, und man hatte sie auch mehr in der Hand, wenn sie solch großes unbewegliches Vermögen im Lande besaßen, aber es mußten doch noch manche andere Personen bearbeitet werden. So wie die meisten Dinge, wurde auch dieses Gesuch auf die lange Bank geschoben und schließlich durch den, Anfang des Sommers nach Wien gelangten, in erschreckendem Maße wachsenden „Cholera-Morbus“ in den Hintergrund gedrängt.

Diese bei dem damaligen Stande der Wissenschaft besonders furchtbare Heimsuchung hatte sich, vom Norden kommend, der Hauptstadt genähert. Mitte August zeigten sich die ersten Erkrankungen. Das verursachte unter den Wiener Machthabern geradezu Panik, und dies um so mehr, als der kaiserliche Leibarzt und allmächtige Mann im Gesundheitswesen der Monarchie, der Staatsrat Stifft, auf ausgesprochene Besorgnis hin versicherte, daß die Krankheit niemals nach Wien kommen werde, und überdies bestritt, daß sie ansteckend sei! Die Hilflosigkeit und Unwissenheit der Ärzte war geradezu unbeschreiblich. Alle staatlich angestellten Ärzte mußten Stiffts wegen auch gegen ihre Überzeugung dessen Ansicht vertreten.[1] Als aber die ersten Fälle in Wien auftraten und den Leibarzt bloßstellten, da brachte die Angst die kaiserliche Familie völlig in Verwirrung. Die Mehrzahl ihrer Mitglieder flüchtete in die Provinz, und der Kaiser schloß sich mit dem Hof in Schönbrunn von der übrigen Welt völlig ab. Auch Graf Kolowrat, Metternichs Rivale, war vor der Krankheit nach Ischl geflüchtet.

Als Gentz, der seine innigen Beziehungen zu den Rothschild in der letzten Zeit zu einem täglichen engen Verkehr gestaltet hatte, am 14. August nach einem Besuch bei seiner geliebten Fanny Elßler, wie alltäglich, Salomon Rothschild zur Besprechung von Politik und Geldgeschäften im Römischen Kaiser aufsuchen wollte, erfuhr er, daß der Baron tags vorher der Cholera wegen Wien verlassen und die Geschäfte seinem Prokuristen Goldschmidt übergeben habe.

Nur Metternich zeigte auch bei dieser Gelegenheit wieder, daß er Paniken nicht zugänglich und persönlich ein mutiger Mann war. Er blieb ruhig in Wien und benutzte die Gelegenheit, alle Geschäfte an sich zu reißen und einen gründlichen Vorsprung vor Kolowrat zu erringen. Die Flucht dieses Mannes hatte am kaiserlichen Hof Befremden erregt; er kehrte erst nach Berufung mittels Kabinettschreibens des Kaisers widerstrebend nach Schönbrunn zurück, wo er sofort wieder gegen Metternich auftrat und beteuerte, daß die politischen Unruhen und die Finanzklemme, die dieser mit seinen ewigen Rüstungen befördere, Österreich neben der Cholera gänzlich zugrunde richteten. Unter solchen Verhältnissen war freilich

[1] Siehe darüber ausführlich Kübeck, a. a. O. Bd. I, 2. Teil, S. 466.

ein Gesuch wie das Rothschildsche unzeitgemäß und blieb vorläufig in der Lade liegen.
Wien war geschäftlich in den nächsten Monaten mehr oder weniger ausgeschaltet. Dafür aber gelang es Carl Rothschild in Neapel, ein Anlehensgeschäft abzuschließen, das dem politischen System Metternichs sehr genehm war und wegen der Stellung des Geldwerbers besonders bemerkenswert ist. Es handelte sich nämlich um eine Anleihe, die nach so vielen Monarchen und Fürsten der Christenheit nun auch das Oberhaupt der Kirche, der Papst, im Namen des Kirchenstaates bei dem jüdischen Hause Rothschild aufnahm. Die verschiedenen Aufstände, die sich im Gefolge der Julirevolution im Kirchenstaat ereignet und die Intervention österreichischer Truppen zur Wiederherstellung der kirchlichen Staatsmacht veranlaßt hatten, zwangen den päpstlichen Stuhl, Vorsorge gegen die Wiederholung solcher Vorkommnisse zu treffen. Das bedeutete auch hier nichts anderes als militärische Rüstungen, zu denen überdies Metternich riet. Dazu gehörte jedoch viel Geld, und die päpstlichen Finanzen waren zu jener Zeit völlig zerrüttet. Mit neuen Steuern konnte man den ohnehin schon so unzufriedenen Untertanen damals nicht kommen. Blieb also nur der Weg einer Anleihe, und eine solche war schwer genug zu bekommen. Wiederholt war allerorten angeklopft worden, aber immer vergeblich. Da wurden zwei dem Heiligen Vater sehr ergebene Damen der höchsten Aristokratie beauftragt, irgendwie die Wege zu einer solchen Anleihe zu bahnen.[1] In Paris war dies die Herzogin von Bassano und in Rom die Gräfin Stephanori. Auf der Liste der Geldleute, die diese Damen zu besuchen hatten, stand auf jener der Herzogin James Rothschild und auf der der Gräfin Carl Rothschild, der zu jener Zeit ständig zwischen Frankfurt und Neapel hin und her reiste. Die Gräfin schrieb ihm, er möge zur Be-

[1] Graf Lebzeltern an Metternich. Neapel, 26. VIII. 1831. Wien, Staatsarchiv.

sprechung einer höchst wichtigen finanziellen Angelegenheit nach Rom kommen. Carl ahnte aber, um was es sich handle; er wollte darüber zuerst mit seinem Bruder in Paris sprechen und dann eventuell lieber die ersten Verhandlungen schriftlich führen, um das Terrain zunächst auf Distanz vorzubereiten. Er zögerte daher mit der Abreise nach Rom. Der österreichische Gesandte in Neapel, Graf Lebzeltern, der mit Carl Rothschild in stetem persönlichen Kontakt stand, berichtete darüber nach Wien, daß der Papst sich offenbar in großen Geldnöten befände und Carl Rothschild kein allzu lebhaftes Verlangen danach trage, dem Papste Geld zu leihen. Der Bankier hatte sich infolgedessen einen Umweg ausgedacht, auf dem das Geschäft doch gemacht werden konnte, als Gläubiger aber statt dem Kirchenstaate das sicherere Neapel figurieren würde. Das Königreich beider Sizilien wollte nämlich schon seit langem die dem Kirchenstaat gehörigen Fürstentümer Benevent und Ponte Corvo an sich ziehen. Carl Rothschild schlug vor, Neapel solle diese dem Papst abkaufen, und er werde dem neapolitanischen Staat den Kaufpreis vorstrecken.

Der Heilige Vater erklärte sich aber damit nicht einverstanden, da er keinen Teil des Gebietes des Patrimonium Petri abtreten könne, ohne seine Eide zu verletzen. Es folgten lebhafte Unterhandlungen zwischen Carl Rothschild, Neapel und dem Kirchenstaat. Leicht ließ sich aber erkennen, daß Carl Rothschild Zeit gewinnen wollte bis zu günstigerer außenpolitischer Konstellation in Europa und dem Eintritt allgemeiner Beruhigung. „Er bezeigt“, meinte Graf Lebzeltern[1], „wenig Lust, ein so bedeutendes und in damaligen Zeiten riskantes Geschäft lediglich auf Rechnung seines Hauses zu übernehmen.“ Metternich hörte diese Nachrichten mit Besorgnis. Ihm war ganz besonders daran gelegen, dem

[1] Graf Lebzeltern an Metternich. Neapel, 23. IX. 1831. Wien, Staatsarchiv.

Papste die Mittel zu verschaffen, um in seinen aufrührerischen Provinzen das wiederherzustellen, was Metternich Autorität, Ordnung und Ruhe nannte. Der Kanzler entschloß sich daher zu persönlicher Intervention, lud Salomon zu sich und legte ihm dar, welchen Wert Österreich auf den Abschluß dieses päpstlichen Anlehens lege. Metternich bat den Bankier, auf seine Brüder und besonders auf jenen in Neapel einzuwirken, damit sie zum Gelingen der Sache nach Möglichkeit beitrügen. Überdies wies er den Grafen Apponyi in Paris an, bei James den gleichen Schritt zu tun. Dieser verhandelte gerade mit dem nach Paris gereisten, römischen Bankier Torlonia, der sich zur Übernahme einer Hälfte erbötig machte, da das Haus Rothschild nicht die gesamte Anleihe allein begeben wollte. Apponyi begab sich zu den beiden Bankiers und intervenierte im Sinne Metternichs. So kam es endlich dazu, daß der Papst seine Anleihe von beiden Bankiers gemeinsam erhielt.

Erfreut meldete James diese Tatsache Apponyi. „Wir waren“, schrieb er[1], „von Anfang an eifrig bestrebt (empressés), unsere Namen an die Begründung des Kredits des römischen Staates im Auslande zu knüpfen, und das Fürwort Euer Exzellenz und die Kundgebung des Interesses des österreichischen Staates an diesem Abschluß hat nur gewaltig dazu beitragen können, daß wir uns mit heißem Eifer der Angelegenheit widmeten (embrassions chaudement cette affaire). Wir sind glücklich, daß es uns gelungen ist, die Sache zu regeln, und wir beglückwünschen uns doppelt, weil wir gleichzeitig die Absichten der Regierung Seiner Heiligkeit und die Wünsche der österreichischen Regierung erfüllen.“

Trotzdem war James ziemlich mißtrauisch. Er fürchtete, der Kirchenstaat werde die Verpflichtung der Verzinsung nicht pünktlich erfüllen, und mahnte Österreich, einen dahingehenden Druck auf die päpstliche Regierung auszuüben.

---

[1] James Rothschild an Graf Apponyi. Paris, 1. XII. 1831. Wien, Staatsarchiv.

„Indem wir diese Anleihe übernahmen und eine so wichtige Verantwortung gegenüber dem Publikum auf uns luden, das unsere Namen in dieses Geschäft hineinziehen wird, mußten wir damit rechnen, daß der Heilige Stuhl sich der Tragweite der übernommenen Verpflichtungen und der Tatsache bewußt ist, wie sehr sein Kredit von einer strengen und pünktlichen Durchführung abhängt. Es gäbe keinen möglichen Kredit mehr für ihn, keine Hilfsquellen mehr aus dem Auslande, wenn jemals von der Durchführung dieser Verpflichtungen im geringsten abgewichen würde oder der kleinste Verzug einträte."

Diese Besorgnisse waren James durch Gerüchte eingegeben worden, der päpstliche Staat habe für frühere Anlehen die Zinsenzahlungen zeitweilig eingestellt. James betonte, die pünktliche Bezahlung jeder Schuld sei der Nerv des Kredits und ermögliche einzig und allein, bei Bedarf neues Geld zu bekommen. Neuerdings benutzte dies James, um auf die Lage seiner jüdischen Religionsgenossen in den römischen Staaten hinzuweisen, deren Verbesserung er als günstige Wirkung der Anleihe erhoffe. Er schloß mit der Versicherung, daß die Art moralischer Garantie, die Österreich seinem Hause für die Gewissenhaftigkeit der päpstlichen Regierung einflößte, ihm auch das Vertrauen gegeben habe, andere Kapitalisten in die Sache hineinzuziehen. Die Taktik, abgeschlossene Geschäfte, die ja doch meist schönen Gewinn für das Haus brachten, als politische Gefälligkeit darzustellen, für die ihm der Dank der beteiligten Staaten gebühre, wurde auch in diesem Falle nicht versäumt.

Höchst befriedigt meldete auch Salomon Metternich den erfolgten Abschluß.

„Da Euer Durchlaucht", schrieb er dem Kanzler[1] der Cholera wegen immer noch aus dem bisher davon verschont geblie-

[1] Salomon Rothschild an Metternich. München, 15. IX. 1832. Wien, Staatsarchiv.

benen München, „so vielen Anteil an dem Wohl des römischen Staates an den Tag gelegt haben und sich besonders für das Anlehen zu verwenden geruhten, so wird es mich sehr freuen, wenn dasselbe nach Abschluß einen guten Fortgang haben wird, womit sich das Vertrauen, die Zufriedenheit, die Ruhe und der Friede im römischen Staate befestigen mögen!“

Die Anleihe gab der päpstlichen Regierung die Möglichkeit, eine kleine Armee von einigen tausend Mann zur besseren Sicherung ihrer weltlichen Herrschaft aufzustellen. In der Christenheit aber machte der Vorgang größtes Aufsehen, das sich noch steigerte, als der Papst Gregor XVI. Carl Rothschild am 10. Januar 1832 in Audienz empfing, ihm das Großband und den Stern eines neugestifteten Ordens des heiligen Georg verlieh und sich von ihm statt des Fußes die Hand küssen ließ. Und das alles, ohne daß Rothschild deshalb Christ geworden wäre. Mit höchst maliziösen Bemerkungen verzeichnete Freiherr von Kübeck diese Tatsachen in seinem Tagebuche.[1] Beinahe hätte auch der gefürchtete Witzbold, Kritiker und Journalist, M. G. Saphir, seine scharfe Zunge daran gewetzt. Dieser hatte sich so ziemlich überall, wo er bisher gewesen und geschrieben, in Pest, in Berlin und in München, unmöglich gemacht. Überall hatte seine scharfe, aber treffende satirische Schreibweise ihm so viel Feinde geschaffen, daß er schließlich eine Stadt nach der anderen nach Prügelskandalen und Unannehmlichkeiten aller Art verlassen mußte und infolgedessen auch bald materiell in Not geriet. Er war ein kleiner, häßlicher Mann, mit eckigen Zügen, auf dem kahlen Kopfe bloß ein Kränzchen brennroten Haares, ein wahres Faunmodell.[2] Daffinger sagte von ihm: „Saphirs Portrait kann ich in den Schnee pissen.“ Er schrieb unendlich leicht, daher auch sehr viel, war dabei höchst eitel und

---

[1] Kübeck, a. a. O. Bd. II, 2. Teil, S. 544. — [2] Castelli, J. F., Memoiren meines Lebens. München, 1914, II, S. 271.

6. Moritz Gottlieb Saphir

verfolgte alle, die ihm nicht wohlwollten, mit größter Schärfe. Besaß er einmal Geld, so warf er es zum Fenster hinaus und veranstaltete glänzende Feste in seiner Wohnung. Rothschild und Sina zahlten ihm vielfach solche Späße und wußten sehr genau, warum, denn es war viel sicherer, Saphir zum „teuren" Freunde als zum wohlfeilen Feind zu haben. Mit der Zeit wurde jedoch dieser ständige Aderlaß lästig, und Salomon Rothschild sann darüber nach, wie man den ewig in Geldnöten befindlichen Mann zwar versorgen, ihm aber gleichzeitig auch einen Maulkorb umhängen könnte. Dabei kam er auf den Gedanken, Saphir, den revolutionären Spötter, für die Zwecke Metternichs zu gewinnen, ihn womöglich publizistisch im Sinne des Staatskanzlers arbeiten zu lassen und ihm dafür ein staatliches Gehalt zu verschaffen. Als nun Saphir Rothschild in München zu Ende des Jahres 1831 wieder einmal seine Geldnöte klagte, schlug ihm der Bankier diesen Plan vor und verlangte von ihm sofort eine kategorische Erklärung, daß er sich mit der Vorbedingung einverstanden erkläre, der guten, d. h. der Metternichschen Sache, vorbehaltlos zu dienen. Daraufhin erbat Saphir eine kurze Spanne Bedenkzeit und richtete dann tags darauf einen Brief an Rothschild, in dem seine Stellungnahme klar umrissen war.

„Auf die gestern mit Ihnen gehabte Unterredung", schrieb er[1], „werden Euer Hochwohlgeboren es vielleicht für besser finden, daß ich Ihnen meine Gedanken schriftlich mitteile, da mündlich manches vorkäme, was wie Schmeichelei klänge ... Sie wünschen von mir eine kategorische Erklärung. Darauf habe ich nichts zu sagen als: da Ihr allgemeiner europäischer Ruf als ebenso biederherzig wie rechtlich bekannt ist, so stelle ich diese ganze Angelegenheit und die Regulierung aller Bedingungen mit vollkommenem Vertrauen Ihnen anheim ...

[1] M. G. Saphir an Salomon Rothschild. München, 30. X. 1831. Wien, Staatsarchiv.

Mein literarisches Bestreben ging stets rechtlich dahin, der guten Sache auf das eifervollste zu dienen. Es ist indessen möglich, daß das nicht immer das beste war, was ich dafür hielt ... Es kann mir nur erwünscht sein, wenn mir mehr Spielraum gegeben wird, meinem Vaterlande nach Wunsch und Gefühl zu dienen, und es ist ganz im Einklang mit meiner Empfindung, wenn ich in den Stand gesetzt werde, Rücksichten, die ein Schriftsteller seiner Existenz halber so oft und so vielseitig nehmen muß, fahren zu lassen, um die Waffen des Geistes und des Witzes frei führen zu können, da oft ein Witz und eine Satire noch da fruchten, wo Argumente nicht hinreichen. Dieses wird auch der erste Welt- und Menschenkenner, der scharfsinnige Beobachter der Zeit und des Lebens, der erlauchte Herr, in dessen Namen Sie mir sprechen (Metternich), nicht unwahr finden. Ich bin also bereit, mich dem Interesse der guten Sache mit aller meiner Kraft und mit dem Eifer eines Ehrenmannes ganz zu weihen ... Sie wissen übrigens die Stellung eines Literaten von Ruf selbst zu würdigen, um Ihre Meinung darüber abzugeben, welches Äquivalent seine Dienste billigerweise in Anspruch nehmen können."

Rothschild berichtete das Ergebnis dieser Verhandlungen Metternich, der keineswegs abgeneigt war, den Mann mit der geschickten, witzigen und so oft in Gift und Galle getauchten Feder für seine Zwecke zu gewinnen.

„Euer Durchlaucht", meldete Salomon Rothschild[1], „können aus diesem Manne machen, was Hochdieselben wollen; und nach meiner Ansicht zu urteilen, hat an seinen vergangenen Sünden die Jugend und die eiserne Notwendigkeit, sein Brot zu verdienen, mehr schuld gehabt als böser Wille. Bei der Mitteilung Euer Durchlaucht gnädigen Gesinnungen für ihn wurde er bis zu Tränen gerührt.

---

[1] Salomon Rothschild an Metternich. München, 2. XI. 1831. Wien, Staatsarchiv.

Ich kann nicht umhin, die Bemerkung zu machen, daß es dem Herrn Saphir nicht zu verargen ist, wenn er in seinem Schreiben den Wunsch äußert, das Arrangement auf eine gewisse Dauer geordnet zu sehen, und ich glaube, daß zwei bis drei Jahre hinreichend wären, um einen Versuch mit ihm zu machen, wo man denn ferner sehen könnte, wie er am besten zu verwenden ist. Wenn Euer Durchlaucht ihm jährlich einige tausend Gulden zu bewilligen geruhten, so daß er 500 Gulden K. M. alle Vierteljahre beziehen könnte, da er unbemittelt ist und sein Geschäft manche Ausgabe erfordert, wäre er, glaube ich, eine nicht teure Akquisition, und er würde sich damit befriedigt finden. Sollten Euer Durchlaucht darauf Rücksicht nehmen wollen, so wünschte ich bald Hochdero Entscheidung zu vernehmen, da ich wegen der Cholera nicht berechnen kann, wie lange mein Aufenthalt hier (in München) noch dauern wird.“

Metternich war einverstanden, Saphir in seine Dienste zu nehmen, und schlug vor, ihm zunächst auf ein Probejahr 1500–2000 Gulden zu bieten. Saphir bat nur, daß dies auf drei Jahre geschehe, wofür auch Rothschild mit Erfolg eintrat. So kam Saphir insgeheim, denn die Sache blieb zunächst ein Geheimnis der drei Beteiligten, in österreichische Staatsdienste. Seine Leser freilich waren über den Stimmungsumschwung in den Schriften Saphirs sehr erstaunt. Rothschild dagegen war mit seinem Werke sehr zufrieden. Er hatte ein Dreifaches erreicht: zunächst verschaffte er einem Glaubensgenossen mit gefährlichen Talenten, der ihm überdies ständig in der Tasche lag, eine mehrjährige staatliche Rente, dann konnte er Metternich darauf hinweisen, einen gefürchteten Publizisten für dessen Sache gewonnen zu haben, und endlich hatte er sich selbst gegen etwaige Angriffe von dieser Seite gesichert, da er mit Recht auf Saphirs Dankbarkeit rechnen konnte.

Ungefähr gleichzeitig gelang es Rothschild, Metternich auch persönlich wieder einen großen Dienst zu erweisen. Der Kanzler hatte nämlich im Januar 1831 in dritter Ehe die schöne und lebenslustige Gräfin Melanie Zichy-Ferraris geheiratet, deren Familie infolge ihres großen Aufwandes sehr oft in Verlegenheit war. Kaiser Nikolaus von Rußland, mit den Zichys seit dem Wiener Kongreß bekannt, streckte ihnen 400000 Francs vor, die er nach der Hochzeit Metternichs der Familie schenkte. Trotzdem war ein besonderes Arrangement notwendig geworden, das Rothschild und Eskeles gemeinsam durchführten.[1] Damit gewann Salomon Rothschild die Dankbarkeit der Gemahlin des Kanzlers, die er bei allen Gelegenheiten mit Blumen und Geschenken überschüttete, und sie war es vor allem, die dem Baron in der sonst so exklusiven Wiener Hofgesellschaft eine geradezu einzigartige Stellung schuf.

Der soziale Aufstieg der Rothschild war auch anderwärts sehr fühlbar. Nathan wurde in England von den exklusivsten Lords zu Tische geladen, und James' außergewöhnliche Stellung am Hofe des neuen Königs Louis Philippe wurde durch nichts besser gekennzeichnet als durch die Verleihung des Großkreuzes der Ehrenlegion, deren Ritterkreuz er schon seit 1823 besaß. Große Bälle und Feste, die er den Spitzen der Gesellschaft in seinem herrlichen Palais in Paris gab, halfen diese Stellung befestigen. Bei einer solchen Gelegenheit geschah einmal ein unangenehmer Zwischenfall, der James Rothschild unschuldigerweise in Gegensatz zum Thronerben, dem Herzog von Orléans, brachte. Während sich nämlich mit Hilfe Englands das neuerrungene Königtum Louis Philippes außenpolitisch allmählich befestigte, war dies in der hohen Gesellschaft von Paris, wo der legitimistische Adel eine große Rolle spielte, keineswegs der Fall. Es gab, wie Baron Hügel, ein Vertrauter Metternichs, aus Paris

[1] Aus den Tagebüchern des Grafen Prokesch von Osten. Wien, 1909, S. 103.

meldete, eine Art Opposition der Salons. Die dem vertriebenen König treu gebliebenen Familien beschränkten sich aber nicht auf den gesellschaftlichen Widerstand. Sie standen mit ihren Verwandten, die zugleich mit Karl X. das Land verlassen hatten, in geheimer Verbindung. Diese Emigranten intrigierten in aller Welt, um insbesondere die Ostmächte zum kriegerischen Eingreifen gegen Louis Philippe zu bewegen und Karl X. wieder auf den Thron zu setzen.
Die Legitimisten in Paris begleiteten jene Leute, die um den neuen König und den Kronprinzen herumschwärmten, um eine möglichst gute Stellung zu ergattern, mit hämischen Bemerkungen, und das oppositionelle Blatt „La Mode“ veröffentlichte ein Schlüsseldrama: „De la comédie de la cour des oiseaux“, in welchem alle diese Glücksritter unter dem Deckmantel eines Hühnerhofes und seiner gefiederten Bewohner, um den „grand poulot“ genannten Herzog von Orléans geschart, auftraten. Seit dieser Zeit blieb dem Thronfolger der Spitzname „grand poulot“. Bei einem improvisierten Feste im Hause James Rothschilds war auch der Herzog von Orléans anwesend. Dies gab einem jungen Herrn von Blancmenil, dem Sohn eines eifrigen Legitimisten, der aus diesem Grunde nicht zu Hof ging, Anlaß, ziemlich laut, so daß es der Herzog hätte hören können, zu einem Gleichgesinnten zu sagen: „Ah sieh, da ist ja sogar grand poulot!“ In dieser sonst harmlosen Bemerkung lag natürlich eine Anspielung auf die innige Verbindung des neuen Königshauses mit dem jüdischen Bankier. Die Bemerkung wurde auch von Anhängern des neuen Regimes gehört, und einer von ihnen trat für den Prinzen ein. Es folgte eine erregte Auseinandersetzung, deren Grund der anwesende Herzog von Orléans natürlich gleich erfuhr. Daraufhin begaben sich zwei seiner Adjutanten zu den jungen Leuten, um Aufklärung zu fordern. Diese versicherten, sie hätten den Herzog weder beleidigen wollen noch geglaubt, daß er die Bemerkung hören

könne, und die Angelegenheit war somit beigelegt.[1] Aber von diesem Tage an mied der Thronfolger das Haus James Rothschilds, trotz dessen eifrigster Bemühungen und zahlloser Einladungen.

Inzwischen hielt die Besorgnis wegen der noch lange nicht endgültig gelösten belgischen Frage an. Noch war die Unabhängigkeit dieses Staates nicht anerkannt und die Furcht nicht ganz geschwunden, daß sich am Ende doch noch kriegerische Verwicklungen daraus ergeben könnten. Salomon Rothschild weilte zwar der Cholera wegen immer noch fern von Wien, ließ aber die Geschäfte seines Hauses durch seinen Vertrauten, Leopold von Wertheimstein, weiterführen. Österreich hatte seither wieder eine Anleihe von 50 Millionen Gulden aufgenommen, an der sich das Wiener Haus Rothschild beteiligte. Salomon wollte nun von München über Frankfurt nach Paris fahren, um sich dort über die allgemeine Lage und die Unternehmungen seines Hauses zu unterrichten. Er hätte gerne seinem Bruder eine beruhigende Nachricht nach Paris mitgebracht. Darum wandte er sich von Frankfurt aus an Metternich[2]:

„Höchstdieselben wissen, daß wir bei der jüngsten Anleihe den vierten Teil der 50 Millionen übernommen, überdies an der Börse noch dazugekauft, um den Kurs der Metalliques zu erhalten, andere bedeutende Finanzoperationen bewerkstelligten und für neue in Unterhandlung sind. Da selbe auf den Gang der politischen Ereignisse den größten Einfluß haben und ich so gerne meinen ältesten Bruder mit ruhigem und heiterem Gemüt zu sehen wünsche, so bitte ich gehorsamst Euer Durchlaucht geruhen, meinem Leopold gütigst Höchstdero Ansichten über die gegenwärtige Lage eröffnen zu wollen und ob wohl das österreichische Kabinett Belgien

[1] Bericht der Baron Hügel an Metternich, 20. I. 1832 und Apponyi an Metternich. Paris, 28. I. 1832. Wien, Staatsarchiv. — [2] Salomon Rothschild an Metternich. Frankfurt, 5. I. 1832. Wien, Staatsarchiv.

anerkennen und die Ratifikation erteilen lassen wird. Als eine ganz besondere Gnade würde ich es übrigens erkennen, wenn Eure Durchlaucht mich mit einigen Worten schriftlich zu beehren die Gewogenheit haben würden. Sie werden uns gewiß allen Trost und Ruhe gewähren. Ich gedenke nun ehestens meine Reise nach Paris anzutreten, schicke indes heute eigens jemanden von unserem Hause dahin, damit wir desto schneller Höchstdero gnädige Mitteilungen erhalten können und wir auch versichert sind, daß das Briefgeheimnis nicht verletzt wird. Ich werde von Paris aus meine ergebensten Berichte Euer Durchlaucht zu unterlegen die Gnade haben und wünsche, sie mögen dem österreichischen Kabinette nützlich werden."

Nathan schrieb inzwischen aus London, die Reformbill werde durchgehen, man hoffe, die Ostmächte würden die Verträge über Belgien ratifizieren, und seines Erachtens würden in drei Monaten alle Staatspapiere besser stehen.[1]

Als Salomon in Paris ankam, konnte er wirklich Gutes berichten. Er mußte sich zwar einer fremden Feder bedienen, da er an einem heftigen Rheumatismus in der Nähe der Augen litt. Das hinderte ihn jedoch nicht, sich in Paris gründlich umzusehen.

„Während meiner Anwesenheit in Paris", schrieb er an Metternich[2], „habe ich mich ernsthaft mit dem Studium der inneren Lage Frankreichs beschäftigt und die freudige Überzeugung erlangt, daß die Regierung jeden Tag an Stärke zunimmt. Die eigentliche Opposition des Landes besteht meiner Ansicht nach nur mehr in einigen Zeitungen, eine Opposition, welche keineswegs zu fürchten ist. Alle ordentlichen Leute schließen sich dem jetzigen Ministerio an und suchen die Ruhe zu erhalten; die früher stattgehabten Volksaufläufe (émeutes)

---

[1] James Rothschild an seine Brüder. Paris, 7. II. 1832. Wien, Staatsarchiv. — [2] Salomon Rothschild an Metternich. Paris, 11. II. 1832. Wien, Staatsarchiv.

sind aus der Mode gekommen, und die Oppositionsblätter werden, wenn sie noch so viel und noch so stark schreiben, dieselben nicht mehr in Gang bringen. In der Deputiertenkammer zeigt sich auch der Geist zum Guten . . . wären nur erst die Ratifikationen der großen Mächte über die belgischen Angelegenheiten eingetroffen, so könnte Herr Périer öffentlich sagen, ich habe den Frieden gewollt und ich beweise, daß ich das angefangene Werk auch vollendet habe; mit einer solchen Sprache würde das Zutrauen, welches man in diesen Mann hat, nur bedeutend zunehmen, und in den Kammern ginge dann alles nach Wunsch.

Die Opposition in der Deputiertenkammer ist und spricht nur noch in dem Oppositionssinne, einesteils, weil die Deputierten fürchten, bei ihrer Zurückkunft in den Departements getadelt zu werden, nicht Oekonomieen genug bewirkt zu haben, und andererseits, weil leider 100 bis 120 Leute darunter sind, welche gar kein Vermögen besitzen, den anderen auch nichts gönnen, daher auf Oekonomieen und Reduktionen dringen . . .

Werden in Hinsicht der belgischen Angelegenheiten die Wünsche der Regierung nicht getäuscht, so können in zwei bis drei Monaten die Kammern auseinander gehen und kann sich alsdann das Ministerio zwölf bis fünfzehn Monate ohne Kammern ruhig zum Vorteil des Innern beschäftigen. Zu gleicher Zeit werden Handel und Geschäfte aller Art zunehmen, und die Regierung wird ebendieselbe Kraft und Stärke gewinnen, welche sie in früheren Jahren hatte; einer solchen fröhlichen Zukunft sehe ich jedoch mit dem Vorbehalte entgegen, daß die baldige Beseitigung aller Streitpunkte zwischen Holland und Belgien keinem Zweifel unterliegt . . . Man ist vertrauensvoll in das jetzige Ministerio; es ist allerdings eine unglückliche Sache, eingestehen zu müssen, daß die Ruhe ganz allein auf einem einzigen Mann beruhen soll, allein dieses wird sich mit der Zeit auch schon geben, wenn erst die nötige Festigkeit erlangt worden; das Beruhigende bei diesem Punkte ist, daß der König dem Herrn Périer von ganzer Seele zugetan ist; Euer Durchlaucht bekannter Scharfblick wird Höchstdieselben bei Durchlesung des Gegenwärtigen unverzüglich über meine Ansichten ein richtiges Urteil fällen lassen, und freuen sollte es mich, wenn ich alles in seinem richtigen Gesichtspunkte betrachtet hätte."

Salomon malte die Verhältnisse absichtlich etwas rosig, denn eben erwog man im französischen Kabinett einen Gegenschlag gegen das damals erfolgte neuerliche Einschreiten der österreichischen Truppen im Kirchenstaat. Die mit Rothschildschem Gelde aufgestellten päpstlichen Söldnerscharen waren nämlich des nach Abzug der österreichischen Truppen aus dem Kirchenstaat hier und dort wieder aufgeflammten Aufstandes nicht Herr geworden, und der Heilige Vater hatte neuerdings den österreichischen Kommandierenden in Italien Grafen Radetzky um Hilfe bitten müssen. Metternich war zwar nicht erfreut, wieder päpstliche Polizei spielen zu müssen, doch am 28. Januar 1832 rückten die Österreicher neuerdings in Bologna ein. Das war ein Schlag für das so friedliebende französische Ministerium Périer. Alle seine Feinde riefen nun wieder: die Ehre Frankreichs sei durch dieses Vorgehen verletzt. Périer war gezwungen, wenigstens der Form wegen, seine Waffen im Kirchenstaate zu zeigen, waren doch alle Erhebungen im Verfolg der Julirevolution im Vertrauen auf das freiheitliebende und freiheitbringende Frankreich vor sich gegangen. Infolgedessen lief ein französisches Geschwader in Ancona ein und landete dort Truppen, die Stadt und Zitadelle besetzten. Metternich verurteilte dieses Vorgehen sehr scharf, aber weder in Paris noch in Wien hatte man ernste Absicht, deswegen einen Krieg zu entfesseln. Die französischen Truppen sollten einfach in Ancona bleiben, bis die österreichischen den Kirchenstaat verlassen hatten. Immerhin war der Funke dem Pulverfaß recht nahe gekommen.

Metternich war jedoch weniger kriegerisch gesinnt als sonst, da er auf Preußen nicht verläßlich rechnen und auch auf das vom eventuellen westlichen Kriegsschauplatz so weit entfernte Rußland nicht mit unbedingter Sicherheit zählen durfte. So hätte Metternich gezwungen sein können, allein Krieg zu führen.

Die Rothschild fürchteten dies noch immer. Salomon und James mühten sich in Paris weiter ab, diese Gefahr möglichst auszuschalten. Sie taten neuerdings alles, um die glimmenden Funken auszutreten, wie dies am besten aus einem langen, geradezu poetischen Ergusse Salomons an Metternich zu erkennen ist, der, wie selten einer, dem Staatskanzler schmeichelte.[1]

„Durchlauchtigster Fürst!

Wie richtig haben Euer Durchlaucht meine Gefühle beurteilt, als Höchstdieselben mich mit Dero verehrtem Schreiben begnädigten und mir darin die frohe Kunde der glücklichen Entbindung Dero durchlauchtigsten Frau Gemahlin anzeigten. Niemand konnte wohl an diesem so freudigen Ereignis einen wärmeren Anteil nehmen als ich, der so oft Zeuge des häuslichen Glückes Euer Durchlaucht war und in diesem teuren Kinde die Befestigung so zärtlicher und glücklicher Bande sieht.

Möge diese liebe Prinzessin zum Ebenbilde der holden Fürstin heranwachsen und Euer Durchlaucht die herben Stunden der Politik versüßen; mögen Höchstdieselben noch eine unzählige Reihe von Jahren im Besitz der liebenswürdigsten Gattin und der hoffnungsvollsten Kinder alle Dero Wünsche mit Erfolg gekrönt sehen!

Euer Durchlaucht kennen meinen treuen Sinn und meine nicht zu vergrößernde Anhänglichkeit an Höchstdieselben zu

[1] Salomon Rothschild an Metternich. Paris, 26. III. 1832. Wien, Staatsarchiv.

gut, um nicht in dem Ausdruck dieser Gefühle, die eines ergebenen Herzens zu finden und einen Augenblick an der Aufrichtigkeit derselben zu zweifeln.
Gerne hätte ich mir schon längst die hohe Ehre gegeben, an Euer Durchlaucht von hier aus einige Zeilen zu richten, litte ich nicht leider soviel an meinen Augen und müßte ich nicht deshalb auf meine angenehmsten Beschäftigungen verzichten. Mit gerechtem Stolze zähle ich darunter die, mich mit Euer Durchlaucht schriftlich unterhalten zu dürfen, denn wenn man, wie ich, so lange und so oft das Glück hatte, in der Nähe des klügsten und liebenswürdigsten Staatsmannes zu leben, wenn man, wie ich, imstande war, die väterlichen und weisen Absichten Euer Durchlaucht zu würdigen, so ist es wohl eine große Entbehrung, diesem täglichen Genusse entsagen zu müssen, und nur ein schriftlicher Verkehr, den mir Höchstdieselben so gnädiglich bewilligt haben, kann mich einigermaßen dafür schadlos halten.
Die Politik geht hier noch immer denselben Gang fort, Périer hat, wie Euer Durchlaucht so richtig bemerkt haben, einen großen Fehler mit Ancona begangen; es war weniger Mangel an Ehrlichkeit als an Kraft; er glaubte, der Opposition schmeicheln zu müssen und durch diesen Schritt einen Teil davon für sich zu gewinnen, hat aber, wie es mit dergleichen halben Maßregeln immer geht, dadurch bei den einen nicht gewonnen und bei den anderen Gutgesinnten eher etwas verloren; seine Absichten sind aber ehrlich, und er denkt nur an die Erhaltung des Friedens, welcher ja mit seiner Selbsterhaltung so enge verbunden ist.
Er hofft, daß Euer Durchlaucht ihn wie früher in dieser schweren Aufgabe freundlich und kräftig unterstützen werden. Sie haben jetzt eine schöne Stelle, mein Fürst, eine Stelle, die ganz Ihres edlen Charakters, Ihrer väterlichen Gesinnungen würdig ist, denn nur durch Dero hohe Einsicht kann ferner, wie wir es bis jetzt auch nur Euer Durch-

laucht zu verdanken haben, das Gleichgewicht Europas erhalten bleiben.

Beharren Sie daher in Ihren friedlichen Gesinnungen, mein Fürst, und lassen sich Euer Durchlaucht nicht durch einen Fehler Périers . . . in Dero bis jetzt so schönen und edlen Verfahren irreleiten. Euer Durchlaucht allein ist es gegeben, den alles verheerenden Krieg aufzuhalten und die wohltätige Hand des Friedens über ganz Europa auszubreiten. Erfüllen Sie weiter diese schöne Mission, denn in Ihren Händen liegt das Schicksal der Welt! Sie glauben mich keiner unwürdigen Schmeichelei wohl fähig, mein Fürst, und können in meinem Ausspruche den eines ehrlichen und in den Geschäften ergrauten Mannes sehen. Sie sind der einzige fähige Staatsmann unserer Epoche. Leiten Sie daher viel mehr Périer, unterstützen Sie ihn durch Ihre Einsicht und Erfahrung; Sie kennen zu gut die Macht der Überlegenheit. Périer hat hier wirklich einen harten Stand; es ist schwer für einen Minister, dieser Ausgelassenheit der Presse zu widerstehen, durch sie seine geheimsten Pläne, bevor sie zur Reife gelangt sind, an den Tag gelegt und durch ihren giftigen Stachel die wohlgesinntesten Maßregeln angegriffen zu sehen; doch trösten wir uns mit der Hoffnung, daß aus diesem Unfuge selbst die Erlösung dieser Plage entstehen soll und daß sie sich selbst ihr Grab graben wird, denn schon hat sie ihren Einfluß auf den edleren Teil der Nation verloren . . .

Ich habe mir die Freiheit genommen, einige Kleinigkeiten, welche man hier im Lande der Mode und Frivolität mit so vielem Geschmacke macht, für die gnädige Frau Fürstin und Dero liebe Prinzessin als einen kleinen Beweis meiner herzlichen Gefühle verfertigen zu lassen. Dürfte ich bei Euer Durchlaucht die Bitte wagen, mein gnädiger Fürsprecher zu sein; durch Ihre hohe und gütige Vermittlung unterstützt, kann ich gewiß auf Verzeihung für meine Freiheit bei der durchlauchtigsten Frau Fürstin hoffen."

Salomons Aufenthalt in Paris wurde in der Folge durch das Schreckgespenst der Cholera empfindlich gestört. Schon war er ihretwegen aus Wien nach München geflüchtet, und nun holte ihn die unheimliche Krankheit in Paris wieder ein. In den ersten Apriltagen des Jahres 1832 wurden in der französischen Hauptstadt etwa 30000 Menschen von der Cholera ergriffen, von denen fast die Hälfte der Krankheit zum Opfer fiel. Die der Regierung und dem König feindlichen Elemente nützten die darob entstandene Erregung, um neuerdings Unruhe zu verbreiten. In der Nacht klebte man Plakate an alle Straßenecken, und anderen Tages lasen die erstaunten Pariser[1] folgenden Anschlag:

„Mittel gegen die Cholerakrankheit:

Nehmen Sie 300 Köpfe von Mitgliedern der Pairs-Kammer, 150 solche von Deputierten, die man Ihnen bezeichnen wird, besonders jene von Casimir Périer, Sebastiani, d'Argout, von Louis Philippe und seinem Sohn und lassen Sie sie über den Platz der Revolution rollen, dann wird die Luft Frankreichs gereinigt sein. Ein Juli-Kämpfer."

Die königliche Familie und das Ministerium zeigten jedoch bei dieser Gelegenheit heroische Tapferkeit. Der Herzog von Orléans und der Ministerpräsident schraken sogar nicht davor zurück, die Cholerakranken im Spital zu besuchen. Dies sollte Périer zum Verhängnis werden; denn wenige Tage nach diesem Besuch im Hospital wurde er von der Krankheit ergriffen und dahingerafft. James und Salomon Rothschild waren durch diese Nachricht nicht nur menschlich, sondern auch in ihren politischen und finanziellen Kombinationen aufs tiefste getroffen; neuerlich ergriff die Brüder Schrecken vor der furchtbaren Seuche. Salomon fand in einem Landhause seines Bruders in der Nähe von Paris Zuflucht, aber

[1] Apponyi an Metternich. Lettre particulière, 3. IV. 1832. Wien, Staatsarchiv.

seine politische Tätigkeit und seine Berichterstattung an Metternich litten doch bedenklich unter diesen Verhältnissen.
Während Salomon und James der durch Périers Tod eingetretenen neuen Lage Rechnung trugen, machte Nathan in England ebenfalls eine innerpolitische Sturmzeit mit. Es stand dort seit dem März des Jahres 1832 die Reform-Bill im Mittelpunkt des Interesses, die den Wählerkreis für das Parlament sehr erweitern und uralte Mißbräuche beseitigen sollte. Lord Grey wollte sie gegen den erbitterten Widerstand des Oberhauses durchbringen. Dies konnte nur durch einen neuen Pairs-Schub geschehen, den der König jedoch verweigerte, worauf der Ministerpräsident am 9. Mai zurücktrat. Jetzt kam der der Reform abgeneigte konservative Herzog von Wellington für das neue Ministerium in Betracht, obwohl das Land jene mit leidenschaftlicher Sehnsucht erwartete. In diesen kritischen Tagen sehen wir Nathan Rothschild wieder hervortreten. Am 12. Mai 1832, als die Wellingtonsche Kandidatur im Brennpunkte des Interesses stand, begab er sich zu einem Freunde des Herzogs, den Mr. Arbuthnot, und schüttete ihm sein Herz aus. Nathan befürchtete nämlich, daß nach dem Sturze des liberalen, reformfreundlichen Ministeriums Grey, das in der Außenpolitik immer Hand in Hand mit Frankreich und gegen die Ostmächte aufgetreten war, ein neues konservatives Ministerium Wellington mit den letzteren halten und ihnen etwa freie Hand gegen Frankreich geben würde. Damit wäre der so gefürchtete Festlandskrieg entfesselt gewesen. Nathan bot darum alles auf, Mr. Arbuthnot zu überzeugen und ihn zu veranlassen, sich im Sinne des Friedens bei Wellington zu verwenden.[1]
„Mein lieber Herzog," schrieb Arbuthnot an Wellington, „Rothschild war eben bei mir. Er kam, um mir zu sagen, daß, wenn Sie im Augenblick, wo Sie vor das Parlament treten, erklären, daß, wie immer auch Ihre persönliche Meinung über

[1] Dispatches etc. of Wellington, a. a. O. VIII/308. London 1867.

die Reform sei, Sie entschlossen wären, die so hochgespannten Erwartungen nicht zu enttäuschen und alles mögliche zu tun, um den Frieden der Welt zu erhalten, Sie so alle Ihre Schwierigkeiten überwinden werden. Er sagte mir, die Geldleute seien sehr beunruhigt, weil sie glauben, daß es Unruhen hervorrufen müsse, wenn jener Reform Widerstand geleistet werde; er fügte hinzu, daß die ausländischen Gesandten — Rothschild nannte besonders Talleyrand, Wessenberg und Bülow —, in großer Angst seien, daß der König von Holland nun in der belgischen Angelegenheit von der neuen (englischen) Regierung eine solche Unterstützung werde erwarten können, daß sie den Krieg herbeiführen würde. Er versicherte mir, daß die öffentliche Meinung dahin gehe, er (der Herzog) werde alle seine Schwierigkeiten überwinden, wenn die Leute, wie oben vorgeschlagen, beruhigt würden und er, die Zügel einmal in der Hand, auch entschlossen wäre, sie wohl zu führen. Rothschild sagte, er bleibe fest dabei, die Papiere so hoch als möglich zu halten, und hoffe zuversichtlich, damit auch Erfolg zu haben."

Das Ganze war jedoch ein falscher Alarm, und Nathans Intervention wurde unnötig; denn der Name Wellington bedeutete den Massen Sturz des Reformgedankens, und das entfesselte einen Sturm im ganzen Lande, der bald jede Möglichkeit eines Ministeriums Wellington ausschloß. König Wilhelm IV. mußte die Erbitterung seines Volkes persönlich kosten, als sein Wagen in den Straßen der Hauptstadt mit Kot beworfen wurde; wenn auch widerwillig, mußte er sich dem Volkswillen fügen und das Ministerium Grey wieder ins Amt rufen, womit auch die Reform-Bill gesichert war. Mit dem Verbleiben des Ministeriums schwand aber auch die Furcht hinsichtlich einer Änderung im Kurse der auswärtigen Politik Englands und der drohenden Gefahr eines Krieges. Nathan konnte sich beruhigt seinen Geschäften wieder zuwenden; in entscheidender Stunde hatte er wie immer auf seinem Posten gestanden.

Am 4. Juli wurde die Reform-Bill im englischen Parlament endgültig angenommen, was überall in der Welt tiefsten Eindruck machte. Auch in Österreich hatte man die Wechselfälle der westlichen Politik gespannt verfolgt, und Metternich empfand die Annahme der Reform-Bill ganz im Gegensatz zu den Rothschild geradezu als eine persönliche Niederlage. Doch die inneren Sorgen lenkten ihn bald davon wieder ab, vor allem die ewigen finanziellen Verlegenheiten des Staates. Kaum hatte man die letzte Metalliques, d. h. in klingendem Metall verzinsliche Anleihe von 50 Millionen begeben, so dachte man auch schon an eine neue. Metternich vermißte Salomon Rothschild schmerzlich; mit Leopold von Wertheimstein, der ihn vertrat, konnte man doch nicht so vertraulich über Politik und Finanzen sprechen, wie mit dem anhänglichen, gewiegten und erfahrenen Salomon. Wertheimstein berichtete seinem Herrn die Vorgänge in Wien getreulich nach Paris. Er meldete Salomon, daß Sina und Geymüller in letzter Zeit bedenklich viele Metalliques verkauften, so daß er für deren Kurs allmählich fürchten müsse und auch an Verkauf denke. Sodann berichtete er auch über die Metternichschen Wünsche wegen einer neuen solchen Anleihe.

Salomon antwortete ihm sehr ausführlich. Seine Worte klangen wie eine ernste Mahnung an die führenden Staatsmänner Österreichs, ja geradezu wie eine Zurechtweisung:

„Daß Sina und Geymüller“, schrieb er, „täglich realisieren, ist mir gleichgültig. Es ist besser, diese Herren realisieren jetzt, wo wir noch im Monate Juni sind, wodurch die Metalliques mehr und mehr in feste Hände kommen . . . Was mir aber nicht gleichgültig, das ist, wenn Gott bewahre Österreich im Jahre 1832 ein neues Metalliques-Anlehen machen wollte. Sie wissen, daß wir mit dem, was wir in Frankfurt, Paris, London und Wien – das heißt unsere Häuser zusammen, die doch nur ein Haus machen — an Metalliques zugekauft

7. Saal der Börse in Frankfurt

haben, viele Millionen davon besitzen und halten; auf zwei Pferden zugleich läßt sich jedoch nicht reiten. Wäre also unser Haus genötigt, zu realisieren ... welcher Kurs wäre oder ist dann zu erwarten? ... Wir müßten, wenn wir auch nicht wollten, unsere Metalliques realisieren, nach dem Sprichworte: Wo ein Brauhaus steht, kann kein Bankhaus stehen. Und was sollen die Kapitalisten und die handelnde Welt sagen? In einem Jahre zwei Metalliques-Anleihen, wo die Zahlungen der ersten erst im Dezember endigen. Metalliques könnten dadurch sehr fallen. Das Gouvernement könnte zu einem niedrigen Kurse keine Anleihen machen. Der Kredit unserer österreichischen Finanzen wäre geschlagen und dabei der Zweck verfehlt ...

Ferner, was würde – bei einer neuen Anleihe – das Publikum sagen? ‚Es gibt Krieg, es muß Krieg geben, Österreich macht wieder eine Anleihe.' Wenn wir auch nicht genötigt wären zu verkaufen, wie wirs ja doch sind, würden die Kurse dennoch sehr fallen und der Kredit unseres Österreich sehr herunterkommen.

Ich beauftrage Sie, liebe Herren, den ganzen Inhalt meines Heutigen dem Fürsten von Metternich und dem Grafen Kolowrat vorzulegen, da es meine Pflicht ist, meine Meinung und Überzeugung mitzuteilen, wie es gehen würde, wenn man auch nur einen Hauch von einer Meinung fallen ließe, jetzt in diesem Jahre noch eine Anleihe machen zu wollen ... Überhaupt sagen Sie dem Fürsten von Metternich in meinem Namen, daß das hiesige Gouvernement alles mögliche anwendet, um den Frieden zu erhalten und die Propaganda auszurotten. Durch die jetzigen Vorfallenheiten hat das Gouvernement mehr Kraft erhalten, nur müßten die europäischen Mächte suchen, ihm diese Kraft zu verstärken ... Was tun nun die Oppositionszeitungen; durch die wenigen Truppen, welche wegen der Unruhen in der Schweiz nach Tirol geschickt wurden, predigen sie tagtäglich in ihren Blättern den

Krieg zwischen Österreich und Frankreich, woran auch die Allgemeine und Augsburger Zeitung viel Schuld haben. Der Fürst Metternich muß wieder einmal die Augsburger Zeitung ein bißchen elektrisieren und einen Gegenartikel im Beobachter setzen lassen ... Die hiesige österreichische Ambassade wird Bericht geben von der gestrigen Revue. Sie war eine Festfeier für Paris, diese Revue, die Einigkeit der Nationalgarde mit den Linientruppen, der gute Empfang, den der König von der Population, der Garde nationale und den Linientruppen gehabt, ist unbeschreiblich, und wir wären heute ordentlich (an der Börse) gestiegen, wenn nicht mehrere Zeitungen über den Krieg mit uns Österreichern so positiv schrieben."[1]

Salomons Warnung wurde tatsächlich beherzigt; im Jahre 1832 wurde keine zweite Metalliques-Anleihe begeben und erst im folgenden Jahre wieder eine solche bei den vier Bankhäusern aufgenommen.

Die beiden Sekretäre Wertheimstein und Goldschmidt, an welche diese Briefe Salomons gerichtet waren, hatten einen schweren Stand. Bekanntlich mußten alle fremden Juden in Wien um die Toleranz einkommen und sie von drei zu drei Jahren erneuern. Nur die Rothschild hatten das Privilegium, nicht nur nicht um Toleranz ansuchen zu müssen, sondern auch auf der Liste der tolerierten Juden überhaupt nicht zu figurieren. Anfangs hatte man auch bei Goldschmidt ein Auge zugedrückt und ihn anstandslos bei Salomon Rothschild belassen. Als dieser aber längere Zeit fern weilte, begann sich die Behörde mit Goldschmidts Person zu befassen. Daraufhin brachte Salomon ein Majestätsgesuch um Wiener Toleranz für seinen Sekretär ein und begleitete dieses mit einer warmen Bitte um Fürsprache an Metternich.

[1] Salomon Rothschild an Leopold von Wertheimstein. Paris, Juni 1832; kein näheres Datum. Wien, Staatsarchiv.

„Inwieferne“, hieß es in diesem Schreiben[1], „Goldschmidt der Gnade Seiner Majestät würdig ist, sind Euer Durchlaucht selbst imstande, gütig zu beurteilen, da er Hochdemselben seit einer Reihe von Jahren bekannt ist und ich ihm hinsichtlich seiner ausgezeichneten Brauchbarkeit und Treue sowie seines streng moralischen Charakters nur das allerbeste Zeugnis erteilen kann. Ich würde es daher als eine mir von Seiner Majestät persönlich zugeteilte Gnade betrachten, wenn Allerhöchstdieselben dem Ansuchen meines Sekretärs gnädig zu willfahren geruhen würden, indem ich öfter in dem Falle bin, von hier mich auf längere Zeit zu entfernen und meinem Bevollmächtigten meine Prokura zu übertragen . . .“
Salomon betonte weiter, Metternich würde sich dadurch einen rechtlichen Mann zu lebenslänglicher Dankbarkeit verpflichten, und der Kanzler führte das Gesuch auch der Bewilligung zu.
Mit dem Tode des französischen Ministerpräsidenten Périer hatte das Haus Rothschild einen Verlust erlitten, der sein politisches Konzept empfindlich störte. Nun sollte es auch in Österreich einen solchen erleiden, der nicht minder empfindlich war.
Am 9. Juni 1832 war Friedrich von Gentz gestorben, ein Mann, dem die Rothschild ein Gutteil ihrer Stellung bei Metternich und damit in Österreich verdankten. Da Gentz käuflich war und von aller Welt, ja auch von fremden Staaten, unbedenklich Geld nahm, so hatten sie bei ihm leichtes Spiel. Metternich wußte das, aber er sah darüber hinweg, da er diesen Meister des Stils, dessen Schriften sich ebenso durch Klarheit der Entwicklung, wie durch begeisterndes Pathos der Rede auszeichneten, nicht entbehren konnte. Je älter Gentz wurde, um so leichtsinniger verschwendete er das Geld. Rothschild wußte genau, welchen Schatz er an Gentz besaß, jenem Manne, der die rechte Hand des Staatskanzlers war,

[1] Salomon Rothschild an Metternich. Wien 25. IV. 1833. Wien, Staatsarchiv.

dem stets alle wichtigen Depeschen zuallererst zukamen. Beim Beginn ihrer Verbindung hatten ihn die Rothschild an Börsengeschäften gewinnen lassen, bald aber hängten sie der Sache nicht einmal dieses Mäntelchen mehr um und übermittelten ihm große Summen, bis sie ihn zum förmlichen Agenten ihres Hauses mit 10000 Gulden jährlichem Gehalt bestellten.[1] Dafür mußte er ihnen nicht nur regelmäßige politische Berichte senden, wenn Salomon fern von Wien weilte, sondern er verfaßte auch wiederholt ganze politische Memoires, die dann bei den fünf Brüdern umliefen. Es war klar, daß er sich zur Abfassung dieser Arbeiten amtlicher und geheimer Informationen bediente; freilich gab er oft auch Nachrichten an die Rothschild weiter, die Metternich in dieser Form verbreitet wissen wollte. Mit den Jahren war die Verbindung Gentz-Rothschild immer intimer geworden, und des Hofrates Tagebuch berichtet in der letzten Zeit seines Lebens fast täglich, er sei bei Rothschild gewesen, habe bei ihm gegessen, glückliche Geschäfte mit ihm abgemacht, in seiner Loge im Theater geweilt usw. Die letzten Lebensjahre teilte der alternde Gentz, der noch mit siebenundsechzig Jahren von einer späten flammenden Leidenschaft zur schönen, damals in den ersten Zwanzigern stehenden Tänzerin Fanny Elßler erfaßt war, im Dienste der Staatskanzlei, Rothschilds und der anmutigen Künstlerin. Da war keine Summe Geldes, die er erhielt, groß genug, denn alles, was er halbwegs entbehren konnte, trug er zu Fanny Elßler. Immer wieder stößt man in seinem Tagebuche auf Stellen wie die folgende[2]: „Von 7 bis nach 11 Uhr war ich bei Fanny, brachte ihr sehr namhafte Geschenke, 100 Dukaten und 400 Friedrich d'ors und genoß mit ihr einen Abend, den ‚alles Gold der Aurengzeben[3]' nicht aufwiegen könnte."

---

[1] Aus den Tagebüchern des Grafen Prokesch von Osten 1830—1834. Wien, 1909, S. 58. — [2] Tagebücher von Friedrich v. Gentz. Wien 1920, a. a. O. S. 204. — [3] Sagenhaft reiches indisches Herrschergeschlecht.

Gentzens stete Geldwünsche wurden schließlich auch einem Rothschild, der immer wieder aushalf und schenkte, zuviel. Er begann mit der Zeit Sicherungen zu nehmen, Bedingungen zu machen und kaufte so Gentz einmal in einem Augenblicke „großer Bedürfnisse und großer Verlegenheiten" sein silbernes Tischservice ab.[1] Gentz war auch wiederholt genötigt, sich seine Bezüge aus der kaiserlichen Staatskasse im voraus von Rothschild vorstrecken zu lassen. Dabei setzte sich Gentz mit einer Art Weltverachtung völlig über Gesetz und Sitte hinweg, und eine Bemerkung des Kaisers Franz über sein Verhältnis mit Fanny machte gar keinen Eindruck mehr auf ihn, weil er sich, wie er sagte, „um des Monarchen Meinung wenig kümmerte".[2] Nichts ist charakteristischer[3] als ein Brief Gentzens an Metternich über einen Vorschuß Rothschilds auf eine erhoffte staatliche Gratifikation.

„Nach Euer Durchlaucht letzter gnädiger Erklärung", hieß es da, „würde ich es gewiß nicht wagen, Sie mit neuen Zudringlichkeiten zu belästigen, wenn meine Not weniger groß und dringend wäre . . . Ich habe nämlich Rothschild gebeten, mir 4500 Gulden als den Betrag der zu Anfang 1829 mir von Seiner Majestät bewilligten Gratifikation bis zu dem Zeitpunkt vorzuschießen, wo es Euer Durchlaucht huldreichen Verwendung gelungen sein möchte, mir für das laufende Jahr eine ähnliche auszuwirken. Er hat meine Bitte weder unmittelbar zugestanden noch abgelehnt und zu erkennen gegeben, daß er sich nur unter Euer Durchlaucht Beistimmung darauf einlassen könnte, und zu dem Ende verlangt, daß ich sie ihm schriftlich vortragen möchte. Er hat demnach vermutlich die Absicht, Ihnen meinen Brief mitzuteilen, und ein einziges Wort von Euer Durchlaucht kann jetzt über den Erfolg eines Schrittes entscheiden, den ich in der äußersten Be-

---

[1] Friedrich von Gentz' Tagebücher, 30. Dezember 1830, a. a. O. S. 247. — [2] Ebenda. — [3] Briefe von und an Friedrich von Gentz. München-Berlin, 2. Teil des III. Bandes. 1909, S. 340.

drängnis getan habe und dessen Mißlingen mir meine letzte Hoffnung rauben würde.“

Gentz gab zu, daß zwischen seinen bitteren Klagen und seiner Lebensweise ein scheinbar auffallender Widerspruch herrsche. Man könnte daraus schließen, er sei in einem unverzeihlichen Grad leichtsinnig oder habe weniger zu leiden, als er vorgebe. Gentz versicherte, die helle Seite seiner Existenz sei nur ein planmäßiger Versuch, seinen inneren Gram zu betäuben und vor anderen zu verbergen, wie schlecht es um ihn stehe.

Gentz bat den Fürsten dringend, ihm in seiner Verlegenheit die hilfreiche Hand nicht zu versagen. „Ich füge nur noch eine Bitte hinzu,“ schrieb er, „die nämlich, gegen Rothschild nicht merken zu lassen, daß ich Euer Durchlaucht auf seine Anfrage vorbereitet hatte. Es könnte dies sein Zutrauen zu mir vermindern, und ich will ihm herzlich gern den Ruhm lassen, den glücklichen Erfolg meines und seines Schrittes seiner Einleitung zuzuschreiben.“

Der Brief war in gewissem Sinne ein Abbild Gentzens, des leichtsinnigen Genießers, verschwenderischen Geldausgebers und doch einschmeichelnd sympathischen, hochbegabten Menschen, der, sorglos wie ein Kind, mit seinen achtundsechzig Jahren wie ein Jüngling verliebt, dem mächtigen Staatskanzler und der geriebenen Finanzgröße Rothschild gleicherweise unentbehrlich war.

Nun lag er tot, und damit war den Rothschild ein inniges Bindeglied mit Metternich und der Staatskanzlei, sowie eine unbezahlbare Nachrichtenquelle verloren. Salomon Rothschild sagte später einmal, er habe erst nach Gentzens Tod den ungeheueren Nutzen ermessen können, den dieser ihm und dem Gesamthause Rothschild im Laufe der Jahre gebracht.

Noch waren die belgischen Angelegenheiten indes nicht geregelt; der König von Holland beharrte auf seinem Widerstand und hielt nach wie vor die Zitadelle von Antwerpen besetzt. Da es so zu keiner Lösung kam, mußten England und Frankreich im Jahre 1832 daran denken, gegen das widerspenstige Holland Zwangsmittel zu gebrauchen. Die Ostmächte aber beteiligten sich nicht. Der Zar, der in den belgischen Angelegenheiten den Gegensatz von West und Ost wiederholt schon verschärft hatte, neigte bedenklich zur Unterstützung des Königs von Holland. Die Franzosen schritten endlich militärisch ein und nahmen Antwerpen für Belgien in Besitz, während die Engländer die holländischen Schiffe beschlagnahmten. Es war klar, daß der König von Holland sich auf irgendeine Weise Belgiens wiederbemächtigen wollte. Sein Schwager, der König von Preußen, wünschte zwar nicht gegen ihn zwangsweise vorgehen zu müssen, aber noch weniger seinetwegen in einen unabsehbaren Krieg hineingezogen zu werden. Der Zar kokettierte schon eher mit dem Kriege. Er konnte noch immer nicht vergessen, daß Louis Philippe, der Schutzherr und Schwiegervater des neuen Königs von Belgien, nur von der Revolution Gnaden Herrscher geworden war, und hörte viel auf die Anhänger des im Exil zu Prag weilenden Königs Karl X., die alles aufboten, um in Petersburg zum Kriege zu hetzen. Diese französischen Legitimisten waren naturgemäß die erbittertsten Feinde des Hauses Rothschild, das nach der Julirevolution sofort mit fliegenden Fahnen in das Lager Louis Philippes übergegangen war. Der Herzog von Blacas, der bei seinem König in Prag weilte, erhielt Berichte aus aller Welt über den Stand der legitimistischen Sache; diese Briefschaften wurden von der Metternichschen Polizei sorgfältig kopiert und kamen zur selben Zeit in des Kanzlers Hände wie in die der Adressaten. In diesen Briefen fanden sich oft bittere Worte gegen die Rothschild, die für den Frieden eintraten und ihr Geld in diesem Sinne verwendeten, während doch allein die Entfesselung des Krieges durch die Ostmächte den legitimistischen Zielen der Emigranten helfen konnte. Die englischen Tories und ihre Bankiers, die gleichfalls dieser Sache zuneigten und Rußlands militärisches Einschreiten erhofften, sandten einen der Ihren nach Petersburg, um Rußland zu solchem Zwecke eine Anleihe anzubieten. Dieser Sendling gab gelegentlich seiner Durchreise durch den Haag einem dortigen legitimistischen Vertrauten namens Cordier interessante Aufklärungen über die Haltung der Rothschild in politischen Fragen. Er zeigte, „bis zu welchem Ausmaße sie den revolutionären Einflüssen verfallen seien und wie sehr die Bande, in die sie die Monarchen geschlagen, für diese verderblich wären“.[1]

Der Engländer bezog seine Nachrichten vornehmlich von dem gleichfalls legitimistisch gerichteten und Rothschild sehr feindlichen Pariser Bankier Ouvrard. Ein anderer Emigrant meldete gleichzeitig aus Frankfurt[2], es sei das Anlehen für Rußland mit dem Hause Hope abgeschlossen worden, obwohl England und Frankreich und die ihnen ergebenen Bankiers mit dem Hause Rothschild an der Spitze ihm alle nur denkbaren Hindernisse in den Weg gelegt hätten. Deutlich ließ der Bericht des Emigranten erkennen, worauf die Wünsche dieser Kreise hinausliefen:

„Das Ziel dieser Anleihe“, hieß es dort, „läßt wohl keinen Zweifel über den festen Entschluß des Kaisers Nikolaus, im kommenden Frühjahre den Krieg zu erklären.“

Auch Cordier berichtete von dieser Sechs-Millionen-Pfund-Anleihe[3] und hoffte nun, daß Rußland alles in Gang bringen werde. Wohl sei es bei der Anleihe zunächst dem den zwei revolutionären Regierungen verkauften Rothschild gelungen, die anfänglichen Verhandlungen zu Falle zu bringen und dadurch das Ganze zu verzögern, aber schließlich sei man dieser Intrigen Herr geworden. Cordier behauptete sogar, Roth-

---

[1] Cordier an den Herzog von Blacas in Prag aus dem Haag. 6. VIII. 1833. Interzept, Staatsarchiv. — [2] Baron Keutzinger an den Herzog von Blacas. Frankfurt, 4. I. 1833. Interzept. Wien, Staatsarchiv. — [3] Cordier an den Herzog von Blacas in Prag. Haag, 7. I. 1833. Interzept. Wien, Staatsarchiv.

schild habe „die Unverschämtheit gehabt, ganz offen auf der Londoner Börse zu sagen, er werde die Souveräne schon im Zaume zu halten wissen, die er alle durch seine Kasse in Händen halte“. Endlich hätten sich die legitimistischen Torybankiers gegen ihn verbündet und die Anleihe doch durchgesetzt.

„Diese Koalition“, schrieb Cordier, „dient einem großen politischen Gedanken, dem Wunsche nämlich, den Monarchen genügende Summen zur Verfügung zu stellen, um die revolutionäre Sache zu bekämpfen, der alle Rothschild, geführt von jenem in London und (dem dortigen französischen Botschafter) Talleyrand, dienen.“

Damals weilte der in russischen Diensten stehende General Graf Pozzo in London, der den Botschafter Lieven unterstützte. Nathan verfolgte die Bestrebungen dieser beiden mit größtem Mißtrauen und berichtete darüber in seinem komisch-schlechten Deutsch an seinen Bruder James in Paris[1]:

„Lieber, guter Bruder!

Ich hoffe, Du befindest Dich recht wohl und vergnügt. Wie ich glaubwürdig vernommen habe, ist man mit der Antwort Hollands nicht zufrieden und glaubt, Rußland ist hinter dem König von Holland, Du mußt daher unserem guten Bruder Salomon schreiben, Metternich zu sprechen, daß (er sich) nicht soll uzen lassen von Rußland, um Krieg zu machen, denn Pozzo ist mit dem König und ist nicht gut aufgenommen worden, und er und Lieven intrigieren, um Österreich und Preußen zum Krieg zu machen (gemeint: zu veranlassen). Aus zuverlässiger Quelle versicherte man mich jedoch, Preußen macht keinen Krieg, und man irrt sich sehr stark, denn England und Frankreich vereint vermögen viel. Wir halten Frieden und kein Krieg und Stocks fallen und steigen. Nun schreibe an unseren Salomon, daß Neumann (öster-

[1] Nathan Rothschild an James. London 15. I. 1833. Wien, Staatsarchiv.

reichischer Vertreter in London) ist immer sehr viel mit Pozzo und glaubt, daß unsere Regierung nicht stark ist. Der Mann ist $^7/_8$ irrig, und nun man hat Pozzo nicht gut aufgenommen. Der König hat ihn eingeladen in Brighton, und er saß der Sechste vom König, der König fragte ihn, wie lange er hier bleiben würde. ‚Sechs Wochen', gab er zur Antwort. Und nun weiß man, Rußland wünscht Krieg zu haben und Metternich wird geuzt von den Leuten . . . Der Pozzo und die Leutchen machen sich närrisch und verstehen England nicht, und deshalb bitte den guten Bruder Salomon, Prinz Metternich zu sagen, nicht sich uzen zu lassen von Rußland, der Pozzo ist für hier nichts weiter als Spion, und nun ich bin überzeugt, daß England stärker ist, als es war in Wellingtons Zeiten. Nun lieber Bruder, laß Dich nicht uzen von keinem, wenn England und Frankreich zusammenhalten, hält es schwer, mit ihnen anzufangen, und nun schreibe dies an Bruder Salomon."

Die Rothschild waren wieder auf der richtigen Seite. Die Legitimisten drangen nicht durch, das Geld für Rußland war umsonst gegeben, und es kam nicht zum Kriege, obwohl die belgische Frage nach wir vor ungelöst blieb.

Trotzdem hatte Salomon es verstanden, das Einvernehmen mit Metternich, der im Lager der Gegner der von den westlichen Rothschild vertretenen Weltpolitik stand, aufrechtzuerhalten, was freilich zuweilen recht schwer hielt. Aber das enge Verhältnis blieb ungestört und ermöglichte es Salomon, nach wie vor mit zahllosen Anliegen an den Staatskanzler heranzutreten. Meist betrafen diese Schutz seiner Religionsgenossen in den verschiedensten Ecken der Welt, manchmal aber verstieg er sich auch zu ganz merkwürdigen, ja geradezu komisch anmutenden Bitten.

So z. B. empfahlen James und Salomon einmal dem Staatskanzler einen gewissen Monsieur Roquirol, der eine schöne und zahlreiche Herde von Merinoschafen zum Verkaufe nach

Wien gebracht hatte. Sie baten Metternich, diesem Herrn, soviel er es vermöchte, förderlich zu sein.

„Ich nehme mir", schrieb Salomon[1], „die Freiheit, Eure Durchlaucht gehorsam zu bitten, diesem Manne Hochdero alles vermögende Fürsprache angedeihen zu lassen, wenn, wie es wohl nicht zu bezweifeln ist, sich hiezu in den Salons Euer Durchlaucht, dem Vereine alles dessen, was die Hauptstadt an Glanz bietet, günstige Veranlassung ergibt, denn ich bin überzeugt, daß auf diese Weise allein das Vorhaben des Herrn Roquirol mit gutem Erfolge gekrönt werden wird."

Das war wirklich etwas viel verlangt, und es ist schwer zu ergründen, wie sich Salomon vorstellte, daß Metternich in seinen Salons für den Verkauf von Merinoschafen Propaganda machen sollte.

Indessen hatten sich die Geldverhältnisse in der ganzen Welt so weit gebessert und die Verluste der Rothschildschen Häuser aus der Zeit der Julirevolution so weit ausgeglichen, daß sie daran denken konnten, in Preußen mit Rother zu verhandeln, der von seinem König Vollmacht hatte, nicht nur neue Vorschußgeschäfte abzuschließen, sondern auch jenes wieder aufzunehmen, von dem sie sich seinerzeit in der Verlegenheit hatten entbinden lassen. Nun wurde die 5proz. Staatsanleihe ganz in eine 4proz. konvertiert. Rother war begeistert von dem Entgegenkommen, das er bei den Rothschild fand, weil dies den Kredit der preußischen Seehandlung immer mehr hob. Die Brüder gaben dieser Bank einen Blankokredit und boten Rother an, in vorkommenden Fällen durch dieses Institut 500000 Pfund in London, 1 Million Gulden in Frankfurt, 2–3 Millionen Francs in Paris und 1 bis 2 Millionen Gulden Konventionsgeld in Wien beziehen zu lassen.[2]

---

[1] Salomon Rothschild an Metternich. Wien, 3. V. 1834. Wien, Staatsarchiv. — [2] Rother an König Friedrich Wilhelm III. von Preußen, 30. V. 1832. Preuß. Geheim. Staatsarchiv, Berlin.

Das Hauptverdienst an allen diesen glücklichen Geschäften schrieb Rother Salomon Rothschild zu; und da dieser sich einen preußischen Orden wünschte, so bat er seinen König darum. Am königlichen Hofe nahm man wohl gerne das Geld, wollte aber jüdischen Geschäftsleuten keinen Orden geben. Daher schlug Rother[1], als Beweis des Wohlwollens und der Zufriedenheit mit dem Benehmen Salomons bei dem letzt abgeschlossenen Geschäfte, die Übermittlung einer Porzellanvase mit dem königlichen Bildnis vor.

„Dabei habe ich", schrieb Rother an Finanzminister Grafen von Lottum, „die Überzeugung gewonnen, daß bei der beträchtlichen Teilnahme, mit welcher sämtliche von Rothschildschen Häuser bei der in Rede stehenden Sache interessiert sind und bei den Vorwürfen, welche dem Salomon von Rothschild sein bereitwilliges Entgegenkommen und Eingehen auf meine ersten Vorschläge . . . seit dem . . . nur durch äußere, unvorherzusehende Umstände gestörten Erfolge von den übrigen verbündeten Häusern seither schon zugezogen hat, eine ihm allein dafür bewilligte Auszeichnung nur den Zwiespalt in der Familie vermehrt haben würde, und daß alsdann eine solche ihm selbst die ihm von seiner Königlichen Majestät allergnädigst zugedachte Satisfaktion nicht gewährt haben dürfte."

Auf diese Weise bekamen schließlich Salomon eine Vase im Werte von 426, Nathan in London ein Porzellangeschirr im Werte von 566, Amschel Meyer in Frankfurt Porzellangefäße im Werte von 515 Reichstalern aus der Berliner Königlichen Porzellanmanufaktur.

Alle drei Beschenkten statteten in gesonderten Briefen dem Könige ihren Dank für die „großen Beweise der huldvollsten Gnade", die „herrlichen, ihnen ewig teuren Geschenke", mit denen sie von Seiner Majestät beglückt wurden und die sie

---

[1] Rother an Graf von Lottum, 3. II. 1833. Preuß. Geh. Staatsarchiv. Berlin.

als „wahre Kleinodien“ immerdar in ihrer Familie bewahren würden. Salomon versicherte, er hoffe in Zukunft[1] neue Beweise seines wahren und uneigennützigen Diensteifers an den Tag legen zu können, und Nathan meinte[2], diese herrlichen Geschenke würden für ihn und die Seinigen ein ewiges Denkmal der Huld und Gnade Seiner Königlichen Majestät sein. Auch Rother quittierte diese Auszeichnungen für seine Geschäftsfreunde dankbar und betonte[3] dabei nochmals, daß sie bei ihren Anstrengungen, die Ehre ihrer Firma zu retten, schon einen Verlust von weit mehr denn zwei Millionen Talern hatten nachweisen können.

Wenig später setzte Rother[4] auch noch für den jüngsten Sohn Nathans, der als einziger der Brüder noch keinen Titel besaß, eine Auszeichnung durch.

„Die beiden ältesten Söhne des Baron Nathan Mayer von Rothschild in London,“ schrieb er dem Monarchen[5], „Lionel und Anthony sind Finanzräte und Ritter des Löwenordens des Kurfürsten von Hessen, nur der jüngste, Nathaniel, der sich ebenfalls in seinem Fach auszeichnete und erst kürzlich eine Geschäftsreise nach Konstantinopel zur Zufriedenheit sämtlicher Rothschildscher Häuser gemacht hat, ist zur Zeit noch ohne einen dergleichen Titel. Ich bitte, Nathaniel den Charakter eines geheimen Kommerzienrates allergnädigst verleihen zu wollen.

Die großen Opfer, welche die sämtlichen assoziierten von Rothschildschen Häuser in der letzten Zeit dem finanziellen Interesse Preußens gebracht haben, dürften einen Wunsch entschuldigen, dessen Erfüllung sie als eine besondere Gnade von Eurer Königlichen Majestät ansehen würden.“

---

[1] Salomon Rothschild an König Friedrich Wilhelm, Preuß. Geheim. Staatsarchiv, Berlin. — [2] Nathan Rothschild an den König, 7. V. 1833. Preuß. Geheim. Staatsarchiv, Berlin. — [3] Rother an König Friedrich Wilhelm III. Berlin, 21. I. 1834. Preuß. Geheim. Staatsarchiv. — [4] Rother an König Friedrich Wilhelm III. 2. V. 1834. Preuß. Geheim. Staatsarchiv. — [5] Ebenda 25. V. 1834.

Auch dies geschah nach dem Wunsche Rothers, und damit waren alle Teile zufriedengestellt.
Die Geschäfte der Rothschild dehnten sich immer weiter aus. Nun liehen sie nicht mehr allein den Großmächten, sondern auch kleineren Staaten, wie Griechenland und der Regierung der Ionischen Inseln, freilich unter Garantie Englands und Frankreichs, was eigentlich jedes Risiko ausschloß. Ihr Hauptgebiet blieb aber doch auf die Großstädte Europas beschränkt, unter denen nur Petersburg und Berlin fehlten, während Wien nach wie vor im Osten Europas ihren Hauptstützpunkt darstellte. Hier waren sie mit dem Regime des Kaisers Franz und seinen führenden Staatsmännern zu enge verbunden, als daß ein etwa plötzlich eintretender Personenwechsel für sie nicht zu einer Gefahr hätte werden müssen. Diese Möglichkeit rückte nahe, als der siebenundsechzigjährige Kaiser Franz plötzlich schwer erkrankte. Er hatte noch am 23. Februar 1835 ganz gesund und guter Laune das Theater besucht, wo ein neues Stück „Das Testament einer armen Frau" gegeben wurde. Bei einem Vortrage am folgenden Tage wurde er plötzlich unwohl und mußte sogleich zu Bett gebracht werden. Der Hofarzt konstatierte eine leichte Lungenentzündung, der man aber so wenig Bedeutung beimaß, daß Metternich einen für denselben Abend angesetzten Ball nicht absagte. Doch in der Nacht zum 26. nahmen das Fieber und die Schmerzen zu, und der Kaiser verlangte am Morgen, mit den Sterbesakramenten versehen zu werden. Der Leibarzt meinte, das sei gänzlich unnötig und werde den Kaiser nur unruhig machen, aber dieser bestand auf seinem Wunsch. Um zehn Uhr vormittags notierte der Monarch mit seinem Beichtvater Bischof Wagner mit Bleistift eigenhändig mit Bestimmtheit und Ruhe einiges zu seinem Testamente. Am 27. nahmen das Fieber und die schlechten Anzeichen in den Lungen zu. Man ließ den Kaiser dreimal zur Ader, was Erzherzog Johann zur besorgten Bemerkung veranlaßte, man werde mit dem Ader-

laß den alten Mann zuletzt so schwächen, daß er geradezu dem Tod in die Arme getrieben werde.
Die Brüder des Kaisers drangen auf ein Konsilium, zu dem die berühmtesten Ärzte der Hauptstadt berufen werden sollten. Aber der Leibarzt Baron Stifft wollte davon nichts wissen und wurde endlich geradezu grob. Da der Zustand des Kaisers immer schlechter wurde, verlor nach dem Berichte des Erzherzogs Johann in der Hofburg schließlich alles den Kopf. Als man den Dr. Günther aus dem Spital holen wollte, war kein Wagen zu finden. Der Leiblakai ging selbst zu Fuß hinaus, diesen Arzt zu holen, und brachte ihn ebenso zu Fuß zurück in die Burg, worüber zwei Stunden vergingen. Am 28. wurde der vierte Aderlaß vorgenommen. Metternich war über die Nachrichten aus der Burg zunächst höchst bestürzt, aber nach einer Unterredung mit dem Bischof Wagner gefaßt. Erzherzog Johann verzeichnete diese Haltung Metternichs in seinem Tagebuch und bemerkte, die anfängliche Besorgnis sei darin begründet gewesen, daß Metternich seinen Sturz infolge des Testaments des Kaisers befürchtet habe. Als der Kanzler aber hörte, das Testament sei mit Hilfe des Bischofs Wagner abgefaßt worden und ihm günstig, fand er seine Haltung wieder. Kaiser Franz verschied am 2. März um $^{3}/_{4}$1 Uhr nachts. Er hatte ein Testament hinterlassen, das dem Thronfolger Ferdinand, einem geistig und körperlich zurückgebliebenen Manne, empfahl, die Regierung anzutreten, aber nichts „zu verändern“, in den wichtigsten Angelegenheiten den jüngsten Bruder, Erzherzog Ludwig, zu Rate zu ziehen, endlich – und das war das Wichtigste – auf Metternich, seinen treuesten Diener und Freund, das gleiche Vertrauen zu übertragen, das Kaiser Franz ihm entgegengebracht, und über öffentliche Angelegenheiten, wie über Personen keine Entschlüsse zu fassen, ohne ihn gehört zu haben.[1]

[1] Viktor Bibl, Der Zerfall Österreichs, Kaiser Franz und sein Erbe, Bd. I, S. 385.

Es war interessant, daß gerade der jüngste Bruder als Berater und Stellvertreter des Kaisers Ferdinand, der unfähig war, seine Stellung selbst auszufüllen, empfohlen wurde, wo doch die klugen und hochbegabten älteren Brüder, der Palatin Erzherzog Josef, Erzherzog Johann und der Sieger von Aspern, Erzherzog Karl, noch lebten. Doch der Entwurf zum Testament war nach Metternichs Angabe in dessen Staatskanzlei verfaßt worden und Erzherzog Ludwig darin empfohlen, weil er dem Kanzler zu Willen und noch am leichtesten zu lenken war. Graf Kolowrat, der schärfste Widerpart des Staatskanzlers und der bedeutendste Staatsmann neben ihm, blieb ungenannt und übergangen. Ja, Metternich ließ im Entwurf sogar im letzten Satz andeuten: „Als den Mann, welchen ich meinem Sohn als treuen, seines vollsten Vertrauens würdigen Ratgeber dringend empfehle, bezeichne ich . . .“ Seinen eigenen Namen freilich ließ er aus. Bischof Wagner sollte dafür sorgen, daß der Kaiser dort den Namen Metternich einfüge, wie es auch geschah.

Was bedeutete dies? Bei der Regierungsunfähigkeit des Kaisers, bei der geringen Begabung des Erzherzogs Ludwig und der Ausschaltung aller anderen Erzherzoge und Staatsmänner durch das Testament war dies die Befestigung der Stellung des Kanzlers Metternich.

„Der Kaiser“, schrieb Kübeck am 3. März in sein Tagebuch[1], „ist, wie bekannt, durch Krankheit schwachsinnig, versteht von alledem, was ihm vorgetragen wird, kein Wort und ist immer bereit, zu unterschreiben, was man ihm vorlegt. Wir haben jetzt eine absolute Monarchie ohne Monarchen.“

Für das Haus Rothschild war diese Lage der Dinge, nämlich die Bestätigung der Machtstellung ihres Gönners Metternich bei völliger Bedeutungslosigkeit des Monarchen, das Günstigste, was sie sich wünschen konnten. Die panikartige Baisse, die nach dem Tode des Kaisers an der zunächst über den

[1] Kübeck, a. a. O. II, S. 677.

neuen Kurs unorientierten Börse einsetzte, veranlaßte die Rothschild zu Käufen, denn sie wußten, daß sich in der Regierung des Staates nichts ändern werde und daher für eine Panik kein Grund vorhanden sei. Ihre feste Haltung bot dem Grafen Apponyi Gelegenheit zum Lobe des Hauses Rothschild, das sie eigentlich gar nicht verdienten, denn was sie taten, lag nur in ihrem Interesse.

„Ich muß zugeben,“ meldete der Botschafter aus Paris, „daß die Haltung des Hauses bei dieser Gelegenheit ... nicht wenig dazu beigetragen hat, die öffentliche Meinung in einer Richtlinie des Vertrauens und der Sicherheit zu erhalten und sie vor leerem und unnützem Alarm zu bewahren. Die beiden Brüder Rothschild haben sich beeilt, die erschreckten Gemüter zu beruhigen, indem sie sich erboten, alle österreichischen Effekten, deren sich jemand entledigen wollte, zu den höchsten Tageskursen zu kaufen und der ungeheuere finanzielle Einfluß, den dieses Haus auf den Pariser Platz übt, hat nicht verfehlt, sofort die Angstzustände zu beruhigen, denen einige voreingenommene und ängstliche Gemüter zugänglich waren.“

Diese „patriotische Geste“ fiel den Rothschild nicht schwer, da sie ja von Metternich wußten, daß der Tod des Kaisers zunächst keine nachhaltige Veränderung mit sich bringen werde, die Kurse also sogleich wieder steigen mußten. Und was sie erwarteten, geschah. Die Papiere stiegen, und ihr Weizen blühte mehr denn je.

Denn nun ging im Gegenteil alles noch viel leichter als unter Kaiser Franz, der in vielen Dingen, insbesondere bei neuen Errungenschaften, wie z. B. den Eisenbahnen, zuweilen selbst Metternichs Rat und Wunsch ein starres Nein entgegensetzte.

DRITTES KAPITEL

DIE ROLLE DER ROTHSCHILD BEIM ERSTEN AUFKOMMEN DER EISENBAHNEN IN EUROPA

Die Verwendung der ersten Schienen und damit die Grundlage für die modernen Eisenbahnen geht bereits ins siebzehnte Jahrhundert zurück. Man gebrauchte in Bergwerken, besonders in England, schon damals vielfach Holzschienen, um die mit Kohlen beladenen Wägelchen leichter und schneller an die Oberfläche befördern zu können. Aber erst 1793 kam ein Engländer, Mr. Outram, auf den Gedanken, die Holzschienen durch solche aus Eisen zu ersetzen, worauf die Bahnen nach dem Namen ihres Erfinders Outramways, später kurzweg Tramways genannt wurden.

Man kam bald darauf, daß ein Pferd, wenn es Lasten auf solchen Schienen fortbewegte, eine elfmal größere Leistung aufweisen konnte als auf der normalen Landstraße, und hier und da begann man schon in den zwanziger Jahren des neunzehnten Jahrhunderts insbesondere bei Bergwerken, wo große Lasten bis zum nächsten schiffbaren Wasser zu befördern waren, solche Bahnen zu bauen, auf denen die Waren, von Pferden gezogen, ihren fernen Zielen zurollten.

Seit im Jahre 1807 Fultons Dampfschiff „The Folly" (Die Narrheit) auf dem Hudsonfluß seine erste erfolgreiche Fahrt gemacht, war der Gedanke, die neu erfundene Dampfmaschine zur Fortbewegung von Schiffen zu benutzen, mit Erfolg ausgestaltet worden, und George Stephenson, ursprünglich ein Schmied in einem Bergwerk, kam auf den Gedanken, die bisher nur zur See angewandte Maschine nun auch zur Fortbewegung von Wagen auf dem Festlande zu benutzen. Er installierte die selbstgefertigten ersten Dampfwagen auf seiner Grubenbahn und baute dann im Jahre 1825 mit Hilfe von mehreren weitblickenden Kapitalisten die erste Eisenbahn der Welt, die teilweise mit Lokomotiven betrieben wurde, nämlich jene von Stockton nach Darlington, deren Hauptaufgabe der Transport der Produkte des Durhamer Kohlenfeldes war. Stephenson hatte auf allen Seiten mit den größten Widerständen, mit kleinlichen Sonderinteressen, ja mit Hohn und Spott zu kämpfen. Ein damals als „Eisenbahnsachverständiger" angesehener Mann namens Nicola Wood erklärte wörtlich: „Ich bin weit davon, in der ganzen Welt zu verbreiten, daß die lächerlichen Erwartungen oder, besser gesagt, Prophezeiungen der enthusiastischen Spekulanten zur Wirklichkeit werden könnten und daß wir Dampfwagen mit 12, 16, 18 oder gar 20 Meilen in der Stunde fahren sehen werden. Niemand könnte dem Bau oder dessen allgemeiner Verbesserung mehr schaden als durch Verbreitung solchen Unsinnes."

Aber schon am 27. September 1825, als Stephensons Eisenbahn eröffnet wurde, sah man einen Zug mit etwa achtzig Tonnen Nutzlast, mit zehn bis fünfzehn Meilen Geschwindigkeit dahinfliegen. Zunächst herrschte auf dieser Bahn noch gemischter Betrieb. Man fuhr auch noch mit Pferden und spannte diese stellenweise auf schiefen Ebenen aus. Die Schnelligkeit der Lokomotivzüge wurde dadurch paralysiert, daß ein eigenes Gesetz vorschrieb: fünfzig Schritte vor der Lokomotive müsse ein Postillion reiten, um die Anrainer vor dem herankommenden Ungetüm zu warnen. Aber aller Widersinn konnte den nun einmal von einem genialen Mann verfolgten Fortschritt nicht mehr hemmen. Die für damalige Verhältnisse großen Leistungen der Stockton-Darlington-Bahn wurden allgemein bekannt und führten dazu, daß nicht weniger als achtzehn neue Bahnen geplant und konzessioniert wurden, unter ihnen die Bahn von Liverpool nach Manchester, die man als nächste in Angriff nahm. Auf ihr waren bereits nur noch Lokomotiven Stephensons, der in dem Dampfwagenwettbewerb von Oktober 1829 zu Rainhill mit seiner „Rocket“ (Rakete) den Sieg davon getragen, in Betrieb. Hatte noch jemand zweifeln können, so mußte er nach der am 15. September 1830 erfolgten Eröffnung der Liverpool-Manchester-Bahn, die eine Ära mächtigen Gewinnes für Handel und Industrie der beiden Schwesterstädte und damit auch des Unternehmens selbst einleitete, die Waffen strekken. Nun erkannte man erst allgemein die unabsehbaren Aussichten, die die neue Erfindung eröffnete, und von diesem Jahre datiert die beginnende allgemeine Verbreitung des Eisenbahnwesens über die Welt.

Nathan Rothschild hatte gleich so vielen anderen die Stephensonschen Versuche zwar mit Interesse, aber auch mit Mißtrauen verfolgt. Jedenfalls war er entschlossen, keinen Heller an ein Unternehmen zu wagen, das nicht nur die Allgemeinheit, sondern auch sehr geschätzte und gewiegte Männer für hirnverbrannt erklärten. Auch er war zunächst der Meinung, daß die überallhin gelangenden Pferde durch eine Maschine niemals übertroffen oder gar verdrängt werden könnten. Darum ließ er mit Vergnügen solche Firmen wie Glyn, Halifax, Mills & Co[1] sowie die unerfahrenen Provinzbankleute ihr gutes Geld an diese mehr als unsicheren Unternehmen wagen. Er handelte dabei ebenso wie die anderen großen Bankfirmen, wie z. B. Baring und Ricardo, die sich gleichfalls vor der Beteiligung daran hüteten. Als sich aber die Erfolge Stephensons mehr und mehr aussprachen, als nach dem Bau der ersten und der zweiten Bahn in England ein wahres Eisenbahnfieber das Land ergriff und sich unzählige Gesellschaften für neue Bahnprojekte bildeten, da sagte sich Nathan, der diese Entwicklung trotz seiner Nicht-

---

[1] Leland Hamilton Jenks, The Migration of British Capital to 1875. New York 1927, S. 130.

beteiligung aufs genaueste verfolgt hatte, daß in dieser neuen Erfindung unabsehbare Gewinnmöglichkeiten lägen, die für sein Haus nicht verloren gehen dürften. In England freilich war es in gewissem Sinne zu spät; da gab es schon genug Unternehmer. Anders aber war es auf dem Festland, wo seine Brüder lebten; noch nirgends auf dem Kontinent gab es eine mit Lokomotiven betriebene Eisenbahn; nur spärlich hier und dort kurze Strecken von Pferde-Eisenbahnen. Das war ein Feld für das große Vermögen seines Hauses. Wenn seine Brüder in Österreich, in Frankreich, in Deutschland die Initiative zur Herstellung von Dampf-Eisenbahnen ergriffen und allen anderen zuvorkämen, so konnte das eine Quelle ungeheueren Gewinnes an Macht und Geld für sein Haus werden. Nathan gab seinen Brüdern Kenntnis von diesem Gedankengang und fand sogleich auch das nötige Verständnis dafür. Insbesondere auf Salomon Rothschild in Wien machten die Ausführungen Nathans Eindruck; das kam zum Teil daher, daß Salomon auch von anderer Seite, von einem gleichfalls hochbegabten, ja genial zu nennenden Manne auf die glänzenden Aussichten eines großzügigen Bahnbaues hingewiesen worden war.

Dieser Mann, Franz Xaver Riepel, damals Professor am Wiener k. k. polytechnischen Institut, ein ausgezeichneter Fachmann im Montanwesen, hatte lange Jahre im Eisenwerk von Witkowitz gearbeitet. Witkowitz liegt in der Nähe des gewaltigen Kohlenbeckens zwischen Mährisch-Ostrau und Karwin. Die Eisenwerke waren dort entstanden, weil man die nahegelegenen Kohlenvorkommen ausnützen wollte und das Wegführen der Kohle auf weitere Strecken wegen der schlechten und teueren Verkehrsmittel damals unmöglich war. Nun wollte Riepel, ähnlich wie man es in England tat, die Kohle mittels Bahn an die große Wasserstraße der Donau schaffen.[1] Bei näherem Studium gedachte er gleich auch die

[1] Die ersten 50 Jahre der Kaiser-Ferdinands-Nordbahn 1836–1886.

großen Salztransporte von Wieliczka in Galizien auf diese Bahn zu leiten und dergestalt schließlich eine Verbindung von Bochnia südöstlich von Krakau, über Mährisch-Ostrau und Brünn bis nach Wien, etwa im Ausmaße von sechzig Meilen, zu bauen. Riepel fand besonderes Interesse bei einem Großhändler namens Samuel Biedermann, der mit Salomon Rothschild in naher Geschäftsverbindung stand. Der Großhändler brachte nun in der klaren Erkenntnis, daß nur eine große Finanzmacht die Riepelschen Pläne der Verwirklichung näher bringen könne, Riepel mit Salomon Rothschild zusammen, und dies gerade in dem glücklichen Augenblick, da dieser die so günstigen Berichte und Anregungen zu Eisenbahnbauten von seinem Bruder Nathan bekommen hatte. Bei den Darlegungen Riepels sah Salomon vor seinem geistigen Auge schon die ungeheueren Schätze in seine Kasse fließen, die die Nutzbarmachung und der leichte Transport all der kostbaren Erze und des lebenswichtigen Salzes nach der Hauptstadt des Reiches mit sich bringen mußte. Voll Begeisterung griff er den Plan auf und entschloß sich, sofort den ersten Schritt zu dessen Verwirklichung zu tun. Salomon sandte also nach der Darlegung der Pläne Riepels diesen vorläufig in Begleitung seines Sekretärs Leopold von Wertheimstein zu Anfang des Jahres 1830 zur Orientierung über die dort schon bestehenden Eisenbahnen nach England, um sie in Augenschein zu nehmen und die so gewonnenen Erfahrungen seinerzeit bei Ausführung der geplanten Eisenbahn nach Galizien zu verwerten.

Salomon Rothschild betonte in späteren Jahren ausdrücklich, daß Riepel das Hauptverdienst an dem Gedanken der Nordbahn zukomme. „Ich erfülle“, schrieb er dem obersten Kanzler Grafen Mittrowsky[1], „gerne eine Pflicht der Gerechtigkeit, indem ich es hier ausdrücklich wiederhole, daß der Professor...

[1] Salomon Rothschild an Graf Mittrowsky, 11. XII. 1835. Wien, Staatsarchiv.

Franz Riepel es war, welcher im Jahre 1829 zuerst die großartige Idee der Galizischen Eisenbahn ins Leben rief, mir solche mittheilte und mich zu dem Entschluß bestimmte, die nöthigen Vorarbeiten und Erhebungen zur gründlichen Würdigung des Unternehmens in technischer, kommerzieller und finanzieller Beziehung bewerkstelligen zu lassen, um, wenn solche dem vorhabenden Zwecke entsprechen würden, mich unverzüglich mit der Ausführung dieses wahrhaft nationalen Projektes zu beschäftigen."

Die beiden Delegierten studierten insbesondere die eben fertig gestellte Liverpool-Manchester-Bahn und erstatteten hierauf an Salomon Rothschild einen eingehenden Bericht, der sich unbedingt für die Erbauung der großen Bahn in Österreich aussprach und selbst schon den Gedanken der Durchquerung ganz Österreichs durch Weiterführung der Bahn Bochnia—Wien nach Süden bis Triest, also an das Adriatische Meer anregte.

Salomon Rothschild wollte schon ernstlich daran gehen, die Voraussetzungen für den Bahnbau zu schaffen, als der plötzliche Ausbruch der Julirevolution in Frankreich einen Strich auch durch diese Rechnung machte. Salomon Rothschild schrieb selbst später darüber[1]: „Die im Jahre 1830 eingetretenen politischen Konjuncturen und die darauf gefolgten bewegten Zeiten, welche auch auf Handel und Industrie die nachtheiligste Wirkung ausübten, zwangen mich zu meinem großen Bedauern auch die bereits definitiv beschlossene Ausführung auf ruhigere, ähnlichen Unternehmungen günstigere Tage zu verschieben."

Dies war natürlich, denn in der Zeit unmittelbar nach der Revolution kämpfte das Haus ja geradezu um seine Existenz, und auch die dann eintretende Beruhigung und Erholung erforderte Jahre. Erst um 1832 war die Position der Rothschild so weit wieder gefestigt, daß sie zugleich mit zwei

[1] Siehe Anm. S. 102.

anderen Handlungshäusern das verunglückte Unternehmen einer Pferde-Eisenbahn des Ingenieurs Zola, Vaters des berühmten Romanschriftstellers, zwischen der Donau und dem Gmundener See übernahmen.

Inzwischen war in England ein wahres Eisenbahnfieber ausgebrochen. Alle Welt beteiligte sich an Gründung und Bau von Eisenbahnen, und sobald Nathan sein Haus wieder halbwegs konsolidiert sah, gab er seinen Brüdern den Wink, die Pläne wieder aufzunehmen. Salomon ordnete infolgedessen auf seine Kosten die Untersuchung der ganzen Strecke, auf welcher die Eisenbahn angelegt werden sollte, durch sachverständige Ingenieure unter Anleitung Riepels an, um die beste Trasse auszusuchen. Das Ergebnis dieser Untersuchungen war die Feststellung, daß auf diese Weise „die größten und entferntesten Provinzen des österreichischen Kaiserstaates untereinander und mit der Hauptstadt leicht in nähere Verbindung gebracht, und ganz neue Konjunkturen in industrieller, kommerzieller, politischer und militärischer Hinsicht“ sich ergeben würden.[1]

Daraufhin entschloß sich Salomon am 15. April 1835 auf Anraten Metternichs, der dem Bankier bei der Willenlosigkeit des neuen Kaisers Ferdinand von vornherein die günstige Erledigung zusagen konnte, mit dem offiziellen Gesuch um die Bewilligung des Privilegs zum Bahnbau vorerst der Linie Bochnia—Wien hervorzutreten. Kaiser Franz war bekanntlich allen solchen Bestrebungen feindlich gesinnt gewesen, und Salomon beeilte sich, nun, kaum sechs Wochen nach dem Tode des Kaisers, die neuen Verhältnisse zu nützen.

Das Gesuch[2] war sehr geschickt abgefaßt und zeigte wiederum das Bestreben Rothschilds, die Vorteile für den Staat, die ja in diesem Falle wirklich eminent waren, hervortreten zu

---

[1] Promemoria Salomon Rothschilds vom 20. II. 1836. Wien, Staatsarchiv. — [2] Salomon Rothschild an Kaiser Ferdinand, 15. IV. 1835. Wien, Staatsarchiv.

8. Eröffnung der ersten Eisenbahn in England 1825 (oben)
Dampfwagen-Wettbewerb zu Rainhill 1829 (unten)

lassen und die eigenen Absichten und materiellen Beweggründe möglichst in den Hintergrund zu schieben:

„Allerdurchlauchtester Großmächtigster
Kaiser!
Allergnädigster
Kaiser und Herr!

Das ehrfurchtsvoll und unterthänigst unterzeichnete Wechselhaus hat seit etlichen Jahren über die Anlage einer Eisenbahn zwischen Wien und Bochnia die sorgfältigsten und genauesten Erhebungen und Berathungen gepflogen.
Das Resultat hiervon war die gründliche Überzeugung, daß die Realisierung dieses großen Communications-Mittels dem Staatszwecke und der öffentlichen Wohlfahrt eben so sehr als dem Privat-Interesse der Unternehmer zusagen würde....
Durch diese vielfältig berathene Ansicht und durch den Wunsch, dem Österreichischem Kaiserstaate im hohen Grade nützlich zu werden, wagt es nun das ehrfurchtsvollst gefertigte Wechselhaus, E. M. unterthänigst zu bitten daß A. H. dieselben geruhen möge:
Demselben ein Privilegium für die Errichtung dieser großen Eisenbahn von Bochnia bis Wien zu gewähren;
Ferners allergnädigst zu gestatten, daß für dieses große Unternehmen die nöthigen Fonds auf dem Wege eines A. H. Ortes zu sanctionierenden Actien Vereines disponibel gemacht werden dürfen....
Die Gründe, welche dieses unterthänigste Gesuch in seinen höchst gemeinnützigen Intentionen unterstützen, sind so unzählige und so augenfällige in Bezug auf die hierdurch beabsichtigte Steigerung des öffentlichen Wohlstandes, Wohlbehagen, Handelsaufschwunges, des Staats-Einkommens, Grundeigenthumes und der innigeren Verbindung so entfernter Provinzen, – die Motive, welche dieses Vorhaben nach den umsichtigsten Erörterungen dahin brachten, selbes

der A. H. Weisheit, Landesväterlichsten Sorgfalt und Allergnädigsten Sanction unterbreiten zu können, sind so patriotisch, daß sich das ehrfurchtsvollst unterzeichnete Wechselhaus der frohesten Hoffnung hingeben zu dürfen glaubt, daß E. M. das vorliegende unterthänigste Vorhaben, welches Allerhöchstdero Regierungsantritt als eine der segenbringendsten Epochen in der Geschichte der vaterländischen Industrie bezeichnen würde, allergnädigst aufzunehmen, mit Landesväterlicher Umsicht und Weisheit zu würdigen und mit dem A. H. Wohlgefallen gutzuheißen genehmen werden.

Es erstirbt in tiefster Unterwürfigkeit
Eurer Majestät
aller unterthänigster
treu gehorsamster
pr. Pca S. M. v. Rothschild
Wien, den 15. April 1835. Leopold von Wertheimstein.“

Wie gewöhnlich wurde dieses Gesuch dem zuständigen Referenten, Freiherrn von Drohsdick, freilich mit dem entsprechenden Wink Metternichs aus der Staatskanzlei, daß man dort der Bewilligung günstig gegenüberstehe, zur Begutachtung übersandt. In Wien wandte sich die öffentliche Meinung gegen die Eisenbahnen. In den Wiener Zeitungen dieser Jahre gab eine Reihe von „Fachmännern“ Gutachten ab, die die Torheiten einer solchen Unternehmung darlegen sollten. Sie bewiesen, daß die menschlichen Atmungsorgane schon eine Geschwindigkeit von fünf Meilen in der Stunde nicht aushalten könnten. Es wäre daher eine unerhörte Tollkühnheit, eine solche Fahrt zu unternehmen. Kein halbwegs kluger Mann würde sich dergleichen aussetzen. Die ersten Reisenden müßten gleich ihre Ärzte mitnehmen u. dgl. Diese „Fachmänner“ erklärten, daß den Reisenden das Blut aus Nase, Mund und Ohren austreten, bei der Durchfahrt eines Tunnels von mehr als 60 m Länge die Reisenden ersticken, ja sogar bei den Fahrten nicht nur diese gefährdet, sondern auch die bloßen Zuseher durch die rasende Schnelligkeit beim Vorüberfahren wahnsinnig werden würden! Trotzdem war das Drohsdicksche Gutachten[1] für den Bittsteller günstig.

„Die Errichtung einer Eisenbahn," schreibt der Referent, „welche von Wien aus als dem Zentralpunkte des österreichischen Handels drei Provinzen durchläuft . . ., ist für den Staat in commerzieller Rücksicht von so einem leuchtenden und auffallenden Nutzen, und der Banquier Rothschild ist durch seine bedeutenden, eigenen Fonde, seinen großen Kredit und seine ausgebreiteten Verbindungen so vorzüglich geeignet, einen Aktienverein zu diesem Zwecke zustande zu bringen, daß es schon im allgemeinen wohl keinem Bedenken unterliegen dürfte, zu dieser neuen Eisenbahnunternehmung ein Privilegium . . . zu erteilen und dem Bittsteller auch die Bildung eines Aktienvereins zu gestatten."

Welche Gründe immer böswillige Kritiker als Ursache für diese wohlwollende Beurteilung und Befürwortung von Seite der Staatsgewalt, hinter der Metternich stand, anführen mögen, es bleibt eine Großtat, daß sie im Gegensatz zu den meisten Fachleuten und der öffentlichen Meinung so warm für ein Projekt eintrat, das den Ausgangspunkt für eine weltumwälzende Einrichtung bedeutete.

Die Staatsgewalt funktionierte vorzüglich nach dem Willen Metternichs und Kolowrats, denn Kaiser Ferdinand war nichts anderes als eine bloße Unterschreibmaschine und Erzherzog Ludwig zumeist ein willenloses Werkzeug. Unter dem 11. November 1835 war die Allerhöchste Entschließung herabgelangt, wonach dem Freiherrn von Rothschild das Privilegium zum Bau der Bahn von Bochnia nach Wien erteilt wurde. Freilich hatte schnell noch die Postbehörde, die

---

[1] Referat des Hofbaurates Freiherr von Drohsdick vom 23. V. 1835. Wien, Staatsarchiv.

eine Konkurrenz für ihre Postkutschen befürchtete, einen Vorbehalt in das Privilegium eingeschmuggelt, wonach das Postregal Entschädigungsansprüche stellen konnte, wenn die Interessen der Post auf den Straßen dadurch geschädigt würden.

Salomon begrüßte mit Freuden und „innigstem Dankgefühle" die Allerhöchste Entschließung. „Heil dem Monarchen"[1], schrieb er, „welcher den weisen Beschluß der Wohlfahrt seiner Völker Allergnädigst zu widmen geruht hat!"

Aber gleichzeitig bat Rothschild auch um Nichtaufnahme des Postvorbehaltes in die Privilegiumsurkunde, da dies, wie er schrieb, „bei dem hierbey stattfindenden Kampf der Privat Interessen ununterbrochene Streitfragen und Reclamationen herbeyziehen würde, indem, von einer solchen vorzugsweisen Begünstigung der k. k. Posthalter geleitet, auch bald die Wirthsleute, Landkutscher, Fuhrleute, Wagner, Schmiede usw. sich auf der Strecke zwischen Wien und Bochnia zu Entschädigungs-Gesuchen ermuntert finden dürften".

Salomon schlug einen Pauschalausgleich mit der Postverwaltung vor. Sein Einspruch kam wieder zur Begutachtung zum Hofbaurat von Drohsdick, doch da versagte dessen sonstiger Weitblick, denn er gab sein Gutachten wie folgt ab[2]: „Freiherr von Rothschild hat in keiner seiner Eingaben die Absicht geäußert, auf dieser Eisenbahn auch Briefe zu übernehmen und zu befördern, was auch als ein fremdartiges Geschäft ganz außer den eigentlichen Zwecken dieser Unternehmung zu liegen scheint. Es fällt somit aus diesem Titel die Veranlassung zu Entschädigungs-Verhandlungen weg."

Schließlich wurde doch die Bestimmung über die Post im Wege des Kompromisses eingeschränkt und sodann die Pri-

---

[1] Salomon Rothschild an die k. k. vereinigte Hofkanzlei. Wien, 5. XII. 1835. Wien, Staatsarchiv. — [2] Vollständig abgedruckt in „Die ersten 50 Jahre der Kaiser-Ferdinands-Nordbahn" a. a. O.

vilegiumsurkunde vom 4. März 1836 ausgefertigt[1], welche u. a. die wichtigen Bestimmungen enthielt, daß auch nach Ablauf des auf fünfzig Jahre bemessenen Privilegiums dem Hause Rothschild das fortwährende frei verfügbare Eigentum an dieser Eisenbahn samt Zubehör gewährleistet werde, das Privilegium jedoch erlöschen sollte, wenn nicht binnen zwei Jahren wenigstens eine Meile der Eisenbahn und innerhalb von zehn Jahren die ganze Bahn zwischen Wien und Bochnia ausgeführt sein würde.

Daraufhin wurden Riepel und Heinrich Sichrowsky, einer der tätigsten Mitarbeiter an dem Eisenbahnprojekt, wiederum nach England gesandt, um die seit dem Jahre 1830 dort gemachten Fortschritte zu studieren. Salomon Rothschild erbat und erlangte zunächst die einjährige Beurlaubung des ihm unentbehrlichen Riepel von seiner Professur und machte sich erbötig, das Honorar für die Bestellung eines Vertreters voll zu ersetzen.

Nun kam der nächste Schritt, die Aufbringung des zunächst für notwendig erachteten Kapitals von zwölf Millionen Gulden Konventionsmünze, die die sechzig Meilen lange Bahn nach dem Voranschlage kosten sollte. – Es wurden 12000 Aktien zu 1000 fl ausgegeben, von denen Rothschild 8000 teilweise für sich behielt, teilweise nach eigenem Ermessen an die vielen an ihn gelangten Anmeldungen vergab. Nur 4000 gelangten zur öffentlichen Subskription; unter den Zeichnern waren die bedeutendsten Wiener Geldleute der Zeit, wie Biedermann, Eskeles, Geymüller und Sina, zu finden. Aber auch Wertheimstein, Riepel und Sichrowsky, die eigentlichen Väter des Unternehmens, beteiligten sich daran.

Das Ergebnis war glänzend; während nur 4000 Aktien zur Verfügung standen, wurden 27490 Stück gezeichnet, wobei die kleinen Zeichner ihre Anteile erhielten, die großen sich

[1] Freiherr von Drohsdick, Gutachten vom 24. XII. 1835. Wien, Staatsarchiv.

aber mit einem entsprechenden Prozentsatz begnügen mußten. Dieser ungeheure Erfolg weckte die Eifersucht der übrigen Bankleute. Sina hatte sich wohl selbst an dem Unternehmen beteiligt, er konnte aber nicht schlafen, bis er nicht auch ein solches Eisenbahnbau-Privilegium erhalten hatte. Rothschild hatte die Nordtrasse für sich gesichert. Sina wollte daher die Verbindung der Hauptstadt mit dem Adriatischen Meer erlangen. Schon am 17. Februar bat Freiherr Georg von Sina seinerseits um die Erteilung eines „ausschließenden Privilegiums" für eine Eisenbahn von Wien nach Raab, in der Absicht ihrer weiteren Fortführung bis zum Adriatischen Meere.

Kaum war das Gesuch eingereicht, so erkannte Salomon Rothschild seinen Fehler, das Privilegium nicht gleich von vornherein nach Riepels Grundgedanken für die Gesamtbahn von Norden nach Süden bis an das Meer verlangt zu haben. Drei Tage nach der Einreichung des Sinaschen Gesuches übergab Salomon, aus der Staatskanzlei darüber insgeheim verständigt, wieder ein solches an die vereinigte Hofkanzlei und den Kaiser, es möge ihm auch die Priorität für den Bau der Eisenbahnroute von Brody über Wien und Ungarn an die Adriatische Seeküste zugebilligt werden.

Rothschild führte darin aus, warum er nicht gleich das Privilegium für die gesamte Zentralbahn vom Norden bis ans Meer erbeten habe. „Obschon sich nicht verkennen läßt, daß durch die Verwirklichung dieses großen Planes die Privatinteressen der Unternehmer ebenso wie das Gemeinwohl im hohen Grade gewinnen müßten, so ist doch entschieden und unwidersprechlich wahr, daß die gleichzeitige Durchführung dieses ganzen Riesenwerkes als unthunlich und unräthlich erscheine. Kein überspanntes Anstreben selbst zum Nützlichen ist räthlich, und nur am Leitfaden des weisen Mittels gelangt man zum Guten, Rechten und Wahren. – So sah den vorliegenden Gegenstand der erste Proponent, und mit dem-

selben auch das ehrfurchtsvollst unterfertigte Wechselhaus."
Die Gesuche Sinas und Rothschilds lagen nun gleichzeitig zur Begutachtung in der Hofkanzlei. Es handelte sich wohl noch nicht um definitive Erteilung eines Privilegiums, sondern nur um eine vorläufige Zusage. Die kommerzielle Wichtigkeit der Bahn leuchtete der Hofkanzlei ein, und sie war geneigt, dem Freiherrn von Sina den Vorzug zu geben, denn Rothschilds Nordbahnunternehmen und die dazu nötigen Mittel waren schon so groß, daß man sie nicht noch so gewaltig erweitern wollte. Die Hofkanzlei meinte, es sei besser, mehrere selbständige Unternehmer zu verwenden, da die daraus entstehende Konkurrenz Staat und Publikum Nutzen bringen werde. Übrigens, meinte Freiherr von Drohsdick wörtlich[1]: „Freiherr S. M. Rothschild ist ferner als Associé des Frankfurther Handlungshauses ... der sich noch nicht als Österreichischer Großhändler förmlich angesiedelt hat, eigentlich noch immer als ein Fremder zu betrachten, und wenn gleich diesem ohne Anstand ein Privilegium zur nördlichen Eisenbahn ertheilt wurde, nachdem sich keine inländischen Unternehmer dazu noch dargeboten hatten, so kann es der Regierung doch wohl nur sehr willkommen seyn, daß sich nun zu einer ähnlichen zweiten großen Unternehmung in südlichen Richtungen ein nicht minder vertrauenswürdiger österreichischer Unterthan meldet, welcher bey ganz gleichen Anerbiethungen und Leistungen ohne einen auffallenden Verstoß gegen die öffentliche Meinung wohl nicht dem ausländischen Mitwerber nachgesetzt werden kann."
Infolgedessen schlug die Hofkanzlei vor, Sina die Geneigtheit, seinerzeit beim Kaiser die Erteilung eines Privilegiums zu befürworten, wunschgemäß bekanntzugeben, Rothschild aber zu erinnern, daß seinem Gesuche wegen eines hierüber vorliegenden anderen Antrags nicht willfahrt werden könne.

[1] Gutachten Freiherrn von Drohsdicks vom 25. II. 1836. Wien, Staatsarchiv.

Salomon sah ein, daß sein ursprünglicher Fehler, nicht gleich die ganze Nord-Südbahn auf einmal erbeten zu haben, nicht mehr ganz gutzumachen sei, und bat daher, man möge ihm wenigstens gestatten, im Anschluß an seine Nordbahn am linken Ufer der Donau eine Zweigbahn nach Preßburg zu bauen.[1] Graf Mittrowsky wollte schnell noch Rothschilds Ansuchen wegen der Preßburger Bahn durchbringen, aber Kolowrat war diesmal dagegen, und es wurde endlich Rothschild, gleichwie Sina, bloß gestattet, auch auf dieser Strecke die Vorerhebungen vorzunehmen, welche für den Fall der Erlangung des Privilegs nötig wären.[2]

Da war also nichts mehr zu machen. Rothschild sah nun von allen Seiten Eifersucht und Mißgunst gegen sein Werk anstürmen. So wie man versucht hatte, ihn von der zweiten Hälfte des gewaltigen Gesamtplanes abzudrängen, mußte er darauf gefaßt sein, daß seine Bankiersgenossen, soweit sie nicht persönlich interessiert waren, ihm auch bei der Durchführung des Nordbahnbaues Schwierigkeiten in den Weg legen würden. Er zerbrach sich den Kopf, wie er dem von vornherein am besten entgegentreten könnte; da kam ihm der Gedanke, seinen großen Plan mit dem Namen des Kaisers und denen der leitenden Minister zu verbinden. Er wollte ihrer Eitelkeit schmeicheln und diese Persönlichkeiten so sehr mit dem ganzen Unternehmen verquicken, daß sie im Falle von Krisen und unvorhergesehenen Weiterungen moralisch gezwungen wären, der Sache zu helfen, wollten sie nicht ihre Namen mit in den Strudel eines eventuellen Mißlingens hineingezogen sehen.

Sein Plan war, dem Gesamtunternehmen den Namen des Kaisers zu geben und überdies die leitenden Staatsmänner

[1] Salomon Rothschild an die k. k. vereinigte Hofkanzlei. Wien, 7. III. 1836. Wien, Staatsarchiv. — [2] Präsidialvortrag des Grafen Mittrowsky vom 12. III. 1836. Bemerkung des Grafen Kolowrat vom 18. III. 1836. Allerhöchste Entschließung Kaiser Ferdinands vom 19. III. 1836. Wien, Staatsarchiv.

9. Franz Xaver Riepel

als Protektoren des Unternehmens zu nennen, was gleichsam als eine Versicherungspolice wirken sollte.

Danach handelte er. Der Brief an den Kaiser wurde in diesem Sinne geschickt abgefaßt[1]: „Der unterthänigst treu gehorsamst Gefertigte ist so frey E. M. hiemit die ehrerbietigste Anzeige zu machen, daß bereits für die Haupterfordernisse gesorgt ist, welche eine glückliche Durchführung des großen Nationalwerkes – nemlich der Wien-Bochnia-Eisenbahn, wozu mich die A. H. Gnade allerhuldvollst zu ermächtigen geruht hat, anhoffen lassen.

Der unterthänigst treu gehorsamst Gefertigte glaubt nun noch einen ehrerbietigen Schritt wagen zu müssen, welcher darin besteht: E. M. ehrfurchtsvollst zu bitten, daß A. H. Dieselbe zu erlauben geruhen mögen, der Wien-Bochnia-Eisenbahn den denkwürdigen Namen Kaiser-Ferdinands-Nordbahn beilegen zu dürfen.

Sollte dereinst ein gleiches Communications-Mittel zwischen Wien und Österreichisch-Italien hergestellt werden, so würde die große Österreichische Monarchie auch eine Kaiserliche Südbahn haben, also im Ganzen eine große Eisenbahn zwischen Galizien und Österreichisch-Italien als ein bewunderungswürdiges Denkmal der glorreichen Regierung E. M. dastehen und die dadurch gewonnenen Wohlthaten zum höchsten Ruhme auf die späteste Nachwelt übertragen."

Gleichzeitig richtete Salomon Rothschild ein ebenfalls sehr geschickt abgefaßtes Schreiben an Metternich[2]:

„Euer Durchlaucht!

Jedes große Industrial-Werk, welches den Charakter eines National-Unternehmens hat, bedarf bei seinem Entstehen, und für den Zweck eines glücklichen Emporkommens den gedeihlichen Schutz hoher Potenzen.

---

[1] Salomon Rothschild an Kaiser Ferdinand, 29. III. 1836. Wien, Staatsarchiv. — [2] Salomon Rothschild an Metternich, Wien, 30. III. 1836. Wien, Staatsarchiv.

In dieser Lage befindet sich nun auch das mit allen übrigen Bedingnissen zu einem glücklichen Erfolge bereits ausgestattete Projekt der Anlage der großen Nord-Eisenbahn zwischen Wien und Bochnia sammt den sieben Flügelbahnen.
Von dieser Erkenntnis geleitet, hat daher der ehrfurchtsvoll Unterfertigte die Nothwendigkeit erkannt, im besonderen Interesse der bezeichneten großen Industrial-Unternehmer die geeigneten Schritte zu thun, um es dahin zu bringen, daß sich die hohen Namen gefeierter Staatsmänner als Protectoren an die Spitze dieses National-Werkes, welches der Oesterreichischen Monarchie ebensoviel Ruhm als allseitigen Vortheil zu gewähren verspricht, zu stellen geruhen mögen.
Der ehrerbietigst Unterzeichnete hat nun sein Augenmerk auf Seine Exzellenz den Obersten Kanzler Grafen von Mittrowsky und auf Seine Exzellenz den Staats- und Conferenz-Minister Grafen von Kolowrat zu richten gewagt, und bittet hiermit ehrfurchtsvoll, daß Euer Durchlaucht gnädigst geruhen wollen, den ermunternden und schirmenden Namen eines hohen Protectors der Wiener-Bochnia-Eisenbahn anzunehmen – wodurch sich die Gesellschaft ausnehmend geehrt finden würde und ein doppelt günstiger Erfolg gesichert wäre."

Metternich[1], Kolowrat und Mittrowsky nahmen das Protektorat an, weil „das großartige und das wichtige dieser Unternehmung in industrieller, kommerzieller und staatswirtschaftlicher Hinsicht", sich nicht verkennen lasse.
Geschmeichelt befürworteten die drei Staatsmänner auch noch das gleichzeitige Hofgesuch um den Namen des Kaisers. „Es ist bekannt," schrieb Graf Mittrowsky[2] auf das Gesuch, „daß von jeher die Landesfürsten des Allerhöchsten Kaiserhauses, so wie jene anderer Länder gestattet haben, Kanäle und Straßen, welche Sie von besonderer Wichtigkeit für die

[1] Metternich an Kaiser Ferdinand, 23. X. 1836. – [2] Graf Mittrowsky an Kaiser Ferdinand, 3. IV. 1836. Wien, Staatsarchiv.

Wohlfahrt der Landes Insassen erkannt haben, Ihren höchsten Namen beizulegen . . .
Das Publikum selbst hat diese Unternehmung aus diesem Gesichtspunkte betrachtet, indem in so kurzer Zeit, nicht nur der prälimierte große Betrag, sondern beinah das Doppelte zu Aktien subscribirt worden. Dieses Werk von einer Großartigkeit, wie kein anderes bisher in Europa – mit allem denjenigen, was durch diesen Impuls sich weiter noch daraus entwickeln wird – bleibt ein ewig merkwürdiges Denkmal des ersten Jahres des Regierungs-Antrittes Eurer Majestät.
Ich finde demnach nicht nur keinen Anstand, sondern ich erlaube mir in vorbenannter Hinsicht den sehnlichsten Wunsch auszusprechen, Eu. Majestät geruhen Allergnädigst zu gestatten, daß von nun an der Bahn von Wien nach Bochnia der Name ‚Kaiser Ferdinand Nordbahn' beigelegt werden dürfe."
Demgemäß wurde das Gesuch Salomon Rothschilds vom folgsamen Kaiser Ferdinand unter dem 9. April 1836 genehmigt[1] und damit eine Sicherung gewonnen, die in späterer Zeit noch sehr nützlich werden sollte.
So schien denn alles für den Bau der Nordbahn ausgezeichnet in die Wege geleitet. Am 25. April 1836 wurde die erste Generalversammlung abgehalten, in welcher Salomon erklärte, das Privileg in seiner ganzen Ausdehnung an die Gesellschaft abzutreten. Als Bedingungen stellte Rothschild, daß ihm stets volle Einsicht gewährt, der Ersatz seiner bisherigen Auslagen von 12652 fl. 50 kr. geleistet und 100 Stück Freiaktien für die verdientesten Mitarbeiter an dem Zustandekommen des Werkes überlassen würden. Dagegen versicherte er, wie es im Versammlungsprotokolle heißt, feierlichst, „diesem großen National-Unternehmen seine fernere Mit- und Einwirkung mit dem bisher für die Sache bewiesenen Eifer" zu widmen.

[1] Wien, Staatsarchiv.

In der zweiten Generalversammlung wurden sodann die vorgelegten Statuten angenommen und die provisorische Direktion gebildet. Ihr gehörten noch Johann Freiherr von Sina und Daniel Freiherr von Eskeles an, die dem Unternehmen höchst mißgünstig gegenüberstanden und gleichsam nur zur Orientierung über die Pläne ihres Konkurrenten Rothschild eingetreten waren.

Von diesen Männern geschürt, bildete sich bald eine heftige Opposition, die vor allem bei der wenig aufgeklärten Öffentlichkeit rasche Verbreitung fand und an der einige in ihrem Privatinteresse bedrohte Spekulanten ihre Parteisuppe kochten. Als Wortführer dieser Opposition fungierte der Gesellschafter des Bankhauses Arnstein und Eskeles, Ludwig Freiherr von Pereira, im geheimen von Freiherrn von Sina unterstützt. Man veranlaßte ihn, ein Exposé einzureichen, das alle Behauptungen, Voranschläge und Berechnungen der provisorischen Direktion der Nordbahn über den Haufen werfen sollte. In diesem umfangreichen Elaborat bemühte sich Pereira, alles heranzuziehen, was den Plan irgendwie als unausführbar und schlecht berechnet darstellen konnte. Zunächst beschäftigte er sich mit den furchtbaren Folgen, die auch nur die kleinste Steigung in der Trasse mit sich bringen könnte. „Wenn auch“, schrieb Baron Pereira, „vor den Augen eine Ebene liegt, die unabsehbar zu seyn scheint und die man auf den ersten Blick für ganz flach hält, kann sie nach genauen Bemessungen leicht mehr Steigung als 1 ° auf 300 haben. Wenn dieses der Fall ist, so tritt zum Nachtheil der Eisenbahnunternehmung ein ungeheuerer Schaden ein, weil ihr das Befahren der Strecke, die etwas steigt, auch viel mehr Geld kostet ... Man kann sich denken, in was für Verlegenheit man kommen kann, wenn man auf dieser scheinbaren Ebene, nach Beginn des Bahnbaues auf einmal eine etwas zu starke Steigung entdeckt ... Da nun diese nicht berechnete und in Anschlag gebrachte Schwierigkeit beseitigt werden muß, um die Dampffahrt möglich zu machen, so wird diese Erhöhung des Terrains ausgegraben werden müssen und dürfte unerwartet mehr Geld kosten, als man Anfangs glaubte, insbesondere, da man leicht auf Felsengruppen stößt ...

Überdies werden sandige Gegenden solche Schwierigkeiten biethen, daß man sich erst dann darüber wundern wird, wenn man einst dabey seyn wird ... Die bis jetzt erfundenen und angewandten Maschinen haben noch nicht die größte denkbare Vollkommenheit erreicht. Die große Schwierigkeit liegt in der Construction der Räder ... Da die Räder keine gesonderte Bewegung haben, so kann auch die Bahn keine Krümmung ertragen ... Aus diesem Grunde sind nur kaum merkbare Biegungen einer Eisenbahn für Dampfwägen gestattet ... Sollte die geringste Unvorsichtigkeit stattfinden, und die Maschine etwas schnell in die Biegung kommen, so springt sie entweder heraus, oder zerreißt die Bahn, oder zerbricht die Räder, denn einer dieser Gegenstände muß der Dampfkraft weichen ... Wenn die Bahn die Frachten von und nach Galizien an sich ziehen will, so muß sie wohlfeiler führen als die Fuhrleute ... Die Erfahrung aber lehrt, daß Noth und Concurrenz diese Leute veranlassen werden, noch wohlfeiler zu führen ... Es ist daher nicht unmöglich, daß sie die Concurrenz mit der Bahn aushalten, weil gerade in jenen Gegenden Futter und Nebenspesen für Fuhrleute sehr wohlfeil sind."

Nur jene Eisenbahnen können bestehen, meinte Pereira, „die auf Personen Frequenz basirt sind. Bis jetzt können Eisenbahnen noch nicht gegen Landfracht concurrieren. Unmöglich könne aber „die Eisenbahn mit der March wetteifern".

Bei seinem blinden Ansturm gegen das ganze Werk fand Pereira doch auch Einwendungen, die sich später tatsächlich als stichhaltig erwiesen. Er meinte nämlich, eine eingleisige Bahn mit Ausweichstellen zu bauen, sei ein Unsinn; es sei von vornherein klar, daß man eine doppelgleisige brauche, und er könne beweisen, „daß alle Bahnen, die früher so gebaut wurden, jetzt in doppelte umgewandelt werden. Warum also wir mit einer fehlerhaften Construction anfangen sollen, wird nicht eingesehen".

Dieser Einwand war von Pereira nur gemacht, um daraus eine weitere Erhöhung der Kosten zu gewinnen, da er dann noch beweisen wollte, daß der Kostenvoranschlag viel zu niedrig gegriffen sei, womit er allerdings in der Folge durchaus recht behielt. Pereira vergaß dabei freilich, daß er sich kurz vorher bemüht hatte, zu beweisen, daß nicht einmal eine eingleisige Bahn genügend Personen und Frachten zu befördern finden würde, um sich zu rentieren. Er schloß seine Ausführungen mit der Bemerkung, daß, da ein Betrag von vierzehn Millionen Gulden für den Bau weitaus nicht ausreiche, keine geringeren Frachtsätze als die der Postwagen angesetzt werden könnten und überdies das für die Rentabilität nötige Warenquantum fehlen werde, der Nutzen dieser Eisenbahn gänzlich in Frage gestellt sei.[1]

Die mächtigen Feinde Rothschilds hatten auch in der Umgebung des Kaisers Freunde; sie sorgten dafür, daß auch der Monarch von den Schwierigkeiten und Einwänden erfuhr, die allgemein gegen das Rothschild-Riepelsche Unternehmen geltend gemacht wurden. Sie setzten es sogar durch, daß der willenlose Kaiser zu einem „Allerhöchsten Reskript" an den dem Haus Rothschild gewogenen Metternich mißbraucht wurde, worin bemerkt wurde, es würden vielfach nachteilige Gerüchte über die Bochnia-Eisenbahn, die den kaiserlichen Namen trüge, verbreitet, und es sei daher zu berichten, welche Hindernisse sich dem Vorschreiten der Arbeit entgegenstellten.[2]

---

[1] Ludwig Freiherr von Pereira an das Komité der Kaiser-Ferdinand-Nordbahn, 30. V. 1836. Wien, Verkehrsarchiv. — [2] Kaiser Ferdinand an Graf Mittrowsky. Schönbrunn, 13. VI. 1836. Wien, Verkehrsarchiv.

Graf Mittrowsky wandte sich daraufhin sofort an Leopold von Wertheimstein, den Bevollmächtigten Salomons in allen Bahnangelegenheiten, und forderte ihn auf, mit aller S. M. schuldigen Offenheit, Freimütigkeit und Gründlichkeit alle eventuellen Hindernisse und Hemmungen, „sowie alle Mittel anzuzeigen, womit dieselben entweder durch die zu dem Zwecke der Bahn gebildete Gesellschaft selbst wieder behoben werden, oder welche Hilfe und Unterstützung etwa von Seite der öffentlichen Verwaltung diesfalls noch zu gewähren seyn dürften".[1]

Verbittert und erbost über die eingetretenen „Wallungen", hatte Rothschild inzwischen schon erklären lassen, daß, falls sich schließlich wirklich die Mehrzahl der Aktionäre „wider Erwarten dahin entscheiden sollte, das Projekt dieses Bahnbaues unausgeführt zu lassen, er die bey diesem Unternehmen aufgelaufenen sämtlichen Vorauslagen aus eigenen Mitteln ganz allein tragen würde, damit den sämtlichen Aktionären ihre ursprüngliche erste Einlage von 10% zurückbezahlt werde, wogegen, wie es sich von selbst verstehe, „jenes Allerhöchsten Ortes ihm ertheilte und von ihm der Gesellschaft übertragene Privilegium zum Bau der Kaiser-Ferdinand-Nordbahn deren Eigenthum zu seyn aufhöre, und mittelst Rückzession der Gesellschaft wieder seiner freyen Verfügung anheim zu fallen habe".[2]

Dann ließ der mittlerweile nach Paris abgereiste Salomon Rothschild dem Grafen Mittrowsky mitteilen, daß er diese Erklärung zur Beruhigung der Aktionäre über ihre eingezahlten 10% erlassen habe[3]; er wolle mit aller Ruhe und Umsicht neue genaue technische und kommerzielle Erhebungen anstellen lassen, um überzeugend zu beweisen, daß die Be-

[1] Graf Mittrowsky an Leopold von Wertheimstein, 16. VI. 1836. Wien, Verkehrsarchiv. — [2] Erklärung Freiherr Salomon von Rothschilds. Wien, 2. VI. 1836. Wien, Verkehrsarchiv. — [3] Provisorische Direktion der Kaiser-Ferdinand-Nordbahn an Graf Mittrowsky, 27. VI. 1836. Wien, Verkehrsarchiv.

denken gegen die Ausführbarkeit und Nützlichkeit der Bahn unbegründet seien.

Salomon Rothschild beauftragte hierauf Riepel, die Pereirasche Oppositionsschrift sorgfältig durchzuarbeiten und auf ihre Stichhaltigkeit zu prüfen. Riepels Gegenschrift[1] wandte sich mit beißender Schärfe und Satire gegen die Ausführungen des Opponenten. Vor allem ging er auf den Einwand näher ein, daß eine zweigleisige Bahn vernünftiger wäre. „Wir sehen es auch ein," schrieb Riepel, „daß eine doppelte Bahn bequemer als eine einfache ist, – wir sehen es aber für eine wahre Thorheit an, vor der Hand, da man den Transport von $1^1/_4$ Millionen Zentner in Abrede stellt, eine Doppelbahn zu projektieren, da die einfache mehr als zureichend ist."

Auf die in dem Oppositionsentwurf gemachten naiven Vorhaltungen wollte Riepel zuerst eigentlich ehrenhalber überhaupt nicht antworten, allein aus wahrer Friedensliebe gab er dem „vorlauten Anfänger in der Technik" einige Beruhigungsgründe an. Die Nordbahntrasse habe unerhört lange gerade Linien, die Krümmungshalbmesser und Steigungen seien minimal.

„Der Kummer des Opponenten," schrieb Riepel, „daß man leicht bei der Tracirung auf ‚bis jetzt unbekannte und unübersteigliche Gebirge' kommen könnte, ist völlig grundlos, desgleichen bezüglich befürchteter Felsen, Sümpfe etc. Von allen diesen Jammerpunkten ist nichts da. – Wer es nicht glauben will, komme und wohne den kontrollirenden Terrain-Begehungen und Nivellements bei!...

Daß die Dampfwägen noch nicht absolut vollkommen sind, glaubt alle Welt; daher muß man sich begnügen mit dem, was England dermalen daran bereits geleistet hat! – Weiß der technische Rathgeber auf der Oppositions-Seite etwas

---

[1] Gutachten über das Baron Pereirasche Oppositionselaborat. Wien, 28. VI. 1836. Wien, Verkehrsarchiv.

10. Erste Probefahrt mit Dampfwagen in Österreich auf der Ferdinands-Nordbahn am 14. November 1837

Besseres, so werden wir es mit Dank annehmen! – Er rede –!“ . . . . . .
Riepel bemühte sich auch, den finanziellen Voranschlag zu verteidigen, und ging dann näher auf „die speziellen Angriffe des Herrn Baron Pereira, vielmehr seiner versteckten ununterrichteten Rathgeber“ über. Nach ausführlichen Darlegungen, welches Frachtquantum mit Sicherheit zu erwarten sei, bemerkte Riepel weiter: „Merkwürdig ist die Äußerung: bisher können Eisenbahnen noch nicht gegen die Landfracht konkurrieren.
Das heißt doch allen Eisenbahnen, welche bestehen und wirklich gedeihen, das Leben bei voller Gesundheit absprechen! Hiermit ist allen Eisenbahnen auf immer der Garaus gemacht, und es scheint eine Narrheit zu seyn, noch weiters auf Eisenbahnen zu denken, da alle mit Landfrachten zu ringen haben . . . Den theilweise einfältigen, theils böswilligen Feinden des fraglichen großen Nationalwerkes (in tenebris ira et invidia flagrantibus) sey in ihren Schlupfwinkeln hiermit nur nebenher die Bemerkung gemacht, daß es nichts Schönes, Gutes und Großes gibt und gab, was die Dummheit und Bosheit nicht zu verunglimpfen wußte, und daß für selbe es räthlicher erschiene, gutmüthig zu erlauben, daß die bevollmächtigte Direktion der Nordbahn mit Ruhe und Betriebsamkeit den Ansichten des gesunden Menschenverstandes, der höheren commerziellen Intelligenz und einer auf Thatsachen gestützten technischen Wissenschaft folgen dürfe, welche Potenzen zusammen die gute Hoffnung gewähren, daß die Kaiser-Ferdinand-Nordbahn geeignet seyn dürfte, sowohl die dummen als boshaften Schwätzer recht bald schandbedeckt verstummen zu machen . . .
Sollte jedoch wider Vermuthen auch dann keine Ruhe zu erzielen seyn, und sollten es diese Umtriebler nicht erlauben wollen, daß wir Österreicher auch ein bischen industriöser, berühmter, wo möglich noch glücklicher zu werden trachten sollen,

dann wird es an der Zeit seyn, diese unverbesserlichen Menschen[1] an den Tag zu ziehen und mit allen disponiblen Hilfsmitteln der Publizität (und wenn es noththut der unbarmherzigsten Satyre zu geißeln) und rücksichtslos zu bekämpfen.“ Dieses Elaborat legte Wertheimstein seiner Erwiderung auf die durch das kaiserliche Handschreiben hervorgerufene Bitte des Grafen Mittrowsky um Aufklärung bei. In dem Begleitschreiben dankte Wertheimstein im Namen Salomons vor allem für Art und Inhalt des Erlasses des obersten Kanzlers, in dem er „einen neuen Beweis der Allerhöchsten huldvollen Theilnahme für das Gedeihen der Kaiser-Ferdinand-Nordbahn und des gnädigen Vertrauens zu finden sich glücklich schätze“. Der Prokurist des Rothschildschen Bankhauses gab darauf sein „tiefes und schmerzliches Leidwesen darüber zu erkennen, daß, nachdem diese Vorarbeiten so glücklich vollbracht waren, das für das Gemeinwohl gewiß segensreiche Unternehmen gleich im ersten Beginnen mit unverkennbarer Böswilligkeit und Leidenschaftlichkeit verunglimpft und dadurch im raschen und gedeihlichem Vorwärtsschreiten gehemmt wurde“. Kein Mittel, führte er aus, „den offenbar nur dahin gerichteten Zweck, das allgemeine Vertrauen in das Unternehmen zu erschüttern und die Auflösung der Gesellschaft herbeyzuführen, zu erreichen, blieb unversucht. An allen öffentlichen Orten wurde das Unternehmen in dem ungünstigsten Lichte dargestellt, die Unausführbarkeit desselben mit den grellsten Farben geschildert, über die gemachten amtlichen Erhebungen abgesprochen, ohne daß auch nur einer dieser lauten Wortführer eine der so mühsam gesammelten Daten gesehen hätte; die redlichen Absichten des ersten Gründers des Unternehmens auf die unwürdigste Weise mißdeutet, und als bloße Spekulation zur Erreichung eines momentanen Agiotage-Gewinnes geschildert; die wahrhaft patriotische Tendenz des ersten Proponenten, Herrn

[1] Im Konzepte stand „dieses Geschmeiß“.

Professor Riepel endlich, dessen Wahrheitsliebe, Uneigennützigkeit, Thatkraft und Sachkenntnis der gehorsamst Gefertigte ungeschwächt die größte Hochachtung zollen muß, und dem die größte Oberflächlichkeit, irreführende Leidenschaftlichkeit, ja sogar unedle Motive angedichtet werden, wozu die Oppositionschriften des Herrn Baron Pereira wohl die Belege geben. Die natürliche Folge aller dieser Umtriebe war, daß Mißtrauen und Furcht sich der Actionäre bemeisterte und allgemein eine ungünstige Stimmung laut ward, wodurch die Direction, wie sie Euer Exzellenz selbst gehorsamst zu berichten die Ehre hat, zu dem Entschlusse kam, das ganze Projekt einer nochmaligen strengen Prüfung zu unterziehen, ehe sie, im Gefühle der auf ihr lastenden großen Verantwortlichkeit zu definitiven Maßregeln schreiten mochte.“
Wertheimstein wies zur Widerlegung des Einwandes der Oppositionspartei auf die beigelegten Gutachten Riepels und Sichrowskis hin, daß der Bau nicht eher begonnen werden solle, als bis sich die neu zusammenberufene Kommission günstig dafür ausgesprochen habe, und bat schließlich Mittrowsky, auch fernerhin der geneigte Vertreter, Beschützer und wohlwollende Wortführer des großen Nationalwerkes an den Stufen des Thrones sein zu wollen.
Das war ein schmerzerfüllter Ausfall gegen die von allen Seiten auftretenden Nörgler und Opponenten; aus Furcht, die an und für sich schon so unruhige Öffentlichkeit nicht noch mehr aufzuregen, hatte man von der Veröffentlichung der Oppositionsschrift und der darauf gegebenen Entgegnung Abstand genommen. Jedoch Salomon Rothschild und Wertheimstein erkannten den günstigen Moment, vom Staate weitere Vorteile zu erlangen, und wollten das Entgegenkommen Mittrowskys ausnützen. Dieser mußte nun, da des Kaisers Name und der seine damit verquickt war, im Nichtzustandekommen des Projektes eine persönliche Niederlage erblicken; schon begann die geschickt erlangte Benennung der Bahn zu wirken.

Es wurde also der Moment benützt, um Urlaube für Ingenieure, darunter den berühmten Karl Ghega, zollfreie Einfuhr von Dampfwagen und neuerlich die Erlaubnis zum Ausbau der Eisenbahn nach Preßburg zu erbitten, was das ganze Werk noch viel sicherer fördern würde. Dann ging Salomon daran, mit einem entscheidenden Schlage gegen die Opponenten, die ja selbst in der provisorischen Direktion der Nordbahn saßen, vorzugehen und sie vor die Alternative zu stellen, entweder ihren Widerspruch aufzugeben oder aus dem Verbande auszuscheiden.

Dies erreichte Salomon durch Einberufung einer neuen, der dritten, Generalversammlung auf den 19. Oktober 1836, in der die Aktionäre klipp und klar befragt wurden, ob mit der Ausführung der Bahn begonnen oder die Aktiengesellschaft wieder aufgelöst werden solle, in welchem Falle Freiherr von Rothschild das von ihm der Gesellschaft übertragene Privilegium rückübernehmen würde. Dabei wollte Salomon alle bisher aufgelaufenen Spesen von über 57000 Gulden auf sich nehmen.

Das Ergebnis der Abstimmung brachte einen vollen Sieg für Salomon Rothschild; von 83 stimmberechtigten Aktionären stimmten nicht weniger als 76 für den Gesamtbau, worauf sich die Opponenten in der provisorischen Direktion, darunter Sina und Eskeles, ebenso wie Pereira der Abstimmung enthielten. Die beiden erstgenannten mußten daraufhin auch aus der provisorischen Direktion austreten. Damit erst war der Weg für die endgültige Inangriffnahme des Bahnbaues frei geworden. Um so heftiger aber gedieh der Kampf zwischen den Bankhäusern Sina und Rothschild.

Der Oberste Kanzler Graf Mittrowsky hielt weiter seine schirmende Hand über das Unternehmen. Als die Nordbahndirektion um Freigabe des Hofbaurates Francesconi bat, war der Generalrechnungsdirektor Freiherr von Baldacci aus „1000 Gründen“ dagegen und bemerkte, da die Bahn „schon

den A. H. Namen Sr. Majestät führe, sei kein Grund vorhanden, mit den Begünstigungen noch weiterzugehen".
Dagegen trat Graf Mittrowsky mit Schärfe auf: „E. M.", schrieb er, „haben der Nordbahn bereits ... die A. H. Geneigtheit gezeigt, dieser hochverdienten Unternehmung, welche sich des A. H. Namens erfreut, in besonderen A. H. Schutz zu nehmen, dessen selbe schon allein des Höchsten Namens wegen würdig ist, welchen zu führen E. M. ihr gleich anfangs Allergnädigst gestatteten.
Die Nordbahn ist die erste große, auf die Anwendung der Dampfkraft berechnete Eisenbahnunternehmung in der österreichischen Monarchie, deren Gelingen, als erstes Beispiel, für die nachfolgende Entstehung anderer ähnlicher Eisenbahnen von außerordentlicher Wichtigkeit ist.[1] Man soll also ihre Bitten erfüllen."
Im Falle der Nordbahn war demnach festzustellen, daß die sonst und besonders heute so viel geschmähten, obersten Staatsstellen des Vormärz weit mehr Scharfblick und Voraussicht bewiesen als die sogenannte öffentliche Meinung und die Presse. Denn wäre es nach diesen beiden gegangen, so wäre es nie zu diesem gewaltigen Bau gekommen, der der erste große Lokomotivenbahnbau auf dem Kontinent war und eine Ära unerhörten Fortschrittes einleitete.
Während der Bau der Nordbahn rastlos fortschritt, erhielt Freiherr von Sina die erbetene Konzession zum Bau der Bahn nach Süden gegen Gloggnitz sowie rechts der Donau gegen Raab, womit der Plan der Rothschild, auch den Bau der Südstrecke in die Hand zu bekommen, endgültig erledigt war. Aber der Bau der Nordbahn gab ihnen finanziell genug zu tun. 1839 wurde die Strecke Wien—Brünn eröffnet, wobei die Hinfahrt einen wahren Jubel- und Festzug bedeutete, während die Rückfahrt einen Zusammenstoß und damit das erste Eisenbahnunglück innerhalb der Monarchie mit sich brachte.

[1] Graf Mittrowsky an Kaiser Ferdinand, 10. III. 1837. Wien, Staatsarchiv.

Langsam wurde man auch behördlich etwas weitherziger. Mußte man doch anfangs, um eine Fahrkarte zu erhalten, am Vortage der Reise bei der Polizei einen Paß oder Passierschein lösen, diesen dann am ersten Endpunkte der Bahn, Deutsch-Wagram, vidieren lassen und am Tage der Rückkehr persönlich wieder der Polizei zurückstellen.[1] Nun, als die Strecke bis Brünn eröffnet war, fielen auch diese Schranken.

Die Kosten des Bahnbaues überschritten die Voranschläge ganz bedeutend. Pereira behielt recht, denn schon der Bau der Bahn bis Leipnik (42 Meilen), also etwa zwei Drittel der Gesamtstrecke, hatte schon 2,4 Millionen mehr als das ausgeworfene Aktienkapital von vierzehn Millionen verschlungen, und der Bau konnte immer nur durch weitere Vorschüsse des Hauses Rothschild weitergeführt werden. Salomon wandte sich in den vierziger Jahren wiederholt um Unterstützung und finanzielle Hilfe an die Staatsgewalt, fand aber verhältnismäßig wenig Entgegenkommen. So ging der Bau langsam weiter, und die zehn Jahre, innerhalb welcher er hätte vollendet sein sollen, konnten nicht eingehalten werden. Da ließ sich die Staatsgewalt herbei, weitere zehn Jahre zuzubilligen. Erst im Jahre 1858 ward der Bau der Bahn vollendet.

Als die ersten schwierigen Baujahre überstanden waren, zeigte sich bald auch der materielle Gewinn. – Die Aktien, die 1842 noch unter Pari gestanden hatten, stiegen 1843 auf 103, 1844 auf 129, 1845 gar auf 228 Gulden. Immer mehr zeigte es sich, daß die Anlage von Geld auf weite Sicht in Eisenbahnbauten eine unerschöpfliche Quelle des Reichtums und Wohlstands bildete und auch allen durchfahrenen Gebieten Segen brachte.

Während Salomon dergestalt die Gründung der ersten großen Lokomotiv-Eisenbahn auf dem Kontinent mit seinem Namen verband, blieb auch James in Frankreich nicht zurück. Auch dort wandte sich die Allgemeinheit und die Presse

[1] Josef Wak, Bahnhofvorstand in Floridsdorf in der „Volkszeitung“.

mit den albernsten Einwendungen gegen das Unternehmen der Lokomotivbahnen. „Das Feuer der Lokomotiven", konnte man auch hier in verschiedenen „fachmännischen" Aufsätzen lesen, „würde Wälder und Saaten in Brand setzen, der Lärm der Züge die angrenzenden Schlösser und Güter unbewohnbar und die nächst dem Bahnkörper grasenden Herden rasend machen."

Es gab aber auch fortschrittliche und weitblickende Ingenieure, die voll Eifer und Begeisterung dafür eintraten, auch in Frankreich, wo es bis zum Jahre 1835 noch keine einzige Personenbahn gab, eine solche einzuführen. – Da war vor allem Emil Pereire, der einer portugiesischen Familie entstammte, die wegen der dortigen Judenverfolgung nach Paris ausgewandert war. Er war ein Anhänger der Schule, die der Philosoph und erste Sozialist Graf Saint Simon gegründet, und hatte zunächst gemeinsam mit seinem Bruder Isaak als Journalist gearbeitet. Durch finanzielle Artikel aus seiner Feder war James Rothschild bereits auf ihn aufmerksam geworden. Emil Pereire hatte mit Interesse und Eifer die Idee einer Lokalbahn von Paris nach Saint-Germain aufgegriffen und vertreten. James Rothschild, durch seine Brüder Nathan und Salomon für Eisenbahnunternehmungen günstig gestimmt, lieh Emil Pereire, als dieser mit dem Vorschlag an ihn herantrat, die Finanzierung eines solchen Bahnbaues zu übernehmen, ein williges Ohr. Da nun einmal ein reeller Hintergrund für die Ideen Pereires gewonnen war, konnte man darangehen, um die Konzession für diese Lokalbahn einzukommen. Die Regierung hielt aber gar nichts von solchen Unternehmungen.

Thiers meinte dazu: „Man muß dies den Parisern wie ein Spielzeug geben, aber das wird niemals einen Reisenden oder auch nur ein Gepäckstück transportieren."[1]

[1] J. H. Clapham, The economic development of France and Germany 1815–1914. Cambridge 1921, S. 144.

Ja der berühmte französische Physiker und Astronom Dominik François Arago erklärte, gleichwie dies seinerzeit in Österreich geschehen war, in einer Oppositionsrede in offener Kammer, die Reisenden würden beim Durchfahren eines Tunnels von wenigen Metern Länge ersticken.

Das „Spielzeug" wurde aber dennoch gewährt und die Lokalbahnstrecke Paris–Saint-Germain am 26. August 1837 eröffnet. Bald zeigte der Erfolg, auf wie gutem Wege man war. Nun sahen sich die Skeptiker und die Kammern, die einen 1835 vorgelegten Bauplan von Eisenbahnen durch den Staat verworfen hatten, vor aller Welt bloßgestellt. Auch hier in Frankreich stand der Name Rothschild an der Spitze der Entwicklung der Eisenbahnen. Bei der zweiten Personenlokomotivbahn freilich hatte es James nicht mehr so leicht. Es handelte sich um die Bahn von Paris nach Versailles, und da waren es schon zwei Unternehmer, Rothschild und Fould, die ungefähr gleichzeitig denselben Gedanken hatten. Emil Pereire baute im Dienste Rothschilds die Bahn an dem rechten Ufer der Seine, die berühmte „Rive droite", deren Konzession im Jahre 1836 gegeben worden war und die im Jahre 1839 fertiggestellt wurde; Fould aber finanzierte die Bahn am linken Ufer der Seine. Daraus entsprang ein erbitterter Konkurrenzkampf zwischen den beiden Eisenbahngesellschaften, die bald auch auf anderen Gebieten zu großer Rivalität zwischen den beiden Finanzmännern führte.

Schließlich gelang es James, die Konzession für den Bau und die Nutzbarmachung einer französischen Nordbahn zu erlangen, welch gigantische Unternehmung die Rothschildsche Finanzkraft in den vierziger Jahren gewaltig beanspruchte. – Am 21. Juli 1845 konnte an die Eröffnung der französischen Nordbahn geschritten werden.

Nathan Rothschild beteiligte sich um die Mitte der dreißiger Jahre überdies eifrig an dem belgischen Eisenbahnbau; der weitblickende König Leopold von Belgien hatte sich seit seinem Regierungsantritt mit Eisenbahnbauplänen für sein Königreich beschäftigt. In Zusammenarbeit mit Georg Stephenson wurde ein strahlenförmig von Brüssel ausgehendes Bahnnetz für Belgien entworfen, das die Kammer, weit klüger als die französische, schon im Jahre 1834 guthieß. Hier war es der Staat selbst, der den Bau, der gleich zu Anfang 150 Millionen Francs erforderte, unternahm. Ein großer Teil dieses Geldes wurde 1836, 1837 und 1840 durch Rothschild beschafft, und so wurde dem kleinen Belgien vor den anderen Staaten ein Vorsprung gesichert, der sich noch heute in der Dichte des belgischen Eisenbahnnetzes zeigt.

Diesen ersten Rothschildschen Eisenbahnunternehmungen folgten in den künftigen Jahren noch viele andere, die sämtlich zu verfolgen zu weit führen würde. Wir werden die Rothschild später die anfangs versäumte Gelegenheit, auch die österreichische Südbahn in ihre Hände zu bringen, wieder aufnehmen sehen.

Wie die Haltung der Rothschild gegenüber den ersten Eisenbahnen in England zeigt, war es nicht Voraussicht von allem Anfang an und auch nicht Liebe zum Fortschritt, die sie die ersten Eisenbahnbauten auf dem Kontinent in Angriff nehmen hieß, sondern die erreichten Anfangserfolge in England, die sie auch anderswo reichen Gewinn und Vorteil erwarten ließen. Aber wenn sich die Rothschild auch da, so wie zumeist, von geschäftlichen Interessen leiten ließen, so waren sie in diesem Falle die Bahnbrecher auf dem Festlande für eine der kühnsten und gewaltigsten Erfindungen des Menschengeistes, die, wie kaum eine andere, das Leben unserer Zeit kulturellem Fortschritt, internationaler Annäherung und Förderung der Beziehungen der Völker untereinander nahegebracht hat.

VIERTES KAPITEL

DER KONFLIKT DER FÜNF BRÜDER ROTHSCHILD IN SPANIEN

Der Rothschildsche Reichtum war unversehrt aus den Stürmen der Julirevolution hervorgegangen. Mehr als das: der Kredit und das Vermögen des Hauses stiegen in ungeahntem Maße, und die gewaltigen Kapitalien suchten nach Anlage. Während die Brüder in Frankreich und Österreich mit den großen Eisenbahnbauplänen beschäftigt waren, suchte Nathan in stetem Einklang mit den Grundzügen der britischen Staatspolitik, weiter große Anleihegeschäfte zu betreiben. Unter den geldsuchenden und geldbedürftigen Staaten ragte das in politische Krisen schwerster Art verstrickte Spanien hervor.

Seitdem Frankreich im Jahre 1823, damals noch bourbonisch-reaktionär, in Spanien militärisch interveniert hatte, um die absolute Herrschaft des von der Revolution überwältigten Königs Ferdinand VII. wieder aufzurichten, hatten sich die Verhältnisse in beiden Reichen gründlich verändert. Mit der Julirevolution, der Vertreibung Karls X. und der Erhebung des konstitutionellen Bürgerkönigs Louis Philippe auf den französischen Thron war die Stütze, die Ferdinand VII. von Spanien an Frankreich gehabt hatte, hinfällig geworden. Dazu kam Anfang der dreißiger Jahre noch ein Streit innerhalb der königlichen Familie um die Erbfolge.

König Ferdinand VII. hatte von seinen ersten drei Frauen keine Kinder gehabt, und erst die vierte, die schöne Neapolitanerin Marie Christine, schenkte ihm zwei Töchter. In Spanien galt jedoch nur die Erbfolge im Mannesstamm, und demgemäß war der rein absolutistisch und im Sinne Metternichs konservativ gerichtete Bruder des Königs, Don Carlos, zum Throne bestimmt. Die Königin bewog ihren Gemahl, durch Erlaß einer pragmatischen Sanktion auch die Frauen und damit die Töchter Marie Christinens als erbberechtigt zu erklären. Aber Don Carlos erkannte diese Bestimmung nicht an, und ein jahrelanger Erbfolgestreit flammte auf. Da Don Carlos, der Thronprätendent, ein ausgesprochener Anhänger des alten Regimes war, begann sich die junge Königin nach dem im September 1833 erfolgten Tode ihres Gemahls auf die liberale Partei des Landes zu stützen. Ganz Europa nahm zu diesem Zwiste Stellung.

Für die Königin, deren Anhänger Christinos genannt wurden, traten ihrer Allgemeinpolitik entsprechend die eher liberalen Westmächte England und Frankreich ein, freilich mit großer Vorsicht und wenig geneigt, unmittelbar zu intervenieren. Für Don Carlos ergriffen die absolutistischen Ostmächte, vor allem Österreich unter Metternich, Partei. Zu Anfang des Jahres 1835 stand die Sache der Königin Christine nicht allzu günstig, die Carlisten hatten Fortschritte gemacht, und im Januar war es sogar zu einer Revolution gekommen. Über Österreich war man in Madrid so empört, daß für den am 11. April verstorbenen Kaiser Franz nicht einmal eine Hoftrauer angeordnet wurde. Die Ministerien wechselten häufig, und die Kämpfe nahmen ihren Fortgang. Beide Teile führten die erbittertsten Kriege gegeneinander und brauchten Truppen und Geld. Vor allem letzteres wurde von verschiedenen Mächten ausgiebig zur Verfügung gestellt, aber auch in ganz unglaublichen Mengen verschwendet. Seit 1823 waren nahezu drei Milliarden Realen[1] an Anleihen begeben worden. Bald genügten die offiziellen Quellen nicht mehr, und private Bankhäuser mußten einspringen. Je nach der politischen Richtung aber, die die verschiedenen Regierungen

[1] 1 Real span. Silbermünze = ca. 0,218 Mark.

verfolgten, versuchten sie eine Kreditgewährung an die ihnen unsympathische Partei zu verhindern. So wurden denn auch die Rothschild von beiden Parteien um Geld angegangen; die Frage, für welche das Bankhaus sich entschließen sollte, war um so heikler, als sein Wirkungskreis sowohl West- als Oststaaten umfaßte. Jede Entscheidung war schwierig, weil die Staaten, in deren Gebiet die Rothschildschen Bankhäuser wirkten, in verschiedenen politischen Lagern standen. Andererseits freilich war diese gleichzeitige Niederlassung in den Hauptstädten Europas bei völliger Solidarität, wie wir gesehen haben, eine der wirksamsten Ursachen für das Emporkommen des Hauses, da jeder der Brüder die anderen stets über das auf dem laufenden erhielt, was in seinem Bereich vorging. Sie waren um so besser unterrichtet, als jeder von ihnen durch gute Verzinsung und Verwaltung des Vermögens maßgebender Persönlichkeiten Verbindungen erworben hatte, die ihm auch ohne jeden Anschein von Bestechung stets die allerneuesten und besten Informationen verschafften. Manchmal aber bereitete dieser Kosmopolitismus auch Schwierigkeiten. Gerade was Spanien anlangt, mußte sich unter den Brüdern ein Gegensatz ergeben. Besonders Nathan hatte eine heikle Stellung, denn England neigte am meisten zu tätigem Eingreifen. Obwohl Frankreich der am 22. April 1834 abgeschlossenen sogenannten Quadrupelallianz England, Frankreich, Spanien und Portugal beigetreten war, von deren Abschluß der österreichische Botschafter in Paris zuallererst durch James Rothschild und dieser wieder durch einen Kurier Nathans unterrichtet worden war[1], hatte Louis-Philippe keineswegs Lust, nun etwa der liberalen Königin Christine die Kastanien aus dem Feuer zu holen und in Spanien militärisch einzuschreiten, wie es seinerzeit Ludwig XVIII. für den absolutistischen König Ferdinand VII. getan hatte. Im Grunde verfolgte Louis-Philippe recht ungern die ihm

[1] Apponyi an Metternich, 25. VI. 1835. Wien, Staatsarchiv.

durch die Art seines Emporkommens aufgezwungene liberale Politik, die nicht seiner Überzeugung entsprach. Es schien ihm doch recht schwierig, gegen die Ostmächte und ohne deren Unterstützung seinen Thron zu festigen. Überdies dachte er im geheimsten Schrein seines Herzens an eine Verbindung des Thronfolgers, des Herzogs von Orléans, mit einer österreichischen Erzherzogin. James Rothschild, der mit dem Herrscher und seinen vornehmsten Ratgebern in steter Verbindung war, wußte um diese Einstellung des Königs und war daher nicht geneigt, in das spanische Wespennest zu greifen. Es braucht nicht gesagt zu werden, daß die vom Schauplatz weiter entfernten, im Bannkreise Metternichs lebenden Brüder in Wien, Frankfurt und Neapel, schon gar nichts mit Spanien zu tun haben wollten. Aber die fünf Brüder bildeten damals ein Haus und ein Geschäft. Was der eine unternahm, traf auch die übrigen, und darin lag der Keim zum Konflikt.

Nathan wieder hatte einen doppelten Grund, trotz allem, was dagegen sprach, Spanien, und zwar der Königinregentin Marie-Christine, eine Anleihe zu geben. Einmal, weil er damit einem Wunsche der britischen Regierung entgegenkam, und dann, weil er einen gewaltigen Plan hegte, der ein ausgezeichnetes Geschäft zu werden versprach. Am europäischen Markte war nämlich damals Quecksilber nur aus zwei Produktionsstätten auf dem Festlande Europas zu haben, während überseeische Länder dafür noch kaum in Betracht kamen. Diese beiden Stätten waren das Quecksilberbergwerk von Idria, das das Rothschildsche Haus vom österreichischen Staat gekauft hatte und auch betrieb, und die Quecksilberbergwerke von Almaden in Spanien, deren Erträgnisse eine wichtige Einnahmequelle des spanischen Staates bildeten. Besaß einer beide Quecksilbergruben, so beherrschte er monopolartig den ganzen Markt und konnte den Preis dieses Metalles bestimmen. Diesen Gedanken hatte Nathan erfaßt und war nun bestrebt, von dem stets geldbedürftigen Spanien das Bergwerk von Almaden zur intensiveren Verwertung gegen entsprechende finanzielle Leistungen zu erwerben. Dieses Bergwerk war überdies einstmals im sechzehnten Jahrhundert im Besitze der Fugger gewesen, und es schmeichelte Nathan Rothschild, die ohnedies schon vielfach vorhandenen Parallelen zwischen der Stellung und Bedeutung jenes Hauses und der seines eigenen zu unterstreichen. Nathan sandte seinen Sohn Lionel nach Madrid, um seinen Plan zu verwirklichen. Die spanische Regierung hatte mit Zustimmung der Königinregentin am 27. November 1834 beschlossen, das Schurfrecht in den Werken von Almaden, die damals nur 16—18000 Zentner Quecksilber ergaben, an den Meistbietenden auf etwa fünf Jahre pachtweise zu versteigern, um so mit Verwendung von fremdem Kapital die Erträgnisse des Bergwerkes zu heben und mehr Gewinn aus den Gruben zu ziehen. Die Offerten sollten versiegelt im Finanzministerium übergeben und sodann geprüft werden. Wieder gebrauchte das Haus Rothschild seine alte Taktik. Es bot 5 Realen mehr als jedes Angebot, das 54 Piaster[1] für den Zentner nicht übersteigen würde. Die spanische Regierung war um so eher geneigt, dem Hause Rothschild die Sache zu übergeben, als Lionel auch noch den Antrag Nathans, der königlichen Regierung 15 Millionen Francs zu billigen Zinsen zu leihen, vermittelt hatte, was freudig angenommen worden war. Überdies war der spanischen Regierung das mächtige Welthaus Rothschild bedeutend lieber als die kleinen, finanziell schwachen, wenn auch heimischen Bankhäuser, die sich gleichfalls bewarben. Und wirklich – die Rothschild hatten die Ziffer 54 mit merkwürdiger Genauigkeit getroffen – betrug das Höchstangebot des spanischen Bankhauses Zeluete genau 54 Piaster, und da die Rothschild 5 Realen mehr geboten hatten, kamen sie auch formell für den Abschluß des Ver-

[1] 1 altspan. Piaster = 8 Reales.

trages in Betracht. So wurde am 21. Februar 1835 zwischen Lionel Rothschild und dem spanischen Finanzminister Grafen José Maria Toreno ein feierlicher Vertrag unterzeichnet, der die Unterschrift der Königinregentin Marie-Christine trug. Lionel wurde bei dieser Gelegenheit zum Ritter des Ordens Isabellas der Katholischen ernannt.

Toreno hatte ein abenteuerliches Leben hinter sich. Er war es gewesen, der 1808 die denkwürdige Allianz zwischen Spanien und England gegen Napoleon abschloß. Er neigte mehr zur liberalen Richtung, trat für Preßfreiheit, Abschaffung der Inquisition und Auflösung der zahllos über Spanien verbreiteten geistlichen Orden ein. Toreno mußte daher, als der starr reaktionäre Ferdinand VII. ins Land zurückkehrte, Spanien verlassen und lebte lange Zeit in Paris, wo er mit James Rothschild bekannt wurde, dann aber, anscheinend wegen eines nicht gewährten Anlehens, mit ihm in Zwist geriet. Nach dem Tode des Königs Ferdinand VII. von der Regentin wieder zu öffentlichen Ämtern herangezogen, war er am 15. Juni 1834 Finanzminister geworden und so plötzlich zu einer Machtstellung gelangt, die für das Haus Rothschild, wenn es auch nur mit dem durch Nathan verkörperten Zweig in die finanziellen Angelegenheiten Spaniens eingriff, von außerordentlicher Bedeutung werden mußte.

Für den Augenblick war dies beim Vertrag über die Quecksilbergruben noch ohne Einfluß geblieben, weil Toreno das Geld für den Staat brauchte. Ja, Lionel hatte, nach altbewährtem System, am 27. Mai sogar noch einige Verbesserungen des Vertrages verlangt, von denen die bedeutendste war: die spanische Regierung solle, gegen leichte Erhöhung des Zentnerpreises, auf das Recht verzichten, schon nach drei Jahren kündigen zu können. Das geschah; die Rothschild zahlten nun 55 für den Zentner, und alle Änderungen am Vertrage wurden am 4. Juni 1835 zugebilligt, nicht ohne entsprechenden Nachdruck der Rothschild bei verschiedenen Persönlichkeiten, auch bei der Königin, deren gerade damals sehr notleidende Zivilliste 500000 Francs erhalten haben soll.[1] Dabei kamen beide Teile auf ihre Rechnung, denn die Rothschild konnten kraft ihres schon erlangten Monopols das zu 55 per Zentner erworbene Mineral am Londoner Markte zu 76, ja sogar zu 80 absetzen. Das gab natürlich einen sehr großen Gewinn, und zudem geschah alles, um die Produktion zu steigern, was auch der spanischen Regierung zugute kam, die überdies fortwährend Vorschüsse auf die zu fördernde Quecksilbermenge vom Hause Rothschild verlangen konnte. Trotz alledem verschlechterten sich die Finanzen Spaniens durch den steten Bürgerkrieg und den schlechten Staatshaushalt immer mehr. Da die vorgeschossenen 15 Millionen Francs und die Erträgnisse des Quecksilberbergwerkes nicht reichten, so suchte Toreno neuerdings, und diesmal bei dem französischen Hause, also trotz der seinerzeitigen Absage, wieder bei James um eine Anleihe nach. Für James lag jedoch kein Grund vor, Spanien Geld zu leihen, und die Angelegenheit mit dem Quecksilber war ja auch schon günstig erledigt. Toreno erhielt daher eine Absage, die den spanischen Finanzminister noch mehr gegen James, aber auch gegen das Haus Rothschild überhaupt aufbrachte. Es gelang Toreno indes, bei einem anderen Bankier, namens Ardouin, die Anleihe zu freilich sehr ungünstigen Bedingungen unterzubringen. Bei den Verhandlungen hatten die Rothschild noch mehr Einblick in die trostlose Lage der spanischen Staatsfinanzen gewonnen. Die vier Brüder des Festlandes, die ohnehin mit Nathans Vorschuß von 15 Millionen an Spanien höchst unzufrieden gewesen waren, bekamen Angst um das Geld, machten ihrem Bruder Vorwürfe, und es wurde endlich beschlossen, die schleunige Rückzahlung des Geldes bei der spanischen Regierung zu betreiben.

[1] Graf Apponyi an Metternich, 2. XI. 1837. Wien, Staatsarchiv.

12. Marie Christine von Bourbon
Königin von Spanien

Da aber setzte die Feindschaft des Grafen Toreno ein. Er versuchte mit allen Mitteln, die Rückzahlung der Spanien geliehenen Millionen zu erschweren und zu verhindern. Schließlich gelang es den Rothschild aber doch nach langer Mühe, einen Teil ihres Geldes in bar, einen andern in Titres der wenig vertrauenswürdigen Ardouinschen Anleihe zurückzubekommen, jedoch nur, indem sie den widerspenstigen Finanzminister einfach kauften. Der Mann war teuer, das mußte man sagen; zunächst einmal erhielt er 1300000 Francs und dazu im Verlaufe der Verhandlungen zur Rückzahlung der Anleihe 300000 Francs, also insgesamt eine Summe von 1600000 Francs.

Nachdem die Brüder ihr an Spanien geliehenes Geld solcherart zurückerhalten hatten, kam zwischen ihnen eine Besprechung in Paris zustande, in der voller Zorn die Haltung der spanischen Regierung, insbesondere die „niederträchtige Undankbarkeit und skrupellose Geldsucht" Torenos verurteilt wurde. Die Brüder beschlossen, an dem Minister exemplarische Rache zu nehmen, und dies gelang ihnen durch eine Kontermine-Operation nur allzu gut, auf die noch zurückgekommen werden soll.

Zur Abwicklung dieser spanischen, so gefahrvollen und keineswegs zur Zufriedenheit aller Brüder durchgeführten Transaktionen, begab sich James Rothschild Ende Mai 1835 zu Nathan nach London, wo er gleichzeitig mit einem Geschäftsfreunde, Don Juan Alvarez y Mendizabal, in Angelegenheit der portugiesischen Staatsfinanzen verhandeln wollte. Während er dort weilte, kam die alarmierende Nachricht, daß das spanische Ministerium Martinez della Rosa infolge seines Bestrebens, England und Frankreich zur Intervention in Spanien zu veranlassen, gestürzt sei und kein Geringerer als der berüchtigte Graf Toreno das Ministerpräsidium übernommen habe. Diese Ernennung erschreckte Nathan aufs äußerste, obwohl sie durch die Tatsache abgeschwächt war, daß Toreno den den Rothschild gut gesinnten Mendizabal, wenn auch ungern, als Finanzminister in sein Kabinett zu nehmen versprach.

Torenos Ernennung und die elende Lage der Staatsfinanzen sowie die ungünstige militärische Lage gegenüber dem Thronprätendenten Don Carlos, ließen Nathan für alle seine Engagements in Spanien, nicht zum wenigsten für die höchst rentablen Quecksilberminen, fürchten. Kam Don Carlos ans Ruder, dann war es aus mit allem, was Nathan, der Förderer der Königinregentin und ihrer liberalen Anhänger, in Spanien besaß. Daher setzte er sich in diesen Tagen für eine bewaffnete Intervention Englands und Frankreichs in Spanien mit größtem Eifer ein. Doch alles, was man bei den Regierungen durchsetzen konnte, war die freiwillige Überlassung der Fremdenlegion an die Königin durch Frankreich und, dem Protest der Tories zum Trotz, die Stellung einer freiwilligen Legion seitens Englands. Nathan half aufs tätigste bei der Anwerbung dieser Freiwilligen, die ohne sein Geld nicht hätte durchgeführt werden können.

Diese Haltung Nathans kam dem Chargé d'affaires an der österreichischen Botschaft in London, von Hummelauer, der den Rothschild alles andere als wohlgesinnt war, durch den im österreichischen Generalkonsulat angestellten und von Nathan besoldeten Kanzleibeamten Kirchner zu Ohren. Dieser Mann war also bezeichnenderweise ein Konfident Österreichs in einem — österreichischen Konsulate.[1] Hummelauer, der Nathan mißtraute und mit Recht in dem von diesem bekleideten Generalkonsulat nur eine Art Ehrenamt sah, war bestrebt, auf diese Weise die politische Richtung des Hauses Rothschild besser zu überwachen. Nathan war sich nicht bewußt, daß er in Hummelauer einen mächtigen Feind besaß, der bei der häufigen Abwesenheit und Amtsträgheit des Bot-

[1] Von Hummelauer an Metternich. London, 12. IX. 1835. Wien, Staatsarchiv.

schafters Eszterházy sehr oft unmittelbar nach Wien berichtete und dadurch das Ohr Metternichs gewann. Nathan kam so ziemlich jeden Sonntag auf die österreichische Botschaft und sprach, wenn Eszterházy nicht da war, mit Hummelauer. Als er nun von dem bevorstehenden Sturze des spanischen Ministeriums und der Übernahme der Präsidentschaft durch Toreno hörte, erschien er wieder mit allen Zeichen großer Aufregung. Er versicherte auf Grund eines Briefes seines Bruders in Paris, daß, wenn die Ostmächte ein bewaffnetes Eingreifen Frankreichs in Spanien hinderten, Louis-Philippe in wenigen Wochen, wenn nicht wenigen Tagen, seinen Thron verlieren würde. Hummelauer fand zwar, daß dies ganz im Gegensatz zu den Nachrichten aus Paris stände, aber er meinte doch, daß die Autorität Nathans so groß sei, daß man an seinen Bemerkungen nicht ganz vorübergehen könne. Überdies war auch noch James in London anwesend, was deutlich auf wichtige Entschlüsse der beiden Brüder hinwies.
Fürst Metternich hatte nun schon von den verschiedensten Seiten Nachrichten bekommen, daß das Haus Rothschild nicht seinen Kandidaten, den gegen die Königinregentin kämpfenden „legitimen“ und reaktionären Don Carlos, sondern die aus dem Schaume der Revolution geborene Königinregentin Christine mit Geld unterstützte. Und nun, sagte man ihm, sei zu allem Überfluß gar James von Paris nach London gefahren, um mit großen Geldmitteln die englischen Rüstungen zugunsten der Königin Christine zu unterstützen und so den Kurs der spanischen Papiere zu heben. Weil Metternich den in Paris weilenden Salomon nicht selbst zur Rede stellen konnte, beschloß er, den Botschafter in Paris, Grafen Apponyi, damit zu beauftragen. Er schrieb dem Grafen eine „lettre particulière“, in welcher er seinen oben dargelegten Verdacht gegen die Brüder Rothschild aussprach und den Botschafter anwies, sich über die Sache Klarheit zu verschaffen.

Graf Apponyi packte den Stier bei den Hörnern. Obwohl er sich sagen mußte, daß auf solche Art kaum eine restlose Aufklärung zu erreichen sei, ließ er sich einfach bei Salomon Rothschild melden, um ihn zu befragen. Mag dieser nun auch dem Botschafter kaum den „fond de sa pensée“ enthüllt haben, so ist doch Apponyis Bericht über diese Zusammenkunft sehr interessant.[1]

Salomon Rothschild war zunächst, als ihm Apponyi die Besorgnisse Metternichs bezüglich der Politik des Hauses Rothschild in den spanischen Angelegenheiten entwickelte, „peinlich erstaunt“ über diese „Art Zweifel“ über die Haltung seines Hauses in betreff des finanziellen Teiles der spanischen Frage, beteuerte aufs feierlichste seine Aufrichtigkeit und seinen guten Glauben und versicherte, in Wirklichkeit lägen die Dinge gerade umgekehrt, und die Gerüchte im Publikum seien gänzlich unwahr. Dann vertraute er dem Grafen unter dem „Siegel des tiefsten Geheimnisses“, das natürlich sofort brühwarm an Metternich nach Wien weiterging, die etwas weit hergeholte Behauptung an, der Chef des Londoner Hauses Nathan habe sich durch die Bitten seiner Frau Hannah, der Tochter des englischen Bankiers Cohen, die ihrerseits wieder durch Intrigen von allen Seiten in die Sache hineingezogen worden war, verleiten lassen, der spanischen Regierung etwa 16 Millionen Francs vorzustrecken. Die vier anderen Brüder hätten zwar diese Operation höchlichst mißbilligt und bedauert, hätten sich aber notwendigerweise in die Sache verstrickt gesehen, da sie doch Associés seien, die für alle Unternehmungen, auch nur eines Mitgliedes ihres Hauses, solidarisch hafteten.

Salomon versuchte so, das Metternich gegenüber peinliche Geständnis, daß sein Haus gegen alle sonstigen Versicherungen der liberalen Regentin Spaniens, die gegen Österreichs Schützling Don Carlos kämpfte, eine Anleihe gewährt hatte,

[1] Graf Apponyi an Fürst Metternich, privat und geheim. Paris, 24. VI. 1835.

durch das Ausreden auf eine Frau in seiner Wirkung abzuschwächen. Dann erzählte er weiter von dem Mißgeschick mit diesen Spanien geliehenen 15 bis 16 Millionen und dem „unqualifizierbaren Benehmen“ Torenos in dieser Angelegenheit.
„Wie,“ sagte er zum Grafen Apponyi, „wir geben Spanien unser ehrliches Geld gegen billige Zinsen, die wir von jedermann dafür bekommen hätten, und um zu dem Unsrigen wieder gelangen zu können, müssen wir den spanischen Finanzminister mit 13 mal hunderttausend und noch andere mit 300000 Francs schmieren und nebstbei noch Quecksilber und Dreck (mit letzterem Ausdruck sind die Ardouinschen Obligationen bezeichnet) an Zahlungs Statt annehmen!“
Daraufhin machten sich die Häuser Rothschild in London und Paris daran, in den spanischen Fonds à la baisse zu spielen und verwandten für diese Kontermine-Operation einen Betrag von 1800000 Pfund Sterling!!! Der Erfolg war gewaltig: die spanischen Renten fielen von 70 auf 37, und die daraus entstehende Panik, die ungeheure Entwertung der spanischen Papiere in London, war einzig und allein die Folge des Rothschildschen Racheaktes. Tausende von Besitzern spanischer Papiere verloren zwei Drittel ihres Vermögens, die Rothschild aber verdienten dabei noch weit über die als Trinkgeld — „en pots de vin“, wie Apponyi sich ausdrückt — an den Grafen Toreno verwandten Schmiergelder.
„Sagen Sie dem Fürsten Metternich,“ fuhr Salomon Rothschild zu Apponyi fort, „das Haus Rothschild hat alles das gemacht, es hat sich rächen wollen, und wenn Don Carlos emporkommt, so hat er es großen Teils dem zu danken. Mein Bruder Nathan kann sich nicht mehr in London sehen lassen, es ekelt ihn die spanische Sache zu sehr an; er wollte, selbst ohne seine Rechnungen noch geordnet und liquidiert zu haben, wozu sein Gemüt zu sehr bewegt war, sogleich nach Frankfurt abgehen. Da hat sich James erboten, ihm zu dieser

nötigen Liquidierung behilflich zu sein, und das ist die eigentliche wahre Ursache seiner Reise nach London. Gleich nach Beendigung dieses Geschäftes geht mein Bruder Nathan nach Frankfurt, um dort einige Monate zu bleiben.

Da haben Sie unser ganzes Geheimnis, ich vertraue es Ihnen an, aber bedenken Sie, daß durch dessen Offenbarung unsere persönliche Sicherheit bedroht und gefährdet sein könnte, denn wie viele würden nicht Todesrache für ihr erlittenes Unglück an uns nehmen wollen! Wir haben schon drei Kuriere an meinen neveu Lionel nach Madrid gesandt, um ihn zurückzuberufen, wie leicht könnte ihm, wenn das geringste verraten würde, dort Gefahr drohen!"

Graf Apponyi hatte in tiefer Erregung zugehört. Welche ungeheure Macht, sagte er sich, stellt das Haus Rothschild dar, und welch ein Unglück und zugleich welche Ungeschicklichkeit ist es, sich der Rache dieses Hauses auszusetzen! Nun waren zwar viel mehr Unschuldige als wahre Schuldige von dieser Rache getroffen worden, aber Apponyi freute sich doch, denn Graf Toreno hatte natürlich in seinem Ansehen und seiner Stellung durch diesen Sturz der spanischen Werte nachhaltige Einbuße erlitten, und endlich war ja auch die am Ruder befindliche Königin-Regentin Marie Christine und ihr System, das von Apponyis oberstem Chef, dem allmächtigen Metternich, so hart bekämpft wurde, getroffen.

„Aber", meinte Apponyi, „mit Rücksicht auf die vielen unschuldigen Opfer der Operation kann ein Bankier sich anders rächen, und können wir uns über den Einfluß beklagen, welchen die Rothschildsche Operation auf eine der wichtigsten politischen Fragen unserer Epoche übte?"

Indessen waren die Hummelauerschen Meldungen aus England bei Metternich eingetroffen, und auch Eszterházy hatte, insbesondere durch den russischen Botschafter in London, verschiedene für das Haus Rothschild kompromittierende Nachrichten über dessen spanische Politik erhalten. Eszterházy bat daher Nathan und James zu sich und befragte sie darüber. Natürlich taten sie alles, um den Botschafter zu beruhigen. James schrieb über diese Unterredung am 23. Juni 1835 aus London[1]:

„Wir hatten mit Fürst Eszterházy eine lange Konversation, und sehen, daß uns Pozzo keinen Zucker streut. Wir haben ihm gesagt, daß wir schlechterdings mit Spanien nichts zu tun haben und nichts mit den Truppenbezahlungen in England; denn hier hat Pozzo gesagt, wie wenn wir den Truppen hier das Geld zum Anwerben gäben; so sagten wir an Fürst Eszterházy, daß er dem Fürsten schreiben könnte, wir hätten schlechterdings nichts zu tun mit allem.“

So sahen die Dinge vom Standpunkte der Rothschild gesehen aus, die sich natürlich hüteten, ihre innersten Gedanken in Briefen preiszugeben, die für Mitteilung an den Fürsten Metternich oder den Grafen Apponyi bestimmt waren. So viel stand nun einmal fest, der Londoner Rothschild vertrat politisch dieselben freiheitlichen Anschauungen wie die englische Regierung, was ja auch sehr nahe lag.

Hummelauer traute Nathan auch weiter nicht über den Weg. „Denn“, schrieb er einige Zeit später[2], „wenn Nathan sich der spanischen Angelegenheiten gänzlich entledigt hätte, würde ich darin keine reelle Garantie für sein Verhalten in der Zukunft sehen. Im Vorjahre, als er der Associé aller Intrigen der Quadrupelallianz wurde, sagte er mir eines Tages, offensichtlich in Verlegenheit, was er mir mitteilen sollte: ‚Ich muß sie machen (die Anleihe von damals), denn wenn ich sie nicht mache, macht sie ein anderer.‘ Er hat sich einfach in die Reihen der Revolution gestellt, weil diese ihm Gewinn versprach. Alles, was ich von ihm gesehen habe, seit ich hierhergekommen bin, hat mir einen solchen Mangel von

---

[1] Auszug aus einem Briefe James Rothschilds. London, 23. VI. 1835. Wien, Staatsarchiv. — [2] Hummelauer an Metternich. London, 12. IX. 1835. Wien, Staatsarchiv.

Wahrheitsliebe, eine so vollkommene Feilheit erkennen lassen, daß ich überzeugt bin, daß er sich stets auf jene Seite schlagen wird, wo es etwas zu gewinnen gibt, und wenn auch die Angebote von Seiten der Revolution kommen, so wird er nicht schwanken und sie annehmen."

Metternich machte daraufhin, wegen der von der Londoner Botschaft erhaltenen Nachrichten, dem Prokuristen des Hauses Rothschild in Wien, Wertheimstein, Vorwürfe, der darüber sowohl an Salomon in Paris wie auch an die beiden Brüder in London berichtete. Daraufhin gingen Nathan und James in London auf die österreichische Botschaft, wo sie wieder einmal nur Hummelauer antrafen, und baten ahnungslos gerade ihn, den Fürsten Metternich über ihre „wahre Haltung" zu unterrichten. Hummelauer verhehlte ihnen nicht, daß eigentlich er es gewesen sei, der zu diesem Alarm in Wien Anlaß gegeben. Er hätte nicht verschweigen können, daß Nathan sich seinerzeit, und zwar unter Berufung auf Nachrichten von James in Paris zugunsten der Intervention in Spanien, ausgesprochen habe. Nathan geriet in große Verlegenheit, denn er konnte dies in Anwesenheit seines Pariser Bruders nicht leugnen.

„Das Erstaunen von James", meldete Hummelauer[1], „war nicht weniger groß als meine Überraschung, als er mir auf das ausdrücklichste sein Wort gab, daß er seinerzeit seinem Bruder gerade in vollständig gegenteiligem Sinn geschrieben, d. h. also gegen die Intervention und nicht für. Er hat dies sogar unter dem Hinweis auf den Sturz Louis-Philippes getan, der aus der Tatsache der Intervention hervorgehen würde und nicht aus deren Unterlassung. Alles bringt mich dazu — — dieser Behauptung des Baron James vollsten Glauben beizumessen, da sie sich in gänzlicher Übereinstimmung mit allen aus Paris erhaltenen Nachrichten, dann mit dem Geiste, dem gewohnten Takte und dem ausgezeichneten

[1] Hummelauer an Metternich. London, 24. VI. 1835. Wien, Staatsarchiv.

13. Graf von Toreno

Einvernehmen des Chefs dieses Hauses Rothschild mit dem König Louis-Philippe selbst, befindet."

Auch Salomon in Paris hatte den Wertheimsteinschen Brief über die Unzufriedenheit Metternichs und dessen Forderung nach Aufklärung erhalten. Auf ihn, den normal in Wien Ansässigen und von Metternich völlig Abhängigen, mußte natürlich der Vorwurf Metternichs viel stärker wirken als auf alle seine Brüder. Salomon, der in des Fürsten unmittelbarem Machtbereich leben mußte, lag es natürlich ganz besonders daran, sich wenigstens in den Augen des Wiener Kabinetts, wenn auch auf Unkosten seines Bruders Nathan, rein zu waschen. So beschränkte er sich nicht darauf, dem Grafen Apponyi Aufklärungen zu geben, sondern schrieb solche auch ausführlich an Wertheimstein mit dem Auftrage, sie Metternich vorzulegen. Der getreue Sekretär verfaßte eine Abschrift des Briefes und legte sie Metternich vor.

„Ich habe Ihr wertes Schreiben," stand da in Salomons Brief[1] zu lesen, „die Angelegenheiten meines Bruders in London betreffend, richtig erhalten. Ehe ich aber an die Sache selbst gehe, wissen Sie, mein lieber Leopold, was S. D. der Fürst nicht so wissen kann, daß mein Bruder Nathan Meyer, einer der besten Köpfe für den Exchequer und für die Papiere-revirements außerdem aber in anderen Gegenständen leider nicht viel ist. Sie wissen, daß ich ein abgesagter Feind von Spanien bin, er ist's nicht weniger, nicht aus politischen Gründen, weil er davon wenig versteht, sondern wegen des Raubes von 1,300 Mille Francs, die wir hergeben mußten, um zu unserem Geld zu gelangen, und wie, nicht einmal bar, sondern man nötigte uns, 600 Mille vom Ardouinschen Anleihen zu nehmen. Da kamen wir Brüder überein, unter uns gesagt, uns an Spanien, an Toreno zu rächen, weil er und sein Conseil uns eigentlich 1680 Mille Francs Spesen verur-

[1] Salomon Rothschild an Wertheimstein. Paris, 24. VI. 1835. Wien, Staatsarchiv.

sachten. Unser Entschluß war also, den Toreno in die Lage zu versetzen, daß er alles Geld, das er uns aus dem Sack gestohlen hatte, spüren soll, diesen Raub mit dem Ruin seiner Operationen zu endigen, und uns für den Verlust wieder zu entschädigen. Was geschah! Nathan Meyer Rothschild verkauft auf £ 600 Mille noch $1^1/_2$ Millionen Pfund Sterling mehr in der Kontermine, laut beigehendem Auszug, das Original habe ich dem Grafen Apponyi, gleich wie es kam, vorgezeigt. Nun kennen Sie, wie es ist mit Kontermine, wenn die Zeit zur Lieferung kommt, und man hat sie nicht, muß man sie entlehnen, dies tat auch mein Bruder, aber während der Zeit konnten die Leute, von denen er entlehnt hatte und die die Effekten neu von ihm zu den hohen Preisen wieder zurücknehmen mußten, nicht Stich halten, da durch die von meinem Bruder mehr realisierten $1^1/_2$ Mill. Pfd. Sterling, anstatt daß die Anleihe von Ardouin nur $3^1/_2$ Mill war, jetzt $5^1/_2$ Millionen verkauft waren, was den Markt überschwemmte und den spanischen Papieren den Hals abgeschnitten hat. Ich habe mir die Briefe von Lionel aus Madrid, wenn sie noch da sind, von London verschrieben, um sie Ihnen zu schicken, worin er sagte, daß Ardouin und Mendizabal Kuriere nach Madrid schickten, daß Nathan Meyer Rothschild so schrecklich realisiere und à la baisse ginge. Es versteht sich, daß Lionel es leugnete, und er ist nun zurück von Spanien, damit ist aber nur dem Diebsgesindel von Madrid ihr Kredit kaput. Seine Durchlaucht können sich erkundigen, der Fürst Talleyrand[1] lebt noch, daß wir hier zehnmal bei ihm waren, hat

---

[1] Charles Maurice de Talleyrand Périgord, der revolutionäre Bischof und spätere Außenminister Napoleons, der schon 1812 den Anschluß an die Bourbonen gesucht und gefunden hatte, dann Ludwigs XVIII. Minister des Äußeren geworden war und auch an Louis-Philippe rechtzeitig wieder Anschluß fand, war 1835, obwohl schon 81 Jahre alt, noch immer politisch tätig und hatte noch 1834 die Quadrupelallianz England, Frankreich, Portugal und Spanien zum Schutze des konstitutionellen Prinzipes in Westeuropa zusammengebracht.

uns unter uns gesagt, auch etwas Geld gekostet, und ihn gebeten haben, noch einige Tage länger in Paris zu bleiben, damit so der König bei seinem festen Entschluß verharre, nicht zu intervenieren. Bilden Sie sich ein, wir waren bei Broglie[1], war gerade der Guizot[2] auch dabei, die beide im Herzen nicht gegen die Intervention waren, so sagten wir, als sie uns um unsere aufrichtige Meinung fragten, was gut wäre, daß nach unserer Überzeugung der Kredit von Frankreich zum Guckguck (sic!) wäre, wenn sie intervenierten und daß sie dann eine zweite und dritte Revolution vor der Türe hätten. Wir waren auch beim König und machten ihm Furcht für seine Krone, worauf er uns erwiderte, er würde lieber Manguin[3] nehmen, als intervenieren. Thiers[4] ist nun ein Todfeind von uns, scheint, daß ihm der König unsere Äußerungen wiedergesagt hat, sowie auch Guizot und Broglie. Was nun Nathan Meyer Rothschild betrifft, ist er in der Politik, was ein Kind ist. Wenn er mit Eszterházy gesprochen hat, wie sie mir's schrieben, ist der größte Beweis, daß er glauben muß, es ist den Mächten ein Gefallen wenn man interveniert, anders kann ich's mir bei Gott nicht erklären, und damit ihm seine Contremine auch ganz abgenommen wird; denn für Spanien selbst garantiere ich Ihnen bei dem Glücke meiner Familie und meiner zwei einzigen Kinder, wenn man ihm reines Geld hinlegt, er soll es nur verwechseln sagt er, er geht spazieren, rührt nicht mehr an Spanien an, wenn man ihm Gold hinlegt, das kann ich vor Gott beteuern, hat so einen Ekel davor ... Was ich Ihnen hier schreibe, was Sie dem Fürsten mitteilen sollen, kann ich vor dem lieben Gott beschwören, einen heiligen Eid ablegen, daß alles die reine Wahrheit ist. Die Rothschild haben aber einen breiten

[1] Der Herzog von Broglie war damals Minister des Auswärtigen und Conseilpräsident. — [2] Der Staatsmann und Historiker Guizot war damals Minister des öffentlichen Unterrichtes. — [3] François Manguin, sehr radikaler Advokat und Parlamentarier. — [4] Thiers war damals Minister des Innern.

Buckel... Nathan Meyer Rothschild ist, was nicht die Börse betrifft, in anderen Gegenständen nicht weit her, hat sehr viel Verstand in seinem Bureau, außerdem, unter uns gesagt, weiß er kaum seinen Namen recht zu schreiben. Dieser Bruder hat aber so gut Spanien im Magen, daß er sich aus Ekel übergeben kann, wie jeder von uns, nur noch mehr vielleicht, weil er sich bewußt ist, daß er sich den Vorwurf zu machen hat, mit dem Vorschuß der 15 Millionen Franken, den er abgeschlossen hat, ohne einen Associé darum zu befragen. Mithin können Sie dem Fürsten meinen ganzen Brief mitteilen und ihm versichern, daß der spanischen Regierung einen Kreuzer Kredit zu geben, nicht zu denken ist. Selbst weiß ich noch nicht, wann wir Brüder zusammen kommen, ob nicht das spanische Vorschußgeschäft eine Trennung machen kann, das wird sich zeigen. Ich bin sechzig Jahre alt, mein Bruder in Frankfurt zweiundsechzig, ich habe nur zwei Kinder, kann, wenn ich sehr bürgerlich leben will, die Zinsen von meinen Zinsen brauchen, habe Gottlob nur für meinen Sohn zu sorgen, da meine Betti[1] so reich ist, wie ihr Vater. Ich will nicht sagen, die Geschäfte aufgeben, aber handeln, daß ich ruhig schlafen kann, die spanischen Geschäfte haben meine ganzen Nerven zerrüttet, nicht der Geldverlust, denn wenn auch die ganzen fünfzehn Millionen Franken verloren gegangen wären, hätten mich drei Millionen davon getroffen, aber die Kränkung, die man damit gehabt hat. Nun hat Nathan Meyer Rothschild vier große Jungen, Carl bereits zwei im Heranwachsen, so handeln sie nach einem Dutzend Köpfen. Wahrscheinlich, weil mein Vater selig es so hinterlassen hat, werden wir beisammen bleiben müssen, gestehe Ihnen aber, daß sehr fatiguiert und angegriffen ist

Ihr

S. M. v. Rothschild

---

[1] Tochter Salomons, die den Pariser Rothschild James geheiratet hatte.

Ihr Schreiben vom 15. habe ich nach London geschickt, da gerade James in London ist der Abrechnung wegen. Ich muß Sie auch bitten, den Brief nur dem Fürsten mitzuteilen, da wir, sowie NM. R. (Nathan) anonyme Briefe bekommen haben, man will uns ums Leben bringen, weil wir mit den Spanischen so à la baisse gegangen wären, so daß ich Furcht habe, des Nachts auszugehen."

Dieser Brief ist in mehr als einer Richtung charakteristisch, denn er zeigt, daß die spanische Angelegenheit Salomon wirklich sehr zu Herzen ging und ihm Metternich gegenüber das aufgezwungene Doppelspiel so peinlich war, daß er einen Augenblick daran gedacht hat, sich von seinen Brüdern zu trennen und von den Geschäften zurückzuziehen. Es war ein äußeres Merkmal des Gewissenskonfliktes in Salomon und einer Krise in seinen Beziehungen zu seinen Brüdern im Westen. Aber das war doch nur eine vorübergehende Stimmung. Im Grunde blieb doch des alten Vaters Meyer Amschel ausgegebene Richtlinie: – „Solidarität aller Brüder in allem, alle decken die Handlungen jedes einzelnen" – und der Wunsch nach Gewinn und immer größerer Machtstellung des Hauses stärker als alle Bedenken und Rücksichten auf Metternich. Salomon erinnerte sich des Psalmes 133,1, den er so oft von seinem Vater gehört: „Siehe wie fein und lieblich ist es, daß Brüder einträchtig beieinander wohnen . . . denn daselbst verheißt der Herr Segen und Leben immer und ewiglich."

Wohl hatten die Rothschild in Spanien zuerst schlechte Erfahrungen gemacht, aber schließlich war die Hauptsache, die Erwerbung der Quecksilberbergwerke, doch gelungen, und auch die Anleiheaffaire mit Toreno war noch glimpflich abgelaufen. Mit dem Baissespiel in Spanienwerten war schließlich nicht nur das Bestechungsgeld für diesen Mann hereingebracht, sondern darüber hinaus noch ein Kursgewinn erzielt worden. Der schließliche Erfolg – Salomon mußte es sich selbst eingestehen – war also finanziell doch auf der Seite des vielgescholtenen Bruders Nathan und damit auf der des ganzen Bankhauses Rothschild gewesen.

Nun wollte aber Salomon doch wenigstens erforschen, wer die Gerüchte ausgesprengt habe, die am kaiserlichen Hofe zu Wien oder, besser gesagt, bei Metternich solchen Eindruck gemacht hatten. Er brauchte nicht lange zu suchen, hatte er doch überall seine Vertrauten und interessierten Freunde, die ihm sofort alles zutrugen, was ihm irgend von Wert sein konnte.

Da war vor allem der alte, unversöhnliche Feind Napoleons, noch aus gemeinsamen, korsischen Jugendtagen her, Graf Carl Pozzo di Borgo, in jenen Jahren Rußlands Botschafter in London. Der damals siebzigjährige Politiker war als ein recht geiziger Mann bekannt, der, obwohl er im Laufe seiner Karriere zu großem Reichtum gekommen war, des Geldes nie genug haben konnte. Er war auch mit den Rothschild in Verbindung getreten, als diese sich an der Begebung der österreichischen „Métalliques“ beteiligten.

Zwei Tage, nachdem der oben erwähnte Brief nach Wien abgegangen war, sah Salomon Rothschild die Rolle Pozzos klar vor sich, weil er ein darüber erschöpfend orientierendes Schreiben seines Bruders Nathan aus London erhalten hatte, das er eiligst dem Grafen Apponyi zur Kenntnis brachte. Dann schrieb er sofort neuerdings an Wertheimstein in hebräischer Sprache.

„Paris, 26. Juni 1835.

Ich schicke Ihnen hier einen Auszug aus einem Brief von London, den ich dem Grafen Apponyi hier im Original vorgelegt habe, mit der Bitte, er möchte ihn nach Wien bestätigen, daß er hier das Original gesehen hat. Sie sehen, daß Pozzo die Quelle aller Verleumdungen ist. Meinen wirklichen Freunden gegenüber darf ich wohl sagen, woher der eingefleischte Haß des Pozzo gegen das Haus Rothschild kommt. Sie werden sich erinnern, daß bei dem Métallique-Anlehen, welches gleich anfangs auf 5 und dann auf 10% gestiegen ist, mein Bruder James nach Wien schrieb, Pozzo wünsche 1 Million Gulden zum Kontrakt-Preise zu haben; James setzte noch hinzu, er rechne wenigstens auf eine halbe Million für Pozzo. Sie werden sich erinnern, daß mir sehr wenig Métalliques blieben, warum sollte ich dem Pozzo 40 à 50.000 fl. schenken, diesem Pozzo, der der größte Geizhals ist und von jeher in Renten in unserem Hause gewonnen hat! – Pozzo bekam also einen Refus, indem ihm James sagte, daß ich leider nichts hätte. Seitdem ist er unser ärgster Feind und macht sich ein Geschäft daraus, uns zu schaden. Ich habe meinen Bruder James animiert, nach London zu gehen, um einmal alle Abrechnungen ins reine zu bringen; da hat nun Pozzo ausgesprengt, James sei nach London gekommen, um das Gesindel, das von dort nach Spanien geht, zu bezahlen. Aus der beifolgenden Abschrift eines Briefes von Nathan über einen Teil der Abrechnung, die Apponyi auch im Original gesehen hat, ersehen Sie, daß ca. 1,600.000 vorkommen, die wir für unser bares Geld uns von Toreno und seinen Spießgesellen mußten stehlen lassen, und womit wir bestechen mußten, um zu unserem Gelde zu kommen. — — Die beifolgende Madrider Zeitung liefert auch einen Beweis, daß wir gegen die Intervention waren, sowie der Auszug aus Lionels Brief, den der Graf auch gelesen hat.

Ich gebe mir nicht soviel Mühe, mich vor dem österreichischen Kabinett von dem Verdachte zu reinigen aus Interesse, nein, da ist Gott mein Zeuge, sondern aus Liebe, Achtung und Anhänglichkeit; hätte ichs mit Pozzo allein zu tun, dem Geizhals, der, weil er die 500 Mille fl. nicht bekommen hat, unser Todfeind ist, er sollte sehen, wie wenig mir an ihm, an seinen Lügen liegt.“

Salomon hoffte, daß alle diese Kundgebungen, behutsam zur Kenntnis Metternichs gebracht, seine Stellung bei diesem wiederherstellen würden, mochte das Reinwaschen auch auf Kosten seines Bruders Nathan gehen. Der war weit und für Metternich nicht erreichbar.

Indessen war in Spanien eine tiefgehende Veränderung eingetreten, die nicht zuletzt auch auf den Rothschildschen Einfluß zurückzuführen war. Graf Toreno mußte angesichts der ihn überwältigenden finanziellen Schwierigkeiten und Wechselfälle im Kriege gegen Don Carlos von seinem Platze weichen, und Mendizabal wurde sein Nachfolger. Dieser Mann, israelitischer Herkunft und Konfession, hatte ein abenteuerliches Leben hinter sich. In finanziellen Dingen höchst geschickt, beteiligte er sich frühzeitig an Kriegslieferungen und trat dann in die Dienste des reichen Madrider Bankiers Don Vincente Bertran de Lys, der, wie wir wissen[1], später mit dem Hause Rothschild in inniger Verbindung stand. Daher stammte auch die Bekanntschaft der Rothschild mit Mendizabal. Es gelang diesem, sich bei Don Pedro von Portugal in Gnade zu setzen und ihm bemerkenswerte finanzielle Dienste zu leisten. Dabei arbeitete Mendizabal Hand in Hand mit dem Rothschildschen Hause, das im April 1835 für Portugal eine Anleihe von zwei Millionen Pfund vermittelte. Mendizabal war später genötigt, aus politischen Gründen nach London auszuwandern, und trat dort durch Nathan Rothschild mit den englischen Regierungskreisen in Berührung. Er spekulierte auch für eigene Rechnung in spanischen Werten und gewann sehr viel Geld dabei. Noch war er aber darin sehr engagiert, als die Rothschild jenen großen Sturz der spanischen Papiere veranlaßten. Mendizabal wäre dadurch ruiniert worden, hätte ihn nicht Nathan — der es als Urheber der ganzen déroute natürlich leicht tun konnte — durch rechtzeitige Warnung vor

[1] Siehe „Der Aufstieg des Hauses Rothschild". S. 307 f.

dem Verderben bewahrt. Und nun war dieser selbe Mendizabal Ministerpräsident in Spanien, ein für die Rothschild erfreulicher Umstand, insbesondere, da neben Nathan auch James in freundliche persönliche und geschäftliche Beziehungen zu dem neuen Minister getreten war. Die finanzielle Lage Spaniens war freilich sehr schlecht, und dazu erforderte der immer noch andauernde Carlistenkrieg stets neue Mittel. Mendizabal trat sein Amt mit großen Versprechungen an und vermehrte dabei ständig die übernommene Staatsschuld. Allgemein bezeichnete man ihn als den Agenten der größten Bankleute der Londoner City.

Der Herzog von Wellington, der mit Mißvergnügen das liberale englische Kabinett Melbourne die Ernennung Mendizabals fördern sah, meinte geradezu[1], er sehe in diesem Manne nur einen Vorposten des Herrn von Rothschild, der die Interessen der Spekulanten in spanischen Papieren befördere. Wellington teilte da ganz die Ansichten Hummelauers, weil Nathan in der spanischen Angelegenheit die politischen Gegner des greisen Feldmarschalls unterstützte.

„Ist er noch Ihr Konsul“, fragte Wellington im April 1836 den Österreicher.

„Ja,“ antwortete Hummelauer, „aber seit mehr als einem Jahre hat jeder persönliche Kontakt zwischen mir und Herrn von Rothschild aufgehört, der dadurch derzeit gar keine Verbindung mit der Botschaft hat.“[2]

Mendizabals Amtsführung befriedigte jedoch weder die Königin-Regentin noch auch die Rothschild. Er häufte Schulden auf Schulden und vermehrte das Defizit ins Ungemessene. Mochten die Rothschild auch nach allen Seiten sagen, sie hätten mit Spanien nichts mehr zu tun, so waren sie doch im Besitz der ertragreichen Quecksilberminen und daher von

---

[1] Hummelauer an Metternich. London, 30. X. 1835. Wien, Staatsarchiv. — [2] Hummelauer an Metternich. London, 15. VI. 1836. Wien, Staatsarchiv.

Madrid sehr abhängig. Nathan wollte diesen Erfolg, der eine seiner kühnsten wirtschaftlichen Konzeptionen krönte, nicht durch Halsstarrigkeit gegenüber dem steten Anleiheverlangen seines Freundes Mendizabal gefährden. Dieser Haltung standen aber seine Brüder entgegen, die es mit Metternich, Louis-Philippe und anderen Mächtigen nicht verderben wollten.

Ende des Jahres 1835 war die Regierung der spanischen Königin wegen einer Anleihe an England herangetreten, und dieses hatte Frankreich vorgeschlagen, zwei Millionen Pfund Sterling gemeinsam mit ihm zu garantieren. Nathan wurde aufgefordert, sich an der Sache zu beteiligen; er erwog sofort, daß eine Beteiligung daran ihm in Madrid gut angeschrieben werden und überdies angesichts der Garantie jener beiden Mächte gänzlich gefahrlos sein würde; aber bei dem großen Unmut, den die letzte hinter dem Rücken Metternichs gegebene Anleihe hervorgerufen, wollte er diesmal seinen Brüdern und dem Kanzler gegenüber mit offenen Karten spielen.

„Infolge einer mir soeben von einem unserer intimsten Freunde aus dem Kabinett gemachten Mitteilung", schrieb er unter dem 20. Dezember 1835 seinem Bruder James nach Paris[1], „beeile ich mich, Euch per Expreß mitzuteilen, daß unser Gouvernement an Frankreich die Proposition gemacht hat, ein Anlehen von 2 Millionen Pfund Sterling für Spanien zu garantieren.

Der Vorschlag unserer Regierung ist eine gemeinschaftliche Garantie, es ist aber noch keine Antwort vom französischen Kabinett zurück, und sollte Frankreich nicht einwilligen, so ist es höchst wahrscheinlich, daß England allein garantieren wird, und wenn auch nicht das Ganze, doch zum wenigsten für ein Teil.

---

[1] Auszug aus einem Briefe Nathan Rothschilds an James. London, 20. XII. 1835. Wien, Staatsarchiv.

Auf diese Art, lieber Bruder, wäre nach meiner Ansicht bei einem solchen Geschäft nichts zu riskieren, denn wenn Frankreich und England garantieren, so ist es wie das ‚Greek loan . . .‘

Schickt dies sofort an unseren Bruder Salomon nach Wien, denn ich bin sehr begierig, was unser Herr Onkel für eine Meinung von dieser Sache hat.“

Mit dem Herrn Onkel war Metternich gemeint. Interessant war dabei besonders, wie Nathan von seinen „intimsten Freunden im britischen Kabinett“ unterrichtet wurde. Freilich, man brauchte ihn eben zu solchen Geschäften.

Für Salomon in Wien war es schwer, Metternich wieder eine für die Gegnerin seines Schützlings Don Carlos geplante Anleihe mundgerecht zu machen, ein Unternehmen, von dem er im voraus wußte, daß es zum Scheitern verurteilt sei. Denn Metternich ließ sich von seinen Meinungen nicht abbringen, und schon gar nicht, wenn seine Grundprinzipien, auf denen seine ganze Politik fußte, in Frage kamen. Salomon stellte denn das Ganze so dar, als wollte Nathan Metternichs Ansicht hören, fügte aber doch den oben wiedergegebenen Auszug aus dem Briefe Nathans bei. Der Erfolg war, wie zu erwarten stand, eine der typischen belehrenden Auslassungen des Kanzlers. Er antwortete in seinem Privatschreiben an Salomon Rothschild folgendes[1]:

„Wien, 29. Dezember 1835.

Ich habe die Mitteilung, welche Sie mir machten, mit der Aufmerksamkeit gewürdigt, welche deren Gegenstand mir zur Gewissenspflicht macht. Sie kennen mich zu genau, um nicht überzeugt zu sein, daß ich mich in Spekulationsgeschäfte nie einlasse und deshalb mich in der glücklichen Lage erhalte, auch keine Kenntnis von selben zu nehmen. Hier steht die

[1] Metternich an Salomon Rothschild. Wien, 29. XII. 1835. Wien, Staatsarchiv.

Sache anders. Ihr Bruder Nathan M. wünscht meine Ansicht zu kennen. Diese werde ich rund und unverhohlen aussprechen, wie dies einem ehrlichen, Ihrem Hause geneigten Manne zusteht. — — Das Geschäft, von dem die Rede ist, bietet zwei Seiten. Die eine ist die finanzielle, die andere die moralische.

Die erste geht mich nichts an. Eine von den beiden Seemächten garantierte Anleihe ist unbedingt ein sicheres Geldgeschäft. Dies wissen Sie noch besser als ich. Will Ihr Bruder Geld gewinnen, so bietet sich eine Gelegenheit dazu.

In jeder moralischen Beziehung finde ich das Geschäft als eines der verdammlichsten Art, und dies soll mir nicht schwer zu beweisen sein. — — Wenn mir, wie jedem in öffentlichen Verhältnissen Bewanderten, der Ausgang der spanischen Revolution unbekannt ist, so liegt ein Ausgang auf einem anderen Feld klar vor Augen. — Ich meine den spanischen Staatsbankrott. Geschähe, was immer wolle in dem unglücklichen Lande, so ist dessen Staatsschuld nicht zu befriedigen und alles, was heute in England in Beziehung auf die Halbinsel getrieben wird, ist nichts anderes, als Fristen gewinnen, oder, was dasselbe ist, den Sturz nur desto tiefer gestalten. Und wen soll der Sturz am Ende berühren? Arme Familienväter, kleine Kapitalisten, in deren Händen die spanischen Effekten am Ende in Nichts zerfließen werden. Um solche Fristen zu erreichen, fließt in Strömen Blut in Spanien, steht an der Spitze der sogenannten Verwaltung (denn sie verwaltet nichts) ein Agent der englichen Stock-Börse und wird das Land aller Ressourcen, welche die Zukunft noch hätte besser gestalten können, systematisch beraubt!

Alle Operationen solcher Art bringen sonach Blutgeld, und solches Geld bringt kein Glück! Die in Sprache stehende Anleihe ist in keinem anderen Zwecke möglich, als in dem, einen Semester in London zu decken; Spanien erhält von dem Gelde nicht einen Heller; das was Spanien von dem Unternehmen zu erwarten hat, ist Verlängerung des trügerischen, in Blut gefärbten Scheines noch vorhandener Ressourcen, wo es keine mehr gibt. Ich rede hier von dem Staatsbankrott, den Gott selbst nicht aufzuhalten vermöchte!

Sollte das ehrenvolle Haus das Geschäft übernehmen, so ladet es den Fluch derjenigen auf sich, welche am Ende im Bankrott untergehen werden. In eine solche Lage sollte sich ein Haus, welches gerade auf den entgegengesetzten Wegen seine Höhe erreicht hat, nicht einlassen.

Nathan Meyer kann sagen, daß diese Betrachtungen den Spekulationsgeist nicht bewegen: dies ist wahr für den, welcher diesen Geist als unabhängig von allen moralischen Rücksichten zu erklären bereit wäre. Zu diesen Menschen gehöre ich nicht, und wenn Nathan Meyer darüber nachdenkt, auch sicher er eben so wenig. Meine Meinung wollte er aber kennen, und diese spreche ich aus, wie Sie gewohnt sind, selbe aus meinem Munde zu hören.“

Diese Metternichsche Moralpredigt im vollsten Sinn des Wortes machte auf die Mitglieder der Familie Rothschild, außer auf Salomon, wenig Eindruck. Sie wußten genau, daß die kaiserliche Regierung ihre Karten auf den absolutistischen Don Carlos gesetzt hatte und diesen ihrerseits mit sehr großen Geldsendungen unterstützte. Es war damals noch gar nicht klar, ob Don Carlos am Ende nicht doch die Oberhand gewinnen würde. Wäre er nur etwas energischer und entschlußfähiger gewesen, so hätte es ihm dreimal leicht glücken können, der Herr Spaniens zu werden. Aber wenn auch, was konnte einem unter der Garantie Frankreichs und Englands viel geschehen? Schlimmstenfalls kamen eben diese beiden Staaten zu Schaden.

Salomon in Wien deckte sich stets hinter der Schutzwand, er habe Metternich alles loyal gesagt, er könne nicht gegen die Majorität seiner Brüder in London und Paris aufkommen, ließ sie aber doch die günstigen Geldgeschäfte machen.

Wenigstens war dies die Ansicht des Gegners der Rothschild bei der österreichischen Botschaft in London, des Herrn von Hummelauer, der nach wie vor in Rothschild feindlichem Sinne über die spanischen Geschäfte dieses Hauses nach Wien berichtete und dort alles alarmierte; so hatte er wieder am 15. April 1836 gemeldet, daß das Haus Rothschild mit der Regierung der Königin-Regentin behufs Anleihen, Zahlung der Interessen alter Anleihen usw. in Verbindung stehe, alle möglichen Intrigen spinne und vor allem anderen auch in letzter Zeit bemüht sei, die Bestrebungen des Bankiers Ouvrard, Don Carlos eine Anleihe zu vermitteln, zu durchkreuzen.[1]

Metternich beschied sogleich den nach Wien zurückgekehrten Salomon Rothschild zu sich und hielt ihm die Hummelauerschen Beschuldigungen vor. Daraufhin legten Vater und Sohn ein eingehendes Memoire über die finanziellen Beziehungen ihres Hauses zu Spanien vor. Sie bezeichneten darin die Nachrichten Metternichs als irrig und offenbar aus einer wenig verläßlichen Quelle stammend. Wohl habe Mendizabal dem Hause Rothschild Anträge gemacht, neue Vorschüsse im Betrage von 200 bis 250000 Pfund auf die Erträgnisse aus den Quecksilberbergwerken und eine gleiche Summe gegen ein Depot spanischer Renten vorzustrecken. Aber das Haus Rothschild habe, obwohl die Bergwerke im Süden des Landes weit von Schauplatz des Bürgerkrieges lägen und daher eine genügende Sicherheit zur Rückzahlung böten, die verführerischen Anträge abgelehnt. Metternich möge Vertrauen zum Charakter und den Worten Salomons haben, denn wer im allgemeinen das Vorgehen des Hauses Rothschild kenne und die Prinzipien beobachte, die seit einiger Zeit dessen Operationen regelten, werde die Überzeugung gewinnen, daß es den Umkreis seiner Handelsbeziehungen nicht zu erweitern beabsichtige, sie im Gegen-

[1] Hummelauer an Metternich. London, 15. IV. 1836. Wien, Staatsarchiv.

teil mehr und mehr zu verringern wünsche und vor allem sich von gewagten Operationen fernhalte, die nur Feindseligkeiten und Ungnade bringen könnten. So habe sich das Londoner Haus Rothschild gänzlich von allen industriellen Unternehmungen, wie Kanälen und Eisenbahnen, ferngehalten, die in England mehr als überall sonst Gegenstand der Agiotage und des zügellosesten Spieles geworden seien. Kein vernünftiger Mensch könne daher ernstlich glauben, daß das Haus Rothschild einen großen Teil seines Vermögens in Werten anlegen würde, die selbst in den Augen der eifrigsten Parteigänger Isabellens nur sehr zweifelhafte Sicherheiten böten und auf einer wenig soliden Basis stünden. Bei seiner Stellung könne sich das Haus Rothschild nicht gänzlich von Transaktionen in spanischen Fonds fernhalten: seine Beziehungen zur Öffentlichkeit, die Natur seiner Geschäfte brächten es auch wider Willen dazu. Aber diese Operationen wären Börsengeschäfte und nicht wirkliche Placierungen von Geld, die das Haus Rothschild an die Interessen des betreffenden Landes bänden . . .

„Schließlich nehme ich mir die Freiheit," schrieb Salomon weiter[1], „Euer Hoheit zu bemerken, daß man im allgemeinen nur mit sehr großer Reserve alle Gerüchte und ‚on dits' aufnehmen muß, die auf Rechnung des Hauses Rothschild und über seine Beziehungen mit der spanischen Regierung verbreitet werden. Sie sind zumeist Mißgunst und Verleumdung entsprungen, denen jeder mehr oder weniger ausgesetzt ist, der einen gewissen Einfluß ausübt. Sehr oft schieben an Börsenspekulationen interessierte Personen – die Spekulationswut in mobilen Werten breitet sich ja jetzt in allen Klassen der Gesellschaft aus – das Haus Rothschild vor und legen seine Handlungen im Sinne ihrer eigenen Operationen aus,

---

[1] Mémoire über die finanziellen Beziehungen des Hauses Rothschild mit Spanien, am 28. IV. 1836 dem Fürsten Metternich von Salomon und Anselm Rothschild übergeben. Wien, Staatsarchiv.

weil sie glauben, sich so mehr Gewinstchancen zu sichern."
Dieses Memoire war bis auf einen Widerspruch recht geschickt abgefaßt. Dieser bestand darin, daß im Anfang, dort, wo von der Zurückweisung der Mendizabalschen Anträge die Rede war, diese als verführerisch und durchaus sicher garantiert hingestellt wurden, während zwei Seiten später die Garantieen Spaniens als „recht prekär" und wenig solide bezeichnet wurden. Die Wahrheit war, daß angesichts des steten Sinkens der spanischen Werte, die infolge der Finanzwirtschaft und des Bürgerkrieges ins Bodenlose fielen, die Rothschild wirklich keine Lust mehr verspürten, allzuviel Geld in das Land hineinzustecken, außer wenn Staaten wie Frankreich und England garantierten. Aber mit Rücksicht auf ihre Position in den Quecksilberbergwerken, die sie um keinen Preis verlieren wollten, hatten sie doch eine gewisse Zurückhaltung zu üben und konnten sich von manchen Transaktionen daher nicht fernhalten.

Hummelauer in London fuhr fort, Metternich Rothschild-feindliche Meldungen nach Wien zu schicken. Er ging so weit, auch die britische Regierung der Intrigen einer „cupable connivence" mit den Rothschild zu beschuldigen.

„Das Ministerium", meldete er am 26. April 1836 nach Wien[1], „ist derartig vom Hause Rothschild abhängig, daß es vor keinem Opfer der Ehre und des Gewinnes zurückschreckt, um von diesem Handelshause zu erlangen, daß es sich herbeilasse, die nächsten Zinsen der spanischen Papiere am 1. Mai zu zahlen, um so den sofortigen Zusammenbruch der spanischen Finanzen zu verhindern, den die Regierung nicht überleben könnte."

Die Rothschild waren aber trotz des britischen Drängens um so weniger geneigt, sich allzu tief mit Spanien einzulassen, als eine Intervention in diesem Lande ferner lag als je. Insbesondere Louis-Philippe erklärte, nichts werde ihn in seiner

[1] Hummelauer an Metternich. London, 26. IV. 1836. Wien, Staatsarchiv.

Spanien gegenüber eingenommenen Haltung erschüttern. „Um zu erreichen, daß Frankreich in Spanien intervenierte," sagte der König, „müßte man damit beginnen, mich zu entthronen ..."[1]

„Man sagt, daß die Rothschild da unten eine Anleihe negozieren wollen. Sie werden nur Geprellte und Opfer schaffen, denn sie selber werden ihre Anleihe schon vor der Emission verkauft haben, und Spanien wird deswegen schließlich doch mit dem Bankrott enden. Wenn Don Carlos schon besiegt werden soll, so muß es durch die Spanier selber geschehen."

Die Rothschild gaben in der folgenden Zeit tatsächlich keine Anleihe an Spanien, und dies war in nicht geringem Maße darauf zurückzuführen, daß die mächtigste Säule unter den fünf Brüdern unerwartet fiel. Im Juni 1836 sollte in Frankfurt die Hochzeit von Nathans ältestem Sohne Lionel mit seiner Cousine Charlotte, der Tochter Carls in Neapel, stattfinden. Auch dieses Bündnis von zwei Geschwisterkindern lag ganz im Sinne des alten Meyer Amschel Rothschild, der einst zu besserem finanziellem und familiärem Zusammenhalt möglichst wenig fremde Familien in den engsten Kreis des Hauses aufzunehmen empfahl. Die Hochzeit vereinigte alle Brüder in ihrer Vaterstadt Frankfurt, und mit James war auch sein Freund, der große Rossini, zu dem Hochzeitsfeste dahin gekommen. Es wurde in glänzender Weise und mit einer nie gesehenen Prachtentfaltung gefeiert. Kurz nach dem Fest aber erkrankte der Vater des Bräutigams, der damals neunundfünfzigjährige Nathan, der klügste und genialste Finanzmann unter den Brüdern. Das Leiden verschlimmerte sich zusehends, so daß die besorgten Brüder schließlich den besten Arzt Englands, namens Travers, an das Krankenlager beschieden; doch alle ärztliche Kunst half nichts mehr. Am 28. Juli 1836 verschied Nathan Rothschild.

Salomon, der während der ganzen Krankheit nicht vom Bett

---

[1] Apponyi an Metternich, 22. V. 1836. Wien, Staatsarchiv.

seines Bruders gewichen war, vergaß alles, was er je über seinenBruder Nathan gesagt und geschrieben und berichtete Metternich[1] von „unermeßlichem Schmerze durchdrungen, in höchst betrübtem Zustande“ den grausamen Verlust: „Mein innigstgeliebter, teuerster Bruder Nathan Meyer Rothschild ist nicht mehr! Es hat dem allmächtigen Gotte gefallen, ihn in seinen besten Jahren und gerade in dem Momente abzurufen, in dem er sich des Glückes seines ältesten Sohnes ... und des Festes unserer Familienvereinigung hätte freuen können, zu früh für unsere Liebe, für unsere Treue und für unsere Anhänglichkeit, zu frühe, um noch alle jene Zeichen von Verehrung und Dankbarkeit zu empfangen, die ihm seine Angehörigen schuldig waren, für seine während der ganzen Dauer seines Lebens unausgesetzten und nimmermüden Bemühungen und Anstrengungen, ihr Wohl fest und dauerhaft zu gründen, sein Haus blühend und glücklich zu machen, der Familie Glanz und Ehre zu sichern. – Der Himmel hat es so gewollt. Fromm ergeben in die Fügung der göttlichen Vorsehung hoffen wir Trost zu finden, dessen wir so sehr, so viel bedürfen. Am Nachmittag des 28. Juli entschlief mein Bruder zu einem besseren Leben, nachdem er noch durch uns seinen Brüdern, seinen Söhnen, die nicht alle hier anwesend waren, seine ernstliche Ermahnung vermachte, treu und fest und unerschütterlich zusammenzuhalten und das Bild unserer Eintracht und Anhänglichkeit zum Nachstreben immer vor Augen zu haben. Das Haus zu London wird unter seinem, des Gründers, Namen unverändert wie bisher fortbestehen; die Söhne werden dasselbe fortführen, und es wird in keinerlei Beziehung irgendeine Änderung stattfinden. Sowohl Vermögen, Mittel als wie Prinzipien und Verhältnisse zu uns anderen vier Brüdern bleiben gänzlich nach wie vor und in der bisherigen Art und Weise, ohne die mindeste Umgestaltung.“

[1] Salomon Rothschild an Metternich, 3. VIII. 1836. Wien, Staatsarchiv.

Salomon Rothschild benutzte die Gelegenheit, die ihm dieser Brief bot, zu einer Bitte:

„Es ist die, daß Euer Durchlaucht alle Gesinnungen gnädigen Wohlwollens und freundlicher Zuneigung, die Sie für den Verblichenen gehegt – nun auf seine Söhne übertragen, und sie damit beglücken möchten. Wie sehr würde es diesen zur Erhebung und zur Aufrichtung bei dem schmerzlichen sie betroffenen Schlage gereichen, wenn sie sich der Gnade und des Wohlwollens eines Fürsten erfreuen dürften, der erhaben dasteht über alle Sprache an Würde, Glanz und Berühmtheit. Gestatten E. D. mir, Ihrem treu und wahrhaft innig ergebenen Diener, mit dieser Hoffnung schmeicheln zu dürfen, sie tröstet mich in meinem Kummer und richtet mich auf in meinem Schmerze – wenn noch irgend etwas dazu beitragen könnte, der am meisten trauernden und zu beklagenden Familie zu London Trost und Linderung bei ihrem unersetzlichen Verluste zu gewähren, so würde es gewiß ein öffentliches Merkmal in den Augen der Welt sein, welches dartut, daß durch den Tod des Vaters ihr nicht eine Würde untergeht, die zu besitzen er stolz war, solange er geatmet. Es ist die seiner Eigenschaft als Generalkonsul Sr. K. K. Apostolischen Majestät zu London. Möchten doch Ew. Dl. geruhen und die Gnade haben, dahin zu wirken, und Ihren mächtigen allvermögenden Einfluß verwenden, daß diese Würde auf den ältesten Sohn meines seligen Bruders, den Freiherrn Lionel Nathan von Rothschild, übergehe, der, wie seine übrigen Brüder, das Vermächtnis seines seligen Vaters gewiß erfüllen und allen seinen Tugenden nachzustreben sich zur unausgesetzten Pflicht machen wird."

„Ich, meine Brüder, die Familie des Dahingeschiedenen", fuhr Salomon fort, „werden Ew. Dl. ein Denkmal nie erlöschender Dankbarkeit errichten, daß Sie nach einem für uns so unaussprechlich betrübenden Ereignisse zuerst einen öffentlichen Akt ausüben, wodurch die Welt erfährt, daß,

was der Vater an Ehr und Würde besessen, auf den Sohn übergehend, der Familie verbleibt als ihr Stolz und ihr Ruhm."
Salomon Rothschild hatte auch dem Grafen Kolowrat das Ableben seines Bruders gemeldet und seinen Sekretär Moritz Goldschmidt gebeten[1], auch mündlich zu ersuchen, daß man den auf dem Totenbette noch „fast in seinen letzten Worten geäußerten Wunsch des Sterbenden" bezüglich des Generalkonsulates erfülle.
Metternich antwortete am 2. August mit freundlich teilnehmenden Worten und sicherte Salomon zu, die Frage der Ernennung Lionels wohlwollend prüfen zu wollen. Salomon dankte[2] unter der Versicherung, daß Metternichs gnädiges Schreiben ihm als Beweis seiner so innigen Teilnahme unschätzbar sei und als heiliges Zeichen höchstseiner Güte und Zuneigung sorgfältigst verwahrt werden würde.
„Ew. Dl.", fuhr Salomon fort, „können gütigst leicht ermessen, welch ein Eindruck vorzüglich auf mich dieser schmerzliche Todesfall machen mußte, ich, der ich während der ganzen Dauer der Krankheit beinahe zwei Monate am meisten um meinen seligen Bruder gewesen bin, der Tag und Nacht (da ich in demselben Hause bei meinem Sohne Anselm logierte) seinem Rufe bereitwilligst folgte, um noch alle seine letzten Eröffnungen, Äußerungen und Wünsche etc. zu vernehmen, und der ich, ich darf es sagen, sein gänzliches Vertrauen in allen seinen Angelegenheiten genossen habe. Drei Tage vor seinem Ableben hat er mir noch alle seine Gedanken, alle seine Wünsche wegen des damals errichteten Testamentes eröffnet, welches ich dann darauf ganz seinen Ansichten entsprechend niederschreiben ließ. Wir Brüder, unsere ganze Familie, haben in ihm, dem Seligen, unersetzlich viel verloren. Gott allein kann diese große Wunde heilen, die uns durch

[1] Salomon Rothschild an Moritz Goldschmidt und Leopold Wertheimstein. Frankfurt, 4. VIII. 1836. Wien, Staatsarchiv. — [2] Salomon Rothschild an Metternich. Frankfurt, 10. VIII. 1836. Wien, Staatsarchiv.

diesen Verlust geschlagen ist, im Vertrauen auf das höchste Wesen und in den Tröstungen unserer Religion müssen wir uns Linderung suchen. Ew. Dl. entschuldigen gnädigst, wenn ich, hingerissen von dem unbändigen Schmerzgefühl, meine Worte in Trauer einkleide, Ihr Wohlwollen, Ihre Menschenfreundlichkeit bürgen mir, daß Sie meinen gerechten Schmerz zu ehren geruhen werden.

Bei dem mir von Ew. Dl. früher so wohlmeinend gegebenen Rat war es ein Glück, ich verhehle es Ihnen nicht, daß ich bei diesem betrübenden Ereignisse gerade hier anwesend war, da ich nicht allein meines seligen Bruders Vertrauen, sondern auch das meiner übrigen Brüder in jeder Beziehung bei allen Vorgängen besessen und sie mir alles überlassen hatten. Ich darf mir aber auch mit gutem Gewissen sagen, sie haben es nicht zu bereuen, da ich als Bruder und Freund wahrhaft uneigennützig und rechtlich bei allem zu Werke gegangen bin.

Unsere erneuerten Verträge waren schon auf drei Jahre ausgestellt, vollständig ausgearbeitet und zum Unterschreiben vorbereitet, weil wir immer glaubten, unser seliger Bruder würde mit Gottes Hilfe genesen. Es kam aber nicht zum Vollzug, das Schicksal hatte es anders verhängt; auf seinem Sterbebette bat er mich darauf, wir sollten den Kontrakt auf fünf Jahre unkündbar erneuern und mit seinen hinterlassenen Söhnen fortsetzen, was auch darauf geschah, wie Ew. Dl. dieses alles aus den Kontrakten, die ich einst die Ehre haben werde bei meiner Zurückkunft Höchstderselben vorzulegen, ersehen werden. Die Firma N. M. Rothschild bleibt nach wie vor, die Söhne zusammen haben nur eine Stimme in der Societät. Das sämtliche Handlungsvermögen von den vier Brüdern und dem seligen N. M. R. bleibt ganz beisammen für die laufenden fünf Jahre, und keiner darf von den Handlungskapitalien irgend etwas herausziehen, und die Zinsen, die wir selbst von den bisherigen 4 auf 3% pro anno festgesetzt haben, damit sich die gemeinschaftliche Societät in den fünf

Jahren mit Gottes Hilfe noch mehr verbessere, um so weniger von den Kapitalien abgelegt werde und die jungen Herren nicht nötig haben, sich zu gewagten Unternehmungen reizen zu lassen. – Mein seliger Bruder hat, abgerechnet daß er seinen Kindern bei Lebzeiten ca. £ 800000 gegeben, ein außerordentliches Vermögen hinterlassen, so daß jeder seiner Söhne, ohne was sie in der Handlung haben, 150–200 Mille £ extra für sich Vermögen besitzt. Mein seliger Bruder hat auf seinem Totenbette seinem ältesten Sohne und durch ihn den übrigen nicht anwesend gewesenen Söhnen auferlegt, alles stets aufzubieten, um dieses Vermögen beisammen zu erhalten und sich in keine riskanten Unternehmungen einzulassen. Er hat ihnen viele weise Lehren gegeben, ihnen empfohlen, alle böse Gesellschaft zu meiden und immer wahre Tugend, Religion und Rechtschaffenheit im Herzen und im Sinne zu halten. Mein seliger Bruder hat ihnen gesagt, die Welt wolle jetzt an uns zu verdienen suchen, daher sollen sie um so vorsichtiger sein, und dabei bemerkt, ob sein Sohn 50000 £ mehr hätte oder nicht, wäre ihm gleichgültig, nur zusammenhalten und Einigkeit.
Er ist aber auch mit vollem Verstand gestorben, zehn Minuten, ehe er starb, sagte er, als er die letzten religiösen Zeremonieen, wie bei uns üblich, empfing: ‚Ich habe nicht nötig, so viel zu beten, und glaubt mir, nach meiner Überzeugung habe ich nicht gesündigt.' – Zu meiner Tochter Betty, als sie Abschied von ihm nahm, sagte er in echt britischer Manier: ‚Good night for ever.' So ruhig und mit vollen Verstandeskräften ist der Bruder in das bessere Leben hinübergegangen."

Alle Einwände und Bedenken, die Salomon einst bezüglich seines Bruders gehegt, waren nun wie Schnee in der Sonne dahingeschmolzen. Übermächtig brach das starke Familien- und Zusammengehörigkeitsgefühl durch, das dem jüdischen Volke überhaupt eigen ist und in diesem Falle vom alten

Meyer Amschel, dem Gründer des Bankhauses, so besonders warm gepredigt worden war. Nathan hatte vier Söhne hinterlassen; Lionel, der Älteste, wurde nun Chef des Londoner Bankhauses, die dritte Generation seit Gründung der Firma begann nachzurücken. Nathan hatte in seinem in patriarchalischem Tone und in zärtlicher Sorge für seine Kinder abgefaßten Testament das Beispiel seines Vaters befolgt; er hatte es sehr allgemein gehalten und war insbesondere auf die Höhe der hinterlassenen Vermögensteile nicht genau eingegangen. Lediglich die Art der Weiterführung und die kontraktmäßige Bindung aller Geschäftsteilhaber von drei beziehungsweise von fünf zu fünf Jahren war festgelegt.

„Es ist mein ernster Wille," schrieb Nathan in seinem Testament[1], „daß meine Söhne mein Geschäft in London fortsetzen sollen, daß die Verbindung mit den anderen Häusern, denen meine geliebten Brüder vorstehen, erhalten werde, daß sie auch ferner Compagnons zusammen bleiben, und daß zu diesem Zweck die Artikel der Compagnonschaft von meinen Söhnen und meinen Brüdern erneuert und wieder auf fünf Jahre aufgenommen werden sollen. Zu gleicher Zeit empfehle ich meinen Söhnen, sich in Geschäftssachen stets durch die Erfahrungen meiner Brüder willig raten zu lassen und ihre unermüdlichen Bemühungen dahin zu richten, durch Fleiß, Umsicht und Klugheit den Glanz und die Wohlfahrt des Hauses immer mehr zu festigen und zu erhöhen. – Selbst die Testamentsvollstrecker sowie nichtgenannte Verwandte in London und Frankfurt ersuche ich, sich einzig und allein auf die Vollziehung meines letzten Willens zu beschränken und – was gar nicht ihres Amtes ist – keine Mitteilungen und keine Vorlegung von Büchern irgendeiner Art zu begehren."

So gelang es auch diesmal, eine allzu peinlich genaue Prüfung oder gar öffentliche Erörterung des ungeheuren, sich über

---

[1] A. von Treskow, Biographische Notizen über Nathan Meyer Rothschild. Quedlinburg 1837, S. 18.

ganz Europa erstreckenden Rothschildschen Vermögens zu vermeiden. Der Staat legte auch keinen allzu genauen Maßstab an einen Mann, der ihm im Laufe der Jahrzehnte große Dienste geleistet und es zum Beispiel noch im letzten Jahre seines Lebens anläßlich der Aufhebung der Sklaverei zustande gebracht hatte, für die Entschädigung der Sklavenhalter eine Anleihe von 15 Millionen £ aufzubringen.

In Nathan hatte sein Haus einen gewaltigen Verlust erlitten. Heyden sagt von ihm in seiner „Galerie berühmter und merkwürdiger Frankfurter“[1] mit Recht, Nathan sei, obwohl der Drittälteste, als Haupt der Familie betrachtet worden und die andern Brüder hätten sich zumeist seinem Urteil unterworfen. Er war das bewegende Prinzip der großen Geldmasse, die sie gemeinsam besaßen.

Gutzkow sagte von ihm[2], er habe alle seine Unternehmungen mit einer Riesenfaust angepackt, und alles an ihm sei kolossal gewesen. Nathan repräsentierte vortrefflich Sitte, Gesinnung und Reichtum der City; er war dort ebenso geschätzt wie gefürchtet und machte auf alle, die ihn kannten, den Eindruck eines für Geschäfte geradezu genial begabten Menschen. – Auch er war ein Anbeter größter Lebensaktivität. „Ich wünsche ihnen,“ sagte er einmal zu einem Freunde in bezug auf dessen Kinder, „daß sie Verstand, Seele, Herz und Leib dem Geschäfte weihen, das ist der Weg, um glücklich zu werden.“[3]

Dies entsprach seinem innersten Wesen, war aber eigentlich nur eine Wiederholung des alten Satzes, daß Arbeit fröhlich macht.

In London war Nathan eine stadtbekannte Figur. Man zeigt noch jetzt auf der Stock Exchange die Säule, an die er sich gewöhnlich anlehnte. Massiv, dick, den Kopf in den Schultern

---

[1] Dr. Eduard Heyden, Galerie berühmter und merkwürdiger Frankfurter. Frankfurt a. M. 1861, S. 56. — [2] Karl Gutzkow, Ges. Werke. Herausgegeben von Gensel. II, S. 188. — [3] Memoirs of Sir Thomas Buxton, a. a. O. S. 343f.

versteckt, die Hände in weiten Hosentaschen, scheinbar gleichgültig gegenüber dem, was um ihn her vorging, beobachtete Nathan in Wirklichkeit sehr genau, antwortete einsilbig und gab stets nur kurze, bestimmte Befehle. Er war sich dabei seiner Macht durchaus bewußt und den seinem Reichtum geltenden Schmeicheleien unzugänglich.[1] Allmählich hatte er die Menschheit verachten gelernt, die Beobachtung der Wirkung des aus seinen Händen fließenden Goldes hatte ihn dazu gebracht.

Die Leiche Nathans wurde von Frankfurt nach London übergeführt und in seinem Hause New Court St. Swithin's Lane aufgebahrt. Tausende zogen an seinem Sarge vorüber. Sein Leichenbegängnis am 8. August 1836 war ein äußeres Zeichen der gewaltigen Stellung, die er sich im Britenreich geschaffen. Die Gesandten der Großmächte, der Lord-Mayor, die Sheriffs und viele Aldermen der City von London folgten seinem Sarge, dem eine Prozession weißgekleideter jüdischer Waisenkinder voranschritt. Ganz London war gekommen, um den Leichenzug zu sehen. Es herrschte ein riesiges Gedränge, und nur mit Mühe konnte die Ordnung aufrecht erhalten werden. So wurde ein Mann zu Grabe getragen, der kaum vierzig Jahre vorher als ein kleiner jüdischer Händler aus Frankfurt ohne Namen und ohne Ansehen in England eingewandert war.

Salomon sorgte für entsprechende Nachrufe in der Öffentlichkeit. James hatte es durchgesetzt, daß ein die Verdienste Nathans in den Himmel hebender Artikel im „Journal des Débats" erschien, und Salomon veranlaßte, daß er auch in anderen Zeitungen abgedruckt wurde. Er wandte sich in dieser Sache auch an Gutzkow, der daraufhin am 12. August 1836 dem Chefredakteur der Allgemeinen Zeitung namens Kolb schrieb[2]:

---

[1] Varigny, „Les grandes fortunes en Angleterre". Revue des deux mondes. Juni 1888. — [2] Karl Gutzkow an Kolb. Frankfurt a. M. 12. VIII. 1836. Cotta-Archiv Stuttgart.

„Der Wiener Rothschild hat mich angehen lassen, ob ich nicht den am 5. d. M. im ‚Journal des Débats' gestandenen Artikel über seinen Bruder der Allg. Zeitg. einverleiben könnte. Ich habe den Artikel, wie er beifolgt, übersetzen lassen und bitte Sie, wenn eine Aufnahme möglich ist, sie gestatten zu wollen. Ich brauche Sie wohl an Metternichs liaison mit Salomon nicht zu erinnern."

Mit dem Tode Nathans mußten naturgemäß einschneidende Veränderungen in der Gesamtführung des Hauses Rothschild vor sich gehen. Die leitende Stelle, die der Verstorbene unausgesprochenerweise inne gehabt, glitt zu James nach Paris hinüber; in den spanischen Angelegenheiten hörte das Haus Rothschild von nun an weniger auf britische Wünsche und beschränkte sich darauf, das Nötigste zwecks Erhaltung des als ausgezeichnet erkannten Quecksilbergeschäftes zuzugestehen. Das war um so mehr geboten, als Mendizabal versagte, sein Ansehen dahinschwand und Spanien bedenklich dem Staatsbankrott zusteuerte.

Zu Metternichs großer Befriedigung zogen sich die Rothschild angesichts der verzweifelten Lage Spaniens von finanziellen Transaktionen in diesem Lande zurück. – Lionels Söhne, die sich zwecks Erlangung des Konsulates bei Österreich in ein möglichst gutes Licht stellen wollten, erklärten Herrn von Hummelauer[1], daß sie nichts mehr mit der spanischen Sache zu tun haben wollten. „Man hat uns", sagten sie ihm, „Anträge aller Art gemacht, damit wir die Bezahlung der nächsten spanischen Dividende übernehmen möchten, wir sind aber entschlossen, es nicht zu tun, und" – fügte einer der Rothschild hinzu – „die früheren Dividenden haben ja auch nicht wir bezahlt."

„Die früheren Dividenden", bemerkte Hummelauer dazu, „wurden nämlich stets von dem Ertrage der durch das Haus Rothschild in Kurs gebrachten Anleihen bezahlt. Es wurde

[1] Hummelauer an Metternich. London, 6. X. 1836. Wien, Staatsarchiv.

Schuld durch Schuld gedeckt, ohne daß das Haus Rothschild seine eigenen Fonds vorschoß. Nunmehr aber müßte es bei der Unmöglichkeit, dem Publikum neue Kapitalien zu entlocken, die kommenden Dividenden aus seinen eigenen Fonds bezahlen, eine Auslage ohne Hoffnung einer Wiedererstattung."

In Spanien waren indessen wichtige Veränderungen vor sich gegangen, die die Lage nur noch kritischer gestalteten. Mendizabal war im Mai 1836 entlassen worden, der Sommer brachte wieder Erfolge des Don Carlos, ja sogar einen Aufruhr vor dem Schlosse der Königin-Regentin. Die Verfassung von 1812 wurde gezwungenermaßen angenommen, und die Monarchin trug sich zeitweilig sogar mit Fluchtgedanken. Die konstituierenden Cortes traten inmitten der größten Unordnung am 24. Oktober 1835 zusammen.

Don Carlos hatte aber diese ihm günstigen Verhältnisse nicht genügend zu würdigen gewußt, und es war dem General der Christinos Espartero im Dezember 1836 sogar gelungen, ihm eine empfindliche Niederlage beizubringen. Ein konzentrischer Angriff der Christinos in der ersten Hälfte März schlug jedoch fehl.

Metternich beobachtete nach wie vor äußerst mißtrauisch das Benehmen der Rothschild gegenüber Spanien und wies Apponyi an, darüber zu berichten. Dieser, anstatt sich bei sonstigen eingeweihten Personen Rats zu holen, fragte meistens James Rothschild selbst oder glaubte den Nachrichten eines politischen Gauklers und bezahlten Konfidenten, Klindworth mit Namen, der nur zu oft Falsches berichtete. Im März 1837 hatte Apponyi wieder mit James Rothschild eine Unterredung, in welcher dieser mitteilte, man habe die Ausschöpfung der Quecksilberminen ungeheuer gesteigert und von den Rothschild zwei Millionen Francs Vorschuß dafür verlangt. Der Agent in Madrid dringe auf Annahme des Vorschlages, ebenso wie er inständigst bäte, daß James, der die monatlichen Kosten der spanischen Gesandtschaft in Paris im Betrage von 80000 Francs aus Eigenem bestritt, ohne bisher eine Rückzahlung erhalten zu haben, dies ja nicht einstelle. Der Vertreter Rothschilds in Madrid, Weisweiller, erklärte, er würde in diesem Falle aus der Hauptstadt gejagt werden, und damit werde das ganze so günstige Quecksilbergeschäft verloren gehen. – Solche Mitteilungen bedeuteten immer, daß das Haus Rothschild wieder etwas mit Spanien plante. Aber das hing durchaus nur mit den Bergwerken zusammen, denn im übrigen war das Ansehen der spanischen Finanzen so gesunken, daß die Renten nur noch etwa 20 bis 25 Prozent standen.

Im Juni 1837 wendete sich das Kriegsglück in Spanien wieder einmal, und Don Carlos plante sogar eine Zeitlang, gegen Madrid vorzurücken. Seine großen Erfolge erzeugten Panik in der Rothschildschen Firma in Paris, die ohnehin schon fürchtete, daß diese „Teufel von Cortezmitgliedern" ihr in Almaden Schwierigkeiten machen könnten. Immerhin meinten die Rothschild sich mit diesen noch verständigen zu können, aber wenn Don Carlos siegte, dann war alles verloren. – Der französische Ministerpräsident speiste damals Ende Juni mit dem sehr besorgten James Rothschild und äußerte dann darüber zu Freiherrn von Hügel, der den Grafen Apponyi vertrat[1]:

„Rothschild ist ganz eingenommen von den Verlusten, die er zu machen fürchtet, und insbesondere über seine Quecksilberminen geängstigt, die Don Carlos ihm wegnehmen wird, wie er sagt. Diese Leute laufen dem Geld nach und vergessen alles, wie ihre Interessen im Spiele sind."

Etwas später bemerkte auch Molé über James, seit dieser sich in die spanischen Angelegenheiten gemengt habe, sei er nicht mehr „der Rothschild d'autrefois".[2] Salomon, der damals wieder in Paris weilte, versicherte dabei, kein Mensch,

[1] Freiherr von Hügel an Metternich. Paris, 8. VII. 1837. Wien, Staatsarchiv. – [2] Apponyi an Metternich, 20. IX. 1837. Wien, Staatsarchiv.

und er weniger als jeder andere, werde der Regierung in Madrid fürderhin auch nur einen Sol leihen.
Bei Metternich aber häufte sich der Unmut gegen die Rothschild, obwohl er sie trotzdem immer noch gleichsam mit Samthandschuhen behandelte. Da fing Metternichs Polizei einen Brief Lionels aus London an seinen Onkel auf.[1] Dieser sprach darin über die höchst ungünstige Wirkung, die die Nachricht des Überganges Don Carlos' über den Ebro hervorgerufen habe, die englischen Konsols ebenso wie die spanischen Papiere seien stark gefallen. Alles sehe sehr düster aus. Schuld an der gegenwärtigen Panik seien lediglich die schlechten Nachrichten aus Spanien und Portugal. Man müsse Geduld haben, nur Gott allein könne alles zum Guten führen. „Ich bin zu verdrießlich," schrieb Lionel, „um ausführlich schreiben zu können, die Peers haben die Oberhand, und die politischen Ereignisse sowie die dummen Maßregeln der hiesigen Regierung begünstigen ihr Treiben. Das beste ist, sich ruhig zu verhalten, um alsdann zu agieren, wenn man leichter sieht. Heute sagte man auch hier, Don Carlos habe den Ebro passiert und daß in Neapel Unruhen ausbrechen würden. Der belgische Chargé d'affaires sagte uns sogar heute, daß Sir Bowring[2] im Auftrage der Regierung nach Neapel abgereist ist. Ich befürchte, daß, wenn die Österreicher in Neapel einrücken, Louis-Philippe gezwungen wird, in Spanien zu intervenieren. Die Kurse fielen plötzlich stark gegen Ende der Börse, und ich befürchte, daß die Taubenpost niedrigere Kurse von dort bringt. Ich glaube, die Engländer werden nach und nach viele Renten zu Markte bringen, und dieses muß Einfluß dort haben. Wir wollen alles Gute hoffen."
Als Metternich die Abschrift dieses aufgefangenen Briefes bekam, sandte er sie sofort an den österreichischen Gesandten

[1] Lionel an seinen Onkel, Circulare. London, 22. IX. 1837. Interzept. Wien, Staatsarchiv. — [2] Deputierter des englischen Parlaments.

in Neapel mit dem Auftrag, er solle den verdächtigen liberalen Deputierten überwachen und melden, wie es um die behauptete Revolution in Neapel stehe.

Da brachte der „Temps“ einen Artikel über eine eventuelle österreichische Intervention in diesem Staat, die Metternich aufs höchste erboste. Der Kanzler ließ hierauf Salomon durch Hügel folgenden Brief zustellen:

„Ich bitte Sie,“ hieß es darin[1], „den gegenwärtigen Brief dem Baron Salomon von Rothschild lesen zu lassen. Ich wünsche dies, weil ich dessen geraden Sinn und echte Grundsätze kenne.

Es ist allgemein bekannt, daß der Minister Montalivet und der Baron James in vertrauten Verhältnissen stehen, und daß dieser Minister einen bestimmten Einfluß auf die Redaktion des Temps übt. Nun hat sich dieses Blatt soeben eine große Schuld durch die Artikel aufgelegt, durch welche es die Lüge in die Welt geschickt hat, welche die Aussicht auf eine österreichische Truppensendung nach Neapel und eine hieraus entstehende politische Komplikation zwischen unserem Hofe und Frankreich prophezeit. Beinahe noch ärger ist die bald darauf gefolgte Behauptung, als sei von dieser Truppensendung keine Rede mehr, denn Österreich würde sich zweimal bedenken, bevor es sich den Folgen des Unternehmens aussetzen würde! — Diese beiderseitigen aus der Luft gegriffenen Behauptungen sind die gefährlichsten Worte, welche ein in vertrauten Verhältnissen zu dem französischen Ministerium stehendes Blatt in die Welt schleudern konnte. Auf der einen Seite reizen sie die Fraktionen zur Revolte; auf der anderen stellen sie einen ruhig denkenden und gehenden Hof, wie den unsrigen, in die böse Lage, zu sprechen wie zu schweigen. Wäre der Temps nicht in dem Verbande mit dem französischen Ministerium, in dem er mit demselben steht, so läge an der Sache nichts; ich würde sie übergehen wie den täglichen

[1] Metternich an Baron Hügel. Wien, 4. IX. 1837. Wien, Staatsarchiv.

Lügenpack, den die revolutionären Blätter ausbreiten. Hier ist der Fall jedoch ganz verschieden.

Ich wünsche, daß der Baron Salomon diese Betrachtungen geheim seinem Bruder mitteile und ihn in meinem Namen ersuche, dahin zu wirken, daß in Zukunft nichts Ähnliches mehr geschehe. Dies wünsche ich selbst im Interesse des Hauses Rothschild, denn es kommen mir von vielen Seiten aus dem Auslande Bemerkungen zu, welche die erwähnten Artikel einer Spekulation des Hauses auf die neapolitanischen Fonds zuschreiben. Daß dies eine Verleumdung ist, glaubt niemand lieber als ich; aber eben deshalb tue ich den gegenwärtigen Schritt. – Der Baron Salomon kennt meine Art zu sehen zu gut, als daß ich mehr zu sagen brauchte, damit er mich begreift. Es wird genügen, daß Sie ihm meinen Wunsch aussprechen, damit er das Rechte tue."

Hügel las den beiden Brüdern Metternichs Brief vor und meldete nach Hause, sie hätten verstanden, und insbesondere James beginne zu begreifen, daß er ein trauriges Spiel gespielt, indem er sich zum Politiker aufwarf. James war zwar nicht ganz so reuevoll, wie Hügel meinte, aber er tat wenigstens so in Anwesenheit des österreichischen Geschäftsträgers.[1]

Es kam damals zu keinen Unruhen in Neapel, und die Episode gab lediglich einen Einblick in die Zusammenarbeit der Rothschild mit einzelnen französischen Ministern und ihren Einfluß auf die führenden Blätter in Paris.

Gegen Ende des Jahres 1837 wurde der Blick der Brüder wieder voller Sorge auf Spanien gelenkt, da die Cortez, aufgehetzt durch die Konkurrenten der Rothschild, die Gültigkeit des seinerzeitigen Quecksilbervertrages und seiner Verbesserungen anfochten. Weisweiller, der Rothschildsche Agent in Madrid, tat alles, um die Rechtsgültigkeit des Vertrages zu beweisen. Das Haus Zulueta, der damalige Konkurrent des Hauses Rothschild, stützte seine Einsprache darauf,

[1] Hügel an Metternich. Paris, 13. IX. 1837. Wien, Staatsarchiv.

dieses habe damals nur fünfzig geboten und hinzugefügt, für den Fall, daß jemand vierundfünfzig böte, gäben sie fünfundfünfzig. Das sei aber kein ordnungsgemäßes Vorgehen gewesen.

Der Rothschildsche Agent nahm seine Zuflucht auch noch zur Intervention des englischen und französischen Gesandten bei der spanischen Regierung, die beide für das Haus Rothschild eintraten. Auch das spanische Ministerium verteidigte den Cortez gegenüber die Wichtigkeit und Nützlichkeit des Quecksilbervertrages für den spanischen Staat.

„Wie immer es sei," meldete Graf Apponyi über die Wirkung dieses Zwischenfalles auf James Rothschild[1], „scheint dieser ganz außerordentlich erregt zu sein über diesen Versuch der Cortez, ihm ein Geschäft wegzunehmen, das ihm nach annähernder Rechnung jährlich auf $1^1/_4$–2 Millionen Francs eintragen muß. Indessen wird die Stimme des tatsächlichen Interesses wahrscheinlich bei ihm die Oberhand behalten, und James Rothschild wird ohne Zweifel auf Schleichwegen und mittels einiger Geldopfer ein Geschäft wiederzuerlangen suchen, das für sein Haus eine Quelle so großer Profite ist."

In Paris erzählte man sich auch, es sei damals bei Abschluß des Quecksilbergeschäftes nicht ganz ohne Geschenke und Trinkgelder abgegangen, und das Haus Rothschild drohe nun mit Enthüllungen. Das beste schien also eine beiderseitige friedliche Lösung. Schließlich einigte man sich auf eine Erhöhung des für den Zentner gehobenen Quecksilbers an den spanischen Staat zu leistenden Betrages und auf neue Vorschüsse.

Im übrigen aber ließen die Rothschild seit dem Tode Nathans die spanischen Anleihen ziemlich aus dem Spiel, nur mit französischer und englischer Garantie und der gleichzeitigen Mitteilung an Metternich wären sie dafür zu haben gewesen.

Da gab im März 1838 der geheime Agent Klindworth, dessen

[1] Apponyi an Metternich. Paris, 2. XI. 1837. Wien, Staatsarchiv.

sich Graf Apponyi in Paris in steigendem Maße bediente, die Nachricht bekannt, die Rothschild ständen in Verhandlungen wegen einer neuen spanischen Anleihe. Wieder informierte sich Metternich bei Salomon, da kam James zu Apponyi ganz erzürnt ob dieser fortwährenden Mahnungen des immer noch an Don Carlos festhaltenden Metternich, um das Anleihegerücht entschieden zu dementieren.

„Baron James von Rothschild," meldete der Graf[1], „der ohne Zweifel vorausgesehen hat, daß Gerüchte von finanziellen Transaktionen zu meiner Kenntnis gelangen würden, hat mir die formellste Versicherung gegeben, daß er nicht nur seine Teilnahme an jeder Anleihe zugunsten der spanischen Regierung, sondern auch jede finanzielle Operation verweigert habe, deren Zweck es sei, Spanien Geld zu verschaffen. Er leugnet auf das positivste alles, was man ihm diesbezüglich zumutet, und bat mich, diese formellste Erklärung von seiner Seite der Kenntnis Eurer Hoheit zu übermitteln. Herr Baron Rothschild hat mich ausdrücklich und unaufgefordert beauftragt, E. H. sein Wort zu geben, daß er sich niemals in eine Anleihe für die spanische Regierung einlassen würde, ohne vorher von E. H. dazu autorisiert worden zu sein."

Auf diese Weise schien es Metternich endlich durch hartnäckige Einwirkung gelungen zu sein, weitere finanzielle Zuflüsse an die Regierung der Königin-Regentin, wenigstens von seiten des Hauses Rothschild, zu hemmen, während er selbst Don Carlos ständig mit Geld versorgte und ihn überdies auch von den mit Österreich verbündeten Staaten unterstützen ließ.

Aber all diese Bemühungen fruchteten nichts; Don Carlos war nicht die große Persönlichkeit, die sich durchzusetzen verstand. Denn am Ende all der Wechselfälle dieses spanischen Erbfolgekrieges wurde Don Carlos von dem General der Köni-

[1] Graf Apponyi an Metternich. Paris, 18. III. 1838. Wien, Staatsarchiv.

gin-Regentin, Espartero, dem Sohne eines Handwerkers, endgültig aus dem Felde geschlagen und mußte Spanien flüchtend verlassen. So war auch Don Carlos nicht imstande, das Haus Rothschild im Besitze der Quecksilberminen zu stören. Nathan behielt recht. Die wertvollen Quecksilberminen blieben in der Familie und wurden zu einer Quelle größten Gewinnes. Das Haus hat sie bis zum Jahre 1863 besessen, in welchem sie vom spanischen Staate wieder übernommen wurden. Mittlerweile aber waren in der Neuen Welt andere reichere Gruben gefunden worden, und das Monopol war längst schon nicht mehr zu halten gewesen. An diesem spanischen Beispiel läßt sich besonders gut erkennen, wie eng in jener Zeit Politik und Geschäft miteinander verquickt waren.

FÜNFTES KAPITEL

KAMPF DER ROTHSCHILD UM DEN WELTFRIEDEN IN DER KRISE VON 1840.

Während die Brüder Rothschild ihre Rolle in der großen Politik weiterspielten, vergaßen sie auf dem Kontinente nicht, sich auch weiterhin an großen industriellen- und Verkehrsunternehmen zu beteiligen. Die in den Kassen stets anwachsenden gewaltigen Kapitalien trieben sie dazu. Nach den Eisenbahnen wandten sie sich der Dampfschiffahrt zu, und Salomon Rothschild übernahm auch hier wieder die englischen Lehren und das britische Beispiel, um in anderen Ländern, so in Österreich, gleiche Einrichtungen wie dort ins Leben zu rufen. Schon der Name, den man der großen Schifffahrtunternehmung gab, die in Österreich entstand und an der sich Salomon finanziell beteiligte, wies darauf hin: Lloyd hießen nach dem Besitzer eines kleinen Gasthauses in London wo die Reeder und Versicherer von Menschen und Waren verkehrten und debattierten, die Dampfschiffahrtgesellschaften, die von jenen Leuten gegründet wurden. Lloyd hieß auch die neue österreichische Unternehmung, die im Jahre 1835 vornehmlich mit Rothschildschem Kapital ins Leben trat.

Damals verkannte man allerdings noch völlig Wesen und Ziel der Dampfschiffahrt und meinte, sie sei nur für Personenverkehr möglich. In einer der ersten Eingaben des Lloyd an die österreichische Regierung[1] stand noch zu lesen: „Dampfschiffe können und werden nie Frachtschiffe sein“, und diese Ansicht teilte damals auch Salomon Rothschild.

[1] 75 Jahre österreichischer Lloyd 1836–1911. Triest 1911, S. 9.

Die Stellung Salomons in Wien befestigte sich durch jedes neue große Unternehmen, bei dem sein Geld eine Rolle spielte. Selbst wenn er ferne von der Hauptstadt weilte, so zur Zeit, da die Cholera Wien heimsuchte, streckte Salomon Rothschild beträchtliche Summen für Spitäler und Bekämpfung der Krankheit vor und festigte dadurch, obwohl persönlich weit vom Schuß, sein Ansehen und seine Stellung bei den Wiener Behörden.

Es gab schon kaum noch ein größeres Unternehmen in der Monarchie, an dem Rothschildsches Geld nicht beteiligt gewesen wäre. Als man in Wien darüber nachdachte, wie das Andenken der dem Kaiser nach seiner Thronbesteigung dargebrachten Erbhuldigung am besten durch ein bleibendes Werk bewahrt werden könnte, kam man, da bei dem sehr trockenen Sommer ein fühlbarer Wassermangel eintrat, auf den Gedanken, eine großzügige Wasserleitung aus der Donau für die oberen Vorstädte Wiens zu schaffen.[1] Auch dazu wurde Rothschilds und Sinas Hilfe angerufen, und der erstere gab dafür einen Betrag von 25000 Gulden.

Mit der Zeit wurde der Rothschildsche Reichtum geradezu märchenhaft, und, davon geblendet, begann die sonst sehr exklusive Wiener Hofgesellschaft Salomon zu feiern und in ihre Kreise aufzunehmen. Neben Metternich fand sich auch der nächst ihm mächtigste Mann Österreichs, Graf Kolowrat, wiederholt an dem Tisch des Bankiers ein. Kübeck erzählt, daß man dies dem Grafen vielfach übelgenommen habe, und berichtet folgenden Vorfall: „Vor ein paar Tagen speiste Graf Kolowrat bei dem Bankier Rothschild. Einige seiner Kaste machten ihn aufmerksam, daß man das übel nehme. ‚Was wollen Sie‘ – sagte er – ‚hätte ich tun sollen. Rothschild legte einen so ungeheueren Wert auf mein Erscheinen, daß ich dem Dienste, da der Staat ihn braucht, schon dieses Opfer bringen mußte. Inzwischen habe ich damit ein gutes

[1] Kaiserliches Handschreiben. Wien, 26. X. 1835. Wien, Staatsarchiv.

Werk verbunden und von Rothschild eine Armengabe von 1000 fl. C-M. erwirkt, zu der dieser Jude sich nur aus Freude über meine Anwesenheit auf meine Aufforderung entschlossen hat.'
Die Wahrheit ist aber folgende: Als der Champagner bei den Toasten perlte, erhob sich Rothschild mit einer Anrede an Graf Kolowrat: Eure E. haben mir heute so viel Freude gemacht, als hätte ich 1000 fl. C.-M. empfangen oder einem Armen geschenkt. Darauf erwiderte Graf Kolowrat: Wissen Sie was, geben Sie mir die 1000 fl. für einen Armen, der Hilfe bedarf und sich an mich gewendet hat. Rothschild versprach und nach dem Tische empfing Graf Kolowrat die 1000 fl."
Ein Ausschnitt aus dem Tagebuch der Gemahlin Metternichs gibt einen Begriff von dem Eindruck, den der Rothschildsche Reichtum allüberall machte[1]: „Ich speiste" heißt es dort, „um fünf Uhr bei unserem Freunde Salomon Rothschild. Graf und Gräfin St. Aulaire, die Maltzahn, die alte Fürstin Marie Eszterházy, die Fürstin Paul und Rosa, die Chorinsky, Sedlnitzky, Clemens und ich wohnten diesem Diner bei, das vortrefflich war. Rothschild hat einen berühmten französischen Koch, und es waren natürlich für ihn seine kleine Extraschüsseln neben die großen gestellt. Seine Wohnung im ‚Römischen Kaiser' ist sehr hübsch und passend. Wertheimstein und Goldschmidt machten zum Teil die Honneurs. Rothschild besitzt eine prächtige Antiquitätensammlung, die er uns zeigte und die er seinem Sohn bestimmt. Wir sahen auch die Kasse Rothschilds, ohne Zweifel der schönste Teil des Hauses, sie enthält gegenwärtig 12 prächtige Millionen! Das machte mich schwermütig. Wie viel Gutes könnte man mit einem Viertel dieser Summe stiften!"
Die Fürstin Melanie hatte großen Bedarf an Pariser Toiletten

[1] Metternichs nachgelassene Papiere. Aus dem Tagebuche der Fürstin Melanie, Bd. VI, S. 92. Wien, Staatsarchiv.

und dergleichen und ließ sich, natürlich auf ihre Kosten, von Betty Rothschild in Paris und von der Frau Karls in Neapel ihre Kommissionen besorgen, die dann durch Kurier nach Wien befördert wurden. Beide Damen sandten bei solchen Gelegenheiten kleine Aufmerksamkeiten und Geschenke, die die Freundschaft erhalten sollten. Die Pakete wurden allmählich so umfangreich, daß sich Kuriere zuweilen weigerten, sie mitzunehmen.

Die Rothschild hatten das größte Interesse, sich die Gunst des Metternichschen Fürstenpaares zu erhalten, denn immer wieder kamen sie mit Bitten und Anliegen zum Staatskanzler. Bald sollte er für eine Geldforderung Carl Rothschilds an Sizilien beim neapolitanischen Staat, wohlgemerkt aber ohne Nennung des Namens, diplomatisch intervenieren[1], bald wieder Mitglieder der Familie zu österreichischen Generalkonsuln ernennen.

Vor allem wollte Salomon schon lange vor dem Tode seines Bruders Nathan seinem Sohn Anselm, der in Frankfurt lebte, eine amtliche Würde verschaffen, und dazu sollte Österreich eigens ein noch nicht bestehendes Generalkonsulat in Frankfurt schaffen. Salomon kam darum bei Metternich ein und betonte, was immer sehr wirksam war, daß dieses Amt ein unbesoldetes sein sollte. Metternich ließ daraufhin in Frankfurt beim dortigen Ministerresidenten Freiherrn von Handel anfragen, ob solch ein Generalkonsulat wünschenswert und der Sohn Salomons zu dessen Führung geeignet wäre. Handel bejahte diese Fragen.

„Freiherr Anselm von Rothschild", schrieb er über den Kandidaten, „vereint mit dem Reichtum, dem Credit und dem Einfluß des Hauses, dem er angehört, alle moralischen und intellektuellen Eigenschaften, die ihn zur Annahme und Bekleidung dieser Stelle befähigen. Von Seiten des Senats

[1] Lebzeltern an Metternich. Neapel, 23. VIII. und 10. IX. 1835. Wien, Staatsarchiv.

der freien Stadt Frankfurt wage ich zu verbürgen, daß kein Anstand gegen diese Ernennung erhoben werde, nachdem auch Freiherr Carl von Rothschild – Oheim des Anselm – als königlicher sicilianischer Generalconsul angenommen worden ist."[1]

Nach der Erwägung, daß für diesen Posten „nur ein Individuum gewählt werden könne, welches, da keine Art von Genüssen mit der Stelle verbunden werden sollen, nebst der nöthigen intellektuellen Fähigkeiten, dieses Amt auch nach seinen ökonomischen Verhältnissen mit Würde und Anstand zu bekleiden und seine Belohnung lediglich in dem damit verbundenen Ehrenrange zu finden, im Stande ist", wurde sonunmehr die Ernennung Anselms vollzogen.[2] Sie wurde sodann beim Senat der freien Stadt Frankfurt angemeldet, und dieser erteilte das Exequatur mit der nachfolgenden Einschränkung:

„Es wird der israelitische Bürger, Freiherr Anselm Salomon von Rothschild in der Eigenschaft als Kaiserl. Königl. österreichischer General Consul anerkannt, unter dem Vorbehalt, daß hierdurch in seinem Verhältnis als israelitischer Bürger dieser freien Stadt keine Änderung erwachse, er vielmehr nach wie vor den Gesetzen und der Gerichtsbarkeit hiesiger freien Stadt so wie überhaupt der diesseitigen Obrigkeit untergeben bleibe."[3]

Anselm dankte in den wärmsten und respektvollsten Ausdrücken und betonte, er wisse wohl, daß er diese Ernennung allein „der gnädigen Befürwortung und dem allvermögenden Einflusse Metternichs verdanke."[4]

Nicht so einfach und glatt ging es mit der Ernennung Lionels in London ab, die Nathan auf seinem Sterbebette so herzlich

---

[1] Freiherr von Handel an Metternich. Frankfurt, 8. I. 1836. Wien, Staatsarchiv. — [2] Allerhöchstes Reskript vom 20. II. 1836. Wien, Staatsarchiv. — [3] Auszug aus dem Senatsprotokoll der freien Stadt Frankfurt, 13. IV. 1836. — [4] Anselm Rothschild an Metternich, 16. III. 1836. Wien, Staatsarchiv.

gewünscht hatte. Es waren nämlich aus der letzten Amtszeit Nathans verschiedene Klagen, insbesondere des Triester Guberniums, über nachlässige Behandlung der Geschäfte eingelaufen und die Vermutung ausgesprochen worden, „daß dem Baron Rothschild die Besorgung der österreichischen Konsular-Angelegenheiten neben seinen übrigen Geschäften unmöglich oder doch sehr lästig geworden sey“.[1]

Eben pflog man darüber Erhebungen, als der Tod Nathans die Frage des Generalkonsulats zu einer aktuellen machte. Die innigen Bitten Salomons vom Sterbebette seines Bruders her hatten nicht sehr viel Eindruck auf Metternich gemacht, weil der Kanzler gegen Lionel Rothschild manches einzuwenden hatte. War er es doch gewesen, der im Auftrage seines Vaters in Madrid geweilt und mit der dem Kanzler so mißliebigen Königin-Regentin finanzielle Geschäfte gemacht, kurz die ganze Politik des Rothschildschen Hauses in Spanien im liberalen Sinne der Christinos geführt hatte, statt Metternichs Günstling Don Carlos zu unterstützen. So zögerte der Kanzler zunächst mit der Ernennung und verlangte Auskünfte über „die persönlichen Eigenschaften des besagten Lionel sowohl, als über sein Alter, seine Kenntnisse, Fähigkeiten, Moralität, seine Stellung beim Londoner Hause Rothschild und dessen künftige Verhältnisse“.

Im Grunde aber wollte Metternich Lionel lediglich etwas bangen lassen und war entschlossen, dem Hofkammer-Präsidium, das eher für die Ernennung einer anderen Persönlichkeit eintrat, Lionel günstige Weisungen zu erteilen.

„In Anbetracht ... der wichtigen Stellung,“ hieß es in einem Billett an das Hofkammer-Präsidium[2], „welche das Haus Rothschild in den finanziellen Angelegenheiten der civilisirten Welt inne hat, scheint das fragliche Ansuchen unge-

[1] Freiherr von Eichhoff an Metternich. Wien, 17. XI. 1835. Wien, Staatsarchiv. — [2] Billett der Wiener Staatskanzlei an das Hofkammer-Präsidium. Wien, 30. X. 1836.

zweifelt eine desto geneigtere Beachtung zu verdienen, als im gegentheiligen Falle erwähntes Haus den österreich'schen Interessen entfremdet, ja sogar gegen selbe gestimmt werden dürfte."

Indessen traf das verlangte Gutachten der Londoner Botschaft ein, das wieder von dem der Familie Rothschild so wenig freundlich gesinnten Herrn von Hummelauer verfaßt war.

„Der besagte Freiherr Lionel Nathan von Rothschild", hieß es darin[1], „scheint mir bei dreißig Jahren (er war tatsächlich achtundzwanzig) alt zu seyn. Es ist nie irgend etwas zu meiner Kenntniß gekommen, was geeignet wäre, ein ungünstiges Licht auf dessen Privat Charakter zu werfen ...

Die Fähigkeiten, welche er in der Führung der Geschäfte seines Hauses entwickeln dürfte, werden sich natürlicher Weise nach der Schule richten, in der er aufgewachsen ist. Er hat seine Geschäftsbildung in der Sphäre der Börse-Operationen erhalten und ist daher den Geschäften des eigentlichen Welthandels eben so fremde, als es sein verstorbener Vater war. Seine Connexionen werden sich nach demselben Maßstabe bemessen lassen. Aus diesen allgemeinen Rücksichten ... geht hervor, daß ein österreichisches General Consulat in London, in den Händen des Hauses Rothschild oder irgend eines anderen Hauses ähnlicher Categorie, nie den Erfordernissen der österreichischen Handels Interessen genügend entsprechen könne.

Die Söhne des verstorbenen Freiherrn von Rothschild haben während dessen Lebenszeit durchaus keine Art von persönlicher Stellung in der hiesigen commerziellen Welt eingenommen. Sie erbten von ihrem Vater das Ansehen, welches ihnen ihr Geld-Reichthum gibt, ohne jedoch bisher den Glauben erregt zu haben, daß sie auch Erben seiner Thätigkeit und Gewandtheit seyn würden.

[1] Hummelauer an Metternich. Ryde, 28. IX. 1836. Wien, Staatsarchiv.

Was die Verzögerungen und Vernachlässigungen, welche zu den Beschwerden des Küstenländischen Guberniums wiederholt Anlaß gegeben, betrifft, so wären dieselben leicht zu vermeiden, wenn der jeweilige General-Consul diesen Gegenständen die pflichtschuldige Aufmerksamkeit widmen will. Ob dies von jungen Leuten zu erwarten sey, für welche das General-Consulat eine Nebensache, eine Sache persönlicher Eitelkeit und theils nur ein Mittel ist, dem Publikum die stete Fortdauer ihres Einflusses bei dem k. k. Hofe anschaulich zu machen, – dürfte nicht wohl mit Sicherheit zu bestimmen seyn." Wenn man Lionel aber doch zum Generalconsul ernennen wolle, führte Hummelauer aus, so müsse man den Kanzleibeamten Kirchner von Staats wegen besolden und ihm irgend eine amtliche Würde geben.

„Ich hege die Überzeugung," fuhr der Diplomat fort, „daß das von dem Hause Rothschild gestellte Ansuchen, seinen Grund vorzugsweise in der letzteren obberichteten Rücksicht hat. Es muß diesem Hause in jeder Beziehung sehr viel daran liegen, das Publikum zu überzeugen, daß selbst dessen Übertritt in die Reihe der revolutionären Parthei seiner Stellung gegenüber der K. K. Regierung nicht zu schaden vermochte. Die abermalige Verleihung des General-Consulates an ein Glied der Familie Rothschild ist hiezu allerdings das geeigneteste Mittel und würde auch ohne Zweifel in dieser Hinsicht von dem sämtlichen Publikum als vollwichtiger Beweis angesehen werden.

Als im verflossenen Jahre Herr Mendizabal nach Madrid ging, sendete das Haus Rothschild eben den Freiherrn Lionel N. von Rothschild dahin, und er residierte dort geraume Zeit als Zwischen-Agent, zum Behufe der Ausführung des Systemes von Betrug, wozu sich sein Haus und die Regierung von Madrid verbündet hatten. Ich bin weit entfernt, ihm dies persönlich zur Last zu legen; – er that, was seine Chefs ihm auftrugen, und war nicht selbst Disponent: nichtsdestoweniger aber steht die Thatsache gegen ihn und sein Haus.

In ihrer nothwendigen Entwicklungs-Reihe sind die Ereignisse der Halbinsel nunmehr an die Schwelle eines vollständigen Staatsbanqueroutes gelangt. Euer Durchlaucht gewahren das schnelle Sinken, welches in diesen letzten Wochen in den spanischen und portugiesischen Staatspapieren stattgefunden. Soeben ist Mendizabal wieder ins Ministerium getreten, um noch einen letzten und sicher fruchtlosen Versuch von Schändlichkeit zu wagen. Wir stehen dem Punkte nahe, wo durch den Fall der aus den vereinten Intriguen des englischen Ministeriums und der H. H. Mendizabal und Rothschild hervorgegangenen revolutionairen Staatsschuld, Tausende von Familien in England und auf dem Continente sich in Armuth gestürtzt sehen werden. Das Vorhaben, der Plan der Sache fällt ohne Zweifel dem englischen Cabinette und Herrn Mendizabal zur Last, daß die Ausführung desselben aber möglich wurde, ist lediglich dem Hause Rothschild zuzuschreiben, an dessen Namen sich daher auch der verdiente Vorwurf knüpfen wird."

Ganz so schlimm kam es nicht; Hummelauer hatte wieder einmal Gelegenheit gehabt, seinem Zorn und seiner Verachtung für das Haus Rothschild freien Lauf zu lassen. Wenn die Ernennung aber doch vollzogen würde, so sollte der „Aufsichtsbeamte" der Konsulatskanzlei Kirchner besser gestellt werden, um nicht etwa durch günstigere Angebote von Seite des Hauses Rothschild in dessen Interessen gezogen zu werden und seine Rolle als Kontrolleur der Rothschild aufzugeben. So schlug also Hummelauer vor, diesen Mann „in bleibender Weise in das österreichische Interesse zu ziehen".[1]

Hummelauer fügte seiner Philippika gegen die Rothschild einige Zeit später noch einen Nachtrag hinzu. Er fragte nämlich bei verschiedenen Handlungshäusern nach den Söhnen

[1] Hummelauer an Metternich. London, 6. X. 1836. Wien, Staatsarchiv.

Nathans und erhielt dort, bei Rothschilds Konkurrenten, natürlich keine sehr gute Auskunft. Nun beeilte er sich, diese Nachrichten nach Wien weiterzugeben. „Der Eindruck," meldete er über die Erben Nathans, „welchen das Benehmen der jungen Leute macht, ist sehr ungünstig. Sie legen ihren Geldstolz dermaßen an den Tag, daß sie die alten Geschäftsfreunde ihres Vaters durch ihre Unhöflichkeit beleidigen, und ich habe mehrere derselben sich in dieser Hinsicht mit lebhaftem Unmuthe äußern hören. Der Ruf dieser jungen Leute in dem hiesigen Handelsstande ist daher in dem jetzigen Augenblicke, gänzlich zu ihrem Nachtheile."[1]
Hummelauer schlug daher vor, man solle, wenn man schon einen Rothschild in London zum Generalkonsul ernennen wollte, gleichzeitig ein anderes solches, hiervon unabhängiges Amt in Liverpool errichten, das den eigentlichen Dienst leisten würde. „Der englische Handelsstand", meinte der Diplomat, „würde somit das Londoner Consulat mehr als eine Sache der Form ansehen, und es dürfte in dieser Weise ... der ungünstige Eindruck gemildert werden, welchen die Verleihung des Consulates an einen der Söhne Rothschild unbezweifelt hervorbringen würde ..."
Daraufhin zögerte man in Wien mit der Ernennung und beriet mit der Hofkammer, was zu tun sei. Ein erschwerender Umstand war freilich, daß Metternich Salomon Rothschild wiederholt die Ernennung Lionels in Aussicht gestellt hatte. Als nun diese so lange Zeit nicht erfolgte, erinnerte Wertheimstein im Auftrage Salomons Metternich an sein Versprechen und fügte hinzu, man möge nur einen Konsulatsbeamten neben dem Konsul ernennen.
„Mit Vergnügen würde"[2], schrieb der Rothschildsche Sekretär, „Herr Baron Lionel von Rothschild sich dazu bereit finden, einem solchen Kanzler einen den Londoner Localverhält-

[1] Hummelauer an Metternich. London, 16. X. 1836. Wien, Staatsarchiv. — [2] Wertheimstein an Metternich. Wien, 20. II. 1837. Wien, Staatsarchiv.

nissen entsprechenden Theuerungs-Beitrag jährlich zu leisten und dadurch zu bethätigen, welchen hohen Werth er darauf legt, der Erbe des Vertrauens zu werden, welches die hohe Staatsverwaltung in seinen verewigten Vater gesetzt hatte und welches immer der Stolz der Familie Rothschild war."

Endlich ergab sich das beliebte Kompromiß: Lionel wurde zum provisorischen unbesoldeten Generalkonsul ernannt, nachdem er dem Geschäftsträger in London die mündliche Versicherung gegeben, er werde den gleichzeitig bestellten Konsulatskanzler in der Führung der Geschäfte nach besten Kräften unterstützen. Für die Rothschild war die Hauptsache, nach außen hin durch diese Ernennung erkennen zu lassen, daß Österreich nach wie vor Vertrauen in ihr Bankhaus setze.

Sie waren damals gerade wieder bemüht, die Stellung des Judentums im allgemeinen und damit auch die ihre zu bessern. Schon 1833 hatten die Israeliten in Österreich auf Betreiben des Hauses Rothschild wieder ein Bittgesuch um das Recht unbehinderten Aufenthaltes, der Ausübung von Wissenschaften, Künsten und Gewerben sowie des Erwerbs und Besitzes von Realitäten gerichtet.[1] Nachdem jahrelang darüber beraten worden war, richtete man am 17. Juli 1835 die Bitte um Befürwortung an Metternich. Die Rothschild mußten für die allgemeine Erweiterung der Rechte der Juden schon darum eintreten, weil für sie selbst immerfort Ausnahmen von den Gesetzen bewilligt werden mußten. So hatten sie für den Steinkohlenbau in Dalmatien und Istrien, sowie für den Kauf und Betrieb des Quecksilberbergwerks von Idria eine besondere Bewilligung erhalten, obwohl der Bergbau den Israeliten seit fast drei Jahrhunderten gänzlich verschlossen war.

Immer noch zögerte man bei den staatlichen Stellen mit der

---

[1] 20. XI. 1833. A. F. Pribram, Urkunden und Akten zur Geschichte der Juden in Wien. Wien-Leipzig, Bd. II, S. 346. 1918.

Erleichterung des Schicksals der Juden, und neuerdings trat nun Salomon Rothschild mit der dringenden Bitte um Hilfe an Metternich heran.

„Gestatten Eure Durchlaucht," schrieb er ihm am 9. Januar 1837 aus Paris[1], „daß ich mir die Freiheit nehme, über eine Angelegenheit, welche mir auf das Innigste am Herzen liegt, eine besondere Bitte an Hochdieselbe zu richten, und deren gütige Würdigung an Ihr edles menschenfreundliches Herz zu legen. Es ist das Schicksal meiner Glaubensgenossen, mein gütiger Fürst, es sind die Hoffnungen so vieler Familienväter, es ist das höchste, was tausende von Menschen beglücken kann und das ich mit wahrer Inbrunst und dem gläubigsten Vertrauen bey meinem gnädigsten Fürsten bevorworte; es giebt für mich keinen heiligeren Wunsch, als eine Verbesserung des Schicksals meiner Glaubensgenossen.

Ich verschone Eure Durchlaucht mit vielen Worten, ich baue fest auf die gnädigen wiederholten Zusicherungen Eurer Durchlaucht meinen Glaubensgenossen ein gütiger Beschützer, ein leutseliger Helfer seyn zu wollen, ich vertraue und hoffe alles für uns von den weisen und väterlichen Gesinnungen Eurer Durchlaucht, von einem Fürsten, dem das Wohl der Menschheit aller Klassen heilig und theuer ist, zu dem die Hülflosen nie umsonst gefleht haben."

Metternich ordnete nach Empfang dieses Briefes die Einberufung einer Staatskonferenz zur Besprechung der Judenfrage an. Diese stellte fest, daß es „wohl bei den dermaligen Verhältnissen der Zeit im unbezweifelten Interesse der Regierung liege, daß den Juden Erleichterungen ihres Zustandes und Erweiterung ihrer Rechte gewährt werden, daß es aber auch unerläßlich sei, dabei die Rücksichten zu beachten, welche die Umstände, Verhältnisse und selbst die noch bestehenden Vorurtheile gebiethen, damit nicht die Meinung erweckt werde, als läge eine vollkommene Emanzipation des

[1] Salomon Rothschild an Metternich. Paris, 9. I. 1837. Wien, Staatsarchiv.

Israeliten und eine Gleichstellung dieser mit den Christen in der Absicht der Regierung."

Es wurde also beschlossen, daß die Toleranzsteuer zwar aufrecht erhalten werden solle, der Besitz von Häusern in Wien durch Juden aber von der allerhöchsten Entscheidung abhängig zu machen sei, die dann für ein Haus, keinesfalls aber für mehrere Realitäten gegeben werden dürfe. Damit war indirekt auch dem Hause Rothschild, das immer noch im Gasthof „zum Römischen Kaiser" zur Miete untergebracht war, der Erwerb einer Liegenschaft in Wien ermöglicht.

Aber Salomon Rothschild benutzte seinen Einfluß auf den Staatskanzler Metternich auch dazu, um außerhalb der Grenzen des österreichischen Staates, besonders in Italien, wo Metternichs Machtwort galt, bessere Bedingungen für die Juden durchzusetzen. Da war zum Beispiel Modena, wo der Herzog am 22. März 1831 in Verfolg der stattgehabten Unruhen den Juden eine Kontribution von 600000 Lire auferlegte und schwerwiegende Einschränkungen ihrer Freiheit verfügte. Als einmal der Herzog in Wien weilte, wandte sich der Prokurist Goldschmidt im Auftrage Salomons mit der inständigen Bitte an ihn[1], diese drückenden und, wie er betonte, ungerechten Verfügungen wieder aufzuheben.

Auch im Jahre 1833 verfolgte man in den päpstlichen Staaten neuerdings in den Städten die Idee der förmlichen Abschließung der Juden von den christlichen Bewohnern; sie sollten wieder von Mauern umschlossen und abgesondert leben. Auf Bitte Salomons intervenierte Metternich, und ihm war es zu danken, daß diese von Rothschild als entehrend bezeichnete Maßregel nicht überall zur Ausführung kam.

„Der Segen von Tausenden dadurch Beglückten", schrieb Salomon darüber an Metternich, „ist dafür vom Himmel für E. D. erfleht worden."

---

[1] Goldschmidt p. pr. S. M. von Rothschild an Metternich. Wien, 20. VIII. 1834. Wien, Staatsarchiv.

Im Jahre 1838 kam Salomon von israelitischen Handlungshäusern in Ferrara die Nachricht zu, daß dort neue Bedrükkungen geplant seien.

„Von dem Jammerrufe der durch eine solche Verordnung Bedrohten tief ergriffen", schrieb Salomon dem Fürsten Metternich[1], „und von dem natürlichen Mitgefühle für die Unterdrückten, um so mehr, wenn es meine hilflosen Glaubensgenossen sind, aufs wärmste angeregt, wage ich es nun, auch bey diesem Anlasse wieder die Großmuth und Milde Eurer Durchlaucht mit der dringendsten Bitte in Anspruch zu nehmen, Hochdieselben wollen gnädigst geruhen, jetzt, wie im Jahre 1833, durch das Organ der Kaiserlichen Botschaft in Rom Ihr vielvermögendes Fürwort bey dem hl. Vater eintreten zu lassen, um die angedrohte Publikation des obenerwähnten harten Dekretes von meinen unglücklichen Glaubensgenossen abzuwenden und die päpstliche Regierung zu milderen und toleranteren Gesinnungen zu stimmen. Möchte es meinem schwachen Worte gelingen, Euer Durchlaucht für Menschenwohl so empfängliches Herz auch dieses Mal zu rühren."

Solche Bitten waren besonders dann sehr schwer abzulehnen, wenn Salomon knapp vorher große Geldsummen für öffentliche wohltätige Zwecke gespendet hatte. Dies war auch damals der Fall, denn im März 1838 hatte eine entsetzliche Überschwemmung die Städte Ofen und Pest heimgesucht. Salomon Rothschild bot damals, wie er schrieb[2], „geleitet von menschlichen und, er könne es sagen, von rein patriotischen Gesinnungen für Österreich, dem Kaiser die unbeschränkten Dienste seines Hauses an für den Fall, als dieser etwa größere finanzielle Maßregeln zur Linderung des Schicksales der Betroffenen anzuordnen geruhen sollte".

---

[1] Salomon Rothschild an Metternich. Wien, 9. IV. 1838. Wien, Staatsarchiv. — [2] Salomon Rothschild an Graf Kolowrat. Wien, 26. III. 1838. Wien, Staatsarchiv.

In dem Majestätsgesuch[1] Salomons stand zu lesen, der Monarch möge „in diesem treugehorsamsten Antrage ein schwaches Merkmal jener unwandelbaren Treue und unerschütterlichen Ergebenheit, von welcher sowohl er als sein gesammtes Haus für die geheiligte Person S. M. und das ganze erlauchte Kaiserhaus durchdrungen sind, Allergnädigst erkennen“. Amschel Meyer in Frankfurt veranstaltete überdies auf Aufforderung Salomons ein Konzert zugunsten der Verunglückten, wobei die anmutige und geistvolle Gemahlin Carl Rothschilds im Verein mit der Gräfin Rossi die Solopartien sang. Die Stellung der Rothschild in ihren Wirtsstaaten war damals schon derartig, daß sie mit deren Freuden und Leiden verbunden waren. Politisch hatten sie in Frankreich noch mehr Einfluß als in Österreich. Das mußte naturgemäß auch Feindschaften auslösen; zu den Gegnern der Rothschild gehörte in Paris auch jener politische Allerweltsspion Klindworth, der dem Grafen Apponyi regelmäßige Berichte über die Lage in Paris einsandte und dafür fortlaufende Bezahlung erhielt.

„Ein Beweis,“ meldete dieser Mann unterm 20. Januar 1838, „bis zu welchem Punkte jetzt hier zu Lande der Rothschildsche Einfluß geht, ist, daß vergangene Woche, als einer meiner französischen Freunde in das Bureau des Herrn von Rothschild ging, er in demselben den General Rumigny, Adjutanten des Königs Börsen-Angelegenheiten exspionierend fand. Rothschild hat ein eigenes System. Verstand und helle Ansicht der Dinge fehlen ihm; er zwingt es also mit dem Gelde. Er hat in allen Ministerien, in allen Verwaltungen hohe und niedere Kreaturen, welche ihm jede Mitteilung sagen.“ Klindworth sprach James politisches Urteil ab und meinte, er sei sehr gut österreichisch, aber sehr schlecht preußisch gesinnt. Er sei in Berlin zum Unterschied von Paris gesellschaft-

---

[1] Salomon Rothschild an Kaiser Ferdinand, 27. III. 1838. Wien, Staatsarchiv.

lich nie sehr ausgezeichnet und einige Mitglieder seiner Familie dort geradezu verletzt und vor den Kopf gestoßen worden. Diese Urteile waren nun, wie man heute besser weiß, vielfach falsch und zeigten ebenso wie tausend spätere Berichte desselben Klindworth, wie wenig man solchen käuflichen Zuträgern glauben darf. Damals aber und bis spät in die siebziger Jahre hinein, wurden die Berichte dieses Mannes mit Begeisterung aufgenommen und teuer bezahlt.

Wahrscheinlich war Herr Klindworth auf die Rothschild deshalb so schlecht zu sprechen, weil dieser sehr geldsüchtige Mann bei ihnen einmal eine Fehlbitte getan oder zu ihren großen Festen nicht geladen wurde. Denn zu diesen drängte sich jedermann, da sie im herrlichen Hotel der Rue Laffitte mit einer Pracht veranstaltet wurden, die ihresgleichen suchte und den Mangel der Herkunft und Geburt ausgleichen sollte.

Nach dem Tode Nathans, der großer Prachtentfaltung abgeneigt gewesen, waren solche glanzvolle Veranstaltungen auch bei den Londoner Rothschild zur Gepflogenheit geworden. Im herrlichen Park von Gunnersbury wurden Feste gegeben, zu denen über fünfhundert Einladungen ergingen. Der Herzog von Sussex, Prinz Georg von Cambridge, der Herzog von Somerset, Wellington, auswärtige Fürstlichkeiten und Diplomaten und der hohe Adel des Landes fanden sich dazu ein. Die bekanntesten Künstler und Künstlerinnen, wie die Opernsängerin Giulia Grisi, die damals weltbekannten Bassisten Antonio Tamburini und Lablache konzertierten, und oft kam Rossini von Paris herüber, um wie bei James so auch bei den Söhnen Nathans etwas aus seinen Opern zum besten zu geben. Im großen von sechstausend verschiedenfarbigen Lampions erleuchteten Park wurde sodann in eigens hierzu errichteten Zelten soupiert, wobei die erlesensten Leckerbissen aus aller Welt gereicht wurden.[1]

---

[1] Ein solches Fest vom 18. VII. 1838 ist in den Montefiore Diarys S. 142 eingehend geschildert.

Die Söhne waren schon anders geartet als der ernste, rechnende, nur auf sein Geschäft bedachte und dieses genial und weitsichtig ausbauende Nathan. Der hatte auf Äußerlichkeiten keinen Wert gelegt und daher auch zeitlebens den ihm vom österreichischen Kaiser verliehenen Freiherrntitel als einen ausländischen nie geführt. Lionel aber bemühte sich sofort um die königliche Erlaubnis zur Führung dieses Titels und erhielt sie auch im Juni des Jahres 1838.

Immerhin, die Zeiten hatten sich geändert, und die früher gar nicht erwünschte Reklame war dem Hause Rothschild nun sehr nützlich. Die Feste gehörten dazu, und überdies wurde auch mit Bildern, Propagandaschriften und dergleichen gearbeitet. Am originellsten war ein in Massen verbreitetes Taschentuch, auf dem das Bildnis Nathans in Farben aufgedruckt und in viersprachigem Text zu lesen war[1]: „Eben so ausgezeichnet für seine kaufmännischen Fähigkeiten und Unternehmungen, als für seinen Wohltätigkeits Sinn und seine Menschenfreundlichkeit." Überdies waren auf dem Tuche auch noch die vom Hause Rothschild den verschiedenen Staaten gegebenen Anleihen mit ihren Riesensummen verzeichnet. Diese Tücher waren von einem Großhandlungshaus in London hergestellt und wurden dem Wiener Großhändler Josef Boschan übermittelt, der der Staatskanzlei und Salomons Erlaubnis einholte, um sie auch in Österreich zu verbreiten.

Bei allen geschäftlichen und gesellschaftlichen Verpflichtungen vergaßen die Rothschild nicht, den Fortschritten der Technik ihr besonderes Augenmerk zuzuwenden. Denn gelang es, neue Erfindungen, bevor sie allgemein anerkannt wurden, auszuwerten, so winkte ein nicht geringerer Gewinn als aus Anleihen und Finanzgeschäften.

---

[1] Note an die Staatskanzlei. Wien, 18. VIII. 1838. Erlaubnis Salomons 16. VIII. 1838. Wien, Polizeiarchiv. Dem Akte lag ein solches seidenes Tuch bei, das aber am 15. VII. 1927 beim Brande des Justizpalastes in Wien vernichtet worden ist.

Da war z. B. ein Herr Fourneyron, „Erfinder der machine hydraulique, sogenannte Turbine“, der James für seine Entdeckung zu interessieren wußte. James unterstützte den Erfinder nicht nur in Frankreich selbst, sondern empfahl ihn sogleich nach Wien seinem Bruder Salomon weiter, der seinerseits wieder den Fürsten Metternich dafür interessierte, denn James hatte ihm geschrieben, daß die fragliche Maschine sehr gut in Eisenwerken und Manufakturen aller Art zu verwenden wäre.[1]

Die Söhne Nathans in England beobachteten wieder mit höchster Aufmerksamkeit die Entwicklung der Dampfschiffahrt. „Diese“, schrieb Lionel am 31. Mai 1838[2], „wird dem Verkehr unseres Landes mit den Vereinigten Staaten von Amerika außerordentliche Vortheile gewähren ... Es sind bereits zwei Versuche gemacht worden das Atlantische Meer mit Dampfbooten zu durchfahren und zwar mit dem Sirius und Great Western von London und Bristol. Diese Versuche haben einen solchen Erfolg gehabt, daß aller Zweifel, den man gegen die Möglichkeit einer regelmäßigen Dampfschiffahrt zwischen hier und New York hätte hegen können, verschwunden sind. Der Sirius hatte auf seiner Reise schlechtes Wetter und Gegenwinde und gebrauchte dennoch nur neunzehn Tage von Cork nach New York. Diese Distanz, welche 3800 Meilen beträgt, wurde im Durchschnitte zu 8 1/4 Meilen p. Stunde gefahren. – Der Sirius trägt 700 Tonnen mit Maschinen von 320 Pferden Kraft, und es wurden 431 Tonnen Kohlen und 43 Fässer Pech auf der Reise gebraucht. – Der Great Western gebrauchte 15 Tage 5 Stunden von Bristol nach New York – eine Distanz von 3220 Meilen, – welche zu einer Durchschnittsrate von 9 Meilen p. Stunde gefahren wurde. Dieses Boot trägt 1340 Tonnen und Maschinen von

---

[1] James Rothschild an Salomon. Paris, 17. IV. 1838. Wien, Staatsarchiv. — [2] Bericht Lionel Rothschild an Metternich, 18. VI. bzw. 31. V. 1838. Wien, Staatsarchiv.

450 Pferde Kraft. Zu dieser Reise wurden 450 Tonnen Steinkohlen gebraucht. Da diese Versuche einen so glücklichen Erfolg hatten, so ist man auf den Gedanken gekommen, eine regelmäßige Dampfschiffahrt zwischen England und Amerika zu begründen. Es wird daher durch die nehmliche Gesellschaft, welche den Sirius heraussandte, ein außerordentlich großes Dampfboot, die British Queen genannt, von 1840 Tonnen und mit Maschinen von 500 Pferden Kraft zu einer ähnlichen Reise eingerichtet. Auch ist eine ganz neue Gesellschaft gegründet worden, welche im Begriffe steht sechs bis acht dergleichen große Dampfböte für die oben erwähnte Reise zu bauen. Es wird demnach ohne Zweifel binnen sehr kurzer Zeit der Haupt Verkehr zwischen England und Amerika nur durch Dampfböte unterhalten werden und werden die Segel-Pakete ohne Zweifel nach und nach aufgehoben werden."

Lionel verfolgte mit gleichem Interesse die gewaltige Entwicklung der Eisenbahnen, die damals sogar schon mit der Beförderung von Briefpost begannen, wie er begeistert meldete. „Seit der Eröffnung der Liverpool-Manchesterbahn im September 1830", fügte er seinem Bericht hinzu, „bis Dezember 1837 sind 48716 Reisen gemacht worden und ca. 3000000 Personen darauf gefahren, wobei nur zwei Unglücksfälle, in welchen Leute ums Leben gekommen sind, stattgefunden haben ... Der Ingenieur der Birmingham Bahn ist der Meynung, daß die meisten Bahnen einen Gewinn von 8 bis 10% jährlich geben werden."

Die letztere Erwägung war natürlich immer die wichtigste.

Während sich die Dampfschiffahrt in England außerordentlich entwickelte, schwebte die entsprechende Gründung in Österreich, der Triestiner Lloyd, in großen Schwierigkeiten. Das Haus Rothschild hatte sich wohl mit beträchtlichen Summen daran beteiligt, wollte sich aber doch in kein allzu großes Risiko einlassen. So war denn Salomon bestrebt, österreichische Staatsgelder in das Unternehmen hineinzuziehen, und bat in einem geschickten Brief den Hofkammerpräsidenten um staatliche Hilfe für das Unternehmen. „Schon bei wiederholten früheren Anlässen“, schrieb er[1], „hatte ich uns erlaubt die Aufmerksamkeit E. E. auf dieses, man darf sagen nationelle Institut zu lenken, meine Stimme mochte aber, ich bescheide mich dessen gerne, wegen des bedeutenden Interesses meines Hauses an der Unternehmung, als mehr vom persönlichen Vortheile geleitet gegolten und deshalb nicht so den rechten Anklang gefunden haben. Vielleicht hatte aber auch eben diese meine persönliche Stellung mich gerade nicht zum geeignetesten Wortführer gemacht, denn es ist eine bekannte Wahrheit, daß man in eigenen Angelegenheiten wohl stets am schlechtesten auftritt.“

Salomon betonte, wenn der Lloyd bestehen bleiben solle, müsse die Staatsverwaltung ihn, „pecuniär, materiell und moralisch“ ungesäumt unterstützen, da sonst eine öffentliche Versteigerung der Schiffe die traurige Katastrophe des Unternehmens bezeichnen werde.

„Gestatten mir E. E. hiermit,“ schrieb er, „Hochdenselben an den Umstand zu erinnern, daß vor dem Zutritte meines Hauses zu der Unternehmung von Seiten der hohen Staatsverwaltung einige Geneigtheit zu erkennen gegeben wurde, selbst ein Interesse als Actionair daran zu nehmen, und erlauben mir Hochdieselben das freymüthige Geständniß, daß diese Hoffnung es vorzüglich war, die meinem Hause Vertrauen zur Sache einflößte, und es bestimmte, ein so namhaftes Kapital darin anzulegen.“

Der Lloyd könne, führte der Bittsteller weiter aus, mit privaten Mitteln allein das nicht leisten, was anderwärts mit ungeheurem Aufwande von Staatsgeldern geschaffen werde, darum wage er es für dieses „wahre Nationalunternehmen seine Stimme zu erheben“.

---

[1] Salomon Rothschild an den Hofkammerpräsidenten. Wien, 10. IX. 1838. Wien, Staatsarchiv.

„Nicht für mein persönliches Interesse führe ich das Wort,“ schrieb Salomon, „ich betheuere E. E. daß meine Parthie ergriffen, das Haus auf den Verlust, der es im unglücklichen Falle treffen kann, gefaßt ist, aber es kann nicht weitergehen, seine stets treu befolgten Grundsätze schreiben ihm auch hier, wie in allen Geschäften, gewisse nicht zu überschreitende Gränzen vor.

In den Händen E. E. liegt nun das Schicksal der Unternehmung, Hochdieselben sind gewohnt, die Dinge nicht von dem beschränkten Gesichtspunkte einseitiger Geldfrage sondern auch als Staatsmann und Minister in ihrer höheren Bedeutung, in ihren wichtigen Beziehungen zum gesammten Staats-Leben mit entschiedenem Scharfblick zu erfassen und zu beurtheilen . . .

Nur bitte ich E. E. wiederholt und dringendst; geruhen Sie das Urtheil des Lloyd schnell zu sprechen, seine Tage sind gezählt, und wenn der Verwaltungsrath nicht hoffen darf, daß S. M. unser allergnädigster Kaiser noch während dessen allerhöchsten Anwesenheit in Venedig, die unerläßlich nöthige Geld Unterstützung huldreichst gewähren wird, so stürzt in wenigen Wochen, während welchen die Existenz in Anhoffung dieser Allerhöchsten Entschließung mit den größten Opfern und Anstrengungen gefristet wird, das ganze Gebäude rettungslos zusammen.“

In einem Schreiben an Metternich brachte Salomon das gleiche Anliegen vor.[1] Er erbot sich darin, dem Lloyd 500000 Gulden vorzustrecken, wenn der Staat für dieses Darlehen bürge.[2] Dagegen trat nun Graf Kolowrat auf: „Die Vorschläge des Freiherrn von Rothschild sind so künstlich eingerichtet und verschiedener Bedeutung fähig gestellt, um nur jedenfalls jeden möglichen Verlust vom Freiherrn von Roth-

[1] Salomon an Metternich. Wien, 26. IX. 1839. Wien, Staatsarchiv. — [2] Salomon Rothschild an Freiherr von Kübeck, ohne Datum. Wien, Staatsarchiv.

schild abzuwenden und auf den Staat zu übertragen. Die Finanzverwaltung hätte hienach die Last der Beschaffung des Kapitals und das Gehässige und Beschwerliche der Exekutionsführung bei dem allfälligen Saumsale der Gesellschaft, während Freiherr von Rothschild wenigstens nominal als der gemeinnützig wirkende Kapitalist erscheinen würde."[1]

Schließlich wurde der Ausweg gefunden, daß dem Hause Rothschild vor allen anderen Gläubigern gegen Leistung der Anleihe das Pfandrecht auf die Schiffe der Gesellschaft eingeräumt wurde. Der Lloyd überwand die Krise und wurde zu einer großen, aufblühenden und gewinnbringenden Gesellschaft.

Bei all ihren verkehrstechnischen Unternehmungen vergaßen die Rothschild nicht, die so gewinnreichen Staatsanleihen weiter zu pflegen. Mehr und mehr bürgerte sich dabei die Gepflogenheit ein, Anleihen von bestimmten politischen Bedingungen und Forderungen abhängig zu machen.

Die Art und Weise, wie das Haus Rothschild insbesondere kleineren Staaten gegenüber selbstbewußt auftrat und seine Bedingungen stellte, trat damals gerade in der belgischen Frage besonders klar zutage. König Leopold hatte in den ersten Regierungsjahren sein Land mit Glück und klugem Verständnis geleitet. Er erkannte den Wert der Eisenbahnen, wollte diese großzügig ausbauen und rief auch sonst tausenderlei Unternehmungen ins Leben. Wenn sich diese auch später rentierten, so erforderten sie doch zu Beginn die Investition großer Bargeldsummen, und Belgien mußte daher am Pariser Markte solche zu bekommen trachten.

Dem stand aber entgegen, daß der belgisch-holländische Streit, der aus der Trennung der beiden Staaten erwachsen war, noch immer der Lösung harrte. Die Provinzen Luxemburg und Limburg, die zwischen den beiden Staaten geteilt

[1] Vortrag des Freiherrn von Eichhoff vom 10. III. 1839. Wien, Staatsarchiv.

werden sollten, blieben während der achtjährigen Dauer des Streites unter belgischer Verwaltung. Ihre Abgeordneten kamen nach Brüssel, und war es früher der König von Holland gewesen, der den Entscheidungen der Mächte opponierte, so war es nun Belgien, das eine Teilung der beiden Provinzen mit Holland nicht mehr zugestehen wollte. Man ereiferte sich in Belgien so sehr, daß man schon von einem Wiederausbruch des Krieges mit Holland sprach.

James weilte damals in Rom, wo er sich im Zusammenhang mit einer 1837 dem Papste gegebenen Anleihe bei diesem für seine Religionsgenossen einsetzte, und Salomon vertrat ihn in Paris. Da trat die belgische Regierung an das Pariser Haus Rothschild mit dem Ersuchen heran, vier Millionen Francs gegen Überlassung von Schatzscheinen vorzustrecken. Dieses Geld schien für das bevorstehende kriegerische Abenteuer Belgiens bestimmt zu sein. Das Haus Rothschild blieb jedoch seiner nun schon seit Jahrzehnten befolgten Politik getreu; es konnte Krieg aus tausend Gründen nicht brauchen. Neuerlich sah es, wie seinerzeit bei der Trennung Belgiens von Holland, die Gefahr eines Weltbrandes erstehen, und darum erteilte Salomon dem Brüsseler Kabinett eine völlige Absage.

„Dieser verunglückte Versuch", meldete Graf Apponyi[1], „hat die belgische Regierung in große Verlegenheit gebracht, indem es diese der finanziellen Ressourcen beraubte, die ihr für die weitere Verfolgung ihrer widerspenstigen Politik unentbehrlich waren."

Der Vertreter des Hauses Rothschild in Brüssel hatte Salomon von dieser Mißstimmung der belgischen Regierung Mitteilung gemacht. „Wir sind in keiner Weise böse darüber[2]," erwiderte ihm Salomon, „daß das Ministerium über unsere Absage bezüglich der Schatzscheine etwas geärgert ist. Es ist

---

[1] Graf Apponyi an Metternich. Paris, 12. II. 1839. Wien, Staatsarchiv. — [2] Salomon Rothschild an Richtenberger. Paris, 2. II. 1839. Wien, Staatsarchiv.

gar nicht schlecht, daß diese Herren einmal sehen, daß sie nur so lange auf uns zählen können, als sie entschlossen sind, eine Politik der Klugheit und Mäßigung zu verfolgen. Wir haben gewiß genügend Beweise unserer Absicht gegeben, die belgische Regierung zu unterstützen und ihr Hilfe zu leisten; aber unser guter Wille geht schließlich doch nicht so weit, daß wir die Ruten selbst hergeben, mit denen wir geschlagen werden, das heißt, daß wir das Geld hergeben, um einen Krieg zu beginnen und den Kredit zu vernichten, den wir mit allen unseren Kräften und allen unseren Mitteln aufrecht erhalten. Das ist es, was Sie diesen Herren ganz frank und frei und mit aller Kühnheit heraussagen können."

Diesen Auszug aus seinem Schreiben sandte Salomon sofort an den Grafen Apponyi, denn Metternich sollte davon Kenntnis erhalten. Er war ja von jeher gegen Belgien eingenommen, und nun sollte er sehen, wie Salomon seine Politik in diesem Falle warm unterstützte. Apponyi meldete Metternich eiligst die ganze Angelegenheit unter Vorlage des Briefauszuges und fügte hinzu, daß das Haus Rothschild der Sache der Ordnung und des Friedens einen neuen bemerkenswerten Dienst erwiesen habe, den anzuerkennen und entsprechend zu werten er sich freue.[1]

Der Rothschildsche Agent in Brüssel namens Richtenberger ging indessen von einem Minister zum anderen. Zuerst zum Finanzminister Grafen de Mérode, der aber zu denen gehörte, die den Krieg wünschten. Er verhehlte dem Agenten wohl nicht, daß der Staat dringenden Geldbedarf habe, ließ aber doch durchblicken, daß auch er die Teilung der Provinzen nicht billige. Von dort begab sich Richtenberger zum Minister des Äußern, Grafen de Theux, der der friedlichen Partei zuneigte, und erzählte ihm von seiner Unterredung mit dem Finanzminister. Da forderte ihn de Theux ganz formell auf, dem Finanzminister kein Geld zu geben und ihn nur in Ver-

[1] Graf Apponyi an Metternich. Paris, 12. II. 1839. Wien, Staatsarchiv.

legenheit zu lassen, was seine kriegerische Haltung ebenso wie die der Partei des Widerstandes ganz außerordentlich besänftigen würde. Schließlich sagte de Theux noch dem Agenten, er solle von seinem Hause im voraus die Vollmacht erbitten, sofort Geld geben zu können, wenn die Kammer sich füge und die vierundzwanzig Artikel der Londoner Konferenz und damit die Teilung der Provinzen annehme. Er hoffe das bei der Kammer durchzusetzen.

Von einem anderen Vertrauten erfuhr der Agent noch, daß der belgische Staatsschatz tatsächlich ganz auf dem trockenen sei, und daß sich nur etwa 400000 Francs in den Kassen befänden.[1]

Sofort sandte Salomon eine Abschrift dieses Briefes an sein Haus in Wien weiter.[2]

„Ich schicke Ihnen hier", schrieb er, „einen Original-Brief für den Fürsten Metternich von meinem Agenten in Brüssel; daraus kann der Fürst sehen, wie der Minister der Auswärtigen Angelegenheiten und der Graf Mérode denken. Nicht einen roten Heller bekommen sie von mir, solange sie nicht nachgegeben haben, und diese Ordre hinterlasse ich vor meiner Abreise an meinen Bruder James."

Im selben Sinne schrieb Salomon seinem Sekretär und Prokuristen: „Ich hoffe, daß nun Belgien die 24 Artikel unterzeichnen wird, besonders da es an dem nervus rerum fehlt, und solange diese nicht genehmigt sind, erhält das belgische Gouvernement von uns keinen Groschen Vorschuß, obschon diese Geldansuchen seit Monaten her dauern. So schwer es mir ankam, fortwährend zu refusieren, so entschädigt mich dafür der Gedanke, wenn Belgien nachgibt und der Friede hergestellt wird, dadurch möglichst Etwas beygetragen zu haben."

---

[1] Richtenberger an das Haus Rothschild in Paris. Brüssel, 16. II. 1839. Wien, Staatsarchiv. — [2] Salomon Rothschild an sein Haus in Wien. Paris, 18. II. 1839. Wien, Staatsarchiv.

Auch der König von Holland erkannte, daß man dem langjährigen Streit endlich ein Ende machen müsse. Er ließ seine Bereitwilligkeit, die 24 Artikel anzunehmen, nach London bekannt geben. Diesmal waren auch England mit Palmerston und selbst der Schwiegervater des Königs Leopold in Paris entschlossen, ein Ende zu machen und Belgien in seinem Widerstande nicht mehr zu unterstützen. Da auch die Ostmächte diesem Lande keine Unterstützung gewährten, blieb der belgischen Kammer nach leidenschaftlichen Reden nichts anderes übrig, als auch ihrerseits den in London festgelegten Verträgen mit Holland zuzustimmen. Dies bedeutete einen vollen Sieg der Rothschildschen Politik. Der Friede war erhalten und die Bahn für weitere nunmehr sichere Geldgeschäfte mit Belgien offen.

König Leopold beanspruchte in der Tat die Hilfe Rothschilds. Er hatte es auf eine Anleihe von 37 Millionen Francs zum großzügigen Ausbau der Eisenbahnen abgesehen. Die Anleihe wurde auch zugebilligt, aber, wie Rothschild dem Grafen Apponyi sagte, unter drei — bezeichnenden — Bedingungen.[1] Nämlich, daß im Falle eines Krieges jede Zahlung von seiten des Hauses Rothschild aufhören solle, daß die belgische Regierung sich verpflichte, jede eventuelle revolutionäre Bewegung in Luxemburg niederzuschlagen, und daß die vorgestreckten 37 Millionen auch wirklich nur zu Eisenbahnbauten verwendet würden.

Damit wollte sich das Haus Rothschild für den Fall sichern, daß die alten Bestrebungen, denen man soeben abgeschworen, wieder aufleben sollten.

Über all das war Metternich außer durch seine Gesandten und Botschafter auch noch durch Amschel Meyer in Frankfurt unterrichtet worden, der dem Kanzler alle ihm zugekommenen Nachrichten in Abschrift sandte. Metternich hatte ihn auch noch gebeten, sie dem ehemaligen zeitweilig von Brüssel

[1] Graf Apponyi an Metternich. Paris, 1. VII. 1838. Wien, Staatsarchiv.

abberufenen Geschäftsträger von Rechberg zu übermitteln, damit sie dieser mit seinen Nachrichten vergleichen und so ein möglichst treues Bild über die Lage in Belgien gewinnen könne.

Nach dem glücklichen Abschluß der belgischen Angelegenheiten waren die vier Brüder vom Festlande und der älteste Sohn Nathans in Frankfurt zusammengekommen, um wieder einmal die Lage des Hauses zu besprechen, den Stand der Geschäfte gemeinsam festzustellen und die künftighin einzugehenden zu überlegen. – Gerade damals, im September des Jahres 1839, weilte Metternich mit seiner Gemahlin, der Fürstin Melanie, auf Schloß Johannisberg und machte einen Abstecher nach Frankfurt. Sofort statteten ihnen drei Brüder, „unser Salomon", wie die Fürstin Melanie sagte, dann Anselm und James einen Besuch ab. Der Prokurist Goldschmidt begleitete und beriet die Fürstin bei ihren Einkäufen in der Stadt. Dabei gesellten sich wieder zwei Rothschild, nämlich Salomon und Carl, der Fürstin bei, welcher soeben aus Neapel eingetroffen war.[1]

Metternich lud Salomon und seine Gemahlin nach Johannisberg ein, und diese beeilten sich, der Einladung Folge zu leisten. Dabei wurden wieder allerlei Geschäfte besprochen, Konzessionen und Interventionen erbeten. Metternich sollte sich unter anderem dafür verwenden, daß der Prokuraführer Salomons, Moritz Goldschmidt, das Bürgerrecht in Frankfurt erhalte. Hocherfreut dankte Salomon dem Fürsten nach seiner Abreise schriftlich für die „huldvolle Aufnahme in dem herrlichen Johannisberge".[2]

Indessen war die Weltlage nicht rosiger geworden. Kaum war die Kriegsgefahr im Westen gebannt, da stiegen im Osten dunkle Wolken auf. In Ägypten hatte der dortige Statthalter

---

[1] Salomon Rothschild an Metternich. Frankfurt, 26. IX. 1839. – [2] Aus Metternichs nachgelassenen Papieren, a. a. O. Tagebuch der Fürstin Melanie, VI, S. 313.

des Sultans, Mehemed Ali, auf Kosten seines Souveräns gewaltige Macht an sich gerissen. Die Form seiner Untertänigkeit dem Sultan gegenüber blieb zwar gewahrt, aber in der Praxis kümmerte er sich wenig darum. Da er in Feindschaft mit dem Pascha von Akkon lebte, drang er in Syrien ein, das im Mai 1833 seinem bisherigen Machtgebiet zugesprochen wurde. Dann wandte sich Mehemed Ali nach Arabien, was England gar nicht gefiel. Rußland und Österreich hatten in dem Bestreben, das legitimistische Prinzip zu schützen, für den von seinem unbotmäßigen Statthalter bedrohten Sultan Partei ergriffen und standen daher mit ihren Sympathieen gemeinsam mit England gegen Mehemed Ali. Dadurch ermutigt, wollte 1839 Sultan Mahmud den unbotmäßigen Mehemed Ali stürzen. Doch die Truppen des Sultans wurden von dem Ägypter geschlagen. Diese Siege sah unter allen Mächten Frankreich allein mit Vergnügen, denn Mehemed Ali war franzosenfreundlich, und seit Frankreich Algier besaß, lag es in seinem Interesse, mit dem mächtigen Pascha von Ägypten gut zu stehen. Die andern Mächte aber, England, Rußland, Österreich und Preußen, wollten dem bedrohten Sultan helfen und unterzeichneten am 15. Juli 1840 einen Vertrag, den Vierbund: Der Sultan sollte im Notfalle ihrer Hilfe teilhaftig werden, Mehemed Ali aber bloß Ägypten und Südsyrien als Erbreich unter des Sultans Oberhoheit behalten.

Bei dieser Lage der Dinge mußte der Abschluß der Allianz in Paris als gegen Frankreich gerichtet erscheinen, das sich dem ganzen übrigen Europa gegenüber isoliert sah. In den Kammern, der Presse und der Gesellschaft ebenso wie im königlichen Palast war man wie vor den Kopf geschlagen und hielt die Ehre Frankreichs für bedroht. Ministerpräsident Thiers spie in seinen Zeitungen Feuer und Flamme gegen den britischen Staatssekretär des Auswärtigen Palmerston und den Abschluß des Vertrages. Er war der kriegerischsten einer;

aber auch Louis Philippe, der innig ein gutes Verhältnis zu den Mächten wünschte, war von tiefem Unwillen über den Vertrag erfaßt. Gleichwohl erklärte er, alles aufbieten zu wollen, um den Frieden aufrecht zu erhalten; doch wurden gewaltige militärische Rüstungen in Frankreich befohlen. Apponyi schrieb höchst beunruhigt[1], der Vertrag sei in Paris sehr ernst genommen worden, man mache daraus eine nationale Ehrensache. Der König sei zwar aufrichtig für die Erhaltung des Friedens, aber der Thronfolger, der Herzog von Orléans, sei heftig erregt und kriegerisch und werde Thiers unterstützen. „Die Lage ist sehr ernst," meldete der Botschafter; „wenn man mit dem Feuer spielt, wie man es scheinbar hier tun will, kann leicht daraus ein allgemeiner Weltbrand entstehen."

Auch der König von Belgien war über diese Lage der Dinge sehr besorgt. Er sah schon sein nach schwerer Arbeit aufblühendes Belgien zum Kriegsschauplatz werden, auf dem sich französische und preußische Heere bekämpften.[2]

„Er ist umso alarmierter," meldete ironisch Apponyi, „seit Baron Anselm Rothschild ihm erklärt hat, daß das neue Anlehen seines Hauses, das knapp vor der Unterschrift stand, nicht verwirklicht werden könnte. Seine Majestät beabsichtigt übermorgen nach England zu fahren, wo seine Anwesenheit, wie er Herrn von Rothschild sagte, im jetzigen Augenblick von großem Nutzen sein könnte."

Es war also zu erwarten, daß von dieser Seite alles zur Erhaltung des Friedens getan würde. Das zu erreichen, war der Zweck der Bemerkung Anselms gewesen. Andererseits schrieb Anselm seinem Vater Salomon, der eben in Frankfurt weilte, „man hoffe, Fürst Metternich werden den Traktat vom 15. Juli so modifizieren, daß Frankreich mit Ehre heraus komme".[3]

---

[1] Graf Apponyi an Metternich. Paris, 30. X. 1840. Wien, Staatsarchiv. — [2] Siehe des Verfassers Biographie Leopolds I. von Belgien, S. 104f. — [3] Freiherr von Münch-Bellinghausen an Metternich. Frankfurt, 1. VIII. 1840.

Anselm vertrat damals in Paris den immer noch abwesenden James, und Salomon fürchtete, daß sein junger Sohn der sich immer kritischer zuspitzenden Lage doch nicht gewachsen sein könnte. Er berief darum James eilends zurück und beabsichtigte, bis zu dessen Ankunft selbst nach Paris zu fahren. Indessen war James Hals über Kopf nach Paris zurückgereist. Er kam am 3. August 1840 in der französischen Hauptstadt an. Salomon brauchte also die geplante Reise nicht anzutreten, denn er erhielt sofort von James Nachricht[1]:

„Guter, braver Bruder!

Ich bin heute früh glücklich und wohl zurückgekommen, bin einige Nächte durchgefahren, weil ich den guten Anselm nicht allein lassen wollte.

Ich glaube an keinen Krieg, und habe das feste Vertrauen, daß der Thiers bloß zeigen will, wie er die Ehre von Frankreich schützt, um sich Stärke zu geben. Indessen ist hier das Publikum sehr für Krieg, und das Volk verlangt nichts besseres. Bey alledem sind es nur Worte, aber die Alliance zwischen England und Frankreich, die immer existirt hat, ist hinweg, und dieses sehe ich für ein Unglück an für die Zukunft.“

Sofort spürte man aus dieser Mitteilung den ruhigen, festen, von Panik weit entfernten Geschäftssinn James'. Anselm fühlte sich auch recht erleichtert, daß er nicht mehr die ganze Verantwortung allein zu tragen brauchte: „Onkel James“, meldete er nach Hause[2], „ist diesen Morgen glücklich hier zurückgekehrt, die niedrigen Course haben seine Rückkunft beschleunigt, er ist aber dick und fett und sieht sehr wohl aus. Die Sachen stehen, Gott sey Dank, etwas besser, die Zeitungen nehmen eine gemäßigtere Sprache an, die englischen Zeitungen sind kalt, und Thiers sucht einzulenken. Indessen ist

---

[1] James an Salomon. Paris, 3. VIII. 1840. Wien, Staatsarchiv. — [2] Anselm an Salomon und Amschel Meyer. Paris, 3. VIII. 1840. Wien, Staatsarchiv.

die Sache noch nicht beendigt und kann sich noch einige Zeit hinziehen.“

Tags darauf fügte er hinzu: „Die Liquidation ist vorüber, allein die Mäkler sind stark mitgenommen worden und verlieren viel Geld. Die belgischen Papiere waren gar nicht anzubringen. Neuigkeiten gibt es wenige, man ist jedoch minder besorgt und glaubt an die Erhaltung des Friedens . . . Vom Fürsten Metternich und seiner Kaltblütigkeit hängt alles ab.“

Auch die Rothschild in London waren auf ihrer Hut. Sie berichteten, die Kurse seien dort ziemlich fest, aber es herrsche wenig Geschäft, da jeder auf die nächsten Nachrichten sehr gespannt sei. In London sprach man davon, es werde in der Kammer eine Verstärkung von Heer und Flotte beantragt werden. Sofort hatte sich Lionel zum Lord of the Privy Seal Lord Clarendon begeben, der ihm sagte, er glaube kein Wort davon, da England keinen Grund zum Kriege sähe.[1]

Als James' beruhigende Nachricht in London eintraf, ersahen seine Neffen mit Vergnügen daraus, daß die „kriegerische Aufwallung in Paris“ sich etwas gelegt habe. „Das englische Publikum“, meldeten sie[2], „befürchtet nicht im Geringsten den Krieg, was sich durch die starken Stocks Ankäufe, die von Privaten gemacht werden, sehr deutlich zeigt.“

So friedlich und still war es in Paris, wie man nach diesen Nachrichten meinen konnte, jedoch noch lange nicht. Als am 5. August die Nachricht eintraf, Preußen und Österreich hätten den so mißliebigen Vertrag vom 15. Juli eben ratifiziert, wallte das Nationalgefühl wieder auf. „Unsere arme Rente“, meldete Anselm, „ist heute wieder bedeutend gesunken, es herrscht eine Panique an der Börse, es hieß daß die Ratificationen von Preußen und Österreich eingetroffen seyen. Ich glaube aber, es wird sich alles wieder machen, denn ich kann

---

[1] Lionel Rothschild an seine Onkel am Festlande. London, 3. VIII. 1840. Wien, Staatsarchiv. — [2] Ebenda 4. VIII. 1840.

Euch sagen, daß die Regierung hier nicht mehr so kriegerisch gesinnt ist, und die Rüstungen zu Lande einstweilen einzustellen befahl. Die Berichte von London lauten gleichfalls viel friedlicher. Onkel James geht diesen Abend zum König."[1]

Louis-Philippe empfing James wirklich am Abend des 5. August in einer Audienz, die mehr als zwei Stunden dauerte. Der König beklagte sich dabei bitter über die Mächte; nicht nur er, sondern auch sein Sohn, der Herzog von Orléans, seien sehr irritiert. Österreich solle sich doch nicht an Rußland anschließen. Warum suche man denn Frankreich durch alle Mittel zu kränken? Er hoffe immer noch, daß schließlich[2] „Österreich als ein Deus ex machina in dieser Complication hervortreten und durch die Weisheit und den Einfluß des Fürsten von Metternich der Friede nicht allein erhalten, sondern Frankreich auch in den Stand gesetzt werde, sich mit Ehren aus der Sache zu ziehen".

„Nun, sei es, wie es wolle," schloß James seinen Bericht über die Audienz, „ich glaube an keinen Krieg."[3]

Zu dieser gespannten Lage kam zu allem Überfluß noch eine unerwartete Überraschung. Louis Napoleon, der ewige Prätendent auf Frankreichs Thron, hatte sich mit fünfundfünfzig Gefolgsleuten in einem englischen Hafen eingeschifft und landete in der Nacht vom 5. auf den 6. August in der Nähe von Boulogne, wo ihn einige wenige seiner Anhänger erwarteten. Er hatte sich wohl vorgestellt, daß so wie einst, als sein großer Oheim von Elba nach Frankreich heimkehrte, die königlichen Truppen zu ihm übergehen und ihn im Triumph nach der Hauptstadt führen würden. Aber nichts dergleichen geschah. Die königlichen Truppen schritten gegen ihn ein, die vereinzelten Rufe „vive l'empereur" verhallten, der Prinz und seine Getreuen mußten ins Meer flüchten, um sich schwim-

---

[1] Anselm an seinen Vater. Paris, 5. VIII. 1840. Wien, Staatsarchiv. — [2] Ebenda 6. VIII. 1840. — [3] James an Salomon. Paris, 6. VIII. 1840. Wien, Staatsarchiv.

mend zu retten, wurden aber schließlich sämtlich gefangen. In wenigen Stunden war das tragikomische Abenteuer zu Ende. Aber es vermehrte die in Frankreich schon herrschende Nervosität.

Die Söhne Nathans in London urteilten sehr scharf über dieses Ereignis. „Die Landungsgeschichte von Louis Bonaparte", schrieben sie, „hat hier nur den höchsten Unwillen und Abscheu über ein ebenso unsinniges als abgeschmacktes Unternehmen hervorgebracht; man sagt, es sey ein von der Stocksbörse angelegter Plan gewesen und es sollen sich an Bord des Dampfbootes Stockshändler befunden haben."[1]

Die letzten Nachrichten aus Paris hatten die Londoner Rothschild noch vor diesem Ereignis erhalten und meldeten nun, es sei unheimlich an der Börse, denn diejenigen, die eine Taubenpost besäßen und daher schneller die Nachrichten über die Pariser Kurse erhielten, hätten allerhand schlechte Gerüchte verbreitet. Palmerston hatte eben eine gemessene Rede über die außenpolitische Lage gehalten, und Lionel bemerkte dazu, die ruhige und zugleich energische Rede von Lord Palmerston habe in London jede Idee von Krieg verscheucht und werde hoffentlich dem französischen Publikum beweisen, welches Spiel die Herren Thiers und Guizot gespielt hätten.

Aus jedem Worte, das die Rothschild schrieben, war zu erkennen, daß sie ängstlich bemüht blieben, für den Frieden zu wirken, da sie nach wie vor für ihre großen Geschäfte und Unternehmungen fürchteten. Gespannt betrachteten sie wie an einem Barometer die politische Lage und meldeten einander jeden Ausschlag der Nadel. Der Rede Palmerstons war eine Thronrede der Königin Victoria gefolgt, welche, wie Lionel berichtete[2], „ganz so war, wie dergleichen Reden zu sein pflegen, d. h. nicht viel enthielt". Lionel und seine Brü-

[1] Lionel und seine Brüder an die Onkel. London, 18. VIII. 1840. Wien, Staatsarchiv. — [2] Lionel an seine Onkel. London, 11. VIII. 1840. Wien, Staatsarchiv.

der fanden trotzdem „ihre Freunde", wie sie die Minister und maßgebenden Persönlichkeiten nannten, eher besorgt, da alle fragten, wie man imstande sein würde, die Franzosen zu beschwichtigen, nachdem sie durch Thiers und die Tagesblätter wegen dieser orientalischen Frage in so große Erregung versetzt worden seien. In Frankreich mißfiel, wie James meldete, die Rede der Königin sehr, da sie dieses Land gar nicht erwähnte.

„Die ganze Welt", schrieb er, „ist deswegen sehr aufgebracht und kriegerisch gesinnt und deßhalb ist die Rente auf 80,20 gefallen . . . Heute ist die Welt erschrocken, morgen müssen wir hoffen, daß sie friedlich gesinnt werden wird."[1]

James versäumte nicht, sich ständig in den Salons und Audienzzimmern der maßgebenden und höchsten Persönlichkeiten Frankreichs einzufinden. Da er gehört hatte, daß der Herzog von Orléans so sehr für den Krieg eintrete, erschien er nun auch in Audienz bei diesem, um im Sinne seiner politischen Wünsche auf ihn einzuwirken. Der Herzog sagte ihm wörtlich[2]: „Wir wollen keinen Krieg, wenn man jedoch dahin arbeitet, daß der König seine Ehre und seine Popularität verliere, um ihn im Innern zu schwächen, – dann – . . .", meinte er, käme er eben doch.

James sorgte dafür, daß Metternich alles dies sofort erfuhr, und faßte seine Briefe an Salomon, von denen er wußte, daß sie Metternich gezeigt würden, so, daß der Kanzler im Sinne der Rothschildschen Friedenswünsche beeinflußt würde. Der Herzog sagte James auch, man hätte eben neue Vorschläge zur Lösung der orientalischen Krise nach England gelangen lassen, und der König von Belgien solle als Vermittler dienen. Sowohl in den Briefen James' an Salomon wie auch in denen Nathaniels, des drittältesten Sohnes Nathans, der sich noch immer in Paris aufhielt, war in der letzten Zeit stets erwähnt

---

[1] James an Salomon. Paris, 13. VIII. 1840. Wien, Staatsarchiv. – [2] Ebenda 13. VIII. 1840.

worden, wie traurig es sei, daß Fürst Eszterházy nicht in London weile, denn sein Vertreter, der Geschäftsträger von Neumann, „poussiere“ sehr für den Krieg.[1]
Nathaniel schrieb seinem Onkel sogar[2]: „Baron Neumann soll sehr wild sein, und predigt den Krieg.“ Salomon sorgte schon dafür, daß diese Mitteilungen in den Abschriften seiner Briefe, die er dem Fürsten Metternich vorlegte, nicht vergessen wurden.
Das Hauptbestreben der Rothschild in so kritischen Zeiten war, möglichst viel in Gesellschaft zu gehen und jede Gelegenheit zu suchen, mit den führenden Staatsmännern, Fürstlichkeiten und maßgebenden Damen der Gesellschaft zusammenzukommen und alles aufzubieten, um irgendwelche Nachrichten zu sammeln. Dafür ist insbesondere ein Schreiben Lionels an seinen Onkel James und seinen Bruder Nathaniel charakteristisch. „Wir hatten gestern das Vergnügen,“ schrieb er am 22. August 1840[3], „Euren Courier zu empfangen und danken Euch sehr dafür, da wir, wie ich Euch versichern kann, nicht sehr beruhigt waren. Consols begannen zu $89^3/_8$, aber man sagt, daß die Taubenpost-Inhaber gekauft haben, der letzte Cours blieb $89^7/_8$.
Wir sahen alle unsere Freunde, um etwas neues zu erfahren, und hörten, daß alle besonders zufrieden seyen mit König Leopold, der sehr viel zur Aussöhnung von England und Frankreich gethan habe. Wir sprachen dann eine andere Person von Bedeutung, die uns sagte, es sei alles ganz unverändert, bis auf Frankreichs Sprache, die ganz verschieden laute gegen früher . . . Alle sind der Meinung, daß Mehemed Ali, wenn er nicht gänzlich nachgibt, doch frische Propositionen machen wird . . . Bülow und alle übrigen essen bey uns morgen, und wir wollen auch nach Windsor und versuchen,

---

[1] Ebenda 16. VIII. 1840. — [2] Nathaniel an Salomon. Paris, 18. VIII. 1840. Wien, Staatsarchiv. — [3] Die drei Brüder in London an James und Nathaniel. London, 22. VIII. 1840. Wien, Staatsarchiv.

ob wir König Leopold sehen können, sollte etwas von Belang seyn, so schicken wir Euch morgen Nachts einen Courier. Wir erfahren, daß (der französische Gesandte in London) Mr. Guizot gestern mit Lord Palmerston und Fürstin Lieven allein gespeist hat, H. Neumann war dabey und sagt, daß Guizot sehr heiter gelaunt war, was ein viel besseres Anzeichen ist, da, wie wir erfuhren, Guizot und Lord Palmerston neulich in Windsor gleich erbittert gewesen, so daß sie kaum miteinander gesprochen."

König Louis-Philippe kämpfte damals einen schweren Kampf mit sich selbst. Auf der einen Seite war es ihm klar, daß er nicht für Mehemed Ali gegen ganz Europa Krieg führen könne. Das hätte für ihn und seine Dynastie vernichtende Folgen haben müssen. Auf der anderen Seite wollte er sein ehrliebendes Volk nicht verletzen und sich durch eine offene Demütigung nicht unpopulär machen. Aus dieser Geistesverfassung heraus ließ er einmal dem Botschafter Österreichs gegenüber seiner Erregung über die Mächte, die ihn in eine solche Zwangslage gebracht hatten, freien Lauf. Graf Apponyi war erschüttert über den Zorn, mit dem der König mit ihm sprach. Er sei so heftig und so erbittert gewesen, meinte der Diplomat, wie er ihn noch nie gesehen. Am meisten tobte er gegen den Zaren: „Der Kaiser Nikolaus", rief er aus, „hat es immer darauf abgesehen gehabt, die englisch-französische Allianz zu zerstören und endlich ist es ihm gelungen, und Ihr übrigen alle, Ihr zittert und kriecht vor ihm . . . Ich bin, ich muß es gestehen, grausam gekränkt. Wie! beiseitegestellt, verlassen, als Paria und als revolutionärer König behandelt zu sein, wie Ihr es alle tut, kann man das ertragen? Glauben Sie denn, daß ich kein Blut in den Adern habe? Sie haben die Lage ganz Europas erschüttert, Sie haben meine ganze Stellung verdorben, die ich mir endlich, nach zehnjährigen, unsäglichen Anstrengungen geschaffen habe."

Der König bezeichnete es als einen unerhörten Leichtsinn in

bezug auf die Erhaltung des allgemeinen Friedens, Frankreich durch den neuen Vierbund isoliert zu haben. Dann versuchte er, Apponyi zu bewegen, seinem Fürsten nahezulegen, den unseligen Vertrag vom 15. Juli aus der Welt zu schaffen. Als der Botschafter die Unmöglichkeit eines solchen Schrittes betonte, versicherte der König, etwas ruhiger geworden, er werde alles tun, um den Frieden zu bewahren, solange er mit der Würde Frankreichs vereinbar sei. Der Monarch betonte jedoch, daß Fälle eintreten könnten, wo er sich genötigt sehen würde, auch gegen seinen Willen den Krieg zu wählen.
Allerdings war diese aufgeregte Szene mehr ein Manöver des Königs, um vielleicht doch noch den Vierbund zu sprengen. Gleichzeitig aber benutzte er die herrschende kriegerische Stimmung, um das vernachlässigte Heer mächtig zu verstärken, was ihm auch ohne Krieg sehr erwünscht war. Im Grunde wollte er aber am Frieden wirklich festhalten, und damit war er mit James Rothschild gänzlich eines Sinnes. Der Monarch hielt sich in dieser kritischen Zeit sehr viel an den auch politisch erfahrenen, alten Finanzier. Dort hoffte er gute Ratschläge, geschickte Vermittlertätigkeit und klug geltend zu machende Einflüsse zu finden, und da die Ziele der beiden die gleichen waren, so fanden sich Monarch und Bankier sehr häufig zusammen. Die Ergebnisse jeder solchen Unterredung wurden dann sofort an die Brüder in den verschiedenen Hauptstädten weitergegeben, die sie dann politisch und finanziell möglichst gut zu verwerten suchten.
„Onkel James", meldete Nathaniel am 6. September 1840 aus Paris[1], „war gestern Abend beym König, der ihn wie gewöhnlich sehr gut aufgenommen hat und ihm sagte, er fühle so viel Freundschaft für ihn, daß er ihm rathe auf seiner Hut zu seyn, weil Ibrahim Pascha sehr wahrscheinlich über den Taurus marschieren würde, woraus eine solche Kompli-

[1] Nathaniel Rothschild an Salomon. Paris, 6. IX. 1840. Wien, Staatsarchiv.

kation entstehen könnte, daß man unmöglich sagen könne, wie die Geschichte ausfallen dürfte. Es scheint, lieber Onkel, daß die Sache itzt zu Ende gehen werde, und obgleich es gewiß ist, daß kein Krieg wird, so wird es, wie ein bedeutender Mann der hiesigen englischen Botschaft uns sagt, so nahe an Krieg kommen, daß die Welt erschrecken wird, worauf natürlich die Fonds sinken müssen. – Die Rente bleibt 79,10 flau, weil die Geschäfte sehr gering waren."

Tags darauf stand es noch schlechter: „Die Rente ist auf 76,20 gefallen," fuhr er fort[1], „weil es hier in Paris eine Emeute gab, in dem Faubourg St. Antoine, wo es eine Masse von Arbeitsleuten und zehnmal so viele Truppen gibt, und man sich wahrscheinlich ein wenig schlagen wird. Wie man jedoch allgemein glaubt, darf man hoffen, daß es bald damit zu Ende gehen wird. Die Emeute ist leider nicht die Hauptursache des Fallens der Renten, die politischen Nachrichten sind sehr schlecht, im Oriente hat man sich zu schlagen begonnen . . . Ein kluger Freund war so eben hier und sagt, sie hätten gestern einen Courier aus Wien bekommen, woraus hervorgeht, daß man dort gegen Frankreich sehr aufgebracht sey . . . Auch Thiers soll sehr montirt seyn und Gott weiß, wie es enden wird. Von Spanien sollen die Nachrichten auch ungünstig seyn."

Wirklich hatten im Orient die kriegerischen Zwangsmaßnahmen seitens der Mächte gegen Mehemed Ali begonnen. Eine vereinigte englisch-türkisch-österreichische Flotte war an die syrische Küste befohlen worden. Darob große Aufregung in Paris. „An unserer Börse", meldete Nathaniel am 9. September[2], „sieht es gar nicht gut aus, alle Papiere sind sehr stark gefallen und die Rente blieb 73,60 – 5% 105,60 . . . Natürlich glaubt man nicht alles, allein die Panique ist groß, denn es ist wahr, daß der Admiral Napier mehrere ägyptische Schiffe mit

[1] Ebenda 7. IX. 1840. – [2] James an seine Brüder. Paris, 9. IX. 1840. Wien, Staatsarchiv.

14. Adolphe Thiers

Munition und Truppen genommen hat. Ich habe Thiers gesehen, der trotz allen diesen Umständen friedlich spricht, und sowohl er wie der König hoffen, daß Mehemed-Aly die französische Mediation zur Beylegung dieser Frage anrufen werde."

In Paris nützte man die Lage aus, um den schon lange gehegten Plan, Paris zu befestigen, der Wirklichkeit näher zu bringen. Das wurde kriegerisch gedeutet, aber die Rothschild erfuhren sofort, daß diese Auffassung irrig sei: „Vielgeliebte und gute Brüder!" erklärte James den Vorfall in seiner stets beruhigenden und zuversichtlichen Art und Weise, „die Renten sind Anfangs der Börse gefallen, weil man erfahren hat, daß morgen in die Zeitungen kommen soll – daß Paris befestigt werden wird. Diese Idee von forts détachés – hat man schon seit mehreren Jahren und der König profitiert von dieser Gelegenheit, welche er nicht allein für das Ausland, sondern auch für das Innere für eine der wichtigsten Fragen hielt. Indessen ist der König so wie Thiers friedlicher als je gesinnt. Ersterer hat sich mit dem Grafen Apponyi aufs freundschaftlichste unterhalten, indem er sagte, er solle sich von dem Armement nicht irreführen lassen, sie hätten es in jedem Falle thun müssen.

Die Prinzessin Lieven hat heute Briefe aus England im selben friedlichen Sinne, und alle Minister, die ich hier sehe, sprechen in diesem Geiste. Das Fallen der Renten rührt von einigen lumpigen Zeitungs-Schreibern, die auf der Börse spielen, her, und die Leute glauben, diese wissen alles."[1]

Indes ging der Feldzug in Syrien weiter. Mehemeds Lage wurde immer gefährlicher, Stadt und Festung Beirut, die der Ägypter noch hielt, wurden von den verbündeten Mächten bombardiert. Die Nervosität in Paris stieg immer mehr. Dort sprach es sich nun deutlich aus, daß Thiers der Träger der gefährlichen Kriegspolitik sei. Naturgemäß mußte er als solcher bei den Rothschild alle Sympathie verlieren.

[1] Ebenda 11. IX. 1840.

„Die Politik“, meldete James am 22. September 1840[1], „ist noch immer in demselben verwirrten unsicheren Zustande, Gott weiß, wie sich diese wichtige Frage lösen und wie uns Herr Thiers aus diesem schweren Passe, in welchen uns sein Leichtsinn und sein nationaler Bauernstolz getrieben, heraus ziehen wird. Unsere Lage hier ist umso schlimmer, da Thiers' politische Existenz auf einem so verwickelten, aus so vielen Verhältnissen zusammengefügten Gebäude beruht, daß es fast unmöglich, ja beinah gefährlich, auf jede Weise aber höchst unklug wäre, ihn zu stürzen, und so müssen wir es denn ruhig mit ansehen, wie dieser arroganteste aller parvenus, dies arme Land immer mehr und mehr umgarnt und uns alle mit in die Falle zieht, die sein Leichtsinn und sein Afterliberalismus uns gelegt hat; man muß hoffen, daß sich dies nicht ereignen wird, und einer fröhlicheren Zukunft entgegensehen.“

Die Lage wurde immer verwickelter; auch der sonst so kluge und ruhige James kannte sich nicht mehr aus: „Vielgeliebte und gute Brüder,“ schrieb er am 25. September[2], „ich weiß wirklich nicht, was ich Euch schreiben soll, um Euch nicht irre zu führen. Gestern Abend war ich beym König und sprach über zwey Stunden mit ihm, und Ihr glaubt gar nicht, wie wild der gute Mann war. Er sagte mir ... der Fürst Metternich gehe langsam zu Werke, während dem die Evenemens immer fortrücken, und am Ende der Krieg unvermeidlich wird. Der Fürst ist ganz von Rußland geführt, glaubt, daß von dort der Friede kommt, aber England und Rußland sind einig. Palmerston will Frankreichs Ehre, d. h. es zur zweiten Macht erniedrigen. Wir armieren indessen so stark wie möglich, und der Friede hängt von der Nation ab, der ich mit Leib und Seele zugethan bin; wenn man nur die letzten Propositionen von Mehemed-Aly annähme! – Kurz,

[1] Nathaniel an seine Onkel, 22. IX. 1840. Wien, Staatsarchiv. – [2] James an seine Brüder. Paris, 25. IX. 1840. Wien, Staatsarchiv.

ich fand den König eben so aufgebracht wie früher schon. Graf Apponyi, dem ich jedesmal alles mittheile, glaubt dennoch an Frieden und meynt, der König spiele nur ein wenig Komödie, um Furcht zu machen. Indessen sind die Renten gestiegen, weil es heißt, es wäre eine telegraphische Depesche angekommen, welche berichte Mehemed-Aly habe nachgegeben.
Ich weiß wirklich nicht zu beurtheilen.
So eben kommt der Privat Secretaire von Palmerston und sagt mir als bestimmt, Montags werde ein Conseil aller Minister in London Statt haben, um zu beurtheilen, ob man die Propositionen annehmen könne. Palmerston wäre ganz dagegen, er glaube nicht an Krieg, aber wir kämen so nahe daran als möglich. Ich schreibe Euch liebe Brüder alles so umständlich, damit ihr die Lage der Dinge beurtheilen könnet. Der König war auch sehr böse über eine Note von England, worin die Anfrage gestellt wird, warum der König eine Kapelle in Tunis bauen lasse.
Renten blieben 73,60."
Aus Syrien war die Nachricht gekommen, daß am 26. September Saida von den Österreichern und Engländern erstürmt worden sei. Das erhöhte natürlich die Empörung gegen England in Paris, wenn das überhaupt noch möglich war. James wurde immer unruhiger und meinte schon, daß am Ende der Krieg nicht mehr zu vermeiden sei. Dringend wandte er sich an seinen Bruder Salomon, er solle doch wieder auf Metternich einwirken, damit Österreich sich mäßige und im gleichen Sinne auch auf England einwirke.
„Lasse doch, lieber Bruder," schrieb er ihm am 5. Oktober[1], „dem Fürsten sagen, er soll die Sachen nicht nach dem Zorne von Palmerston allein gehen lassen, Neumann ist nicht friedlich, und wiewohl der Fürst bestimmt nur Frieden wünscht, so muß man sehr acht geben, denn die öffentliche Meinung

[1] James an Salomon. Paris, 5. X. 1840. Wien, Staatsarchiv.

hier geht so stark für den Krieg, daß am Ende kein König, kein Minister Herr bleibt. Ich bitte Dich, lieber Bruder, dieß dem Fürsten ans Herz legen zu lassen."

Heißer noch flammte die Erbitterung in Paris auf. Die Zeitungen schürten die Leidenschaft der Bevölkerung, indem sie betonten, die nationale Würde sei schwer verletzt. Thiers goß Öl ins Feuer und riet dem König zu weiteren militärischen Maßregeln, einer Demonstration zur See und sonstigen in ihren Folgen gefährlichen Unternehmungen. Der Thronfolger drang gleichfalls kriegsbegeistert in seinen Vater. Längst schon hatte Thiers den seiner Politik entgegengesetzten Einfluß des Hauses Rothschild auf den König mißliebig bemerkt. Es war zwar für ihn persönlich schwierig, direkt gegen das Bankhaus aufzutreten, weil er Schulden hatte und, zumindest nach der Behauptung des Grafen Apponyi, auch dem Hause Rothschild 40000 Franken schuldete; aber nun empfand er die Einmischung der Rothschild als allzu störend.

Dieser deutsche Jude aus Frankfurt maßte sich an, dem König weiszumachen, daß die französische Ehre durch diese ganze, ferne Mehemed-Ali-Geschichte in Wirklichkeit gar nicht berührt sei. Unmutig äußerte sich Thiers über dieses Verhalten. Darauf verbreitete sich in Paris das Gerücht, Baron Rothschild und andere reiche Bankiers hätten dem Ministerium gedroht, ihm eine formidable Opposition zu bereiten, wenn es sich für den Krieg aussprechen würde. Die „Times" kam in einem Briefe aus Paris auf diese Sache zu sprechen. Es sei sehr einfach, Rothschild sei ein Finanzmann und wolle daher den Krieg nicht – gut, aber Baron Rothschild sei österreichischer Untertan und österreichischer Generalkonsul in Paris und kümmere sich daher verdammt wenig darum, was die Ehre und das Interesse Frankreichs erfordere. – Der „Constitutionnel", das Thierssche Blatt, nahm am 12. Oktober 1840 diesen Artikel auf und bemerkte, man verstehe wohl die Haltung des Bankiers, man müsse aber doch fragen, was

Herr von Rothschild, der Mann der Börse, und Herr von Rothschild, der Agent Herrn von Metternichs, mit der französischen Kammer und ihrer Majorität zu tun habe.
„Mit welchem Rechte", fragte die Zeitung, „und unter welchem Vorwande mischt sich dieser König des Geldes in unsere Angelegenheiten ein? Was gehen ihn die Entscheidungen an, die Frankreich treffen wird? Ist er der Richter über unsere Ehre, dürfen seine Geldinteressen unsere nationalen überwiegen?"
Der „Constitutionnel" betonte, er verzeichne diese Gerüchte, damit, wenn sie wahr wären, die Öffentlichkeit diese Manöver zunichte mache. Wären sie aber falsch, so hätte Rothschild Gelegenheit, sie öffentlich zu dementieren und das Land wissen zu lassen, daß er nicht beabsichtige, über die Majoritäten und Ministerien zu verfügen.
Daraufhin antwortete James am 12. Oktober 1840[1]: „Mein Herr! Trotz meiner Abneigung, die Öffentlichkeit mit meiner Person zu beschäftigen, kann ich indeß den Artikel in Ihrer heutigen Nummer nicht unerwidert lassen, in welchem mein Name sich auf die allerbefremdendste Weise genannt findet; die Art Ihrer Angriffe macht es mir zur Pflicht, ein Schweigen zu brechen, mit dem ich mich für gewöhnlich zu bescheiden weiß ...
Welches Dementi, mein Herr, soll ich solchen Unterstellungen geben? Ich kann mich nur darüber wundern, Männer, die mit ernsten Angelegenheiten beschäftigt sind, solchen Behauptungen das Ohr leihen zu sehen. Niemals und zu keinem Zeitpunkt habe ich Opposition gemacht, aus dem einfachen Grunde, weil ich niemals eine politische Rolle spielen wollte. Ich bin, wie Sie sagen, ein Finanzmann; wenn ich den Frieden wünsche, so will ich ihn ehrenvoll, sowohl für Frankreich wie für ganz Europa, und unter allen Umständen gibt es für Finanzleute Gelegenheit, dem Lande Dienste zu erweisen,

[1] Im „Constitutionnel" vom 13. X. 1840 veröffentlicht.

und ich glaube in dieser Hinsicht niemals zurückgeblieben zu sein. Wenn Frankreich nicht mein Vaterland ist, so ist es doch das meiner Kinder. Seit dreißig Jahren lebe ich im Lande, habe ich darin meine Familie, meine Freunde, alle meine Interessen."

Der „Constitutionnel" veröffentlichte diese Antwort, und damit war der Zwischenfall beendet. Thiers aber glaubte dadurch – ohne selbst hervorgetreten zu sein – eine genügend scharfe Mahnung an Rothschild gegeben zu haben, der Politik des Ministers nicht entgegenzuarbeiten.

Trotzdem sollte es sich zeigen, daß Rothschilds Meinung und nicht die Thiers' im Grunde beim König galt. Denn eigentlich verabscheute der König in seinem Innern Thiers als Revolutionär und Oppositionellen. Louis-Philippe widerstand den kriegerischen Anträgen seines Sohnes und seines Ministers. Er erklärte sich auch gegen jede Demonstration zur See. Der kriegerische Minister und der friedliche König einigten sich schließlich auf eine Art Ultimatum an die Mächte, das aber im Grunde recht entgegenkommend war, Syrien aufgab und nur den Widerruf der Absetzung Mehemed Alis verlangte.

Auch in England wollte man die Dinge nicht zu sehr auf die Spitze treiben und antwortete etwas versöhnlicher. Die durch Thiers aufgehetzte Volksstimmung war jedoch nicht so rasch zu beruhigen, selbst wenn es der Minister nun gewollt hätte. Ein mißglücktes Attentat auf den König stellte diesem kraß die inneren Gefahren vor Augen, die bei einer riesenhaften äußeren Verwicklung nur um so schärfer hervortreten mußten. Dies veranlaßte den König, sich nun entscheidend der konservativen, für den Frieden eintretenden Partei zuzuwenden. Diese hatte in der letzten Zeit, insbesondere aus der besitzenden und vermögenden Klasse, die um ihr Leben und ihr Gut bangte, Zulauf erhalten. Das „Journal des Débats", das den Rothschild nahestand, begann immer lauter zu mahnen und zu warnen. Thiers konnte aber nicht mehr so leicht zurück.

Gelegentlich der Thronrede kam es zur Entscheidung zwischen König und Minister. Thiers beantragte, man solle darin den Vertrag von London tadeln, über die Absetzung Mehemed Alis und über die vorzeitige Einberufung des Jahrganges des Jahres 1841 reden. Louis Philippe wollte von alledem nichts wissen.

„Ich will den Frieden", rief er aus[1], „und nicht den Krieg; ich will beruhigen und nicht sozusagen ganz Europa aufregen und provozieren. Meine Rüstungen sind solche der Vorsicht, nicht aber des Krieges."

„In diesem Falle", erwiderte Thiers, „können wir uns unmöglich verstehen, und es bleibt mir nichts übrig, als zurückzutreten."

„Also gut," antwortete der Monarch, „ich nehme die Demission an."

Thiers zog sofort die Folgerungen daraus, und der König entließ das Ministerium.

„Ich glaube," sagte er nach dieser Unterredung vom 20. Oktober 1840 erleichtert zum Grafen Apponyi, „den besten und einzigen Augenblick ergriffen zu haben, um mich des Herrn Thiers zu entledigen, und war nur froh, daß er mir selbst Gelegenheit dazu geboten hat. Er war das einzige, oder zumindest das Haupthindernis für die Aufrechterhaltung des Friedens."

In Paris und in der ganzen Welt sah man in diesem Umschwung und in der Ernennung des neuen Ministeriums, dessen Vorsitz nominell der Marschall Soult, in Wirklichkeit aber der gleichzeitig zum Minister des Äußern ernannte bisherige Botschafter in London Guizot führte, eine glückliche Lösung.

Begeistert meldeten die Rothschild aus Paris[2], daß die Kurse der Rente als Folge der Ernennung des neuen Ministeriums

---

[1] Graf Apponyi an Metternich. Paris, 27. X. 1840. Wien, Staatsarchiv. — [2] James an seine Brüder. Paris, 30. X. 1840. Wien, Staatsarchiv.

und auch des Vertrauens wegen, das der neue Finanzminister Mr. Humann der Börse einflößte, gewaltig gestiegen seien. Es war auch hohe Zeit, denn Mehemed Alis Stiefsohn hatte eben die starke syrische Festung Akka an die Verbündeten verloren. Er mußte unter Aufgabe seiner ganzen Artillerie gegen Suez zurück. Der englische Admiral Napier erschien mit seiner Flotte vor Mehemeds Residenz Alexandria. Der Admiral und der Statthalter Ägyptens kamen bald zu einer Verständigung. Ganz Syrien wurde geräumt, aber Mehemed Ali sollte in Ägypten bestätigt werden. Hocherfreut berichtete Salomon Rothschild, der die Nachricht davon in Frankfurt erhielt, über diesen Lauf der Dinge, der zur Folge habe, daß der orientalische Streit als beendet zu betrachten sei. Es spricht für Salomons Weitblick, daß er sofort daran ging, der französischen Regierung ihren Rückzug möglichst leicht und ehrenvoll zu machen. Immer noch hieß es, daß Frankreich rüste und die Landarmee sogar auf 500000 Mann bringen wolle.

„Obgleich ich nun nicht glaube,“ schrieb Salomon am 10. Dezember 1840 nach Wien[1], „daß es Frankreich darum zu thun ist, durch eine so energische Demonstration den Krieg herbei zu führen, der seinen eigenen Interessen so wenig zusagt, so wäre es meiner unmaßgeblichen Ansicht doch sehr wünschenswert, daß man ein geeignetes Mittel finden könnte, durch Befriedigung der Französischen National-Eitelkeit, jenes Kabinett zu veranlassen, alle weiteren Rüstungen einzustellen, und hierdurch der Spannung und Differenzien mit den auswärtigen Höfen ein baldiges Ende zu machen. Wäre ein solcher Ausweg nicht darin gefunden, daß man Frankreich einlade der Konferenz beizutreten, um vereint mit den andern Mächten die orientalische Angelegenheit zu ordnen... Bildet Frankreich einen integrierenden Theil der Konferenz,

---

[1] Salomon Rothschild an Wertheimstein und Goldschmidt. Frankfurt, 10. XII. 1840. Wien, Staatsarchiv.

und mir scheint es, daß es dessen Machthabern nur darum zu thun sei, den Schreiern den Glauben beizubringen, daß es in den Europäischen Staatenbund auf eine ehrenvolle Weise wiederum aufgenommen worden, so fallen von selbst alle Gründe zu weiteren Rüstungen weg, und der allgemeine Friede wird an Dauer und Konsistenz gewinnen."

„Haben Sie die Güte," legte Salomon Wertheimstein und Goldschmidt in Wien nahe, „gelegentlich Sr. Durchlaucht dem Fürsten eine kleine Andeutung davon zu geben; billigt er diesen meinen Vorschlag und ist er geneigt, ihn durchzusetzen, so zweifle ich auch keineswegs an dessen Erfolge."

Diese Mahnung war sehr am Platze, denn eben hatte Fürst Metternich angeregt, daß Frankreich diplomatisch aufgefordert werde, seine großen Rüstungen herabzusetzen.

James bemühte sich, dagegen zu sprechen. Er schrieb einen Brief, der wieder für Metternichs Kenntnis bestimmt war und diesem in geschickter Weise den Plan, Frankreich zur Abrüstung aufzufordern, auszureden suchte. „Denket, liebe Brüder," schrieb er[1], „an keinen Krieg, der Fürst ist zu klug, als daß er die Lage hier nicht einsehen sollte, wenn der hiesige Minister jetzt von Verminderung der Armee von 500 Mille Mann spräche, welche man als Friedens-Armee ansieht — so bliebe er keine Stunde am Ruder, dieß kömmt aber von selbst, sobald in den Kammern von Ausgaben gesprochen wird. Beweis dafür, daß in den Kammern sich bereits eine große Parthey gegen die Befestigungen bildet, daß das Ministerium heute beschlossen hat, keine ministerielle Frage daraus zu machen, und selbe fallen zu lassen. Man will hier keinen Krieg und keine Ausgaben, und sollte man in Deutschland darauf hinarbeiten, so würde das Volk hier es als absichtlich betrachten, und dieß müßte einen üblen Eindruck machen. Ich bin fest überzeugt, sie schicken 100 Mille Mann Infanterie weg, aber dieß darf nicht erzwungen aussehen,

[1] James an seine Brüder. Paris, 18. XII. 1840. Wien, Staatsarchiv.

denn nach allem was in der Kammer vorgefallen ist, kann das Ministerium so wenig als der König, die Armee sogleich wegschicken, so wenig sie hätten an den Coercitif-Maßregeln gegen den Pascha von Egypten Theil nehmen können.
Seyd daher ruhig über hier, und versichert den Fürsten, daß ich hier zu viele Menschen sehe, um befürchten zu müssen, daß etwas sich ereignete, das ich – nach meiner Pflicht – nicht sogleich anzeigen könnte und würde."

Es kam, wie James und seine Brüder gehofft, zu keiner weiteren Verwicklung mehr in der orientalischen Frage. Der Sultan und Mehemed Ali versöhnten sich, die Vierbundmächte erklärten ihren Vertrag vom 15. Juli für abgelaufen, da sein Zweck erreicht war, und bauten Frankreich goldene Brücken, um es wieder in ihren Kreis zurückkehren zu sehen.

In den abgelaufenen zehn Jahren waren drei große kritische Fragen aufgetaucht, die ganz Europa jedesmal an den Rand eines verderblichen Krieges führten. Das Haus Rothschild hatte in allen diesen Fällen die Friedenspolitik und damit sein eigenes für die Bewahrung und Erhaltung seines riesigen Vermögens unumgänglich nötiges politisches Ziel siegen sehen. Kein Wunder, daß das Selbstbewußtsein der Rothschild gleichwie ihr Vermögen in ungeahntem Maße stieg.

SECHSTES KAPITEL

DIE ROTHSCHILD VOR UND WÄHREND DER REVOLUTION DES JAHRES 1848

Während das Haus Rothschild sich mit den großen finanziellen und politischen Fragen befaßte, verfehlten dessen Mitglieder nicht, ihre soziale Position auch dadurch zu steigern, daß sie Träger berühmter Namen auf den Gebieten der Kunst und der Literatur in ihren Bannkreis zogen. Dies war besonders in Paris der Fall, wo sich dank der relativen Zensur- und Preßfreiheit angesehene Künstler und Literaten auch aus dem Auslande einfanden. So hatte Rossini Wien und seine Heimat Italien mit der Hauptstadt an der Seine vertauscht. Mit den Rothschild schon auf dem Kongreß von Verona bekannt geworden, verkehrte er nun sehr häufig in James' Haus und wurde sowohl im intimen Familienkreis wie auch zu den glanzvollen Repräsentationsfesten des Bankiers geladen. War ein Künstler gar jüdischer Herkunft, so stand ihm das Haus in besonders gastfreundlichem Maße offen. Daher fand auch Meyerbeer Zutritt und tatkräftige Förderung.

Nach der Julirevolution, in deren Gefolge nach Metternichs Sinne in Deutschland und Preußen strenge Maßnahmen gegen alle „liberalen" Bestrebungen getroffen wurden, kamen zahlreiche Persönlichkeiten nach Paris, um der Zensur und politischer Verfolgung zu entgehen; unter ihnen Heinrich Heine, der damals den heißen Wunsch hegte, Vertreter der Volksrechte zu werden und sich gegen „Gedankenschergen und Unterdrücker heiligster Rechte" zu erheben.[1] Er fühlte sich

[1] Karpeles, Biographische Einleitung zu Heinrich Heines gesammelten Werken, Band I, S. 23.

als der Sohn der Revolution, brach alle Brücken nach Deutschland hinter sich ab und traf am 1. Mai 1831 zu ständigem Aufenthalt in Paris ein. Mit ihm kam ein anderer, in Deutschland verfolgter Literat, Ludwig Börne, alias Baruch, Heine stamm- und geistesverwandt und ihm nach anfänglicher Freundschaft doch bald spinnefeind. Heine wußte gleich in den ersten Jahren, da in der „Revue des deux mondes" ein Teil der Harzreise erschien und noch zwei andere Bücher in französischer Übersetzung herausgegeben wurden, in Paris großes Interesse zu erregen. Er schuf sich einen so großen Ruf, daß er als berühmter Dichter, als ein Talent ersten Ranges betrachtet und von den bekanntesten Größen in Paris als ihresgleichen angesehen wurde. Als Charakter freilich wurde er nicht ebenso gewertet. Das Exzentrische, Widerspruchsvolle und Maßlose in seinem Wesen wurde bald erkannt. Insbesondere aber sahen die Diplomaten und die Schnüffler nach Revolutionären im Dienste Metternichs in ihm einen Auswurf der Menschheit. Ein Bericht[1] aus diesem Kreis nennt Heine ob seiner Unverläßlichkeit ein „moralisches und politisches Chamäleon", das überhaupt keine Meinung habe und heute in konstitutionellem Sinne affektiere, „wie er morgen im absolutistischen und übermorgen im radikalen Sinne ebenso gewandt und glänzend vertheidigen oder angreifen könnte". „Persönlich feig," schildert dieser Bericht Heine weiter, „lügnerisch und seinem besten Freund untreu werdend, ist er jeder Festigkeit unfähig, veränderlich wie eine Kokette, boshaft wie eine Schlange, aber auch glänzend und schillernd wie eine solche, giftig ohne eine edle und wahrhaft reine Regung, ist er unfähig, ein gemüthliches Gefühl zu bewahren. Aus Eitelkeit würde er gerne eine Rolle spielen, aber er hat sie ausgespielt,

---

[1] Bericht über die deutschen Revolutionärs, Paris, 28. X. 1835. Beilage zu einem gleichzeitigen Bericht Apponyis an Metternich. Wien, Staatsarchiv.

sein Kredit ist für immer begraben, aber sein Talent nicht.“ Es war natürlich, daß Heine bald auch mit James Rothschild bekannt wurde, und das um so mehr, als der Vater Heines und insbesondere sein Onkel bereits mit dem Rothschildschen Hause gut bekannt waren und der letztere zudem mit dem Welthause in fortwährender finanzieller Verbindung stand. Es war daher für Heine leicht, zu dem Hause in Beziehung zu treten, während es Börne verschlossen blieb. Denn dieser hatte sich von Anfang an in vollen Gegensatz zu den Rothschild gestellt. Im zweiundsiebzigsten seiner „Briefe aus Paris“, vom 22. Januar 1832 datiert, hatte er sich schonungslos über das Bankhaus ausgesprochen. Die finanziellen Beziehungen Rothschilds zum Papste waren da ins Lächerliche gezogen. Wenn man, schrieb Börne, Louis-Philippe krönt, so wird dies in Paris in Notre-Dame de la Bourse geschehen und Rothschild wird dabei als Erzbischof fungieren. Eine lustige Lachtaube wird dann nach Sanct Helena fliegen, sich auf Napoleons Grab setzen und ihm lachend erzählen, sie habe gestern seinen Nachfolger krönen sehen, aber nicht vom Papste, sondern von einem Juden. Hieran knüpfte er mit schneidender Ironie die Frage, ob es nicht das größte Glück für die Welt wäre, wenn man alle Könige wegjagte und die Familie Rothschild auf den Thron setzte. Die neue Dynastie würde keine Anleihen machen, denn sie wüßte am besten, wie teuer ihr solche zu stehen kämen. Überdies wäre der Friede gesichert, denn die Rothschild stünden mit dem ewig gefahrdrohenden Hause Habsburg in zu guter Verbindung. Börne zeigte dann, wie teuer Österreich diese Freundschaft zu stehen käme. Gut, die Rothschild säßen freilich noch auf keinem Thron, aber wenn einer frei werde, so würden sie um Rat gefragt, wen man darauf setzen solle; es sei noch bitterer, daß alle Kronen nun zu Füßen der Rothschild lägen, als wenn sie sie auf ihren Häuptern trügen. Denn wenn jenes der Fall wäre, hätten sie wenigstens eine Verantwortung. Schon lange hätte der größte Teil der europäischen Völker die volle Freiheit, wenn die Rothschild und die übrigen Geldleute nicht die absolute Gewalt mit ihrem Vermögen unterstützt hätten. Mit bitteren Worten schilderte Börne die Rothschildschen Anleiheoperationen, den Druck auf die Rentenpapiere knapp vor Übernahme einer Anleihe und die künstliche Hebung des Kurses unmittelbar nach dem Zuschlag einer neuen Anleihe als immer gleiches „Spiel“, welches diese Rothschild treiben, um sich auf Kosten des Landes, das sie ausbeuten, zu bereichern.[1]

Unter solchen Verhältnissen war freilich für Börne kein Platz im Hause James'. Heine verfehlte zwar gleichfalls nicht, sich ätzender Satire und beißenden Hohnes in seinen Schriften zu bedienen. Aber er schrieb sehr oft auch Günstiges über das Haus, dies freilich nicht, ohne aus verschiedenen Gründen James für Gefälligkeiten finanzieller Natur dankbar sein zu müssen. Der „große Baron“ zog ihn nicht nur häufig in den Gemächern seines Kontors zur Mittagstafel, sondern beteiligte ihn auch, wie Heine selbst sagt, bei „fast jeder seiner großen Operationen, oft auch gänzlich unaufgefordert“.[2]

Trotzdem hatte Heine fast nie Geld, denn es zerfloß ihm unter den Händen, und er beteiligte sich auch wider den Rat Rothschilds an anderweitigen Spekulationen, die ihm große Verluste brachten. Regelmäßige Zuwendungen erhielt er von Rothschild nicht, gab diesem aber öfter zu verstehen, daß er dies oder jenes brauche, worauf ihm James, der sein Talent bewunderte und seine Feder fürchtete, zuweilen in der geschickten Form eines für ihn getätigten Aktiendifferenzgeschäftes etwas zukommen ließ, manchmal aber auch die verhüllte Bitte absichtlich mißverstand, was dann Verstim-

[1] Ludwig Börne, gesammelte Schriften, Reclam III, 354. — [2] Heine an Baron Anselm Rothschild, 16. XII. 1855, veröffentlicht von Friedrich Hirth, „Heine und Rothschild“, Deutsche Rundschau, Oktober-Dezember 1915. S. 276.

mungen hervorrief. Waren aber solche gerade einmal nicht vorhanden, dann dachte Heine tiefer über die Rolle Rothschilds in der Welt nach, ja er sah in ihm einen der größten Revolutionäre, welche die moderne Demokratie begründeten. Richelieu habe die Souveränität des Feudaladels zerstört, Robespierre habe diesem, der nun unterwürfig und faul geworden sei, das Haupt abgeschlagen, der Bodenbesitz aber sei geblieben, und die Gutsbesitzer hätten bloß wieder die Anmaßungen des alten Adels unter neuer Maske fortgeführt. Da sei Rothschild gekommen und habe die Oberherrschaft des Bodens zerstört, indem er das Staatspapiersystem zur höchsten Macht emporhob und gleichsam das Geld, das jedermann und überall besitzen konnte, mit den ehemaligen Vorrechten des Bodens belehnt.[1]

Diese Erwägungen stellte Heine nach einem Gespräch mit James an, „diesem Nero der Finanz, der sich in der Rue Laffitte einen goldenen Palast erbaut hat", als er einst bei guter Laune, Arm in Arm (Karl Kraus[2] konnte sich nicht enthalten, hierzu zu bemerken, er hätte besser gesagt „Arm in reich") ganz „famillionär" durch die Straßen von Paris flanierte.

Heine hielt James für den Mann, in welchem sich nun „nach dem Tode seines erlauchten Bruders von England, die ganze politische Bedeutung des Hauses Rothschild resumiere". Insbesondere schätzte Heine an James, daß er alle Begabungen, selbst in ihm ganz fernliegenden Sphären, wennschon nicht zu beurteilen, so doch herauszufinden verstehe. „Man hat ihn", schrieb Heine, „ob solcher Begabnis mit Ludwig XIV. verglichen, und in der Tat im Gegensatz zu seinen hiesigen Kollegen, die sich gerne mit einem Generalstab von Mittel-

---

[1] Heinrich Heine, Ludwig Börne, I. Buch, 11. Ausgabe, XII, S. 35. — [2] Karl Kraus in einer Polemik gegen Friedrich Hirth „Veröffentlichungen Heinescher Briefe an die Familie Rothschild". „Die Feinde Goethe und Heine", Die Fackel, Oktober 1915, S. 78.

mäßigkeiten umgeben, sahen wir Herrn James von Rothschild immer in intimer Verbindung mit den Notabilitäten jeder Disziplin: wenn ihm das Fach auch ganz unbekannt war, so wußte er doch immer, wer darin der beste Mann. Er versteht vielleicht keine Note Musik, aber Rossini war beständig Hausfreund. Ary Scheffer ist sein Hofmaler. Carème war sein Koch. Herr von Rothschild weiß sicher ebensowenig Griechisch wie Demoiselle Rachel, aber Letronne ist der Gelehrte, den er am meisten auszeichnet. Sein Leibarzt war der geniale Dupuytren, und es herrschte zwischen beiden die brüderlichste Zuneigung. Den Wert eines Crémieux, des großen Juristen mit dem edelsten Herzen, hat Herr von Rothschild schon früh begriffen, und er fand in ihm seinen treuen Anwalt. In gleicher Weise hat er die politischen Fähigkeiten Louis-Philippes gleich von Anfang gewürdigt, und er stand immer auf vertrautem Fuße mit dem Großmeister der Staatskunst. Den Emil Péreire, den Pontifex Maximus der Eisenbahnen, hat Herr von Rothschild ganz eigentlich entdeckt, er machte denselben gleich zu seinem ersten Ingenieur, und durch ihn gründete er die Eisenbahn nach Versailles, nämlich die des rechten Ufers, wo nie ein Unglück geschieht. Nur die Poesie, die französische wie die deutsche, ist durch keine lebende Größe repräsentiert in der Gunst des Herrn von Rothschild; derselbe liebt nur Shakespeare, Racine, Goethe, lauter verstorbene Dichter, verklärte Geister, die aller irdischen Geldnot entrückt sind."[1]

Das war wieder eine leise Anspielung, daß Rothschild für lebende deutsche Dichter, und damit auch für Heine, etwas mehr tun solle. Wo etwas anzuerkennen war, da tat es Heine, obwohl er sonst James gern ironisierte und ihm Geiz und Habsucht vorwarf. Als im Jahre 1832 in Paris die Cholera herrschte, hatte das Volk eine wahre Panik erfaßt. In der

---

[1] Heinrich Heine „Lutetia", Paris 5. V. 1843, I. Teil, Karpeles-Ausgabe VI, S. 385.

15. Heinrich Heine

Hauptstadt verbreitete sich das Gerücht, es seien Giftmischer, die mit einem weißen Pulver das Volk verseuchten. Zwei arme Teufel, die sich eben in einer Apotheke ein weißes Hustenpulver gekauft hatten und ahnungslos damit aus dem Laden traten, wurden auf den Ruf eines alten Weibes: „Da sind die Mörder und Giftmischer", von einer im Nu zusammengerotteten Menge in Stücke gerissen. Die blutenden Reste wurden vom Pöbel im Triumph durch die Straßen geschleift, wobei man fortwährend rief: „Voilà le Choléra morbus!" Zehntausende starben an der Krankheit; wer immer konnte, darunter natürlich die Reichen, flüchtete. 120000 Pässe, berichtete Heine, wurden im Rathause ausgegeben. „Das Volk murrte bitter, als es sah, wie die Reichen flohen und bepackt mit Ärzten und Apotheken sich nach gesunden Gegenden retteten. Mit Unmut sah der Arme, daß das Geld auch ein Schutzmittel gegen den Tod geworden war. Der größte Teil des Justemilieu und der haute finance ist seitdem ebenfalls davongegangen und lebt auf seinen Schlössern. Die eigentlichen Repräsentanten des Reichtums, die Herren von Rothschild, sind jedoch ruhig in Paris geblieben, hierdurch beurkundend, daß sie nicht bloß in Geldgeschäften großartig und kühn sind."[1] Solche Lobpreisungen wechselten freilich je nach Heines Stimmung und seinen Geldverhältnissen mit ironischen und auf Geiz anspielenden Bemerkungen. Heine hat wohl kaum an sich selbst gedacht, als er in den „Gedanken und Einfällen" schrieb: „Die Hauptarmee der Feinde Rothschild's besteht aus allen, die nichts haben; sie denken alle, was wir nicht haben, das hat Rothschild ... Sowie einer kein Geld mehr hat, wird er Rothschild's Feind."[2] – Das galt wohl auch von Heine selbst. Dann imponierte ihm wieder der Glanz und der Reichtum des vielbeneideten Bankiers. – „Für die schöne

[1] Heine, Französische Zustände, Brief aus Paris, 19. IV. 1832. Elsters Ausgabe Band V, S. 101. – [2] Heine, Gedanken und Einfälle, Elsters Ausgabe Band VII, S. 432.

Welt von Paris", schreibt er am 1. März 1836 aus dieser Stadt[1],' ,war gestern ein merkwürdiger Tag: die erste Vorstellung von Meyerbeer's langersehnten Hugenotten in der Oper und darauf Rothschild's erster Ball in seinem neuen Hotel... Da ich ihn erst um vier Uhr diesen Morgen verlassen und noch nicht geschlafen habe, bin ich zu sehr ermüdet, als daß ich Ihnen von dem Schauplatz dieses Festes, dem neuen, ganz im Geschmack der Renaissance erbauten Palaste und von dem Publikum, das mit Erstaunen darin umherwandelte, einen Bericht abstatten könnte. Dieses Publikum bestand wie bei allen Rothschildischen Soiréen in einer strengen Auswahl aristokratischer Illustrationen, die durch große Namen oder hohen Rang, die Frauen aber mehr durch Schönheit und Putz imponieren könnten. Was jenen Palast mit seinen Dekorationen betrifft, so ist hier alles vereinigt, was nur der Geist des sechzehnten Jahrhundertes ersinnen und das Geld des neunzehnten Jahrhundertes bezahlen konnte; hier wetteiferte der Genius der bildenden Kunst mit dem Genius von Rothschild. Seit zwei Jahren war an diesem Palast und seiner Dekoration beständig gearbeitet worden, und die Summen, die daran verwendet wurden, sollen ungeheuer sein. Herr von Rothschild lächelt, wenn man ihn darüber befragt. Es ist das Versailles der absoluten Geldherrschaft. Indessen muß man den Geschmack, womit alles ausgeführt ist, ebensosehr wie die Kostbarkeit der Ausführung bewundern. Die Leitung der Verzierungen hatte Herr Duponchel[2] übernommen und alles zeugt von seinem Geschmack. Im Ganzen sowie in Einzelheiten erkennt man auch den feinen Kunstsinn der Dame des Hauses, die nicht bloß eine der hübschesten Frauen von Paris ist, sondern ausgezeichnet durch Geist und Kenntnisse, sich auch praktisch mit bildender Kunst, nämlich Malerei beschäftigt."

---

[1] Heine, Meyersbeers „Hugenotten". Elsters Ausgabe Band VII, S. 301. — [2] Edmond Duponchel, Architekt und Maler, später bis 1849 Direktor der Großen Oper.

Diese letztere Bemerkung war nicht Phrase, sondern kam Heine wirklich von Herzen, denn wenn er auch für James Rothschild menschlich sehr wenig übrig hatte, so stand er ganz unter dem Eindrucke von dessen liebenswürdiger und schöngeistiger Gemahlin, der Tochter Salomons. Sie zeigte Verständnis für Heines Dichtkunst, die James eher fern lag, und äußerte wiederholt ihre Bewunderung für die Werke Heines, was der Eitelkeit des Dichters schmeichelte und dessen Schwärmerei für Baronin Betty erhöhte, die es auch nicht ungern hörte, wenn Heine anzudeuten wagte, daß eine so hochgestimmte Seele an einen nüchternen Zahlenmenschen verheiratet sei. Wiederholt, fast regelmäßig sandte der Dichter ihr seine Werke, selbst solche, in denen ihr Gemahl ins Lächerliche gezogen wurde. Ein paar flüchtige Worte der Entschuldigung sollten einen eventuellen schlechten Eindruck verwischen. Aber Heine wußte schon, was er tat, wenn er den Gegensatz der Charaktere der beiden Gatten etwas schärfer herausarbeitete. Baronin Betty lud ihn wiederholt zu sich, und da konnte er Wünsche und Bitten, auch solche für Freunde wie Ludwig Marcus, der damals in größter Dürftigkeit sein Leben fristete, vorbringen. Baronin Betty war Fürsprecherin bei ihrem Gemahl und half selbst aus, was Heine dann in einer seiner nächsten Schriften mit einem dankbaren Worte über die „Engelhülfe einer schönen Frau, der Gattin eines der reichsten Bankiers des Erdballes, die wegen ihres Geistes und ihrer Bildung soviel gerühmt werde“[1], quittierte. Später, als er krank in der „Matratzengruft“ zu Bette lag, schrieb er Frau Betty sogar: „In meiner Abgeschiedenheit von der Welt tröstet und erheitert mich oft Ihr Bild, das in der Gemäldegalerie meines Gedächtnisses unter den kostbarsten Werken aufgestellt ist.“[2]

---

[1] Heines vermischte Schriften, Ludwig Marcus, Elsters Ausgabe Band VI, S. 23. — [2] Heinrich Heine an Baronin Betty Rothschild, Paris, 9. XI. 1854, veröffentlicht von Friedrich Hirth, Deutsche Rundschau, Januar-März 1915.

Seit Heine die Baronin in Boulogne sur mer im September 1833 zuerst gesehen, hatte er warme Sympathie für sie empfunden, und der poetische Ausdruck seines Dankes für so manche Wohltat und seiner Bewunderung für Betty als Frau und Dame war das Gedicht „Die Engel“:

Freilich, ein ungläubiger Thomas
Glaub ich an den Himmel nicht,
Den die Kirchenlehre Romas
Und Jerusalems verspricht.

Doch, die Existenz der Engel
Die bezweifele ich nie.
Lichtgeschöpfe sonder Mängel
Hier auf Erden wandeln sie.

Nur, gnädige Frau, die Flügel
Sprech ich jenen Wesen ab;
Engel gibt es ohne Flügel,
Wie ich selbst gesehen hab.

Lieblich mit den weißen Händen,
Lieblich mit dem schönen Blick,
Schützen sie den Menschen, wenden
Von ihm ab das Mißgeschick.

Ihre Huld und ihre Gnaden
Trösten jeden, doch zumeist
Ihn, der doppelt qualbeladen,
Ihn, den man den Dichter heißt.

In den Jahren 1835 und 1836 hat Heine im Hause Rothschild besonders häufig verkehrt. Dort traf ihn auch Grillparzer, der bei einem kurzen Besuch in Paris zugleich mit Rossini bei James speiste. „So sehr mir Heine“, berichtete Grillparzer darüber[1], „unter vier Augen gefiel, ebensosehr

[1] Grillparzer, Selbstbiographie und Bildnisse, Wien 1923, S. 202.

mißfiel er mir, als wir ein paar Tage später bei Rothschild zu Mittage waren. Man sah wohl, daß die Hauswirte Heine fürchteten, und diese Furcht mißbrauchte er, um sich bei jeder Gelegenheit verdeckt über sie lustig zu machen. Man muß aber bei niemand essen, dem man nicht wohlwill, und wenn man jemand verächtlich findet, muß man nicht bei ihm essen. Es setzte sich daher auch von da an unser Verhältnis nicht fort."

Zu jener Zeit dachte Heine sogar einen Augenblick daran, sich mit der Geschichte des Werdens und der Entwicklung des Hauses Rothschild zu befassen und darüber zu schreiben, aber zeitweise Spannungen, die sich seit 1837 in seinem Verhältnis zum Hause ergaben, mögen ihn davon wieder abgebracht haben. Sie waren teilweise darauf zurückzuführen, daß die finanziellen Verhältnisse Heines trotz aller gelegentlichen Hilfen sich stets in Verwirrung befanden und James Rothschild es ablehnte, sich in die pekuniären Zwistigkeiten Heines mit seinem reichen Onkel Salomon Heine einzumengen. James stand seit langem in engen finanziellen Beziehungen zu diesem Bankier und mochte sich wohl einmal mit einem guten Wort für Heine die Zunge verbrannt haben. Er hatte keine Lust, durch weiteres Drängen die Beziehungen zu seinem Geschäftsfreunde zu trüben. Gewinnbringende Beteiligung an so manchen Geschäften, darunter auch bei der Aktienemission gelegentlich des Baues der französischen Nordbahn, mag wieder günstigeren Stimmungen zwischen Heine und James zum Durchbruch verholfen haben. Da fand Heine unerwartet eine Gelegenheit, sich dem Hause Rothschild nützlich zu erweisen.

Sein Verleger Campe hatte nämlich im Jahre 1843 von einem gewissen Friedrich Steinmann aus Münster ein Manuskript, betitelt „Das Haus Rothschild, seine Geschichte und seine Geschäfte" erhalten, in welchem das Thema in für die Rothschild höchst ungünstiger und gehässiger Weise behandelt war. Campe bezahlte dem Verfasser das von ihm geforderte Honorar und teilte Heine die Sache gelegentlich mit. Heine bat um das Manuskript, Campe ließ es zunächst nicht drukken und gab es Heine nach Paris mit, damit dieser mit Rothschild darüber konferieren könne.[1] In einem Briefe vom 29. Dezember 1843 schrieb Heine an Campe darüber: „Ich möchte, ich gestehe es gerne, die schönen Liebesdienste, die mir Rothschild seit zwölf Jahren" – also seit er in Paris lebte – „erwiesen hat, soviel es honetterweise mir möglich ist, zu vergelten suchen."

Das Pamphlet blieb damals im Hause Heines und wurde erst 1858, das ist fünfzehn Jahre später, bei V. Kober in Prag gedruckt. Damit hatte sich Heine zweifellos um das Haus Rothschild verdient gemacht, und auch der Verleger Campe wird kein schlechtes Geschäft bei der Sache gemacht haben.

Im April 1840 hatte sich inzwischen in Damaskus ein Vorfall abgespielt, der sowohl in der Christenheit als auch bei den Juden große Aufregung hervorrief. Es war nämlich in dieser Stadt ein Jesuitenpater mit seinem Diener ermordet worden, und man beschuldigte Juden, an ihnen einen Ritualmord begangen zu haben. Die Verdächtigten wurden verhaftet, und da damals dort bei den Verhören noch die Folter angewendet wurde, erklärte die gesamte Judenheit der Welt die Geständnisse als Erpressung und die Verhafteten für unschuldig. Mit um so größerer Leidenschaft wandten sich die Christen gegen die vermeintlichen Täter. Zahllose Juden richteten Bittschriften an die Mitglieder des Hauses Rothschild, deren Einfluß auf die verschiedenen Regierungen der Großmächte ja bekannt war, damit sie sich für ihre Glaubensgenossen verwendeten. Bei James und Salomon fiel dies auf fruchtbaren Boden. Der eine trat an die französische Regierung heran, während der andere Metternich ins Treffen zu führen suchte.

---

[1] Karpeles, Dr. G., Heinrich Heine, S. 78.

Bei den österreichischen Behörden hatte Salomon insofern Erfolg, als der österreichische Konsul von Laurin sich tatsächlich für die Verhafteten einsetzte. Dieser Mann hatte auch bei Mehemed Ali erreicht, daß der Befehl erging, die Folter im weiteren Verlauf des Prozesses in Damaskus beiseite zu lassen. Laurin teilte dies Salomon schriftlich ebenso mit[1], wie er James in Paris über den Verlauf der ganzen Sache brieflich unterrichtete.

Der französische Konsul in Damaskus war dagegen in judenfeindlichem Sinne aufgetreten. Der Wiener Rothschild ersuchte seinen Bruder James, auf die Pariser Regierung einzuwirken. Aber damals hatte sich gerade der österreichisch-französische Gegensatz in der Orientfrage zugespitzt, und die Regierung Louis-Philippes scheute sich, dem Beispiel des Wiener Kabinetts zu folgen. Sie fürchtete, daß das Volk darin eine Erniedrigung Frankreichs vor Österreich erblicken könnte. Darum zögerte man mit einem Vorgehen zugunsten der angeklagten Juden.

„Leider haben meine Schritte", schrieb James an Salomon[2], „noch nicht den gewünschten Erfolg gehabt, indem sich die Regierung in dieser Angelegenheit sehr lässig zeigt, weil man dem lobenswürdigen Benehmen des österreichischen Konsuls gegenüber, den diesseitigen Konsul nicht gleich zurückberufen will, weil die Sache zu entfernt liegt, und dadurch die Aufmerksamkeit nicht genügend angeregt wird. Alles was ich bisher erreichen konnte, waren die heute im Moniteur stehenden wenigen Worte, wonach der Vicekonsul in Alexandrien beordert wird, des Konsuls in Damaskus Benehmen zu untersuchen; dieses ist jedoch nur eine ausweichende Maßregel, indem der Vicekonsul unter dem Konsul steht, den letzteren also nicht belangen kann, von seinem Verfahren ihm Rechen-

---

[1] Konsul von Laurin an Rothschild, 16. IV. 1840. Wien, Staatsarchiv. —
[2] James Rothschild an Salomon, Original. Paris, 7. IV. 1840. Wien, Staatsarchiv.

schaft zu geben. – Bei solchen Umständen bleibt uns nur das hier allmächtige Mittel übrig, nämlich die Zeitungen zu Hülfe zu nehmen, weshalb wir denn auch heute eine ausführliche Darstellung nach dem Berichte des österreichischen Konsuls in die Débats und andere Zeitungen einrücken ließen, und auch angeordnet haben, daß dieselbe mit gleicher Ausführlichkeit in der Augsburger Allgemeinen Zeitung erscheine. Wir würden jedenfalls die an mich über diesen Gegenstand gerichteten Briefe des Herrn von Laurin publiziert haben, wenn wir nicht glaubten, es nur nach eingeholter Erlaubnis Sr. Dl. des Herrn Fürsten von Metternich tun zu dürfen.
Aus diesem Grunde nun, lieber Bruder und in der Überzeugung, daß Du zur Verteidigung der gerechten Sache Dein Möglichstes herzlich gern beiträgst, wollte ich Dich hiermit ersuchen, bei dem Fürsten die nötige Bitte gefälligst einzureichen, um von seiner Güte die Ermächtigung zur Publizierung der Briefe bewilligt zu erhalten. Das gnädige und menschenfreundliche Wohlwollen, welches der Fürst in dieser traurigen Angelegenheit ausgedrückt hat, läßt uns der Hoffnung mit Zuversicht Raum geben, daß die gegenwärtige Bitte nicht unerfüllt bleiben wird . . . Wenn Du nun die gewünschte Erlaubnis erhalten hast, dann bitte ich Dich, lieber Salomon, die Briefe nicht allein und sogleich in dem österreichischen Beobachter zu veröffentlichen, sondern auch die Güte zu haben, sie unverzüglich mit einigen Worten an die Augsburger Zeitung zu befördern, damit sie von derselben ebenfalls dem Publikum mitgeteilt werden."
In jüdischen Kreisen wurde dieses Eintreten der Rothschild für ihre bedrängten Glaubensbrüder in der Ferne bald bekannt, und es veranlaßte auch Heine zu einer Bemerkung in „Lutetia": „Wir müssen dem Großrabbi der rive droite", schrieb der Dichter mit Anspielung auf den Unternehmer der Eisenbahn nach Versailles rechts der Seine, „dem Baron Rothschild die Gerechtigkeit widerfahren lassen, daß er für

das Haus Israel eine edlere Sympathie an den Tag legte, als sein schriftgelehrter Antagonist, der Großrabbi der rive gauche, Herr Benoît Fould, der, während in Syrien auf Anregung eines französischen Consuls seine Glaubensgenossen gefoltert und gewürgt wurden, mit der unerschütterlichen Seelenruhe eines Hillel[1] in der Deputiertenkammer einige schöne Reden hielt über die Konversion der Renten und den Disconto der Bank."

Für Österreich hatte Heine trotz Metternichs Eintreten für die Juden kein gutes Wort übrig, denn er sah in diesem Staate den Herd der Reaktion, wo wie in keinem anderen Lande dem geschriebenen Wort Fesseln angelegt waren. Im Kaiserreich hatten sich in jener Zeit die Finanzen des Staates wieder sehr verschlechtert, da der Kriegslärm von 1840 neuerdings große militärische Ausgaben zur Folge hatte. Aber auch in den privaten Handelsunternehmungen gab es so manchen schweren Fall. Gegen die Mitte des Jahres 1841 wankte sogar eins der vier Bankhäuser, mit denen die Regierung im steten finanziellen Verkehr stand. Es war dies das Bankhaus Geymüller. Metternich wollte den Bankrott des Hauses um jeden Preis verhindern und stand in fortwährenden Verhandlungen darüber mit dem Hause Rothschild und den übrigen Bankiers, aber diese konnten oder wollten das Haus nicht stützen. Es mußte am 10. Juli seine Zahlungen einstellen. Und nun waren es nur noch drei Bankhäuser, Rothschild, Sina sowie Arnstein und Eskeles, die die Geschäfte mit dem Staate führten. Obwohl der Geldbedarf groß war, standen die Papiere so günstig, daß die drei Häuser am 14. Juli 1841 $38\frac{1}{2}$ Millionen Gulden neuer 5%iger Schuldverschreibungen sogar über Pari zu 104 übernahmen, wobei auf Rothschild über 14 Millionen kamen.

Zeitlich unmittelbar auf den Abschluß dieses Vertrages folgte – der Zusammenhang ist wohl unabweisbar – ein Schritt Salomon Rothschilds, der wieder einmal die österreichischen

[1] Jüdischer, in Babylon geborener Gelehrter, der zur Zeit Christi lebte.

Behörden bat, zu seinen Gunsten eine Ausnahme von den zahlreichen die Judenrechte einschränkenden Bestimmungen zu machen.

Das Eisenwerk zu Witkowitz hatte ursprünglich dem Erzherzog Rudolf gehört und war dann dem Sohne des Erzherzogs Rainer vererbt worden. Da dieser noch minderjährig war, beabsichtigte man, das Eisenwerk an Salomon Rothschild zu verpachten. Das Gesuch dazu war im September 1833 bereits eingereicht, als Witkowitz noch in letzter Stunde vom Erzbischof von Olmütz, Grafen Chotek, aufgekauft wurde, der es aber dann doch, als der Nordbahnbau begann und Rothschild sich von den ausländischen Eisenwerken unabhängig machen wollte, zu gleichen Teilen an Rothschild und den Freiherrn von Geymüller verpachtete. Das Werk hatte indessen einen großen Aufschwung genommen und war bis zum Jahre 1841, wie Salomon in seinem Hofgesuch sagte, zu „einem der großartigsten und leistungsfähigsten Etablissements der Monarchie", das 1500 Menschen Arbeitsmöglichkeit bot, gediehen.

Als Geymüller in Schwierigkeiten geriet und auch der Erzbischof kapitalbedürftig war, suchte Rothschild den günstigen Augenblick zu nützen, um das Ganze an sich zu bringen. Dem stand aber entgegen, daß die Israeliten in Österreich keine Fabriken anlegen, die dazugehörigen Realitäten nicht besitzen und auch nicht Bergbau betreiben durften.[1] Rothschild bat also, für ihn hier eine Ausnahme zu machen.[2] Mit Rücksicht auf das eben erhaltene Darlehen konnte man wohl in Wien nicht anders als zustimmen, und so wurde Salomon für seine Person sowohl der Ankauf von Witkowitz und Zugehör sowie der Betrieb auf Steinkohle und Eisenstein bewilligt.[3]

---

[1] Siehe darüber A. F. Pribram, Urkunden und Akten zur Geschichte der Juden in Wien, II, 479–486. — [2] Hofgesuch Salomon Rothschilds. Wien, 13. VII. 1841. Wien, Staatsarchiv. — [3] Allerhöchste Entschließung vom 15. VIII. und 17. XII. 1842. Wien, Staatsarchiv.

Der Zeitpunkt war glücklich gewählt. Die Rothschild wußten stets in geschickter Weise den Regierungen das Gefühl einzuflößen, daß diese ihnen verpflichtet seien, um sodann ihre Forderungen durchzudrücken.

Amschel Meyer in Frankfurt befolgte die gleiche Taktik. Längst schon war das Bankhaus Bethmann überflügelt. Amschel hatte, wie Schwemer sagt[1], „seine Hand überall", besorgte ebensowohl die Geschäfte des Bundes wie die der deutschen Einzelregierungen und gab Geld für die damals überall betriebenen Eisenbahnbauten. Er blieb dabei in engem Verhältnis zum Hessischen Hofe, dem das Haus seinen Aufstieg verdankte.

In Kassel war – als der Sohn des alten Kurfürsten, Wilhelm II., seiner Geliebten wegen die Hauptstadt 1831 verlassen hatte – der Kurprinz, spätere Kurfürst Friedrich Wilhelm I., zum Mitregenten ernannt worden. Er war morganatisch mit Gertrud Falkenstein, der geschiedenen Frau eines preußischen Leutnants Lehmann, die er 1831 zur Gräfin von Schaumburg und später zur Fürstin von Hanau erhob, vermählt. Im Jahre 1846 hatte der Kurfürst schon fünf Kinder aus dieser Ehe. Amschel Meyer half dem Fürsten finanziell zu deren Versorgung, und es kam oft vor, daß der Fürst mit der Gräfin und den Kindern „ganz familiär bei dem guten Geschäftsfreunde sein Mittagmahl einnahm.[2]"

So wie der Kurfürst wandten sich auch die meisten übrigen deutschen Fürsten um Geld an Rothschild. Stand dieser mit einem Wechselhause, das von ihm den Abschluß irgendeines Geschäftes wünschte, in Verbindung, so gestand Amschel Meyer dies gewöhnlich nur zu, wenn das betreffende Haus auch einen Teil dieser zahlreichen Anleihen deutscher Kleinfürsten übernahm. Ebenso wie er Papiere, die er heben wollte, mit allen möglichen Mitteln auf hohem Kurse zu erhalten wußte, verstand er es auch, eine Anleihe zu drücken.

---

[1] Schwemer, a. a. O. III, 386. – [2] Schwemer, a. a. O. III, 386, Dönhoff an den König von Preußen. 16. VIII. 1846.

„Einen Beweis seiner Suprematie", meldete beispielsweise Freiherr von Mensshengen einmal aus Frankfurt[1], „liefert Baron Rothschild hinsichtlich des an sich sehr soliden und vortheilhaften Russisch-Polnischen Lotterie-Anlehens vom Jahre 1835, welches er fortwährend drückt, weil der Contrahent desselben, Banquier Fränkl in Warschau, ihm die verlangte Betheiligung verweigerte und weil die Russische Regierung — als sie über Rothschild zu London wegen des durch ihn contrahierten Anlehens unzufrieden war — plötzlich mit seinem Hause abgebrochen hat und dagegen mit Hope zu Amsterdam in Geschäftsverbindung getreten und seitdem verblieben ist.

Bei diesen Verhältnissen ist begreiflich, daß viele kleinere deutsche Regierungen und namentlich die Nassauische sich ausschließlich an das Haus Rothschild wenden und sich hierin durch das Mißfallen, welches häufig dagegen unter ihren Unterthanen, besonders im Großherzogtum Hessen, laut wird, nicht beirren lassen."

Metternich war sich schon lange über diese Macht des Hauses Rothschild im klaren. Aber er vertrug nicht, daß es ihm in politischen Angelegenheiten entgegenarbeitete. Als beispielsweise über die österreichische Anleihe des Jahres 1841 verhandelt wurde und Salomon wieder eine Klausel für den Fall eines Krieges einfügen wollte, erwiderte ihm Metternich, daß er gegen die Annahme einer solchen in seiner Eigenschaft als Minister des Äußern Protest einlegen müsse[2], „indem er die Entscheidung der Kriegs- und Friedensfragen von dem Wohlgefallen der Wechselhäuser abhängig zu machen sich niemals verstehen würde". Da Salomon darauf erklärte, er sehe dies wohl ein, war von diesem Antrage keine Rede mehr.

Aber im Grunde genommen hatte der Kanzler doch nur zu

---

[1] Freiherr von Mensshengen an Metternich, Frankfurt, den 30. VII. 1841. Wien, Staatsarchiv. — [2] Metternich an Kübeck. Wien, 6. VI. 1841. „Metternich und Kübeck", ein Briefwechsel. Wien, 1910, S. 7.

dem Hause Rothschild Vertrauen. Das zeigte sich besonders, als im August 1841 verschiedene Handelsleute in Wien und Triest in Verlegenheit gerieten und die Regierung für Wien vier Millionen, für Triest eine Million widmete, die von den drei großen Bankhäusern zur Unterstützung des Handelsstandes aufgebracht werden sollten. Man überließ merkwürdigerweise die Bestimmung, wer zu unterstützen sei, dem Gutdünken der drei Bankhäuser. Hierüber machte sich bald große Unzufriedenheit geltend, und man führte bei der Hofkammer über die Art der Verteilung Beschwerde. Insbesondere die zwei Bankhäuser Sina und Arnstein und Eskeles wurden beschuldigt, die von der Regierung beabsichtigte Hilfe vorzugsweise solchen Personen zufließen zu lassen, die mit ihnen in näheren Beziehungen standen.[1]

Metternich nahm ausführlich Stellung zu dieser ihm mitgeteilten Beschwerde und dachte sich die Lösung der Angelegenheit so, daß Salomon Rothschild im geheimen von Staats wegen die Kontrolle über die beiden anderen Bankhäuser übertragen würde.

„Bei der Handlungsweise der drei Häuser“, schrieb er[2], „mit dem commerziellen Aushilfsfonds, frage ich, ob es denn nicht in dem Rechte der Regierung – welche die Mittel zu dem Werke lieferte – steht, die Operationen dieser Häuser unter ihre Controlle zu stellen? Unter einer Controlle verstehe ich regelmäßige Ausweise der drei Häuser über die von ihnen verwendeten Gelder. Salomon wird in der ganzen Sache lahm gehen, und dies weil er jede Art von Verfeindung mit seiner Umgebung scheut, weil er die tiefste Verachtung für den Wiener Banquiers-Stand hat, weil er am Ende sich als Haus wie ein Fremder zu Wien betrachtet und nur mit der Regierung

---

1 Bericht Hummelauers an Metternich im Auftrage des Hofkammerpräsidenten. Wien, 11. VIII. 1841. Wien, Staatsarchiv. — 2 Antwort des Fürsten Metternich auf den Bericht Hummelauers. Königswart, 14. VIII. 1841. Wien, Staatsarchiv.

zu thun haben will. Da er aber einer der Manipulanten mit den Geldern des Reserve Fonds ist, so muß man ihn hier festhalten,und ich rathe dem Baron Kübeck, ihm gerade zu sagen, daß er sich an ihn hält, dieß aber im Tone des Vertrauens. Dieß ist der Ton, welcher am kräftigsten auf seine Individualität wirkt."

Wahrlich ein großer Beweis von Vertrauen, das Metternich der Person Salomon Rothschilds entgegenbrachte. Dem entsprachen auch die persönlichen Beziehungen zwischen beiden. Salomon überbot sich in Aufmerksamkeiten für die Familie Metternich. „Der alte Salomon", schreibt die Fürstin unmittelbar nach einem seiner Besuche[1], „rührt mich immer durch seine Anhänglichkeit." Im Sommer, wenn Metternichs auf ihrem unweit Frankfurt gelegenen Gute weilten, erhielten sie immer wieder Aufmerksamkeiten, wie etwa die Sendung amerikanischer Hirsche für ihren Tierpark[2], und häufig auch den Besuch von Mitgliedern des Bankiershauses; „unter anderen", schrieb die Fürstin Melanie am 5. September 1841 in ihr Tagebuch[3], „kamen die Rothschilds, fünf an der Zahl. Salomon mit James und ihr Neffe Anthony, der Sohn Salomons, und endlich Amschel, der sich eifrig darum bewarb, daß wir nächsten Dienstag bei ihm in Frankfurt speisen sollten. James brachte mir ein hübsches Kästchen aus Paris in Perlmutter und Bronze, mit Bonbons gefüllt, was eben nichts schadet."

Weilten die Metternichs, wie im Jahre 1843, in Ischl, so fand sich auch Salomon dort ein, um so mehr, als auch der Hof und Marie-Louise von Parma dort zu treffen waren. Kam dann das Weihnachtsfest, so schickte Rothschild den Metternichschen Kindern „prächtige Sachen", so daß sich die Fürstin

---

[1] Metternichs nachgelassene Papiere. – Aus dem Tagebuch der Fürstin Melanie. 26. V. 1841. VI, 491. — [2] Metternichs nachgelassene Papiere, a. a. O., Ende Juli 1846. — [3] Metternichs nachgelassene Papiere, a. a. O.

geradezu versucht fühlte, selbst mit all den netten Sachen zu spielen.[1]

Salomon Rothschild konnte sich aber auch seinerseits nicht beklagen, wenn er einmal freundliches Entgegenkommen brauchte, und dazu war bei dem strengen Regime, dem die Juden in Österreich trotz allem noch unterworfen waren, oft genug Gelegenheit.

Immer noch war die Frage, ob man den fremden Juden den Besitz von Liegenschaften gestatten solle, ungelöst. Um sich von einer grundsätzlichen Entscheidung unabhängig zu machen, bewarb sich Salomon, nachdem er sein Unternehmen mit zahlreichen wohltätigen Spenden vorbereitet, um das Bürgerrecht der Stadt Wien; denn war er einmal Wiener Bürger, so bekam er auch von selbst das Recht zum Besitze von Grundstücken. Um dies aber zu erreichen, mußte er den Kaiser um Dispens bezüglich seiner Konfession bitten. Dies geschah, und der Kaiser bewilligte sie.[2] Und nun verlieh ihm die Stadt auch sofort das Bürgerrecht.

In der Folge kaufte Salomon innerhalb der Ringmauern Wiens das Haus des „Römischen Kaisers“ in der Renngasse und das unmittelbar anschließende Haus. Dieses ließ er niederreißen und für seine Zwecke wieder aufbauen.

Für solches Entgegenkommen dankte Salomon bei jeder sich bietenden Gelegenheit. Als im Mai des Jahres 1842 in Hamburg jene furchtbare Feuersbrunst wütete und einen großen Teil der Stadt zerstörte, erbot sich Salomon Metternich gegenüber, nebst Überweisung einer bedeutenden Spende, alle aus Sammlungen resultierenden Gelder kostenlos nach Hamburg zu übermitteln.

„Ich beabsichtige mich“, schrieb er dem Fürsten[3], „hiezu der Vermittlung meines vieljährigen, durch seinen humanen Sinn

---

[1] Metternichs nachgelassene Papiere, a. a. O., VI, 512. — [2] Allerhöchstes Handschreiben vom 31. XII. 1842. — [3] Baron Salomon Rothschild an Metternich. Wien, 21. V. 1842. Wien, Staatsarchiv.

ausgezeichneten Geschäftsfreundes, des Herrn Salomon Heine zu bedienen, von dessen Gesinnungen ich wohl erwarten darf, daß auch er auf die Anrechnung von Bankspesen verzichten und die Beträge unverkürzt, wie sie hier eingehen, den Hamburger Stadtbehörden auszahlen werde."

Solches Vorgehen machte einen guten Eindruck, und auf diese Weise verankerte sich die Stellung Salomons in Wien immer mehr. Der Staat brauchte stets neue Anlehen. Schon 1843 boten die drei Häuser wieder 43 Millionen Gulden für 40 Millionen in Obligationen, wovon ein Drittel auf Rothschild kam.

Neben diesen staatlichen Anleihen wurden zahlreiche andere mit den hervorragendsten Mitgliedern des österreichischen und des ungarischen Hochadels abgeschlossen. So stand z. B. Fürst Paul Eszterházy, der noch nicht einmal seine Anleihe vom Jahre 1829 abgezahlt hatte, im Jahre 1844 mit Rothschild und Sina wegen Aufnahme eines Darlehens von nicht weniger als 6400000 Gulden in Unterhandlung.

Aber nicht nur auf Geldgeschäfte bezog sich die Tätigkeit des Hauses Rothschild. Wo sich eine Gelegenheit bot, anderweitig Geschäfte zu machen, wurde sie mit Vergnügen ergriffen. Die Raucher z. B. empfanden es im damaligen Österreich sehr schmerzlich, daß die Tabakgefällsdirektion zum Schutze ihrer eigenen Fabrikate die Einfuhr echter Havannazigarren verboten hatte. Das Haus Rothschild nun, dem bekannt war, wie viele solcher Havannazigarren eingeschwärzt wurden, schloß mit einem Handlungshause in Havanna einen Vertrag über Lieferung von zehn Millionen solcher Zigarren, das Tausend zu 33 Gulden franko Wien, und machte sich erbötig, die Einfuhrerlaubnis beim Hofkammerpräsidenten Kübeck durchzusetzen. Kübeck war sogleich einverstanden, denn die Finanzen gewannen dabei, wie Graf Hartig schrieb[1],

[1] Vortrag des Hofkammerpräsidenten Kübeck vom 20. X. 1843. Wien, Staatsarchiv.

beim Weiterverkauf zu 70 Gulden pro Tausend an das Publikum ganze 112%. Erst nachträglich legte Kübeck den Antrag dem Kaiser Ferdinand vor, der, wie stets, gehorsam unterfertigte.[1] – Das Publikum riß sich um die Zigarren, es wurden alsbald weitere $17^1/_2$ Millionen Stück bestellt, und alle Beteiligten fanden dabei ihren Vorteil, denn die Raucher bezahlten den langentbehrten Genuß gern auch mit hohen Beträgen.[2] An das volkswirtschaftlich Schädliche dieses Imports von Luxuswaren schien niemand zu denken. Genug, daß Salomons Popularität dadurch wuchs. Wohl machte er dabei persönlich auch ein gutes Geschäft.

Hatte er einmal auf solche Weise in Wien festen Fuß gefaßt, so kam bald der Wunsch hinzu, auch auf dem Lande Liegenschaften zu erwerben, sein überflüssiges Geld in Grund und Boden anzulegen und womöglich für seine Familie, nach Art der großen adeligen Familien des Landes, ein Fideikommiß zu begründen. Das erforderte neuerdings ein Majestätsgesuch, denn auch auf dem Lande durften fremde Juden keine Güter besitzen.

In seiner Bittschrift betonte Salomon[3], daß er sich seit einer langen Reihe von Jahren gewöhnt habe, Österreich als sein zweites Vaterland anzusehen. Alle seine Verdienste hob er hervor, so seine unausgesetzten Bestrebungen zur „Emporhebung und Consolidierung des nun so herrlich blühenden österreichischen Staats-Credites", in welchem ehrenvollen Wirken alle seine Häuser auf dem Continent ihn auf das thatkräftigste und erfolgreichste stets unterstützten; er selbst habe jeden Anlaß mit Freuden ergriffen, und stets alles getan, was in seinen Kräften stand, um die österreichische Industrie und andere gemeinnützige Unternehmungen zu fördern.

---

[1] Allerhöchste Genehmigung vom 14. XI. 1843. — [2] Vortrag Kübeck vom 12. II. 1844 und am 27. II. 1844, vom Kaiser Ferdinand genehmigt. Wien, Staatsarchiv. — [3] Salomon Rothschild an Kaiser Ferdinand. 15. XI. 1843. Wien, Staastarchiv.

„Die große Eisenstraße durch Mähren," schrieb er, „welche in kurzer Zeit Österreich mit der Ost- und Nordsee verbinden wird, konnte nur durch sehr große Geldopfer und Ausdauer zu Stande gebracht werden, Opfer, die in den Zeiten einer verhängnisvollen Geldkrisis und gänzlicher Entmuthigung viele Hunderttausende betrugen."

Salomon erwähnte seinen Aufwand von einer halben Million Gulden für Ankauf und Einrichtung von Witkowitz sowie die dortige jährliche Barauslage von 400 000—500 000 Gulden an Arbeitslöhnen und endlich die Instandsetzungskosten von 700 000 Gulden für die Kohlenwerke in Dalmatien, als ob dies nur der Schaffung einer Quelle des Erwerbes für „viele Tausende sonst ganz armer brotloser Menschen" dienen sollte, da vorderhand noch kein Gewinn für den Unternehmer abfiel.

„Allein auch andere gemeinnützige Anstalten," führte Salomon in seinem Gesuche weiter aus, „wohlthätige und religiöse Institute haben an dem allerunterthänigsten Bittsteller stets einen willigen und eifrigen Beförderer gefunden, und derselbe darf sich in dieser Beziehung mit Beruhigung sowohl auf das Zeugniß der hohen Autoritäten, als auch auf die Anerkennung der öffentlichen Meinung berufen, da er, um nicht in den Verdacht der Ruhmredigkeit zu verfallen, Eure k. k. Majestät nicht mit den Aufzählungen der einzelnen Daten zu ermüden sich erlauben will.

Der allerunterthänigst Gefertigte glaubt durch diese Handlungen und durch sein Gesamtwirken während eines beinahe fünfundzwanzigjährigen Aufenthaltes in dieser Haupt- und Residenzstadt seine unerschütterliche Anhänglichkeit an die Österreichische Monarchie hinlänglich bewährt zu haben, und es ist daher wohl natürlich, daß sein sehnlichster Wunsch dahin gehe, besitzfähig in einem Lande zu seyn, dessen erhabene Herrscher ihn mit so vielen Gnaden auszeichneten, an welches sich so theure Erinnerungen knüpfen, und an welches ganz in seinem Sinne fortlebend, die Nachkommen des treugehorsamsten Bittstellers mit gleicher Liebe und Treue gebunden werden sollen. – Der Besitz einer oder anderen Herrschaft in Mähren könnte diesen so sehnlichen Wunsch verwirklichen, denn gerade diese Provinz ist es, welcher das gutgemeinte Wirken des allerunterthänigsten Bittstellers selbst in kommenden Zeiten vorzugsweise seine Früchte tragen, zu deren Nutzen und Vortheil der treugehorsamste Bittsteller keine Opfer zu bringen unterlassen wird und in welchem Lande auch bereits ein ansehnlicher Theil seines Vermögens durch die Hütten- und Bergwerke von Witkowitz angelegt sind ...“

Salomon beschränkte sich nur auf die allerunterthänigste Bitte:

„S. k. k. M. wollen geruhen den treugehorsamsten Bittsteller mit der A. H. Gnade zu beglücken:

‚demselben für sich und seine Descendenz die Besitzfähigkeit zu einem oder dem andern Dominicalkörper in der Provinz Mähren, falls der gehorsamste Bittsteller einen solchen zu kaufen Gelegenheit finden sollte, allergnädigst zu ertheilen‘.“

Das Gesuch wurde zunächst dem Mährisch-Schlesischen Landesgouverneur Grafen Ugarte zur Stellungnahme übersandt. Dieser betonte[1], daß die Begünstigung bei Witkowitz nicht als Vorakt dafür gelten dürfe, denn „sie unterscheide sich wesentlich von einem eigentlichen Güterbesitze mit Jurisdictionsrechten, welcher wenigstens dortlandes noch nie einem israelitischen Glaubensgenossen zugestanden wurde; auch könne nicht unbemerkt bleiben, daß Freiherr von Rothschild, wenn ihm die Ausdehnung der Besitzfähigkeit auf seine Nachkommen zugestanden würde, sich noch mehr begünstigt fände, als dies dortlandes selbst bey christlichen nichthabilitierten Gutsbesitzern je der Fall war ...

Wenn nun aus dem hier Angeführten hervorgehe, daß durch

[1] Präsidialvortrag des Obersten Kanzlers von Inzághy vom 14. II. 1844. Wien, Staatsarchiv.

die Gewährung der von Freiherr von Rothschild angesuchten Gnade eine ganz exceptionelle, und bisher wenigstens dortlandes noch nicht eingetretene Begünstigung eines Einzelnen gegenüber der Verfassung und dem Gesetze eintreten würde, so läge bey diesen Verhältnissen offenbar vor, daß nur sehr wichtige Verdienste, und höchst ausgezeichnete persönliche Eigenschaften die Grundlage einer so ausgedehnten Gnadenbezeugung darbieten könnten."

In bezug auf die Verdienste des Freiherrn von Rothschild um den Staat im allgemeinen, bemerkte Graf Ugarte, es lasse sich an ihrer Wichtigkeit durchaus nicht zweifeln, da der Kaiser durch Erhebung Rothschilds in den österreichischen Freiherrnstand, durch die gestattete Aufnahme als Ehrenbürger der Haupt- und Residenz-Stadt Wien und durch den erteilten Dispens für die Eröffnung montanistischer Unternehmungen die Allergnädigste Anerkennung bereits ausgesprochen habe. Überdies habe sich Rothschild durch den Bau der Nordbahn um die Provinz Mähren in hohem Grade verdient gemacht, ebenso wie die Großzügigkeit des Betriebes von Witkowitz dieses Werk zu einer Segensquelle für das Land erhebe.

Zur besonderen Ehre gereiche Rothschild weiter, daß er gleich die Übernahme dieser herrlichen Etablissements durch die Errichtung einer Schule für die Familien der Werksarbeiter und somit durch einen Akt bezeichnete, welcher die „in der Industriewelt so selten gewordene Beachtung des sittlichen und intellectuellen Zustandes der an jene Welt gebundenen Individuen beurkunde und als ein rühmliches Beispiel aufgestellt zu werden verdiente".

Auch bemerkte Graf Ugarte, daß die für Mähren sehr wichtige Ausführung der dem Freiherrn von Rothschild gestatteten Bergbau- und Eisenwerksunternehmungen ... auch im Interesse der Provinz liege. Was endlich die persönlichen Eigenschaften des Baron Rothschild betreffe, sei Rothschild „einerseits durch seine ausgezeichnete Stellung in der Gesellschaft den gewöhnlichen Verhältnissen seiner Glaubensgenossen so weit entrückt, anderseits durch den allgemeinen Ruf der vortrefflichsten Gesinnungen und höherer Intelligenz so ungemein günstig bezeichnet, daß die strenge Anwendung der für Israeliten bestehenden Vorschriften auf seine Person wohl nicht unbedingt Platz greifen dürfte".

Indem Graf Ugarte es am Schlusse seiner Äußerung dem höheren Ermessen überließ, das Übergewicht der für oder wider die Gewährung der vorliegenden Bitte sprechenden Gründe anzuerkennen, sprach er zugleich seine Ansicht dahin aus, daß – „wenn irgend eine immerhin nicht über alle Bedenken erhabene Ausnahme von der allgemeinen Regel überhaupt statthaft befunden werden sollte, diese bey dem Freiherrn von Rothschild entschieden vorzugsweise – vielleicht ausschließend an ihrem Platze wäre".

Der oberste Kanzler Graf Inzághy fügte diesem Gutachten hinzu, daß er die Bitte des Barons „bey der besonderen Stellung, in welcher sich das dermal den ersten Platz in der europäischen Handelswelt einnehmende Haus Rothschild befindet", nur befürworten könne; daß in Mähren bisher kein Israelite ein landtäfliches Gut besessen tue nichts, da in Niederösterreich, wo sogar den Juden der Aufenthalt auf dem Lande untersagt ist, ein Israelite eine Herrschaft angekauft und seinem Sohn sogar die Besitzfähigkeit allerhöchst bewilligt wurde. Es sei zwar richtig, daß man diese nur für den Bittsteller selbst und nicht für dessen Nachkommen zuzustehen pflege – „Allein", führte der Graf aus, „hier scheint mir wohl auch die Individualität des bittstellenden Baron Rothschild zu berücksichtigen und zu erwägen seyn, daß bey seinem vorgerückten Lebensalter von siebenzig Jahren, die Allergnädigste Bewilligung der Besitzfähigkeit für ihn beinahe eine kränkende Zumuthung in sich schließen und einer Zurückweisung gleichen und wahrscheinlich nutzlos seyn würde, wenn dieselbe nicht wenigstens zugleich auch auf seine beiden Kinder, nämlich auf den k. k. General-Consul in Frankfurt, Anselm Baron Rothschild, und auf seine Tochter, welche mit seinem jüngeren Bruder James Baron Rothschild, k. k. General-Consul in Paris vermählt ist, – ausgedehnt würde.

Die Notorietät der Verdienste des Freyherrn von Rothschild nun, das Allgemeine seines Edel- und Wohlthätigkeitssinnes und seiner bewährten, patriotischen Gesinnungen überheben mich der Aufführung der einzelnen mannigfaltigen Thatsachen . . .

Wenn ich nun noch in Betrachtung ziehe, daß es nur erwünscht seyn könne, wenn Freyherr von Rothschild durch Übertragung größerer Kapitalien und ihre Verwendung im Inlande und insbesondere durch den Realbesitz an den Österreich'schen Kaiserstaat enger gefasselt werde; wenn ich mich der Ansicht nicht entschlagen kann, daß es im Auslande wohl als eine auffallende Erscheinung angesehen werden müßte, wenn ihm der sehnliche Wunsch seiner förmlichen Seßhaftmachung gerade in dem Staate, wo er durch eine so lange Reihe von Jahren so wesentlich wirkte, wo er mit der Regierung in den ausgedehntesten und wichtigsten Verbindungen, in welchen sich vielleicht jemals ein Privater gegenüber einer Regierung befand, gestanden ist, und noch steht – nach den früheren Auszeichnungen, deren er sich erfreut, versagt würde, so finde ich mich aufgefordert, das mir gnädigst zugestellte Gesuch zu unterstützen."

Daraufhin erfloß die kaiserliche Entscheidung, wonach die Bitte Salomon Rothschilds bewilligt wurde. Rothschild quittierte dies mit der Stiftung von 40000 Gulden zur Errichtung eines Gebäudes in der Stadt Brünn, in welchem wissenschaftliche Institute untergebracht werden sollten.

Waren die obersten Stellen im Staate, wie man gesehen, vollkommen auf der Seite Rothschilds, so waren die mährischen

Stände gänzlich anderer Meinung. Da die kaiserliche Entscheidung schon ergangen war, konnten sie freilich unter den damaligen Verhältnissen nicht offen dagegen auftreten[1], aber sie beschlossen wenigstens an den Kaiser die „allerunterthänigste Bitte" zu richten, daß „der oberwähnten Allerhöchsten Ausnahmsbestimmung keine wie immer geartete Erweiterung gegeben und die dem Freyherrn von Rothschild allergnädigst ertheilte Konzession nur auf einen Dominicalkörper beschränkt bleiben möge".

Diese Bitte wurde zwar pflichtgemäß bis zum Throne weitergeleitet, aber Graf Inzághy versah sie mit der Bemerkung, daß „die vorliegende Eingabe der mährischen Stände ihrer Stellung gegen Eure Majestät nicht ganz angemessen wäre".

Daraufhin entwarf man dem Kaiser folgende Erledigung auf diesem Stücke[2]: „Indem ich Ihre Ansicht als richtig erkenne, will ich, daß diese unberufene Vorstellung der mährischen Stände unbeantwortet bey Seite gelegt werde", und Kaiser Ferdinand unterschrieb.

Während nun der Kaiser dem Baron Rothschild das allerhöchste Wohlgefallen für die Spende von 40000 Gulden zu gemeinnützigen Zwecken der Provinz Mähren aussprach, beschlossen die mährischen Stände als Demonstration, von diesem Anerbieten keinen Gebrauch zu machen. Rothschild beharrte aber auf der Spende, indem er „die Widmung dieses Kapitals ganz der Allerhöchsten Bestimmung S. M. anheimstellte und dabei nur den Wunsch hatte, daß es der Provinz Mähren zugute käme."

Der Hofkanzler Freiherr von Pillersdorf beantragte, der „Kaiser solle dieses neuerliche Anerbieten des Baron Rothschild beyfällig zur A. H. Kenntnis nehmen und gestatten,

---

[1] Die vier Stände Mährens an den Kaiser. Brünn, 18. IX. 1844. Kopie, Beilage zum Präsidialvortrage des Grafen Inzághy vom 27. X. 1844. Wien, Staatsarchiv. — [2] Erledigung Kaiser Ferdinands. Wien, 22. II. 1845. Wien, Staatsarchiv.

daß demselben die Bestimmung der Summe bekanntgegeben werde. Es schiene der Würde der A. H. Regierung zu entsprechen und zugleich ein Wink für die Mährischen Stände darin zu liegen, daß ihr Benehmen in dieser Sache nicht jenen Charakter von Schicklichkeit und Zartgefühl an sich trage, welcher sie für Beschlüsse ihres Landesherrn beseelen sollte ..."

Graf Kolowrat war der gleichen Ansicht, und man schrieb dem Kaiser nachstehende Erledigung vor, die er wie gewöhnlich unterschrieb: „Ich nehme diese Erklärung des Freiherrn von Rothschild wohlgefällig auf, und überlasse es dem Hofkanzlei-Präsidenten demselben eine dem früher ausgesprochen Zwecke dieses Geschenkes sich nähernde Widmung anzudeuten."

Damit war die Sache erledigt und für Salomon Rothschild der Weg zum Ankaufe von Landgütern und Herrschaften frei. Im Verlaufe des Jahres 1844 kaufte er vom Grafen Henckel die Herrschaft Oderberg und das Gut Ludzierzowitz in Preußen und im Jahre 1845 die Domäne Hultschin. Seit 1843 besaß Salomon in Preußen nahe an der österreichischen Grenze bereits die Herrschaft Schillersdorf, auf der einerseits ein prachtvolles Schloß mit Brunnen, Teichen, Wasserfall, Schwänen, Grotten, Hundezwinger und Wildpark errichtet war, der man andererseits ein Hüttenwerk und andere industrielle Anlagen angliederte. Damit wurde nun Salomon Rothschild mit einem Schlage zu einem der größten Grundbesitzer.

Hatte sich schon anläßlich des Güterkaufes in weiten Kreisen eine Opposition gegen die Übermacht des Hauses Rothschild ausgesprochen, so traf dies auch in bemerkenswerter Weise gelegentlich der Vorbesprechungen für den Bau einer ungarischen Zentralbahn zu, an der sich Salomon Rothschild in führender Weise beteiligen wollte. Freilich spielte da auch der Konkurrenzneid Sinas mit, der sich des Grafen Széchényi, des großen Ungarn, zu versichern wußte.

Es war ja wahr; die äußere Aufmachung und der Prunk, mit

dem Salomon Rothschild in letzter Zeit zu reisen pflegte, mußte schon Widerspruch erregen, denn er näherte sich fast dem Aufwande bei der Fahrt eines Monarchen. Für den 28. April 1844 zum Beispiel war eine Besprechung der Angelegenheit der ungarischen Central-Bahngesellschaft nach Preßburg angesetzt. Salomon Rothschild kam mit einem Dampfboot am Abend vorher an, und es erregte schon unliebsames Aufsehen, daß das Schiff seinetwegen am Königsplatze landete, während man sonst vor der Brücke hielt. Im Gasthaus zur Sonne, wo der Baron abstieg, waren eigens einige Zimmer von ihren Bewohnern geräumt und zu seinem Empfange hergerichtet worden. Einer verriet dem andern, daß für die noch am Abend des 29. beabsichtigte Rückkehr nach Wien zwei Züge Vierspänner nebst Vorreitern bestellt waren. Die Glaubensgenossen des Barons wollten ihn feierlich empfangen. „Eine große Anzahl hiesiger Israeliten“, meldete der Polizeibericht, „harrten seiner am Donauufer; ihr Vorhaben, den Baron auf eine feierliche Weise zu empfangen, vereitelte Graf Carl Eszterházy, der es nicht zuließ, daß, wie die Israeliten beabsichtigten, vierzig Böller losgebrannt wurden. Auch unterblieb jeder Freudenruf, was bei der üblen Stimmung der hiesigen Bürger gegen die Israeliten überhaupt leicht zu Ruhestörungen hätte führen können, so wie man schon darüber murrte, daß das Dampfboot, Rothschilds wegen, am Königsplatz landete, während es sonst vor der Brücke stehen bleibt. Am Landungsplatze erwartete ihn bereits ein vierspänniger Wagen, der ihn zum Absteigquartier führte. Bald nach seiner Ankunft begab er sich in das Hollinger'sche Kaffeehaus, wo er ein Gefrorenes zu sich nahm. Beim Fortgehen erlaubten sich einige junge Leute vom ersten Stock herab: Hoho! zu rufen, was dem Baron gegolten haben soll. Heute Mittags speiset Rothschild bei S. E. dem Herrn Perzonalen, die Komissäre der Oppositionsparthei sind ebenfalls zur Tafel geladen. Nach Aufhebung derselben um vier Uhr wird sogleich die Rückreise angetreten. Die Sitzung der Central-Eisenbahngesellschaft wollte man anfänglich im Ständesaale abhalten; da man aber hörte, daß ein Theil der jungen Leute vom Landtage aufgehetzt wurden und auch Graf Stephan Széchényi im Bunde mit Sina nicht ganz unbetheiligt bei den Agitationen gegen die Central-Eisenbahn sey, so ordnete man die Zusammenkunft im Schützengebäude an."[1]

An der Tafel beim Statthalter nahmen der Vizepalatin, die Grafen Carl Eszterházy und Andrássy, der Preßburger Höchstkommandierende und zahlreiche Komitatsdeputierte aus den ersten Familien des Landes, wie Gabriel, Lónyay, Hertelendy, Ráday, etc. etc., teil. „Die Deputierten benahmen sich gegen Rothschild äußerst freundlich und zuvorkommend, einer von ihnen brachte in den schmeichelhaftesten Ausdrücken einen Toast aus, der dem Wunsche Ausdruck gab, daß der Baron und seine in den verschiedenen Hauptstädten Europas residirenden Brüder nach Ungarn kommen und diesem Lande ausschließlich ihren Reichthum und ihre moralischen Kräfte widmen möchten. Rothschild dankte sehr freundlich und bemerkte: So ehrenvoll dieser Antrag auch sey, wäre es wohl nicht thunlich, da hierüber das Schicksal und die Umstände entscheiden, doch wolle er dem schönen Ungarn stets eine besondere Aufmerksamkeit widmen. – Dies wurde sehr beifällig aufgenommen. Beim Abschied meinte er, er könne gewiß nichts anderes thun als jener Professor, der seinen Schülern bei seinem Weggehen sagte: ‚Ich gehe zwar fort, lasse aber meinen Mantel hier, der wird mir schon sagen, was jeder mache, und wie er sich während meiner Abwesenheit aufgeführt habe.‘ Diesen lächelnd vorgebrachten Spruch nahmen die Anwesenden, obschon man später verschiedenartig darüber sprach und die Äußerung unpassend fand, doch für den Augenblick mit vieler Geschmeidigkeit auf."

[1] Polizeibericht aus Preßburg vom 29. VI. 1844 aus dem (nunmehr vernichteten) Justizarchiv, Wien.

Auch die Geistlichkeit war von dem Überhandnehmen der Macht des jüdischen Bankhauses wenig erbaut, und wo sie nur konnte, suchte sie dem Hause Rothschild Schwierigkeiten zu bereiten. So mußte Salomon am 6. Februar 1845 für sein Kohlen- und Asphaltwerk in Dalmatien beim Kaiser mit der Bitte einschreiten, daß der Erzbischof von Zara die Geistlichkeit, die dem Unternehmen überall Hindernisse in den Weg legte, anweise, dies zu unterlassen.[1] Diese Gesuche hatten fast immer den gewünschten Erfolg, denn Rothschild hatte sich nun einmal unentbehrlich zu machen gewußt. Eben wieder besprach er ein großzügiges Geschäft mit dem Staate, nämlich einen Vertrag bezüglich Errichtung einer Saline zur Erzeugung von Salz in der Lagune von Venedig. Damit sollte fast der ganze Bedarf der Lombardei gedeckt werden.[2]

Wenn Salomon einmal, wie es häufig vorkam, in Frankfurt und nicht in Wien weilte, so fühlten sich die obersten Stellen der Monarchie, die über das Finanzwesen zu wachen hatten, geradezu unbehaglich. Dies kam scharf zum Ausdruck, als im Oktober 1845 in Wien, wo namentlich in Eisenbahnpapieren, wie übrigens in ganz Europa, sehr stark spekuliert wurde, eine plötzliche Baisse und Börsenkrise eintrat. Mancherlei politische Alarmnachrichten über Unruhen in Italien verschärften die Lage so sehr, daß die Bankhäuser Sina und Eskeles und der Bevollmächtigte des abwesenden Rothschild um eine sofortige staatliche Geldaushilfe von zwei Millionen Gulden gegen Solidarhaftung baten, um das Ärgste abzuwenden. Metternich wandte sich persönlich an den österreichischen Gesandten in Frankfurt und beauftragte diesen, Salomon aufzufordern, angesichts der Lage des Geldmarktes entweder selbst nach Wien zu kommen oder ein anderes Mit-

---

[1] Hofgesuch Salomon Rothschilds im Namen der privaten adriatischen Steinkohlen-Hauptgewerkschaft für Dalmatien und Istrien. Wien, am 6. II. 1845. Wien, Staatsarchiv. — [2] Vertrag Salomon Rothschilds mit der österreichischen Regierung wegen Errichtung einer Saline in Venedig. 14. XII. 1845. Wien, Staatsarchiv.

glied des Hauses zu delegieren. Er empfinde es im Interesse der Finanzen des Staates als eine Notwendigkeit, daß ein Mitglied der Familie Rothschild ständig in Wien weile.[1]
Die Antwort war ausweichend, da Salomon in Frankfurt, wo gleichfalls Schwierigkeiten bestanden, dringend zu tun hatte, aber der Fall zeigt, wie Metternich, sobald eine Geldverlegenheit in Österreich eintrat, nach Rothschild rief.
Auch in Frankreich war die finanzielle Staatsleitung in weitgehendem Maße von dem Hause Rothschild abhängig. Als im Jahre 1841 James zur Kur in Gastein weilte, forderte ihn der französische Finanzminister Humann auf, sich bestimmt bis 7. September in Paris einzufinden, da er den Abschluß der Anleihe nicht länger verzögern wolle.[2] Tatsächlich wurde auch im Oktober 1841 ein Anlehen von 150 Millionen ohne Konkurrenz zum Preise von 78,52 3%iger Rente einer Gesellschaft zugeschlagen, an deren Spitze James stand. Man beurteilte diese Anleihe damals in Paris sehr schlecht, fand sie dem Kredit des Landes nicht entsprechend und meinte, Humann sei übers Ohr gehauen worden. Tatsächlich wurde die Anleihe unmittelbar nach ihrer Übernahme durch das Haus Rothschild an der Börse mit 81 Francs gehandelt.[3]
Aber nicht nur in finanziellen, auch in diplomatischen Angelegenheiten wurde das Haus Rothschild von der Regierung Louis-Philippes wiederholt verwendet. So hatte sich Guizot, der Minister des Äußeren, im März 1843 eines Tages bemüht, mit dem Besieger des Don Carlos, dem General Espartero, der aber dann auch die Königin-Mutter zur Flucht aus dem Lande zwang und Regent Spaniens ward, in bessere Beziehungen zu treten. Da die französische Regierung es im allgemeinen mit Marie Christine hielt, so hatte es sich die Madrider

---

[1] Schreiben Metternichs an den Gesandten in Frankfurt und aus Frankfurt vom 11. X. 1845. — [2] Münch-Bellinghausen aus Frankfurt an Metternich. 8. VIII. 1841. Wien, Staatsarchiv. — [3] Herr von Thom an Metternich. Paris, 21. X. 1841. Wien, Staatsarchiv.

diplomatische Vertretung Frankreichs mit Espartero ganz verdorben. Jetzt sollte das Haus Rothschild eine Annäherung vermitteln. James wurde von Guizot beauftragt, in einem Briefe an den Rothschildchen Vertreter Weisweiller, bei welchem General Espartero Privatgelder angelegt hatte, die Wünsche der französischen Regierung zur Kenntnis zu bringen, damit sie durch diesen Kanal bis zum General gelangten. Weisweiller war zwar damit nicht einverstanden, weil er fürchtete, die finanziellen und kommerziellen Interessen des Hauses Rothschild in Spanien zu gefährden. Immerhin wurde der Auftrag ausgeführt, dann aber durch die weiteren Ereignisse in Spanien, die mit dem Sturze Esparteros endeten, gegenstandslos.[1]

Metternich, der die Niederlage seines Schützlings Don Carlos nicht verwinden konnte, hoffte immer noch, sie wenigstens abzuschwächen. Er wollte nämlich die jugendliche, im Jahre 1844 vierzehn Jahre alt gewordene Tochter Marie Christinens, die Königin Isabella, mit dem Sohne Don Carlos' verheiraten, um auf diese Weise wenigstens den Erben seines Schützlings zum König von Spanien zu erheben. Die Londoner Rothschild hatten unter dem 29. März Salomon nach Wien mitgeteilt, daß auch das englische Ministerium sein möglichstes zu diesem Plane beitragen wolle. Salomon teilte dies sofort Metternich mit, der sich dahin äußerte, daß ein Zustandekommen dieses Ehebündnisses als ein wahres Glück für ganz Europa anzusehen wäre und die bisherige isolierte Stellung Frankreichs und Englands in den spanischen Angelegenheiten mit denen der anderen drei Kabinette vereinigen würde. Metternich legte auf das Gelingen seines Plans in Wirklichkeit schon des eigenen Prestige wegen höchsten Wert, denn er hatte sich auch bei den Höfen in Berlin und Petersburg persönlich für Don Carlos eingesetzt. Salomon Roth-

---

[1] Aus den Berichten Apponyis an Metternich. Paris, 3. und 10. III. 1843. Wien, Staatsarchiv.

schild sah in dieser Möglichkeit auch eine sehr günstige Chance für sein Haus.

„Träte dieses für Spanien's Zukunft heilvollste Ereignis ein," schrieb er an seine Kompagnons in Paris, London und Frankfurt[1], „dann wäre der Zeitpunkt der finanziellen Wirksamkeit unseres Hauses für die gekräftigte Regierung dieses Landes erschienen, dann riethe er, der verehrte Fürst (Metternich) mit voller Beruhigung uns an, offen hervorzutreten und unsere Bereitwilligkeit zu einem umfassenden finanziellen Arrangement für Spanien thatkräftig ins Werk zu setzen, wobey wir auch auf die beste Unterstützung Sr. D. in jeder Hinsicht rechnen dürften.

Von Sr. D. ermächtigt, Euch, meine lieben Brüder und Freunde, seine Gesinnungen, die wir stets als unser Orakel anzusehen gewohnt sind, wortgetreu mitzutheilen, brauche ich Euch nicht zu ersuchen, sie Euch zum Leitfaden Eures Verfahrens dienen zu lassen, sobald die Ereignisse sich so gestalten werden, daß an die Stelle unseres bisherigen beobachtenden Verhaltens, ein actives, so hochwichtigen Umständen angemessenes treten kann."

Aber es kam doch alles anders. Isabella wurde ihrem Vetter und nicht dem Sohne des Don Carlos vermählt, und der schöne Traum Metternichs, in Spanien doch noch recht zu behalten, zerfloß. Der Fürst war darüber sehr ungehalten, und er, der sonst für das Haus Rothschild soviel übrig hatte, war in spanischen Angelegenheiten geneigt, dem Pariser und dem Londoner Hause alle Schuld in die Schuhe zu schieben.

Auch in Paris gab es eine starke Partei, die die Vertrauensstellung der Rothschild mit scheelen Augen ansah. Besonders taten dies jene, die Rothschild nicht bei Zuteilung der Nordbahnaktien mit herangezogen — das bei allen Gewinnlustigen zu tun war natürlich unmöglich —, und die Übergangenen er-

[1] Salomon Rothschild an „seine lieben Freunde und Brüder", Wien, 7. IV. 1844. Wien, Staatsarchiv.

zählten jedem, der es hören wollte, Louis-Philippe habe einfach zugunsten der Juden abgedankt. Metternich gab einmal in einem unmutigen Augenblick seiner Beurteilung der Stellung der Rothschild in Frankreich bezeichnenden Ausdruck. Nachdem er den Unterschied zwischen den Verhältnissen in Österreich und Frankreich hervorgehoben, meinte er: „Das Haus Rothschild spielt aus natürlichen Gründen, die ich allerdings deswegen nicht als gute und besonders nicht als moralisch entsprechende betrachten kann, in Frankreich eine viel größere Rolle, als die Cabinette mit einziger Ausnahme vielleicht des englischen, die große Triebfeder (véhicule) ist das Geld. Leute, die die Philantropie vorweg nehmen und die Kritik unter der Last des Geldes erdrücken müssen, brauchen sehr viel davon. Man rechnet ganz offen mit der Corruption, diesem in vollem Sinne des Wortes praktischen Element im modernen Repräsentativ-System.“[1]

Der deutsche Gesandte in Paris, von Arnim, bezeichnete das Haus Rothschild als eine Großmacht unserer Tage und meinte, daß wenige Regierungen in der Lage seien, von sich sagen zu können, daß sie nicht die goldenen Ketten dieses Bankhauses trügen.[2]

Das war natürlich in einem Lande leichter möglich, wo das Fieber der Spekulation alle Klassen der Bevölkerung erfaßt hatte und selbst die Angestellten der Regierung ohne Scheu an der Börse operierten. James sah die dagegen aufkeimende Unzufriedenheit im Lande nicht. Er dachte, gerade weil jetzt alles im Spekulieren und Verdienen begriffen sei, wünsche man keinen Umsturz der bestehenden Regierung, um die Gewinne nicht zu gefährden. „Die Departements,“ sagte er zum Grafen Apponyi, „welche Eisenbahnen erhalten haben, wünschen sie zu behalten, um daraus möglichsten Gewinn zu

[1] Metternich an Apponyi, Wien, 11. XII. 1845. Siehe auch Metternichs nachgelassene Papiere, VII, 101. — [2] Hillebrand, Geschichte Frankreichs. II, 646.

ziehen. Jene, die sie noch nicht haben, wünschen und hoffen, sie in nächster Zukunft zu bekommen. Da man beides nur bei Aufrechterhaltung des Friedens und der Ordnung erlangen kann, erklärt sich nun alle Welt conservativ und ministeriell."

James urteilte zu sehr unter dem Eindruck der Haltung jener Kreise, mit denen er vornehmlich zu tun hatte. Er ließ den vierten Stand, die Arbeiter und Bauern, bei der Beurteilung aus dem Spiel, weil er mit ihnen zu wenig Verkehr hatte.

Der gewaltige Eisenbahnbau fesselte seine Aufmerksamkeit. Um die bei jedem großen Werke, so auch hier widerstrebenden Elemente in Parlament und Presse zum Schweigen zu bringen, interessierte er sie womöglich direkt durch Überlassung von Aktien des Unternehmens. Nur das Oppositionsblatt „National" nahm die Aktien nicht und blieb in Kampfstellung gegen die Nordbahn-Unternehmung. Als sich nun, nachdem am 15. Juni 1846 Teile der Nordbahnstrecke unter großen Feierlichkeiten eröffnet waren, schon am 8. Juli desselben Jahres ein Eisenbahnunfall ereignete, brach ein Sturm von Flugschriften und Presseangriffen los. Der Unfall war wirklich schwer gewesen. In der Nähe von Fampoux bei Arras war der Zug auf einem stark gekrümmten Damm, der von einem weiten Teich bespült war, entgleist und ins Wasser gestürzt. Es gab siebenunddreißig Tote, und das führte zu heftigen Angriffen gegen die Erbauer der Bahn und vorwiegend gegen den Hauptunternehmer, das Haus Rothschild. Das Blatt „National" entfesselte geradezu einen Krieg gegen dieses; von allen Seiten wurde James in Pamphleten angegriffen. Ähnliches war schon früher auch in Deutschland geschehen, wo ein gewisser Alexander Weil, der als Sozialist und Kommunist bezeichnet wurde, in einer Broschüre „Rothschild und die europäischen Staaten" haßerfüllte Worte gegen den finanziellen Despotismus und Egoismus des Hauses Rothschild schleuderte.[1] Er führte darin aus, es gäbe nur eine

[1] Alexander Weil, Rothschild und die europäischen Staaten. Stuttgart 1844.

Macht in Europa, und das sei Rothschild; seine Trabanten seien ein Dutzend anderer Bankhäuser, seine Soldaten und Knappen alle ehrlichen Handelsleute und Arbeiter, und sein Schwert die Spekulation.

Dieser Ausfall war zahm im Vergleich zu dem Sturm, der nun in Frankreich einsetzte. Vor allem ragte da ein Angriff hervor, der sich „Histoire édifiante et curieuse de Rothschild I., roi des Juifs“ betitelte und eine Darstellung der Eisenbahnkatastrophe vom 8. Juli enthielt. Es war ein Pamphlet übelster Gattung, das alle Schuld auf James und sein Haus lud und anonym in Massen verbreitet wurde. Demgegenüber fanden sich dann auch Leute, die glauben machen wollten, sie seien von James autorisiert, auf diesen Angriff gleichfalls in einem Pamphlet zu antworten.

Ein Mann, der nicht die geringste Verbindung mit James unterhielt, veröffentlichte eine Broschüre mit dem Titel: „Offizielle Antwort des Herrn Baron James von Rothschild auf das Pamphlet mit dem Titel: ‚Histoire édifiante . . .‘.“ Ein anderer wieder betitelte seine Schrift „Antwort Rothschild I., Königs der Juden an Satan den Letzten, König der Verleumder“.

Solche Leute suchten dann von James klingenden Lohn dafür zu erlangen, was ihnen aber nicht gelang, denn James wünschte alle Pamphletisten, ob sie nun für oder gegen ihn waren, gleicherweise zu ignorieren. Aber auf die Dauer ging das doch nicht, denn diese Schriften, so schlecht sie abgefaßt waren, wurden doch in Zehntausenden von Exemplaren verbreitet, und insbesondere Amschel Meyer in Frankfurt bewahrte nicht dieselbe Ruhe wie sein Bruder James, als diese Schmähschriften auch in Preußen in deutscher Übersetzung erschienen. Es wurde daher beschlossen, einzuschreiten, und Salomons Sohn Anselm wandte sich direkt an das preußische Staatsministerium.

„Eure Excellenz“, schrieb er, „wollen mit Ihrer gewohnten

Nachsicht es mir gestatten, daß ich mit dem gegenwärtigen Schreiben Ihre den wichtigsten Staatsgeschäften gewidmeten Momente für eine Angelegenheit in Anspruch nehme, welche in hohem Grade lediglich unsere Familie interessiert. Es ist Euer Excellenz nicht unbewußt, daß zur Zeit der unglücklichen Catastrophe auf der französischen Nordbahn mehrere Schmähschriften gegen meinen Onkel, den Baron James als Repräsentanten des Pariser Hauses publiciert wurden, welche jenes durch den Willen der Vorsehung hervorgerufene Unglück nicht nur dem Verschulden meines Onkels zuschreiben, sondern auch die infamsten, unbegründetsten Angriffe auf den Charakter und die Moralität unseres geschäftlichen Wirkens mit unerhörter Frechheit zu machen keinen Anstand nahmen. Unsere Häuser hielten es unter ihrer Würde, gegen solche rohe Anfeindungen sich zu vertheidigen, zumal diese von einem verächtlichen Subjecte ausgingen, welchem unser Pariser Haus mit Recht ein Gelddarlehen verweigerte; wir gingen dabei von der Ansicht aus, daß der gemeine Haufe, welcher sich der Injurie mehr als der Wahrheit und dem guten Rechte hinneigt, schwer zu überzeugen ist, der unpartheiische, wohldenkende Theil des Publikums hingegen, welcher unsere langjährige Handlungsweise zu beobachten Gelegenheit hatte, keiner weiteren Überzeugung bedarf.
Es erschienen zwar kurze Zeit darauf mehrere Vertheidigungsschriften, welche unsere Häuser gegen jene Schmähungen in Schutz nahmen, allein ganz ohne unser Zuthun, ja selbst ohne unser Mitwissen. So lange unsere Widersacher ihr feindliches Treiben auf französischen Boden beschränkten, hielten wir es überdies auch nicht angemessen, uns dagegen aufzulehnen, denn Frankreich ist der Tummelplatz der zügellosesten Presse, welche Niemanden, der eine einigermaßen hervorragende Stellung einnimmt, mit ihren giftigen Angriffen verschont. In Deutschland und namentlich in Preußen ist oder sollte dem jedoch nicht so sein. Um so schmerzlicher war

daher der Eindruck, den die Veröffentlichung gleichartiger Schmähschriften in Berlin und Breslau bei uns erwecken muß.
Ich kann es Euer Excellenz nicht verhehlen, daß mein Vater und mein Onkel bei ihren vorgerückten Jahren von jenen Schmähungen tief erschüttert sind und mit Betrübnis erkennen, daß in einem Lande, dem sie so wichtige und langjährige Dienste geleistet, unter dem Scepter eines der gerechtesten Monarchen und unter der Handhabung einer strengen Zensur, solche Ausgeburten der schmählichsten Verleumdung das Licht der Welt erblicken konnten.
Im Namen und Auftrag der sämmtlichen Mitglieder unserer Häuser wende ich mich daher vertrauensvoll an E. E. mit dem Ersuchen, die anliegende Eingabe, welche in ehrerbietiger Weise unsere gerechten Beschwerden vor die Stufen des Thrones bringt, zu den Allerhöchsten Händen S. M. des Königs gelangen zu lassen. Meine Familie glaubt bei dieser Veranlassung die einflußreiche Mitwirkung E. E. ganz besonders anzusprechen, und dahin zu wirken, daß hier schnell und kräftig der Folgen wegen, da das Geschehene nicht mehr zu ändern ist, vorgekehrt werde. E. E. würde durch Willfahrung dieses unseres Anliegens die aufrichtigen Gefühle unserer Erkenntlichkeit womöglich noch erhöhen, und namentlich meinen Vater und meinen Onkel, welche Hochdemselben mit der innigsten Anhänglichkeit ergeben sind, auf immer verpflichten."[1]

Von dieser Eingabe versprach man sich im Hause Rothschild besonderen Erfolg, weil ja Anselm im Sommer desselben Jahres mit dem preußischen Finanzminister wieder einmal in enge Verbindung getreten war, um die Reorganisation der preußischen Staatsfinanzen zu fördern. Die Angriffe schadeten aber dem Hause Rothschild herzlich wenig, das Geld-

[1] Anselm Rothschild an das preußische Staatsministerium. 22. X. 1846. Wien, Staatsarchiv.

bedürfnis der großen Staaten, mit denen die Rothschild in Verbindung standen, war so dringend und die Monopolstellung des Hauses so ausgesprochen, daß man seiner nicht entraten konnte und über alle gehässigen Angriffe hinwegging. Amschel Meyer war der Kassier des deutschen Bundes, Österreich und Preußen hatten das Geld für den Festungsbaufonds wieder an die Bundeskasse abgeführt, und als im Februar 1846 Rothschild die Kontokorrente vorlegte, ergab es sich, daß der Bund bei seiner Kasse sieben bis acht Millionen verzinslich angelegt hatte.

Selbst der Papst, seit Juni 1846 der damals freisinnige Pius IX., der sofort die Eisenbahnbauten gestattete, die sein Vorgänger nicht zugelassen hatte, trat durch Metternichs Vermittlung mit dem Hause Rothschild in Verhandlung, um von diesem das Geld zum Ausbau der Bahnen zu erlangen. Der Staatskanzler vermittelte hiezu am 13. August 1846 eine Unterredung Anselms mit dem päpstlichen Nuntius in Franzensbad.[1]

Österreich brauchte im Jahre 1847 wieder eine Anleihe, und die drei Wechselhäuser, darunter Rothschild, verpflichteten sich, für 80 Millionen Gulden Obligationen 84 Millionen Gulden in 65 Monatsraten vom 1. Juni 1847 angefangen, vorzuschießen. Diese letztere Bestimmung sollte noch, angesichts der Ereignisse, die sich im Jahre darauf abspielten, von tiefgehender Bedeutung werden. Kaum war der Vertrag abgeschlossen, reichte Salomon schon wieder eine Bitte bei der vereinigten Hofkanzlei ein[2], diesmal um Dispens des Hindernisses der israelitischen Religion für die geplante Verleihung des Ehrenbürgerrechtes von Wien auch an den Sohn Salomons, Anselm. Graf Kolowrat meinte dazu, er müsse, ganz abgesehen davon, was von Anselm, der seinem Vater an Wohltätigkeitssinne in nichts nachstehe, für die Wohlfahrts-

---

[1] Metternichs nachgelassene Papiere, a. a. O. VII, S. 155. — [2] Vortrag der vereinigten Hofkanzlei vom 4. VI. 1847. Wien, Staatsarchiv.

anstalten und für öffentliche Zwecke der Stadt Wien zu erwarten sei, noch bemerken, „daß auch Staatsrücksichten für diese Dispens sprächen, indem es von unliebsamen Folgen seyn dürfte, die bey Anlehen und anderen Finanzoperationen verwendeten in Wien ansässigen großen Banquiershäuser nach dem Tode des Salomon Freyherrn von Rothschild um Eines vermindert zu sehen, und sozusagen ganz allein auf das Haus Sina beschränkt zu seyn".[1]

Daraufhin wurde Anselm tatsächlich am 2. August 1847 in das goldene Buch der Stadt Wien eingetragen. Überdies wurde gleichfalls kurz nach Abschluß der Anleihe, noch am 11. Juni 1847, von Salomon Rothschild ein Ansuchen eingereicht, aus seiner Herrschaft Koritschau in Mähren und drei Stadthäusern in Wien ein Familienfideikommiß im Werte von 2000000 Gulden, in der Primogenitur vererbbar, errichten zu dürfen. Er bat um Nachsicht des Wertes von 2000000 Gulden, da gesetzmäßig nur eine Höchstsumme von 400000 Gulden vorgesehen sei, „der allerhöchsten Machtvollkommenheit aber jede Abweichung hievon anheim gestellt sei".[2]

Der Kaiser verlangte Gutachten über diese Bitte, und infolge der kurz darauf eingetretenen großen Ereignisse zog sich die Erledigung der Sache hin.

Auch in England blieb die Stellung des Hauses unerschüttert. Lionel, Nathans ältester Sohn, war außerordentlich tätig und arbeitsam. Die jüngeren Brüder Anthony und Meyer Nathan wurden große Sportsleute und als Owner berühmter Pferde in Sportkreisen sehr bekannt. Nathaniel lebte in Paris, war schwer krank, interessierte sich aber doch für

[1] Bemerkung Kolowrats auf dem Vortrag der Hofkanzlei vom 4. VI. 1847. Wien, Staatsarchiv. — [2] Majestätsgesuch Salomon Rothschilds vom 11. VI. 1847. Es sollten dazu gehören: Koritschau in Mähren im Werte von 800000 Gulden, die Stadthäuser Nr. 138 und 139 (Renngasse) im Werte von 600000 Gulden und das Haus am Bauernmarkt Nr. 588 mit 500000 Gulden.

Wissenschaft und Kunst ebenso wie für die politischen Vorgänge rings um ihn. Schon aber sah man in dieser dritten Generation des Hauses Persönlichkeiten auftauchen, die nicht mehr in finanzieller Arbeit aufgingen, sondern mehr auf ihre gesellschaftliche Stellung, auf Kunst und Sport Wert legten. Lionel schuf sich eine besonders angesehene Stellung im britischen Finanzleben, als er im März 1847 dem englischen Parlament, das sich mit dem unglücklichen Zustand Irlands beschäftigte, seine finanzielle Unterstützung bei den dort geplanten Reformen anbot. Der englische Schatzkanzler nahm tatsächlich bei Rothschild und Baring eine Anleihe von 8 000 000 Pfund auf, die später unter dem Namen der irischen Hungersnotanleihe berühmt wurde.

Während aber Nathan immer das Bestreben gehabt hatte, sich von einer Staatsstellung oder einer politischen Würde fernzuhalten, war es Lionels Wunsch, in das Unterhaus zu gelangen. Nun waren aber den Juden nach geltender Gepflogenheit in England weder bürgerliche noch militärische Ämter zugänglich. Auch das passive und das aktive Wahlrecht ins Parlament war ihnen verschlossen. Die englischen Juden lebten in einer Art politischen und sozialen Ghettos, und niemand außer den Rothschild und einigen wenigen Familien, die sich eine Sonderstellung zu schaffen verstanden hatten, hätte daran denken können, sich daraus zu befreien. Nur die beiden Häuser des Parlaments wären berechtigt gewesen, hierin Ausnahmen zuzulassen. Lionel aber dachte, sein Haus habe sich in finanziellen Dingen um England so verdient gemacht, daß er seine Wahl und deren Anerkennung vielleicht doch durchsetzen könnte. Im August 1847 trat er in der Tat bei den Parlamentswahlen als liberaler Unterhauskandidat in der City von London auf und wurde gemeinsam mit Lord John Russel auch wirklich gewählt. Nun mußte aber jedes Unterhausmitglied, bevor es seinen Sitz einnehmen konnte, einen Eid ablegen, in dem die Worte: „on the true faith of a Christian" (in dem wahren christlichen Glauben) vorkamen. Das konnte Lionel natürlich nicht. Im Unterhause wurde die Abänderung der Eidesformel vorgeschlagen, aber das Oberhaus verwarf sie. Lionel konnte daher seinen Sitz nicht einnehmen, trat aber weiter als Kandidat auf und wurde von der City immer wieder gewählt, ohne vorerst seine neue politische Würde wirklich ausüben zu können.

Der Vorabend des Krisenjahres 1848 sah die Rothschild wieder wie einst 1830 mitten in der Erledigung riesiger Anleiheoperationen. Neben der irischen Hungersnotanleihe stand eine dreiprozentige französische von 250 Millionen Francs, die Rothschild zu 72,48 übernahm. Vorsichtshalber ließ er sich aber, wie bei der letzten österreichischen Anleihe, nur auf die Zahlung in monatlichen Raten ein. Österreich hatte sogar noch im Dezember 1847, als schon bedenkliche Anzeichen im lombardisch-venezianischen Königreiche zutage traten und eine Vermehrung der dortigen Streitkräfte nötig erscheinen ließen, die Neigung gezeigt, mit dem Hause Rothschild außerhalb der normalen Anleihen streng geheim zu haltende Veräußerungen von Obligationspapieren einzugehen. Dies gab dem Grafen Kolowrat Gelegenheit, über die momentane allgemeine Lage Urteile abzugeben, die von großer Voraussicht für die kommenden Dinge zeugten.

„Der Geldmarkt"[1], schrieb er, „ist sehr gedrückt und läßt

[1] Vortrag des Hofkammerpräsidenten Freiherrn von Kübeck vom 12. XII. 1847. Es handelte sich um die Veräußerung von 3775000 Gulden vierprozentiger Obligationen, die seit 1830 in den Kreditbüchern eingetragen waren und für unvorhergesehene Fälle bereit gehalten wurden. „Auf der österreichischen Börse", hieß es in dem Vortrag, „kann jedoch die Hintangabe nicht stattfinden, weil dieselbe, wenn sie von der Finanzverwaltung ausginge, nicht verborgen bleiben könnte, und dann böswillige, den Kredit erschütternde und den Geldmarkt verwirrende Folgerungen nicht beseitigt werden könnten. Nebstbei läßt sich nicht einmal annäherungsweise der Preis bestimmen, um welchen der Verkauf Statt finden dürfte, so wie eine sichere und rechtzeitige Hülfe, die doch unerläßlich ist, nicht erwartet werden kann. Nur bei einer streng geheim zu haltenden Veräußerung an ein solides Handelshaus kann der öster-

nicht sobald eine bessere Gestaltung hoffen, zumal mancherlei politische Bewegungen noch eine schlimmere Wendung befürchten lassen. Baron Kübeck glaubt nach aufmerksamer Erwägung des Ganges des Geldverkehres, behaupten zu sollen, daß Rothschild die gedachten Effekten, wenn nicht ganz, doch großentheils längere Zeit unveräußert bewahren und sich mit einer auf $4^3/_5\%$ sich stellenden Verzinsung wird begnügen müssen, was eine sehr mäßige Verzinsung für commerzielle Kapitalien darstellt, und alle im Schoße der bewegten Zeit schlummernden Gefahren in sich begreift ...
Baron Kübeck unterlegt daher die Submission des Hauses Rothschild mit der dringenden Bitte um ihre Ah. Genehmigung und um eine solche a. g. Form der Eröffnung, welche es möglich macht, diese Angelegenheit strenge geheim zu halten.

Die wichtigste Betrachtung muß ich von der dringenden Nothwendigkeit ableiten, daß der Finanzverwaltung der möglichst freie Spielraum gelassen werde, sich aus den Verlegenheiten zu ziehen, in welche sie durch eine Reihe von kostspieligen und unvorhergesehenen militärischen Vorbereitungen gestürzt worden ist. Die hier bezeichnete Reserve ist der letzte Nothanker, an welchem sich der keine Anstrengung scheuende Hof-Kammer-Präsident noch anklammern kann. Leider wird mit dem Verbrauche dieser Summe kein Mittel mehr übrig seyn, mit welchem einem neuen Übel oder Unglücksfalle Trotz geboten werden könnte. Und doch sind solche Unglücksfälle für Staaten nicht außer Berechnung zu lassen, wären es auch nur Ereignisse, die außer der Willkühr der Menschen liegen, wie das Ableben eines Staatsoberhauptes, oder das Einbrechen einer Epidemie, Fehlernte, etc.... Die Zerrüttung der Finanzen mache es klar, daß die österreichische

reichische Kredit ungefährdet bleiben. Der in Wien befindliche Chef des Hauses von Rothschild wurde daher aufgefordert, seine Bedingungen bekannt zu geben."

Regierung zu viel für Zwecke nach außen geopfert und dabei die inneren Zustände zu gering in Anschlag gebracht hat.
Wir befinden uns, ich sehe mich im Gewissen zu dieser ernsten Bemerkung verpflichtet, an dem Rande eines Abgrundes und in der Abwehr vor fremden revolutionären Elementen bereiten sich durch die steigenden Anforderungen an die Finanzen die Unruhen im Innern des Landes vor, wie Anzeichen hierzu in den Bewegungen der Provinz-Stände und in den literarischen Ausbrüchen der Presse der Nachbarstaaten, wahrgenommen werden können.
Der Vorschlag des Baron Kübeck läßt keine streng ökonomische Kritik zu, er ist nach dem eigenen Bekenntnisse ein von der Noth abgedrungener, daher ich nur beipflichten kann, daß Rothschild's Offerte noch ziemlich günstig erscheine, obschon am heutigen Tage – 13. Februar – 4%ige Effekten um 93% auf der Börse verkauft wurden.
Die Geheimhaltung ist eine Bedingung des Baron Rothschild selbst, und noch mehr der Finanzverwaltung, die alles vermeiden muß, was eine Beklommenheit und ein Mißtrauen in den österreichischen Kredit erregen könnte."
Kolowrat hatte sehr recht; im Innern des Staates machte sich bedenkliche Unzufriedenheit mit dem Regime des alternden, nun im siebenundsiebzigsten Lebensjahre stehenden Staatskanzlers Metternich und seiner Paladine, darunter insbesondere des unverwüstlichen und unerbittlichen Polizeiministers Grafen Sedlnitzky, geltend. Auf Italien lasteten die vor allem gegen die nationale Einigung gerichteten Regierungsmaßnahmen besonders schwer und ließen die kulturellen Segnungen der österreichischen Verwaltung im Königreiche Lombardei-Venetien ganz vergessen. Überdies war in der Mitte der vierziger Jahre ein neuer Brandherd in der benachbarten Schweiz entstanden. Dort hatte sich die Bevölkerung in zwei Heerlager, Radikale und Konservative, geteilt. Die sieben katholischen Kantone hatten sich zu einem Sonder-

bund vereinigt und waren in offenen Kampf mit den radikalen getreten.

Im November des Jahres 1847 mußten die Gemäßigten vor der eidgenössischen Armee zurückweichen. Österreich, Frankreich und Preußen, die es mit dem konservativen Sonderbunde hielten, empfanden die Vorgänge in der Schweiz als eigene Niederlage. Metternich sah darin auch eine Bedrohung der Stellung Österreichs in der angrenzenden Lombardei.

Salomon Rothschild, der der Politik des Staatskanzlers nach wie vor durch dick und dünn folgte, zeigte sich gleichfalls von diesen Ereignissen sehr betroffen und eilte am 20. November 1847 zu Metternich, um ihm Auskunft über die allgemeine Lage der Dinge abzufordern.[1]

Metternich entwarf ein kurzes Bild der Lage und stellte dann an Salomon die Frage, ob er glaube, daß es für den Kaiser besser sein würde, seine italienischen Staaten der Revolution preiszugeben und seine Kräfte diesseits der Alpen zu concentrieren oder aber seine Stellung im lomb. venet. Königreich zu behaupten?

„Um Gotteswillen nein," rief Rothschild mit Bezug auf die erste Alternative aus, „da wäre ja alles verloren."

„Dies denke ich auch," erwiderte der Kanzler, „und so müssen alle vernünftigen Leute denken. Zwischen dem Denken und dem Handeln besteht aber ein großer Unterschied."

Metternich sagte weiter, er wolle dem Kaiser vorschlagen, Truppennachschübe für die italienische Armee anzubefehlen. Hierzu gehöre aber Geld, das ohne Störung des geregelten Ganges der Staatsfinanzen aufgebracht werden müßte. Eben erst sei eine Krisis glücklich überstanden, eine neue wäre sehr gefährlich und müsse um jeden Preis vermieden werden. Der Staatskanzler erklärte, für außergewöhnliche Fälle seien Beihilfen nötig, und fragte dabei Salomon, ob solche möglich wären.

---

[1] Metternich und Kübeck, Ein Briefwechsel, a. a. O., Metternich an Kübeck, Wien, 20. XI. 1847, S. 35.

„So viel Sie brauchen," fiel Salomon dem Kanzler in die Rede, „steht Ihnen zu Befehl. Ihrem Kredite soll es nicht schaden, es soll ihm vielmehr nützen. Wieviel wollen Sie, ich weise es sogleich an."
Metternich antwortete, er benötige nichts, und wenn der Hofkammerpräsident etwas brauche, so werde er es wohl zu finden wissen. Ihm genüge es, die Beruhigung zu haben, daß, wenn Baron Kübeck Geld bedürfen sollte, er es bei Rothschild finden werde. Weiter gehe ihn die Sache nichts an.
„Soviel Baron Kübeck will", rief Rothschild aus. „Ich will gleich zu ihm gehen, und den Geldmarkt überlasse er mir. Ich habe die Kurse steigen machen, und wissen Sie womit? Ich habe sie um 2% erhöht, indem ich für 30 Mille Gulden Metalliques auf der Börse habe kaufen lassen!"
„Ich verbiete Ihnen," schloß Metternich, „Baron Kübeck einen Antrag zu machen. Wenn er Sie braucht, so wird er sich an Sie zu wenden wissen. Tut er dies, so stellen Sie sich ihm zu Befehl!"
Die Börse hatte ein feines Empfinden für die Lage. Unruhe lag in der Luft, und eine gewaltige Aufregung ging durch ganz Italien, das im Januar 1848 mit einem Aufstande in Sizilien den Reigen der Revolutionen eröffnete. Die Wiener Börse reagierte mit großer Nervosität auf diese Nachrichten, und die Liberalen aller Länder[1] übertrieben noch geflissentlich die schlechte Lage der Staatsfinanzen des als so reaktionär verschrieenen Kaiserstaates. Schon begann die Bevölkerung in Sparkassen und Banken das Papiergeld in Metall einzuwechseln, so daß ernste Beunruhigung Metternich ergriff.
Mit der allgemeinen Lage war er in der zweiten Hälfte des Januar 1848 nicht unzufrieden, denn in Mailand herrschte noch vollkommene Ruhe, aber finanziell hegte er lebhafte Besorgnisse. Aber als Salomon am 23. Januar den Kanzler besuchte, da machte ihm dieser, wie er selbst sagte, ernste

[1] Siehe von Srbik, „Metternich". München 1925, II, 258.

Vorhaltungen und führte „eine sehr feste Sprache mit ihm“.[1]

„Politisch stehen wir gut,“ sagte er Salomon, „die Börse steht schlecht; ich erfülle meine Pflicht und Sie erfüllen die Ihrige nicht. Holt mich der Teufel, so holt er Sie auch; ich sehe der Hölle gerade ins Gesicht; Sie schlafen statt zu kämpfen; Ihr Schicksal ist also geschrieben!“

Auf diese Sortie hin erging sich Rothschild in den lebhaftesten Entschuldigungen. „Morgen werde ich kaufen, ich habe es mit dem Baron Kübeck verabredet; Er und Sie können auf mich zählen!“

„Ich zähle“, antwortete Metternich, „nur auf die Tat. Kaufen Sie morgen, so weiß ich nicht, warum Sie nicht gestern gekauft haben. War es um wohlfeiler zu kaufen, so weiß ich Ihnen keinen Dank dafür.“

Diese Unterredung zeigt am besten, wie Metternich und Salomon Rothschild auf Gedeih und Verderb miteinander verbunden waren. Die nun folgenden kritischen Ereignisse des Jahres 1848 sollten dies schlagend beweisen.

Die Revolution in Sizilien hatte bald auf Neapel übergegriffen, wo Karl Rothschild weilte, war aber dort durch Zubilligung eines liberalen Ministeriums nicht allzu gefährlich geworden. Diesem Beispiele folgte der Großherzog von Toskana und König Karl Albert von Piemont, dessen heißester Traum dahin ging, Italien unter seinem Zepter zu einigen.

Von der Apenninenhalbinsel sprang der Funke nach Frankreich über, und dort kam es gleich zu einem riesigen Brand, der sich lodernd über ganz Europa ausbreiten sollte. Louis-Philippes Herrschaft war immer strenger geworden und hatte schließlich notwendige Reformen verweigert, was dem Ministerium Guizot in Paris eine mächtige Opposition schuf.

Am 22. Februar 1848 begannen die ersten Unruhen, hervorgerufen von Arbeitern und Studenten. Da sogar die National-

[1] Metternich an Kübeck. Wien, 23. I. 1848. Ein Briefwechsel, VI, S. 36.

garde die Entlassung des Ministeriums wünschte, gab der inzwischen unruhig gewordene König Guizot den Abschied. Ausrückende Truppen kamen mit den Aufständischen in Konflikt, und die ersten Schüsse lösten eine furchtbare Aufregung aus.

Am 24. waren schon in allen Hauptstraßen der Stadt Barrikaden errichtet, Nationalgarde und Linie gingen zu den Aufständischen über, und bald wurde klar, daß es um die Sache des Königs sehr schlimm stand. Der alternde Mann – Louis-Philippe stand damals im fünfundsiebzigsten Lebensjahr – war diesem unerwarteten Sturm nicht gewachsen. Wie Graf Apponyi meldete, zeigte er in der Stunde der Gefahr Entschlußlosigkeit und Mangel an Energie und verlor völlig den Kopf. Noch am Abend des 24. Februar flüchtete er und gab damit die Hauptstadt und das Land den Aufständischen preis. Der österreichische Botschafter war selbst völlig ahnungslos gewesen; er hatte noch für den 23. Februar einen Ball mit neunhundert Einladungen angesetzt und fragte noch am selben Tage früh die Behörden der Stadt, ob er wohl das Fest absagen solle.

Für James Rothschild, der sich in den letzten Jahren beim Könige selbst und bei dessen Ministern eine höchst einflußreiche Stellung geschaffen hatte, kam dieses Ereignis wie ein Blitz aus heiterem Himmel. Er konnte es nicht fassen, daß über Nacht Veränderungen eingetreten waren, die die Basis, auf der seine Geschäfte und sein Haus ruhten, unter seinen Füßen fortzogen. Der Bankier, der mit dem gestürzten Regime so innig verwachsen gewesen war wie kaum einer, mußte sich sagen, daß auch er nun bei der neuen Lage der Dinge aufs höchste gefährdet sei. Sein erster Gedanke war denn auch, Paris zu verlassen, und er soll, wie Prosper Menière erzählt, schon auf dem Nordbahnhof geweilt haben, um einen zur Grenze abgehenden Zug zu besteigen. Aber im letzten Augenblick soll er vor dem Verlassen von Paris gewarnt wor-

den sein, da dies seine Stellung und sein Ansehen für immer untergraben hätte.
Er blieb also; dagegen flüchteten seine Frau und seine Tochter in höchster Aufregung und Verzweiflung zu ihren Verwandten nach London, wo sie unerwartet und unangesagt in Lionels Haus ankamen und Unterkunft erbaten. Sie standen noch völlig unter dem Eindruck des erlebten Schreckens und schilderten den jähen Sturz, den sie aus der Höhe menschlichen Lebens in Todesangst und Schrecken getan, in den düstersten Farben.[1]
James war hauptsächlich dadurch veranlaßt worden, in der Hauptstadt zu bleiben, weil Lamartine und Arago zu dem jüdischen Bankier und gleichzeitigen finanziellen Redakteur des oppositionellen „National", Michel Goudchaux, gingen und ihn, der mit Rothschild gut bekannt war, veranlaßten, das Finanzportefeuille zu übernehmen.
Indessen hatte der durch die Revolution emporgehobene neue Polizeipräfekt Caussidière – ein Journalist der Zeitung „La Reforme", der auf den Barrikaden gekämpft hatte – von den Fluchtplänen Rothschilds gehört. Die neue provisorische Regierung aber hatte ein Interesse daran, daß die großen Bankiers und Finanziers die Stadt nicht verließen, denn sie brauchten, genau so wie die Könige vor ihnen, Geld und die Dienste der Finanzleute. Auch erzählte man sich schon in ganz Paris, daß Rothschild seine Goldbarren, auf Mistwagen wohlversteckt, ins Ausland verschiebe, um dann in aller Ruhe den Bankrott seines Hauses zu verkünden. Caussidière ließ daher James durch einen Detektiv überwachen, und als sich die Nachrichten über seine Fluchtprojekte verdichteten, zitierte er den Bankier auf die Polizeipräfektur. Dort eröffnete man James, warum er unter Überwachung gestellt worden sei, und unterrichtete ihn von dem Fluchtverdacht, den man gegen ihn hegte.[2]

---

[1] Battersea, Reminiscences, London 1922, S. 75. — [2] Caussidière, Mémoires, I, 210f.

James Rothschild antwortete darauf: „Mein Herr, man glaubt, ich sei von Gold bedeckt, und ich habe ja doch nur Papiere. Mein Vermögen und mein Kapital sind in Aktien verwandelt, die in diesem Augenblick keinerlei Wert haben; ich bin weit davon entfernt, Bankrott anzusagen, und wenn ich sterben muß, bin ich dazu entschlossen, aber ich würde meine Flucht für eine Feigheit ansehen. Ich habe sogar meiner Familie geschrieben, daß sie mir Bargeld schicken soll, damit ich meinen Verpflichtungen nachkommen kann. Ich werde Ihnen morgen meinen Neffen vorstellen, der zu diesem Zwecke von London kommt."

Caussidière antwortete ihm, er sei glücklich, daß er dazu beitragen könne, seine Familie zu beruhigen, und versicherte ihm, daß er vom Volke von Paris nichts zu fürchten habe. Es sei zwar arm, aber anständig, und wenn Verbrecher manchmal die Bluse des Arbeiters anzögen, so werde die neue Regierung da schon Ordnung schaffen.

„Tout en causant", wie Caussidière in seinen Memoiren sagt, verlangte er aber von Rothschild Kredit, angeblich für republikanische Druckereien und sonstige Arbeitsstätten. Andern Tags kam James wieder auf die Präfektur, brachte wirklich seinen aus England angekommenen Neffen mit und erlegte eine Summe, die unter die Familien der Februarkombattanten verteilt wurde, die ohne regelrechten Sold die Polizeipräfektur schützten. James entfernte sich wesentlich beruhigt und hoffte auch diese ernste Zeit glücklich überwinden zu können.

Freilich, die allgemeine finanzielle Lage war verzweifelt. Wie im Jahre 1830 war auch beim Ausbruch dieser Revolution das Rothschildsche Haus allüberall mit übernommenen Anleihewerten vollgepfropft. Die Anleihe von 250 Millionen Francs, auf die Rothschild erst einen Teilbetrag von 82 Millionen eingezahlt hatte[1], wurde angesichts der eingetretenen

[1] Capefigue, Histoire des grandes operations financières, III, S. 244.

Ereignisse unter Verlust der erlegten Garantiesumme aufgegeben. James erklärte, die Revolution sei eine force majeure, die ihn dessen enthebe, die restlichen 168 Millionen Francs der Anleihe zu übernehmen und einzuzahlen.

Dazu hatte Rothschild Massen von Nordbahnaktien in Händen, die bei der Panik an der Börse, gleichwie alle anderen Papiere, tief gefallen waren. Es bedurfte der größten Anstrengungen James', ja sogar des Verkaufes großer Summen von 3%iger Rente zu dem lächerlichen Preise von 33 Francs, um trotz der weitreichenden Unterstützung des völlig unberührt gebliebenen Londoner Hauses auch nur den dringendsten Verpflichtungen nachzukommen, und noch war das Ärgste nicht überstanden.

Es wurde die Republik proklamiert, und die Verwüstungen in den Tuilerien und im Palais Royal, die geplündert und aus deren Fenstern die kostbarsten Möbel auf die Straße geworfen und angezündet wurden, ließen noch weitere ähnliche Untaten befürchten. Mit Mühe stellten Nationalgarden und Truppen in der inneren Stadt die Ordnung wieder her, worauf die Unholde die ungeschützten Gebäude in der weiteren Umgebung der Stadt anzugreifen begannen. Insbesondere wandte sich die Wut des Pöbels gegen alle Einrichtungen der Eisenbahnen, wie Stationen, Brückenanlagen usw., die auf dreißig Meilen im Umkreise von Paris völlig zerstört und verbrannt wurden, weil das Volk in diesen Einrichtungen ein Mittel zu seiner spekulativen Ausbeutung erblicken wollte. Daran beteiligten sich vorwiegend Kutscher und solcheLeute, die die Konkurrenz der Eisenbahnen fürchteten.

Bei dieser Gelegenheit wurde auch das königliche Schloß in Neuilly zerstört und die ganz nahe gelegene Rothschildsche Villa in Suresnes zuerst völlig geplündert und dann in Brand gesteckt. Der revolutionäre Polizeipräfekt hatte also doch James gegenüber den Mund zu voll genommen.

Der österreichische Botschafter Graf Apponyi konnte sich

gar nicht fassen. Am 10. März, als schon verhältnismäßige Ruhe eingetreten war, schrieb er[1]: „Wir glauben noch immer zu träumen. Es ist unmöglich, zuzugeben, daß das, was eben um uns vorging, Wirklichkeit ist. Man möge nur nicht von mangelnder Voraussicht, von einem vorbereiteten Anschlag, von einer seit langem angezettelten Verschwörung sprechen. Nichts von alledem. Es hat ein Blitz eingeschlagen, ein Wirbelsturm hat alles niedergerissen und davongetragen, es ist die Vorsehung, Gott hat es so gewünscht.“

James kam keineswegs leichten Kaufes davon. Schon Caussidière hatte ihm Geld abgenommen, nun war Suresnes zerstört worden, und auch die Hoffnung auf den Finanzminister Goudchaux sollte sich als eitel erweisen. Denn Ledru-Rollin, der in der provisorischen Regierung Innenminister war und die Nationalwerkstätten einrichtete, ließ nicht ab, unter allen möglichen Vorwänden immer neue Geldforderungen an den Finanzminister zu richten[2], bis dieser schließlich angeekelt nach einer Amtsführung von wenigen Tagen demissionierte.

Nach den Mitteilungen eines russischen Geheimagenten, der die Revolution in Paris als Augenzeuge mitmachte, soll nun Ledru-Rollin, fest entschlossen, vor nichts zurückzuschrekken, um Geld zu bekommen, zu James Rothschild gegangen sein. Dort erklärte er, daß, wenn der Bankier ihm nicht 250000 für patriotische Zwecke nötige Francs gebe, er am nächsten Tage 10000 Arbeiter in die Rue Laffitte schicken werde, um das Palais Rothschild zu zerstören und sich an ihm zu rächen. Der erschreckte James soll die solcherart erpreßte Summe in der Tat bezahlt haben.

Einige Tage später, erzählt der Russe, habe Ledru-Rollin dieses Vorgehen wiederholt, und es soll ihm gelungen sein, unter neuen Drohungen James weitere 500000 Francs ab-

[1] Graf Apponyi an Metternich, Paris 10. III. 1848. Wien, Staatsarchiv. —
[2] La révolution de 1848 en France. Rapport de J. Tolstoi, Edition d'Etat. Leningrad 1926.

zunehmen. Mögen auch die genannten Summen ein „on dit" sein, zweifellos mußte James tüchtig zahlen, um seine persönliche Sicherheit gewährleistet zu sehen.

Die Revolution machte bald in ganz Europa Schule. Mit Louis-Philippe war eine der gewaltigsten Säulen der Rothschildschen Machtstellung in Europa gestürzt. Das Pariser Haus, vor kurzem noch so blühend und mächtig, war über Nacht in die furchtbarsten Verlegenheiten gekommen und mußte sich seine Stellung bei den neuen Machthabern von Grund aus wieder aufbauen, wozu freilich Ansätze und Verbindungen von früher her vorhanden waren. Aber schon nach wenigen Tagen stürzte eine andere noch mächtigere und noch wichtigere Säule des von den fünf Brüdern Rothschild errichteten stolzen Baues.

Die Nachrichten aus Paris riefen im Kaiserreich Österreich die größte Erregung hervor. Metternich erhielt die ersteNachricht von dem Sturze Guizots durch Salomon, der eine telegraphische Mitteilung seines Bruders bekommen hatte. Er wollte es nicht glauben, und als kurz darauf der russische Geschäftsträger erschien[1] und die Nachricht bestätigte, da rief er niedergeschmettert aus: „Eh bien mon cher, tout est fini."

Noch hoffte er auf die Erhaltung seiner Macht. Als aber Salomon die Hiobsbotschaft von der Ausrufung der Republik in Frankreich brachte, da soll der greise Kanzler fassungslos in einen Lehnstuhl getaumelt sein.

Die Bevölkerung Wiens und Österreichs geriet in fieberhafte Erregung. Von allen Seiten wurde die kaiserliche Regierung mit Reformvorschlägen, Petitionen und dringenden Anliegen überschüttet. Hier und da wollte man schon kein Papiergeld mehr annehmen. Handel und Gewerbe stockten; jedermann hatte das Gefühl, als sei ein furchtbares Gewitter knapp vor dem Ausbruch. Noch war nichts geschehen, da verbreitete

---
[1] von Srbik, Metternich, II, S. 249.

sich im Auslande die Nachricht, Fürst Metternich sei zurückgetreten. Es ist interessant, festzustellen, daß schon am 4. März 1848 bei einer Soiree der Lady Palmerston in London Mitglieder der Familie Rothschild die Nachricht verbreiteten, man hätte ihnen aus Wien mitgeteilt, daß Fürst Metternich für gut befunden habe, sein Amt niederzulegen. Man überschüttete den gleichfalls anwesenden Vertreter Österreichs mit Fragen, dieser aber meinte, es könne sich nur um ein Börsenmanöver handeln.[1] Und doch, als die Meldung des Geschäftsträgers über diesen Vorfall in Wien eintraf, war Metternich wirklich nicht mehr Staatskanzler.

Am Montag des 13. März sollten die Stände zusammentreten. Im Landhaus berieten sie gerade über die Abfassung einer Petition, da drang eine Studentendeputation ein, die die Bittschrift zerriß und die weitgehenden Wünsche des Volkes bekanntgab. In den Straßen ballten sich Gruppen zusammen, Volksredner hielten Hetzreden. „Nieder mit Metternich!" erscholl es überall.

Ein Volkshaufe zieht vor die Staatskanzlei und verlangt tobend die Entlassung des Fürsten. Erzherzog Albrecht wird mit Steinen beworfen. Das Militär schießt. Die ersten Toten fallen. Immer weiter breitet sich die Bewegung aus. In der Nähe des Rothschildschen Hauses, das unweit vom Zeughause liegt, erstehen Barrikaden. Angstvoll verfolgt Salomon von den Fenstern seiner Wohnung aus die um sich greifenden Unruhen. Die Bürgergarde schlägt Alarm und greift zu den Waffen. Die Pöbelexzesse in den Straßen nehmen zu. In der Hofburg angstvolle Unentschlossenheit. Kaiser Ferdinand versteht nicht, was vorgeht; der umsichtige Erzherzog Johann allein behält den Kopf oben. Er sieht ein, daß man Metternich nahelegen müsse, um seine Entlassung zu bitten, und übernimmt diese schwere Aufgabe. Um ein halb neun Uhr

---

[1] Freiherr v. Dietrichstein an Metternich, London, 6. III. 1848. Wien, Staatsarchiv.

abends des 13. März tritt der Staatskanzler zurück. Die Häuser illuminieren. Hier Festbeleuchtung – dort Barrikadenkampf. Hier Schüsse und sterbende Menschen – dort Jubel über die proklamierte Preßfreiheit.

Um sechs Uhr am Abend des 14. März verläßt Fürst Metternich mit seiner Familie flüchtend die Stadt. Salomon Rothschild hatte nicht gewagt, auszugehen. Ein Bote Metternichs teilt ihm dessen Entschluß mit, Stadt und Land unverzüglich zu verlassen. Doch fehle es ihm an Bargeld. Ein anderer hätte seine schrankenlose Machtvollkommenheit, seine Selbstherrlichkeit auch in staatlichen Finanzdingen wohl zu eigenem Vorteil so genutzt, daß er nun in den Stunden der Flucht nicht erst hätte Reisegeld entleihen müssen. Rothschild leistet dem gefallenen Staatsmann den Freundschaftsdienst und sendet ihm durch den Architekten Romano 1000 Dukaten.[1] Kaum hat der Fürst das Geld in Händen, da verläßt der noch vor wenigen Stunden mächtigste Mann des Kaiserstaates als Flüchtling verkleidet insgeheim, mit Rothschildschem Zehrgeld und Kreditbrief versehen, die Stadt.

So weit war es schon gekommen, daß Metternich auch bei seiner Durchreise durch Deutschland um seiner persönlichen Sicherheit willen möglichst unerkannt bleiben mußte. Am 20. März war z. B. in Frankfurt das Gerücht verbreitet, der Kanzler sei eingetroffen und im Hause des österreichischen Generals Graf Nobili abgestiegen. Sofort sammelten sich Tausende von Menschen vor der Wohnung des Generals und riefen: „Pereat Metternich!“ Mutig trat der General zum Fenster, gab sein Wort, daß der Fürst nicht hier weile, und fuhr dann ganz allein und im Schritt anstandslos durch die Massen in eine Gesellschaft zu Baron Anselm M. Rothschild. Die Masse zog aber vor den Gasthof „Zum römischen Kaiser“, wo sich der gleiche Sturm wiederholte. Als die Tumultuanten

[1] Von Srbik, Metternich, a. a. O. II, S. 289.

sich überzeugt hatten, daß Metternich auch da nicht weile, zogen sie zum Hause des daneben wohnenden alten Baron Amschel Meyer Rothschild und verlangten Geld. Amschel Meyer war aber nicht zu Hause, und der Haufe verlief sich wieder.

Salomon war indes noch in Wien zurückgeblieben. Nach den aufregenden Tagen des 13. und 14. März war es in Wien wieder etwas ruhiger geworden, aber der Bankier war durch die Ereignisse furchtbar getroffen. Sein geschäftliches Verhältnis, aber auch seine persönliche Freundschaft zu Metternich waren so innig gewesen, daß er durch dessen Sturz auch die Wohlfahrt und das Interesse seines Hauses schwer bedroht sah. Er beschloß, zunächst auszuharren und abzuwarten, wie die Dinge sich weiter entwickeln würden.

Indessen breitete sich die revolutionäre Bewegung über die Hauptstädte Europas aus. Am 18. März erhob sich Berlin. Auch da Straßenkämpfe, Barrikaden und Panik. Als die Nachricht von diesen Vorgängen nach Frankfurt gelangte, wo auch schon Unruhen stattgefunden hatten und Forderungen nach staatsbürgerlicher Gleichstellung ohne Unterschied des Glaubens gestellt worden waren, warf man dem preußischen Gesandten und auch dem alten Amschel Meyer Rothschild, als dem Generalkonsul des Königs von Preußen, der mit Kartätschen auf sein Volk hatte schießen lassen, die Fenster ein. Auch Amschel stand also inmitten der Gefahrenzone und an politisch wichtigem Orte, denn in Frankfurt trat das Vorparlament zusammen, der Vorläufer der Nationalversammlung, die Deutschland eine einigende Zentralgewalt geben sollte. Das mußte natürlich für den bestellten Bankier des Deutschen Bundes unabsehbare Aussichten eröffnen, wenn man den neuen Gewalten diplomatisch und klug entgegentrat und es mit ihnen nicht von Haus aus verdarb.

Nur die Söhne Nathans in England blieben ebenso wie ihr glückliches Land von den Revolutionen und den Wirren, die jene zur Folge hatten, verschont. Sie litten nur mittelbar unter der allgemeinen Börsenderoute und konnten daher den bedrohten Rothschildschen Häusern auf dem Festlande auf das tatkräftigste Hilfe und Beistand leisten.

Auch Carl Rothschild in Neapel stand inmitten des revolutionären und nationalen Wirbels, der Italien erfaßte. Er hatte sich schon längst, soweit es anging, von der innigen Verbindung mit Österreich, durch das er einst nach Neapel gekommen, gelöst, hielt aber an den Beziehungen zu dem konservativen Königtume von Neapel fest und hatte daher durch die Revolution schwer zu leiden. Im Norden Italiens kam es kurz nach der Wiener Revolution zur Erhebung Venedigs gegen die österreichische Herrschaft, die mit der Abdankung der kaiserlichen Behörden und der Proklamation der Republik endete.

Das war ein schwerer Schlag für Salomon, der doch erst vor kurzem den wichtigen Vertrag über die Salinen in dieser Stadt abgeschlossen hatte. Als sich dann auch noch die Lombardei erhob, war Salomon um seine Kapitalien schwer besorgt, die er, in vollem Vertrauen auf den ungestörten Fortbestand des Besitzes der Lombardei, aufgewandt hatte.[1]

An allen Ecken und Enden der Monarchie waren die Rothschildschen Unternehmungen bedroht, und Salomon mühte sich zu retten, was zu retten war. So bat er den Minister des Äußern am 15. Juni 1848, da gerüchtweise verlautete, daß hoffentlich in kurzem eine Pazifikation der Lombardei in Aussicht stehe, entsprechend seiner gewohnten Fürsorge für die Interessen der österreichischen Untertanen und deren industriellen Unternehmungen, auch ihn zur rechten Zeit vor Schaden zu bewahren.

Man beschwichtigte ihn und versprach alles, aber man hatte andere Dinge im Kopf als die Geschäfte Salomons, und es

[1] Salomon Rothschild an das Ministerium des Äußern. Wien, 15. VI. 1848. Wien, Staatsarchiv.

war wohl zu merken, daß Metternich nicht mehr da war, der auch unter den kritischesten Verhältnissen für Salomon stets Zeit gehabt und seine Wünsche und Anregungen berücksichtigt hatte. Salomon merkte die gründliche Veränderung der einst so schönen Stellung, die er sich durch seine ausgezeichneten Beziehungen zu den nun gestürzten Größen in Wien, ebenso wie James in Paris, geschaffen hatte.

Auch dieser hatte schwer zu kämpfen. Der furchtbare Zusammenbruch vom Februar hatte den ihm so sehr gewogenen König und seine Rothschild so freundlich gesinnten Minister hinweggeschwemmt; aber auch andere Freunde, so der österreichische Botschafter Graf Apponyi, hatten die Hauptstadt verlassen, und der vorläufig nur provisorisch in Aussicht genommene Ersatzmann Hübner war James nicht willkommen, ein zurückhaltender, ihm unsympathischer Mann mit antisemitischen Neigungen und keinesfalls gewillt, Rothschild bei der österreichischen Botschaft jene Stellung zu gewähren, die Apponyi ihm zugebilligt hatte.

Freilich einige Freunde von früher her fand James auch unter den neuen leitenden Männern, und da er sich dem nunmehrigen Regime anzupassen wußte und trotz seiner im Innersten orleanistischen Gesinnung aus Opportunität nicht frondierte, so ergaben sich immerhin Aussichten für einen versöhnlichen Ausklang.

In Österreich hatte unterdessen Salomon im Mai neue Unruhen mitgemacht. Der Kaiserstaat war in tausend Nöten, in Ungarn und in Italien, in Böhmen und in der Residenz loderte der Aufruhr. Ein Lichtblick war es, als der alte Feldmarschall Graf Radetzky am 25. Juli die Armee des Königs von Sardinien Karl Albert bei Custozza schlug. Die Hoffnung Italiens in dieser schweren Zeit war, daß sich Frankreich einmischen und Sardinien gegen Österreich Hilfe leisten werde.

Man fürchtete sich in Wien sehr vor einem solchen Schritt des republikanischen Frankreich und wies den österreichischen Geschäftsträger ad interim von Thom, der noch unter Apponyi gedient hatte, bis zu Hübners Eintreffen amtierte und James Rothschild sehr gut kannte, an, darüber zu berichten. Die Gesandtschaften, besonders die der konservativen Mächte, hatten damals in Paris so gut wie keinen Einfluß und erfuhren gar nichts, während James mit dem neuen Finanzminister Garnier Pagès schon in so guter Verbindung war, daß er wiederholt bei ihm vorsprach und auf Grund dieser Besuche Thom berichten konnte, die Regierung habe keinerlei Absicht, in Italien einzuschreiten, und er für seinen Teil werde das Unmögliche tun, um dies zu verhindern.[1]

Rothschild blieb auch weiter in dieser Angelegenheit die Quelle für die Berichte Thoms. James' Stellung in Paris befestigte sich, aber die politische Ruhe sollte daselbst nicht so bald wiederkehren. Die Radikalen und Sozialisten hatten die sogenannten „Nationalwerkstätten" durchgesetzt, in denen weniger gearbeitet als politisiert wurde und die bald zu einer unerträglichen finanziellen Belastung und politischen Gefahr wurden.

Als die Regierung sie aufzulösen versuchte, gab es wilden Aufruhr. In den dreitägigen, schweren Straßenkämpfen im Juni blieb der energische Kriegsminister Eugène Cavaignac, der der republikanischen Sache aufrichtig ergeben war, schließlich siegreich.

James stand mit ihm, der nun die Stellung eines Diktators einnahm und von der Nationalversammlung zum Präsidenten des Ministerrates ernannt wurde, noch von früheren Zeiten her sehr gut. Er wußte sich, freilich unter Opferung starker Geldmittel, dem General und der republikanischen

[1] Herr von Thom an Freiherr von Wessenberg. Paris, 4. VIII. 1848. Wien, Staatsarchiv.

16. Napoleon III.

Kaiser der Franzosen

Sache nützlich zu machen, und schien bald ebenso gut republikanisch zu sein, wie er vordem monarchistisch gewesen war. Dieses Geschick James', sich unter allen Umständen zu behaupten, imponierte selbst der äußersten Linken, und es mangelte nicht an Versuchen, ihn für die Zwecke der Arbeiterpartei zu benutzen.

„Sie sind ein Wunder, mein Herr," schrieb im August 1848 der Redakteur des ultraradikalen „Tocsin (Sturmläuten) des travailleurs", „trotz seiner legalen Majorität stürzt Louis-Philippe, Guizot verschwindet, das konstitutionelle Königtum und die parlamentarische Beredsamkeit müssen weichen, Sie aber wanken nicht! ... Wo sind Arago und Lamartine? Sie liegen zu Boden, Sie aber stehen aufrecht. Die Bankfürsten liquidieren, ihre Bureaux sind geschlossen. Die großen Kapitäne der Industrie, die Eisenbahngesellschaften schwanken. Aktionäre, Händler, Fabrikanten und Bankiers gehen in Massen zugrunde; Große stürzen über Kleine, Zertretene über Erdrückte; nur Sie allein inmitten so zahlloser Ruinen bleiben unerschüttert. Wie sehr Ihr Haus auch vom ersten Chok in Paris erfaßt, in Neapel, Wien und Berlin durch eine wandernde Revolution bedrängt wird, die überall in Europa Ihrem Hause begegnet, Sie bleiben aufrecht. Aller Reichtum stürzt zusammen, aller Ruhm ist erniedrigt, alle Herrschaft fällt, der Jude, der König unserer Zeit hat seinen Thron behalten. Aber das ist nicht alles. Sie hätten dieses Land fliehen können, in welchem nach der Sprache Ihrer Bibel die Berge wie die Widder umhertanzten. Sie bleiben, indem Sie vorgeben, daß Ihre Kraft unabhängig sei von den alten Dynastieen und mutig gegenüber jungen Republiken. Und Sie halten unerschrocken zu Frankreich ... Sie sind mehr als ein Staatsmann, Sie sind das Symbol des Kredits. Ist es nicht Zeit, daß die Bank, das mächtige Instrument der mittleren Klassen, bei der Erfüllung der Geschicke des Volkes mithilft. Ohne Minister zu werden, bleiben Sie einfach der große Geschäftsmann unserer Zeit.

Größer wäre Ihr Werk, gewaltiger Ihr Ruhm, den Sie doch auch lieben. Nach der Königskrone des Geldes, nun die Apotheose – wäre das nicht verführerisch? Gestehen Sie zu, daß es denkwürdig wäre, wenn eines Tages die französische Republik Ihnen einen Platz im Pantheon anbieten würde!"

James hatte sich also auch in den Kreisen der äußersten Linken einen gewissen Respekt zu verschaffen gewußt. Dazu kam, daß Cavaignac den aus Algier zurückberufenen General Théodule Changarnier, einen alten Freund des Hauses Rothschild, zum Oberkommandanten der gesamten Nationalgarde, die die Sicherheit der Hauptstadt gewährleisten sollte, ernannte. Dieser Mann war kein so ehrlicher Republikaner wie Cavaignac; er schwankte zwischen Orléanisten und einer Partei, die Legitimisten und Orléanisten verschmelzen sollte, hätte aber am liebsten seine eigene Person in den Vordergrund gestellt. Wie immer es kam, Republik oder Wiederherstellung der alten Monarchie, mit beiden hätte sich James Rothschild wieder abgefunden, aber es kam noch anders.

Louis Napoleon war auf die Nachricht des Ausbruches der Revolution am 28. Februar nach Paris geeilt, „um sich unter die Fahne der Republik zu stellen", war aber dann nach London zurückgekehrt, ohne als Kandidat für die Hauptwahl der Nationalversammlung aufzutreten. Bei den Ergänzungswahlen im September wurde der Prinz jedoch in drei Departements und dazu noch in Korsika gewählt. Sein Name war ein Programm, in der allgemeinen Ratlosigkeit eine Hoffnung, die Erinnerung an die ruhmreichste Epoche Frankreichs; Waterloo war vergessen und für Tausende und aber Tausende war der Name Napoleon das Symbol der Kraft, der Pracht, der Ordnung, Autorität und der Gloire.

Nach den Junikämpfen hatte ein Zug nach rechts in weiten Kreisen des Volkes Fortschritte gemacht. Man begann sich nach Ruhe und Ordnung zu sehnen, und mit einem Male wurde der unsterbliche Name „Napoleon" das Idol des Volkes.

James hatte diese Entwicklung mit gemischten Gefühlen mit angesehen. Er gedachte der Rolle, die er und sein Bruder seinerzeit unter Napoleon I. gespielt, und mußte sich sagen, daß der Neffe des großen Mannes genau wußte, wie die Juden aus Frankfurt nach dem Sturze des Kaisers die Karten aufgedeckt hatten und mit fliegenden Fahnen in das Lager der Sieger und der von ihnen zurückgeführten Bourbonen übergegangen waren, um seither unter hohem Schutze ihren Geschäften nachzugehen, während der große Kaiser in St. Helena dahinsiechte.

Louis Napoleon hätte kein Mensch und vor allem kein Napoleonide sein können, um nicht zu wünschen, an jenen Männern oder deren Nachkommen Rache zu nehmen. Zumindest aber war auf kein Entgegenkommen von seiner Seite zu rechnen.

James hatte Paris kurz nach der Wahl Napoleons in die Nationalversammlung verlassen, als eben der General Cavaignac Besprechungen darüber abhielt, wie die wahren Republikaner der in der Person Napoleons auftauchenden neuen Gefahr entgegentreten wollten. Er war in Brüssel, wohin ihn Geschäfte riefen, in großer Unruhe angekommen. Dort besprach er sich mit dem österreichischen Gesandten Grafen Woyna, der nach Hause meldete, Baron Rothschild sei, nachdem er sich von der Republik so große Summen habe abnehmen lassen, nunmehr ebenso republikanisch, wie er früher monarchistisch gewesen.

„Er sieht“, meldete der Graf, „im Augenblick das Heil der anständigen Leute in Frankreich nur darin, daß sie sich freimütig und ohne Hintergedanken hinter den derzeitigen Chef der Regierung (Cavaignac) stellen. Er allein so ziemlich in ganz Frankreich nimmt die Sache der Republik völlig und gewissenhaft ernst. Was Palmerston betrifft,“ fuhr der Gesandte fort, „begreife der kluge Bankier nicht, so republikanisch zu sein er im Augenblick auch behaupte, daß dessen Blindheit tatsächlich so weit geht. Er sagte mir, bei der derzeitigen Geistesverfassung Frankreichs, wo der Bonapartismus von allen Seiten vordringe, werde im Falle, daß England Frankreich nicht an einer eventuellen Intervention in Italien hindere, wenn einmal der Krieg beschlossen sei, Louis Napoleon ohne Verzug auf den Schild erhoben werden. Damit sei auch Italien in den Krieg einbezogen und als erste Maßnahme der republikanischen wie kaiserlichen Bonapartisten werde die Continentalsperre gegen England wieder aufgenommen werden."

James Rothschild begab sich daraufhin auch zum König von Belgien, dem Schwiegersohne Louis-Philippes, der gleichfalls das Emporkommen Louis Napoleons mit scheelen Augen ansah. König Leopold hatte beim Ausbruche der Pariser Revolution einen Augenblick gedacht, daß auch ihm das Schicksal seines Schwiegervaters blühen und er genötigt sein könnte, das Land zu verlassen. Er hatte daher, um für alle Fälle gerüstet zu sein, dem Hause Rothschild eine Summe von fünf Millionen Francs überweisen lassen, die ihm für den Fall zur Verfügung stehen sollten, daß er tatsächlich genötigt wäre, das Land zu verlassen. In dieser Angelegenheit war nun James nach Brüssel gereist. Als sich das Land beruhigte und der befürchtete Fall nicht eintrat, ließ der König das Geld beim Hause Rothschild stehen[1], womit von selbst die ständige Verbindung des Monarchen mit dem Bankhause gegeben war.

Von Brüssel kehrte James nach Paris zurück, um, wie Graf Woyna meinte, „tapfer wieder in den großen und wahren Herd aller Qualen, die Europa untröstlich machen, zurückzutauchen".[2]

Mit Sorge und zu seinem großen Leidwesen sah er, daß seine Freunde, der Diktator Cavaignac und der General Changarnier, mehr und mehr an Boden verloren, während der Stern Louis Napoleons stieg. Anfang November 1848 war die Lage in Paris wieder höchst gespannt, und die allgemeine Meinung

[1] Siehe Corti, Maximilian und Charlotte von Mexiko. — [2] Graf Woyna an Baron Wessenberg, Brüssel, 24. IX. 1848. Wien, Staatsarchiv.

dort ging, wie Herr von Thom berichtete[1], dahin, daß man neuerdings unmittelbar vor dem Ausbruch einer großen Revolution stehe.

„Unruhe und Angst", meldete der Geschäftsträger, „herrschen überall, das Geschäftsleben und die ökonomischen Interessen leiden in vernichtender Weise darunter. Die Baisse der öffentlichen Werte nimmt erschreckende Proportionen an, und man hat gestern sogar das Gerücht verbreitet, daß das Haus Rothschild sich auflösen werde."

Soweit war es freilich noch lange nicht, aber es war hart für Rothschild, die Entwicklung der Kandidatur des Prinzen Louis Napoleon zu verfolgen, die im ganzen Lande ungeheure Fortschritte machte. Mit den bittersten Gefühlen nahm James am 10. Dezember die Nachricht zur Kenntnis, daß Louis Napoleon mit $5^1/_2$ Millionen Stimmen zum Präsidenten der Republik erwählt worden sei, während Cavaignac nur $1^1/_2$ Millionen und Changarnier gar nur 5000 Stimmen erhalten hatten.

Nun hieß es, sich mit der Tatsache abfinden und in der Kundgebung politischer Ansichten vorsichtig und zurückhaltend zu sein. Noch war die Stellung Louis Napoleons nicht gefestigt, aber sie war diesem Ziele zweifellos beträchtlich nähergekommen.

Während das Pariser Haus Rothschild in den schwersten Sorgen um seine und seines Wirtslandes Zukunft schwebte, gingen in Österreich die Dinge drunter und drüber. Wohl war man in Italien siegreich geblieben, aber Ungarn stand in vollem Aufruhr, und Kossuth sprach seinen von nationalen Ideen trunkenen Landsleuten von voller Unabhängigkeit und Freiheit Ungarns. Aus Wien waren die meisten Truppen nach Italien und Ungarn abgegangen und in der Hauptstadt selbst nur eine schwache Garnison zurückgeblieben. Von Ungarn

[1] Herr von Thom an Baron Wessenberg. Paris, 8. XI. 1848. Wien, Staatsarchiv.

aus aufgestachelt, nützten die Demokraten in Wien diese Verhältnisse zu neuer blutiger Erhebung.

Truppen und Nationalgarde, die nicht nach Ungarn abrücken wollten, schlossen sich am 6. Oktober 1848 meuternd den Aufrührern an. Die johlende, siegestrunkene und blutdürstige Masse zog vor das Gebäude des Hofkriegsrates am Hof, wo das Ministerium versammelt war, und drohte, die Minister zu lynchen. Sie entkamen aber alle, nur der unglückliche Kriegsminister Graf Latour wurde grausam ermordet, die Leiche splitternackt auf einem Laternenpfahl aufgehängt und dort noch durch Schläge und Stiche entweiht.

Nach diesem Morde zog die außer Rand und Band geratene Menge zu dem nahegelegenen Zeughaus, der heutigen Feuerwehrzentrale am Hof, das damals mit der Front gegen Wipplingerstraße, Hof und Renngasse stand, also in unmittelbare Nähe der Rothschildschen Häuser.

Um sieben Uhr abends begann die Belagerung. Unter Verwüstungen besetzte der Pöbel das Windisch-Grätzsche Palais und das Rothschildhaus in der Renngasse. Vom Dache dieses letzteren wurde gegen die im Innern des Zeughauses aufgestellten Abteilungen der Grenadiere geschossen.[1] Die Kämpfe an jener Stelle dauerten die ganze Nacht hindurch, bis tags darauf das Arsenal einer vom Reichstag beauftragten Kommission übergeben wurde.

In ganz Wien herrschte Panik. Der Hof verließ die Residenz und flüchtete nach Olmütz. Salomon war von den neuen Wirren in seiner Wohnung in der Renngasse überrascht worden und schreckerfüllt aus seinem Hause geflüchtet. Nun erinnerte er sich schmerzlich jener Worte Metternichs: „Holt mich der Teufel, so holt er Sie auch!“ In den letzten Monaten hatte er vermeint, daß der Kanzler doch unrecht behalten werde, denn Metternich war gefallen, und er war geblieben.

---

[1] Freiherr von Helfert, „Die Wiener Oktoberrevolution 1848“. Wien 1910, 163f.

Als aber nun sein eigenes Haus gestürmt wurde und zum Ausgangspunkt für den Angriff auf das nahegelegene Zeughaus diente, da war er von den Ereignissen wie niedergebrochen und wollte fort, nur fort von Wien.[1]

Zunächst hielt er sich eine Zeitlang in der Nähe der Residenz verborgen, bis er seinen Sekretär Goldschmidt und dessen Familie sowie die wichtigsten Gelder und Papiere seines Hauses in Sicherheit wußte.

Die Goldschmidt waren zu Schiff nach Stein bei Krems geflüchtet, doch kehrte der Vater nach Wien zurück, um Salomon, falls ihn dieser benötigen sollte, bei der Abreise zu helfen und Geld und Papiere in Sicherheit zu bringen. Aber unversehrt nach Wien hineinzukommen war nicht mehr so einfach. Da verfiel Goldschmidt auf den Gedanken[2], von seinem Döblinger Hausherrn, der ein kleines Milchgeschäft betrieb, einen Wagen und Milchkannen auszuleihen und so als Milchmeier verkleidet in die Stadt zu ziehen. Er wurde zwar an der Nußdorfer Linie und am Schottentor streng visitiert, aber es gelang ihm schließlich doch, in die Rothschildschen Bureaus zu kommen, wo in riesigen, wohlverschlossenen und verborgenen Kassen das meiste unversehrt angetroffen wurde.

Im Nu wurde nun das Rothschildsche Portefeuille, die fremden Depots und Effekten verpackt und in die Nationalbank befördert, wo sie übernommen und in Sicherheit gebracht wurden. Das war am 10. Oktober 1848. Goldschmidt traf Salomon nicht mehr an. Der Baron hatte mittlerweile eine Gelegenheit zur Weiterreise nach Frankfurt a. M. benutzt. Er sollte niemals wieder nach Wien zurückkehren.

---

[1] Hermann von Goldschmidt, Einige Erinnerungen aus längst vergangenen Tagen. Wien 1917, S. 62. — [2] Daselbst, S. 64f.

SIEBENTES KAPITEL

IM KAMPF MIT LOUIS NAPOLEON, CAVOUR UND BISMARCK

Der Februarrevolution in Frankreich, die den Ausgangspunkt für die allgemeine Bewegung in Europa bildete, war ein überraschender Schluß beschieden. Nach dem Sturze des ersten Napoleon hatte es Frankreich zuerst wieder mit der älteren, dann mit der jüngeren Linie der Bourbonen versucht und war von beiden enttäuscht worden. Die nunmehr neu eingeführte Staatsform sagte der Mehrheit des Volkes jedoch auch nicht zu, denn noch waren die Bilder des Schreckens und die Ausartungen der ersten Republik nach der großen Revolution in der Erinnerung nicht gänzlich verblaßt und in dem Juniaufstand des Jahres 1848, der unter blutigen Kämpfen vom Kriegsminister der Republik, Eugène Cavaignac, niedergeschlagen wurde, wieder aufgelebt.

Was war natürlicher, als daß in dieser Lage das französische Volk für den Zauberklang des Namens Napoleon, der trotz dem katastrophalen Ende seines ersten Trägers das Symbol des Ruhmes und des Genies geblieben, höchst empfänglich wurde. Louis Napoleon war wohl nach Ausbruch der Revolution nach Paris geeilt, um nach seinen Chancen zu sehen, hatte sich aber zunächst zurückgehalten; als er indessen im Juni zum Abgeordneten von Paris und drei Departements gewählt wurde, da sagte er sich, daß seine Stunde nun bald schlagen werde. Eine mächtige Agitation nützte den psychologisch so begreiflichen Nimbus des Namens Napoleon aus, so daß bei der Präsidentenwahl am 10. Dezember 1848 nicht weniger als $5^1/_2$ von den $7^1/_4$ Millionen Stimmen auf den Prinzen entfielen.

17. Achille Fould

Die Familie Rothschild sah dieser Entwicklung mit ziemlichem Mißvergnügen zu. Diesmal hatte sie dem neuen Regenten nicht, wie einst Ludwig XVIII., mit Geld den Weg von London auf den Pariser Thron gebahnt. Zu plötzlich war der Umschwung gekommen, und zu sehr waren sie den Orléans ergeben, die ihnen eine so einzigartige Stellung in Paris verschafft hatten, als daß sie einen so jähen und immerhin anfangs höchst fragwürdigen Wechsel ihrer gesamten Anschauungen hätten vornehmen können. Überdies hätten sie schon aus historischen Gründen bei Unterstützung eines Napoleon Hemmungen gehabt, denn sie mußten sich sagen, daß durch ihre Haltung nach dem Sturze des ersten Napoleon jedem offenbar geworden war, daß sie diesen stets im geheimen bekämpft hatten.

Wenn nun wirklich ein Nachkomme dieses großen Mannes an das Staatsruder gelangte, so war von ihm nicht gerade Wohlwollen und Vertrauen für die Mitgliedern jener Familie zu erwarten. Da war dem Hause Rothschild, wenn schon die Rückkehr Louis-Philippes unmöglich war, fast noch eine Republik lieber; dagegen, daß sie allzu rot wurde, schien in den führenden Männern ein starker Damm aufgerichtet. Die Rothschild aber hatten es unter Ausnutzung früherer Beziehungen verstanden, mit diesen Männern in ein gutes, mit einzelnen sogar in ein vertraut freundschaftliches Verhältnis zu gelangen.

Cavaignac standen sie sehr nahe und insbesondere dem General Nicolas Changarnier, der aus Algier in die Nationalversammlung berufen und zum Oberkommandanten der Nationalgarde ernannt wurde, waren sie in Freundschaft verbunden. Changarnier machte der Gattin James Rothschilds, der klugen und schönen Baronin Betty, in ritterlicher Weise den Hof. Auch die politischen Anschauungen des Generals, der Louis Napoleons Gegner und, wenn er nicht selber die Prädidentschaft erlangen konnte, eher den Bourbonen geneigt war, wobei er nur zwischen der alten und der jüngeren Linie schwankte, stimmten mit denen des Hauses Rothschild überein.

Die Niederlage Cavaignacs und Ledru Rollins bei der Präsidentenwahl war daher Changarnier und den Rothschild gleicherweise höchst unangenehm. Aber der General bewahrte wenigstens zunächst seine hohe militärische Stellung, denn für den Augenblick konnte auch der neue Präsident Louis Napoleon seiner nicht entbehren; galt es doch 1849, neuerliche Vorstöße der Radikalen zurückzuweisen, was im Interesse beider Männer lag, die sich sonst als persönliche Gegner gegenüberstanden. Changarnier, der im geheimen noch immer nicht die Hoffnung auf eigene Präsidentschaft aufgab, sah gleich James mit Unmut, wie die von vielen als abenteuerlich und habsüchtig bezeichnete Umgebung des Prinzpräsidenten, aber auch der persönlich tadellose, der napoleonischen Sache blind und treu ergebene Persigny, Louis Napoleon unaufhörlich zu einer Usurpation der absoluten Staatsgewalt anreizten. Sie bemerkten auch mit geringer Freude, daß Louis Napoleon sich nicht ohne ein gewisses Geschick für seine Zwecke philantropischer und sozialistischer Gedanken bediente.

Immer mehr vertiefte sich in der Folge der Gegensatz. Äußerlich blieb das Verhältnis Louis Napoleons zum Hause Rothschild korrekt. Der Prinzpräsident sagte sich, das Bankhaus sei eine internationale Machtgröße und seine, des Prinzen, Stellung noch nicht so befestigt, daß er sich unnötig Feinde und Widerstände schaffen durfte. Aber finanziell beanspruchte er die Rothschild kaum. In seiner Nähe war schon längst der reiche israelitische Bankier und Associé des Bankhauses Fould und Oppenheim in Paris, Achille Fould, aufgetaucht, der dem in dieser Zeit zwecks Befestigung seiner Stellung besonders geldbedürftigen Prinzpräsidenten nicht nur Geld lieh, sondern als finanzielle Kapazität auch dessen vertrauter Berater in allen Geldangelegenheiten wurde.

Achille Fould war es vor allem, der, um dem großen Konkurrenten Rothschild das Wasser abzugraben, Louis Napoleon darin bestärkte, daß man von einem Hause, das so innig mit dem Geschick der Bourbonen verbunden war und den ersten Napoleon einst so befehdet hatte, bei der geplanten Wiederaufrichtung eines napoleonischen Regimes doch keine Hilfe erwarten könne.
In dieser geschickten Weise suchte Fould die Rothschild bei der Staatsgewalt aus dem Sattel zu heben und sich selbst hineinzuschwingen. Fould setzte eben auf das Pferd Louis Napoleon, und wenn dieses, das unter den übrigen Teilnehmern am Rennen bereits die Führung hatte, das Ziel, Frankreichs Thron, tatsächlich als erstes erreichte, dann war es unabsehbar, welchen Gewinn der vorausschauende Bankier daraus ziehen konnte. Am 31. Oktober 1849 wurde Achille Fould auch zum Finanzminister der Republik ernannt.
Mit gemischten Gefühlen saßen bei solcher Lage der Dinge der Präsident der Republik Louis Napoleon und James Rothschild im Juni 1850 bei der Eröffnung der französischen Nordbahnlinie nach St. Quentin im Ehrenwagen des Eisenbahnzuges nebeneinander; während dem Präsidenten die dabei tausendstimmig erschallenden Rufe: „Vive l'Empereur!“ wie Musik in den Ohren klangen, erweckten sie bittere Gefühle in James. Auch ein Dritter nahm an dieser Fahrt teil, Jacques Emile Pereire, jener portugiesische Jude, auf den James seinerzeit bei den Eisenbahngründungen aufmerksam geworden war und der in dessen Diensten Reichtum und Ansehen gewonnen hatte. Er stand schon seit einiger Zeit in Beziehungen zu Fould; und als er das neue Gestirn am Himmel Frankreichs aufglühen sah, reifte in ihm der Entschluß, sich von seinem bisherigen Chef zu trennen und selbständig, dem neuen Herrn sich zuneigend, nach Geld und Macht zu streben. Auch er hörte gern die vielsagenden Hochrufe stolzen Angedenkens.

Äußerlich freilich blieb alles beim alten, und ein Fernstehender konnte von diesen Wandlungen hinter den Kulissen wenig erkennen.

Gemeinsam folgten der Vertreter des Prinzpräsidenten und James Rothschild am 20. August 1850 dem Sarge Honoré de Balzacs, der in den Jahren seines steigenden Erfolges ein ständiger Besucher und Freund des Hauses Rothschild gewesen war. Balzac, der sein Leben lang das Schuldenmachen nicht lassen konnte und James in Aix-les-Bains kennen gelernt hatte[1], lieh natürlich auch von diesem Geld. Der Romancier beschrieb seine Gläubiger in der heiteren Geschichte „Roueries d'un créancier" und widmete sie ebenso wie „Un homme d'affaires" James Rothschild. Und der Baronin Betty, die ihn oft zu Tische bat, widmete er „L'enfant maudit". Als Balzac einmal Heine und Rothschild auf dem Boulevard traf, bemerkte er: „Da gehen der ganze Geist und das ganze Geld der Juden Arm in Arm."

Doch die Politik gestattete nicht, lange bei den Toten zu verweilen. Die durch Changarnier verkörperte Militärgewalt in Paris trat in steigenden Gegensatz zu dem Prinzpräsidenten. Der General überschätzte seinen Einfluß und seine Stellung in der Nationalversammlung und genoß immer weniger Sympathieen in der Hauptstadt, während die Popularität des Prinzpräsidenten stieg. Herr von Hübner, der neue österreichische Vertreter, dessen Vorgänger James immer noch nachweinte, führte dies auch auf die bekannt gewordenen Beziehungen des Generals zum Hause Rothschild zurück. „Was zu dieser Art öffentlicher Mißgunst beigetragen hat," meldete er am 13. Juni aus Paris[2], „deren Gegenstand der General in diesem Augenblicke ist, sind seine intimen Beziehungen mit der Familie Rothschild, die von einem ‚sentiment de

---

[1] Siehe die Balzac-Biographie Anton Bettelheims. München 1926, S. 116. —
[2] Hübner an Fürst Schwarzenberg. Paris, 13. VI. 1850. Wien, Staatsarchiv.

cœur' für Madame James Rothschild herkommen. Der Prinzpräsident, den Changarnier durch Abhaltung großer Truppenparaden, ohne ihn auch nur davon zu verständigen, mehrmals vor den Kopf stieß, mußte hören, daß die genannte Dame in einer herrlichen Equipage daran teilnahm und vor den Augen der gesamten Armee von Paris den Gegenstand der Aufmerksamkeit des galanten Generals en chef bildete. Louis Napoleon entschloß sich endlich, von seiner Umgebung dahin bearbeitet, zur Absetzung des Generals Changarnier zu schreiten."

Vier Tage lang lag das Entlassungsdekret auf dem Schreibtisch des Prinzpräsidenten, da ließ sich dieser doch noch umstimmen, und eine große Revue, bei der Changarnier ihm die Truppen vorführte, bekundete äußerlich die wenig aufrichtige und wenig dauerhafte, zeitweilige Versöhnung.

Während dieser Zeit arbeiteten die begeisterten Bonapartisten mit heißem Eifer an der Wiederaufrichtung des Kaisertums. Dabei tat sich besonders Jean Persigny hervor, ein Mann, der Louis Napoleons Freundschaft schon in seinem Schweizer Exil zu Arenenberg gewonnen und Ende Oktober 1836 ebenso am Straßburger Putsch, wie im Juli 1840 an der fehlgeschlagenen Landungsunternehmung Louis Napoleons bei Boulogne teilgenommen hatte. Er war damals zu zwanzigjähriger Haft verurteilt und erst durch die Februarrevolution 1848 der Freiheit wiedergegeben worden. Von glühendem Haß gegen die Bourbonen beseelt, wurde er nun der eifrigste Vorkämpfer des Kaisertums.

Louis Napoleon hatte ihn sofort an sich gezogen und verwandte ihn zu wichtigen diplomatischen Sendungen, unter anderen vom Dezember 1849 bis April 1850 auch in Berlin.

Mit Sorge sah man im Auslande, besonders in Deutschland, die innere Entwicklung Frankreichs, das einem neuen napoleonischen Kaisertum unseligen Angedenkens entgegenzutreiben schien.

Amschel Meyer in Frankfurt und sein Bruder Salomon, der seit der Oktoberrevolution, nachdem er aus Wien geflüchtet war, gleichfalls in Frankfurt weilte, teilten diese Besorgnisse und erkundigten sich bei ihrem Bruder James, wie es denn in Wahrheit in Paris stünde, und ob ihre Besorgnisse gerechtfertigt seien. In zeitweiliger Abwesenheit James' antwortete dessen ältester Sohn Alfons Rothschild. Er meinte, die widersprechenden und übertreibenden Nachrichten der Zeitungen gäben Grund zur Unruhe, darum wolle er seinem Onkel die Ansicht erleuchteter Leute bekanntgeben, die durch ihre Stellung im Staate einen direkten und mächtigen Einfluß auf den Gang der Geschäfte ausübten. Damit war offenbar auch Changarnier gemeint. Alfons Rothschild wies darauf hin, daß man einmütig wünsche, es möge die Ordnung und Ruhe erhalten bleiben. Die einzige Sorge bildeten Persigny und die imperialistischen Regungen.

„Herr von Persigny," schrieb er nach Frankfurt[1], „der Gesandte Frankreichs in Berlin, soll demnächst wieder auf seinen Posten abgehen. Er ist immer noch in sehr kriegerischen Ideen befangen. Er beabsichtigt, Preußen dazu zu bringen, Krieg an Österreich zu erklären, und will dann Frankreich in diesem brudermörderischen Streit intervenieren lassen. Er hofft, die Karten in Deutschland mehr und mehr durcheinander zu bringen, um dann in Frankreich gewisse ehrgeizige Projekte (das Kaisertum) zum Gelingen zu bringen, die ohne auswärtigen Krieg keinerlei Chance von Erfolg hätten. Ich muß Euch vor diesen gefährlichen Zettelungen warnen. Ihr könnt Euren Freunden versichern, daß sie in keiner Weise die Billigung unserer Regierung, der einflußreichen Mitglieder der Kammer, noch des Landes selbst besitzen. In Frankreich wünscht man keineswegs einen Krieg zwischen Preußen und Österreich. Ein Tropfen deutschen

[1] Alfons Rothschild an seinen Onkel in Frankfurt. Très particulier. Paris, 9. X. 1850. Wien, Staatsarchiv.

Blutes, von deutschen Händen vergossen, würde wie ein Verbrechen betrachtet werden, und wenn die Politik des Elysées (des Präsidenten Louis Napoleon) sich ernstlich auf einen so exzentrischen Weg wagen sollte, würden unsere Staatsmänner und Parlamentarier sie sicherlich weder annehmen noch ihr folgen. Ihr könnt also beruhigt sein . . . die Regierung wird eine ganz konservative Politik befolgen."

Auch Changarnier war guter Hoffnungen voll und meinte zu jener Zeit mit Bezug auf den körperlich etwas kurz geratenen Persigny sogar, er sei damit beschäftigt, „dem Kleinen den Kopf umzudrehen"[1].

Doch der General täuschte sich. Louis Napoleon ging zielbewußt seinen Weg weiter. Am 5. Januar 1851 enthob der Präsident den General Changarnier seines militärischen Amtes, obwohl er bei der Nationalversammlung ein Tadelsvotum gegen den General nicht hatte durchsetzen können. Damit brach Louis Napoleon wohl mit der Versammlung, aber diese selbst wurde dadurch gespalten und ihre Mehrheit gesprengt.

Inzwischen hatte der Präsident, der die Lösung des gordischen Knotens mit Gewalt ins Auge faßte, seine Vorbereitungen hierfür beendet. Durch den Staatsstreich vom 2. Dezember 1851, der die Nationalversammlung auflöste, begründete er seine persönliche Gewalt.

Die bedeutendsten Gegner Louis Napoleons, insgesamt fast 27000 Personen, darunter Thiers, Cavaignac und Changarnier, wurden verhaftet und kaltgestellt oder deportiert. Der Präsident sagte dem Volke: „Eure Verfassung und Eure Nationalversammlung sind elend (détestable), ich befreie Euch davon." Das Ministerium hatte bis zum letzten Augenblicke keine Ahnung von dem, was sich vorbereitete. An die leitenden Stellen gelangten meist Persönlichkeiten, deren Namen mit dem ersten Kaiserreich eng verknüpft waren. Die neuen Männer hießen Morny, Flahault, Persigny, Fould.

[1] Hübner an Schwarzenberg. Paris, 27. X. 1850. Wien, Staatsarchiv.

Dies Ereignis trug Schrecken auch in das Haus James Rothschilds. Der Sturz Changarniers machte allen Hoffnungen, die er auf ihn gesetzt, ein Ende.

„Die Verhaftung des Generals“, meldete Hübner aus Paris[1], „hat Trauer in das Interieur Rothschilds getragen, aber man muß zugestehen, daß der Baron James dies mit großer résignation trägt. Alles in Allem ist die Lage sehr ernst.“

Der Prinzpräsident legte nun dem Volke den Entwurf der neuen Verfassung vor und ließ seine Maßnahmen durch ein Plebiszit bestätigen, das ihm die ungeheure Mehrheit von $7^1/_2$ Millionen gegen 650000 Stimmen erbrachte; das Volk wollte Ruhe und sah in dem Namen Napoleon die Verkörperung einer glücklichen Zukunft.

Der einzigen Sorge, daß nun wieder, wie zur Zeit des ersten Kaiserreiches, Kriege die ersehnte Ruhe stören würden, begegnete Louis Napoleon in Bordeaux mit den Worten: „Das Kaiserreich ist der Friede“, womit gleichzeitig auch das nunmehr offene Streben nach der Kaiserkrone zum Ausdrucke kam. James mußte gute Miene zum bösen Spiel machen und sich mit den Tatsachen abfinden.

Louis Napoleon war jedoch nicht in offenen Gegensatz zu James getreten und hatte diesen sogar vermocht, im Sinne seiner zur Gewinnung der Katholiken begonnenen romfreundlichen Politik dem Papst eine Anleihe zu geben. Außerdem erteilte Louis Napoleon einem Bankierskonsortium, an dessen Spitze das Haus Rothschild stand, zu Anfang 1852 die Konzession zum Bau der Eisenbahn Paris—Lyon.

Aber James’ einstige vorherrschende finanzielle Stellung in Paris war trotzdem dahin, er mußte zum Kampfe rüsten, wollte er sich überhaupt erhalten, und dieser Kampf war angesichts der Gesinnung der neuen Staatsgewalt von vornherein sehr schwer. Kaum hatte sich das Pariser Haus von den Folgen der Februarrevolution 1848 einigermaßen erholt,

[1] Hübner an Schwarzenberg. Paris, 2. XII. 1851. Wien, Staatsarchiv.

18. Isaac und Emile Pereire

da mußte es neuerdings so schwere Sorgen auf sich nehmen. Inzwischen war ein alle Mitglieder der Familie Rothschild gleicherweise erschütterndes Ereignis eingetreten: Die Witwe Meyer Amschels, des schon 1812 verstorbenen Gründers des Bankhauses, Frau Gudula, Mutter der fünf Frankfurter, die Zeugin des Aufstieges des Hauses gewesen, war am 7. Mai 1849 im Alter von sechsundneunzig Jahren gestorben. Sie hatte gerade noch das Gesetz vom 20. Februar 1849 erlebt, das die bürgerliche und staatsbürgerliche Gleichheit aller Staatsangehörigen und damit auch der Israeliten festlegte, wozu ihr Mann und ihre Söhne soviel beigetragen. Niemals hatte sie, trotz des Reichtums, der sich über ihre Familie ergoß, das kleine Stammhaus in der Judengasse verlassen, denn sie fürchtete, das Glück werde weichen, wenn sie der Stätte, wo es einst durch ihren verewigten Gatten begründet wurde, untreu würde. Bis ins hohe Alter war sie gesund geblieben, und als sich die ersten Beschwerden einstellten, war sie unmutig darüber, daß die Mittel der Ärzte nicht mehr halfen. Als ihr einst der Arzt Dr. Stiebel auf ihre Klagen erwiderte, er könne sie ja leider nicht jünger machen, antwortete sie ihm mit den seither berühmt gewordenen Worten: „Ich will ja gar nicht, daß Sie mich jünger machen, Sie sollen mich ja nur älter machen.“[1]

Bis an ihr Lebensende blieb die ehrwürdige Frau sparsam, einfach, bescheiden und tief religiös. Das sorgsam unter Glas geborgene, heute noch in Frankfurt am gleichen Platz stehende, hoch in Ehren gehaltene Brautbukett ihres Gemahls war ein Symbol des pietätvollen, traditionstreuen Lebens dieser schlichten Frau.

Während die alte Stammutter des Hauses in Frankfurt die Augen schloß, kämpften die Söhne und Enkel in der ganzen Welt um die Erhaltung der errungenen Machtstellung. In

[1] Siehe Belli Gontard Lebenserinnerungen, S. 283. Abgedruckt auch bei Berghoeffer a. a. O. S. 174.

England war das finanzielle Übergewicht des Hauses durch die letzten Ereignisse am Kontinent kaum angetastet worden. Hier hatten sie weniger um ihre finanzielle Stellung als nach wie vor um ihre soziale Erhöhung zu kämpfen, denn der Gedanke der Judenemanzipation fand im Hause der Lords scharfe Gegnerschaft.

Der zweite Sohn Nathans, Anthony, jüngerer Bruder Lionels, des nunmehrigen Chefs des Hauses, war allerdings am 12. Januar 1847 auf Empfehlung Robert Peels britischer Baronet geworden, mit dem Rechte, diesen Titel, falls er keine männlichen Nachkommen hätte, auf die Söhne seines älteren Bruders Lionel zu übertragen. Er führte das Leben eines reichen Landedelmannes auf seiner Besitzung Aston Clinton in Buckinghamshire, wo er offenes Haus hielt. Indessen kämpfte Lionel, der in der City von London immer wieder ins Parlament gewählt wurde, um seine Zulassung in die Kammer, die nach wie vor am christlichen Eide und an der Opposition der Lords scheiterte. Die Sache bekam weit über die Wichtigkeit des Einzelfalles eine prinzipielle Bedeutung, denn es handelte sich grundsätzlich darum, ob Juden ins Haus der Gemeinen zuzulassen seien oder nicht. Am 25. Juli 1850 beschloß eine nach der Londoner Taverne einberufene Versammlung von Wählern der City, daß sich Lionel tags darauf wieder in das Unterhaus begeben sollte, um seinen Sitz zu reklamieren. Er erschien tatsächlich und beantragte seine Vereidigung auf das Alte Testament. Dem widersetzte sich aber Sir Robert Inglis, der Führer der Tories und Gegner der Katholiken- und Judenemanzipation. Lionel wurde aufgefordert, sich zurückzuziehen, und die Angelegenheit daraufhin bis zum 29. Juli vertagt.

An diesem Tag erschien er neuerdings im Unterhaus und legte den Eid der Untertanentreue gegenüber der Königin, sowie jenen der Suprematie, der die Monarchin als einziges Oberhaupt der Kirche anerkennt, anstandslos ab, da diese beiden

Eide gleicherweise mit der Formel: „So help me God" schlossen. Aber bei dem dritten vom Gesetz geforderten Eide, nämlich jenem der Abjuration, der bemerkenswerterweise noch die Nachkommen Jakobs II.[1] betrifft und der mit den Worten schließt: „On the true faith of a christian", ersetzte Lionel auch diese Worte durch die Formel „so help me God", indem er hinzufügte, daß sie mehr als jede andere sein Gewissen binde. Schon hatte er die Feder in der Hand, um seinen Namen in das Register der zugelassenen Mitglieder einzutragen, als der Speaker ihm nahelegte, sich zurückzuziehen. Man beantragte nun eine Neuwahl, da der Baron Rothschild den Eid in der vorgeschriebenen Form verweigert habe. Der Gegenantrag, ihn dennoch als tatsächliches Mitglied der Kammer zu betrachten, wurde zunächst mit einer Majorität von hundertvier Stimmen abgelehnt. Groß war die Aufregung und die Debatte für und wider in der britischen Öffentlichkeit. Die Angelegenheit stand nun so, daß eine Änderung der Formel des Abjurationseides nur durch ein Gesetz des Parlaments, d. h. also beider Häuser, zustande kommen konnte, so sehr auch dieser Eid überholt und nur von historischem Werte war. Wenn jedoch nach allem, was vorgefallen, das Unterhaus zustimmte, so konnte von diesem Tage ab Lionel Rothschild seinen Sitz dort einnehmen. Hätte er es aber getan, so hätte er sich der Unannehmlichkeit ausgesetzt, daß jedermann ihn vor einem der drei großen Gerichtshöfe anklagen konnte, wobei er dann zu einer Strafe von fünfhundert Pfund für jeden Tag, den er gesetzwidrig in der Kammer gesessen, verurteilt werden konnte, ein Strafgeld, das dem Ankläger zugute kam.[2] Obwohl das Unterhaus später tatsächlich für

---

[1] König Jakob II. von England wurde 1689 vom Parlament für sich und seine Nachkommen des Thrones verlustig erklärt. Er und sein Sohn Jakob III. sowie dessen Sohn Karl Eduard versuchten, sich mit Hilfe ihrer Anhänger, der „Jakobiten", immer wieder in Besitz des Thrones zu setzen. — [2] Bericht über die Wahl Lionels ins Unterhaus, Baron Koller an Fürst Schwarzenberg. London, 1. VIII. 1850. Wien, Staatsarchiv.

die Zulassung Lionels eine Mehrheit aufbrachte, kam die Bill im Hause der Lords zu Fall und brauchte noch Jahre, bis sie zur endgültigen, günstigen Lösung gelangte.

Lionel stand mit seinem Onkel James in Paris durch seinen Bruder Nathaniel und auch durch zeitweilige Besuche in enger Verbindung. Bei der Entwicklung aber, die die Dinge in Frankreich nahmen, hatte James das Bedürfnis, sich auch mit seinen übrigen Brüdern und Neffen in Frankfurt und Wien zu besprechen, und unternahm daher im August 1852 eine Reise nach diesen Städten.

Dabei wurde James in Wien auch von Kaiser Franz Joseph in Audienz empfangen, der sich von ihm berichten ließ, was in Frankreich vorgehe. Der Kaiser teilte James, der ja österreichischer Generalkonsul in Paris war, zur Weitergabe an Louis Napoleon mit, daß er für diesen freundschaftliche Gesinnungen hege. Dieser Auftrag, mochte er vielleicht auch nur eine unverbindliche Redensart bedeuten, war James willkommen, denn er konnte dem Prinzpräsidenten, der nun so nahe an der Schwelle der Kaiserwürde stand, etwas Angenehmes von der Seite eines so mächtigen, „legitimen" Potentaten sagen und damit auch seine ungünstige Stellung in Paris verbessern.

In Wien war nach der Flucht Salomons das Rothschildsche Haus eine Zeitlang verwaist geblieben und nur von Prokuristen und Sekretären verwaltet worden. Dann aber war Anselm, Salomons Ältester, der damals schon im neunundvierzigsten Lebensjahre stand, häufig nach Wien gekommen, hatte die Geschäfte, obwohl er österreichischer Generalkonsul in Frankfurt war, übernommen und pendelte zwischen dieser Stadt und Wien hin und her. Die Reaktion in Österreich, die Rückkehr des greisen Metternich nach Wien, erleichterte es dem Hause Rothschild, in Wien wieder Fuß zu fassen. Der Reichtum der Familie war geblieben, Staat und Gesellschaft bedurften nach wie vor ihres Geldes, die Aristokratie gelangte wieder zur Macht und umlagerte enge den Thron. Alte Beziehungen aus Metternichscher Zeit, nur vorübergehend abgerissen, wurden wieder angeknüpft, und bald stand das Haus auch in Wien wieder auf alter, angesehener Höhe.

Als James von seiner Wiener Reise nach Paris heimkehrte, erwartete ihn eine peinliche Überraschung. Seine Gegner hatten Louis Napoleon, der von finanziellen Dingen sehr wenig verstand, gänzlich zu bereden und zu gewinnen gewußt; nun wagten sie schon einen Schritt, der den Rothschild die finanzielle Macht in Frankreich gänzlich aus den Händen winden sollte. Die Gründung einer großen Konkurrenzbank mit weitgehender Förderung seitens des Staates war geplant, in der – was die Hauptsache war – die Fould, Pereire und ihr Anhang die Hauptrolle spielen sollten. Die Rollen waren geschickt verteilt; die sehr begabten und unermüdlich aktiven, bei Rothschild in die Lehre gegangenen Pereire sollten nach außen hin die eigentlichen Unternehmer sein. Achille Fould sollte außerhalb stehen, um staatliche Anstellungen bekleiden zu können, aber als wichtigstes Kapital seine Intimität mit dem neuen Herrscher und seinen Einfluß auf diesen in das Geschäft einbringen. Mit Unterstützung des Herrschers und des Staates würde, so hofften sie, ein solches Unternehmen glücken. Nach außen hin wurden die Dinge mit Saint-Simonismus und Sozialismus etwas aufgeputzt, aber neben Theorieen und Phrasen, wie Demokratisierung des Anleihegeschäftes, auch tatsächlich neue Ideen mit gutem Kern aufgenommen.

So sollte der Grundgedanke sein, daß der Staat von einzelnen reichen Bankiers unabhängig gemacht würde und daß jede, auch die kleinste Ersparnis eines Bürgers in ein großes Sammelbecken, eben die neu zu gründende Bank, geleitet und von dort dahin verteilt werde, wo Kapital nötig war.[1]

---

[1] Siehe die ausgezeichnete Schilderung in Egon Scheffer „Der Siegeszug des Leihkapitals“, S. 172. Wien 1924.

Fould gewann seinen Herrscher auch durch die verheißungsvolle Aussicht, sich von den Anleihen jener im Herzen orléanistisch gebliebenen Rothschild dadurch freimachen zu können, daß man bei eintretendem Bedürfnis die Anleihe in kleinen Beträgen direkt in der Öffentlichkeit auflegte und so den Fängen der Rothschild entglitt.

Das Wort „Soubscription nationale" und Unabhängigkeit von den antinapoleonischen Rothschild gewann Louis Napoleon völlig und ließ die Hoffnungen der Fould und Pereire so sehr anschwellen, daß sie sich im Geiste schon im Besitz eines Monopols für die gesamte Kreditorganisation Frankreichs sahen. Das war der Weg, auf dem sie hofften, die Rothschild gänzlich aus dem Felde zu schlagen.

Als James die Gefahr erkannte, tat er alles mögliche, um den Präsidenten der Republik zu warnen und ihm die Augen zu öffnen. Er überreichte Louis Napoleon ein selbstgeschriebenes Memoire, in welchem er die Gefahren all dieser Neuerungen auseinandersetzte und den neuen Gründungen und Ideen ein schlechtes Ende prophezeite.

Nichts war leichter für Fould, als Louis Napoleon begreiflich zu machen, daß all dies nur auf die politische Gegnerschaft James' gegen das neu sich bildende napoleonische Kaiserreich zurückzuführen wäre. In der Tat erschien schon am 20. November 1852 im „Moniteur" das Gründungsdekret des neuen Unternehmens, das den Namen „Crédit Mobilier" erhielt. Die beiden Brüder Pereire sowie die Fould besaßen den größten Teil der Aktien; jeder über 11000 Stück von den anfänglich ausgegebenen 40000. Dabei trat aber Louis Napoleons Vertrauter, Achille Fould, überhaupt nicht hervor, sondern dessen Bruder Benoît, der Chef des Bankhauses B. L. Fould und Fould-Oppenheim. Neben aufputzenden Namen aus der Aristokratie, wie der Prinzessin von Leuchtenberg und des Herzogs von Galliera, standen das Bankhaus Torlonia in Rom und der Onkel Heinrich Heines, Salomon Heine in Hamburg, auf der Seite der Gründer. Im ganzen wurden nach und nach 120000 Aktien zu 500 Francs ausgegeben, so daß sich auch die kleinsten Kapitalisten daran beteiligen konnten, was sie auch taten.

In Frankreich lebte man damals in einer Art Fieber, das der Name Napoleon hervorgerufen hatte. Alle Welt hoffte, da nach den Versprechungen des neuen Herrn Ruhe und Frieden auf lange hinaus gesichert war, leicht und mühelos reich werden zu können. In der neuen Gründung und dem Anteil, den jedermann daran leicht haben konnte, glaubte man schon den Beginn dieser Entwicklung zu sehen.

Einen Tag nach der Veröffentlichung des Dekrets, das den Crédit Mobilier ins Leben rief, entschied das Plebiszit mit fast acht Millionen Stimmen gegen 250000 für das Kaiserreich, und als wieder einen Tag später, am 23. November, dieAktien des Crédit Mobilier an der Börse zum erstenmal notiert wurden, da erhielt das Papier mit dem Nominalbetrag von 500 Francs die Kursnotierung 1100, um vier Tage später schon auf 1600 zu steigen. James Rothschild sah mit Ironie und doch auch geheimer Angst dieser Entwicklung zu, aber seine Warnungen verhallten ungehört. Er beteiligte sich selbstverständlich nicht nur in keiner Weise an dem Unternehmen, sondern sagte ihm in seinem Innern den Krieg bis aufs Messer an. Es würde freilich — darüber war er sich nun klar — kein leichter Kampf werden, denn hinter dem neuen Unternehmen stand der Name des Staatsoberhauptes, das am 2. Dezember 1852 als Napoleon III. durch Gottes Gnaden und des Volkes Willen zum Kaiser der Franzosen ausgerufen worden war.

Eine geheime Freude bereitete es James jedoch, als er schon im Kurszettel vom 31. Dezember desselben Jahres die Aktien des Crédit Mobilier nur mit 875 Francs verzeichnet fand. Die Aktie wurde zu einem der gefährlichsten Papiere der Börse und zum Spielball der ungesundesten Spekulation.

Nicht alle ließen sich durch diese Entwicklung blenden. Es gab auch andere Zeitgenossen als James, die die inneren Gefahren dieser finanziellen Experimente durchschauten. „Dank dem neuen Institute“, meldete ein solcher Skeptiker ironisch nach Wien[1], „werden mindestens die begünstigten Börsenleute zu Paris für einige Zeit mit aller Aussicht auf Erfolg spekulieren können, ohne einen Sous in die Hand zu nehmen.“

Dank der staatlichen Unterstützung kamen also neue Männer ans finanzielle Ruder. Neben Fould und den Pereire traten aber andere höchst anrüchige Elemente in den Vordergrund, die durch Verquickung von Geschäft und Publizistik im Trüben zu fischen versuchten. Dazu gehörte ein gewisser Jules Mirès, der als ganz unbekannter armer Teufel aus niedriger Gesellschaftsschicht in Bordeaux auf den Gedanken kam, ein Blättchen herauszugeben, das nebst einigen Tagesneuigkeiten täglich auch die Liste der Verstorbenen der Stadt enthielt. Neben deren Namen stand auch die Todeskrankheit und – der Name des Arztes, der die Verstorbenen bei ihrer letzten Krankheit behandelt hatte. Das wurde den Jüngern Äskulaps allmählich unangenehm, und sie zahlten Mirès eine Summe von 25000 Francs, damit er das Blatt nicht fortführe.

Mit diesem Gelde übersiedelte Mirès nach Paris, wo er nach dem gleichen System eine Eisenbahnzeitung, das „Journal des chemins de fer“, gründete, worin er die verschiedenen Unternehmen und Gesellschaften mit wahren und unwahren Enthüllungen in Schrecken setzte und zur Kontribution zwang. Durch Spekulation gewann er überdies ein so großes Vermögen, daß er bald auch in die Reihe der führenden Pariser Finanzleute trat, die mit so mancher hohen Persönlichkeit in Verbindung kamen.

Noch aber waren die neuen Größen und Gründungen nicht

[1] Regierungsrat Weil: Französische Finanzzustände des Jahres 1852. Wien, Staatsarchiv.

19. Papst Pius IX.

so weit, um auch außerhalb Frankreichs mit den Rothschild in Konkurrenz treten zu können. Noch wandte sich alles, selbst der Kirchenstaat, an die Rothschild, wenn Geldnot herrschte. Während der Präsidentschaft Louis Napoleons hatten sich in Rom dramatische Vorgänge abgespielt. In Italien hoffte man, der „nationale und liberale" Papst Pius IX. werde sich der allgemeinen Erhebung gegen Österreich anschließen. Er fürchtete aber in Wirklichkeit die durch die Revolution genährte Anarchie und allzu weit reichende Demokratie ebenso, wie er sich scheute, offen gegen das katholische Österreich aufzutreten. So kam es zu den stürmischen Novembertagen in Rom, wo des Papstes Palast vom Pöbel umlagert und der Heilige Vater unter Drohungen zur Ernennung eines radikalen Ministeriums gezwungen wurde. Das führte auch zur Flucht des bedrohten Oberhauptes der Christenheit, der in Verkleidung nach Gaeta ins Neapolitanische flüchtete und von dort aus gegen alle Vergewaltigung in Rom protestierte, während in der Residenz des Kirchenstaates die römische Republik errichtet wurde.
Pius IX. wandte sich am 20. Februar 1849 an die katholischen Mächte, Frankreich, Österreich, Spanien und Neapel-Sizilien mit der Bitte, ihm mit den Waffen wieder zu seiner weltlichen Macht zu verhelfen. Louis Napoleon, der damals für seine künftigen Kaiserpläne die Katholiken der Welt gewinnen wollte, landete tatsächlich im April 1849 Truppen zum Vormarsch nach Rom. Nach mannigfachen Wechselfällen besetzten die Franzosen am 3. Juli die Stadt und setzten die päpstliche Regierung wieder ein. Der Papst weilte indessen unter den beengtesten Verhältnissen in Gaeta und litt unter größter Geldverlegenheit. Zur Rückkehr aber war solches besonders notwendig, denn er konnte die Hauptstadt nicht mit leeren Händen wiederbetreten. Infolgedessen ließ sich der Papst mit einer Gesellschaft französischer Kapitalisten in Verhandlungen ein, doch stellte sich bald heraus, daß

das Bankhaus, welches hinter diesen Leuten stand, nicht über die nötigen Geldmittel verfügte. Darum riet man Pius IX., sich wieder an das Haus Rothschild zu wenden, das infolge seiner internationalen Verbindungen auch jetzt, so bald nach den revolutionären Ereignissen in ganz Europa, über die erforderlichen Gelder verfüge.

Der päpstliche Gesandte in Neapel trat nunmehr mit Carl Rothschild in Verbindung, dessen Forderungen ihm aber weit übertrieben erschienen. Bevor die Frage der Anleihe günstig gelöst war, konnte indessen, wie schon gesagt wurde, von einer Rückkehr des Papstes nach Rom keine Rede sein. Carl verlangte als Bedingung für die Anleihe, daß die Tore und Mauern des Gettos entfernt würden, die Juden überall frei im Kirchenstaat leben könnten und alle speziellen Steuern und Sonderbestimmungen für die Behandlung der Juden vor Gericht fallen sollten. Zur Beratung über diese Bitten war der Sekretär der jüdischen Gemeinde in Rom in Neapel eingetroffen. Carl verlangte außerdem als Sicherheit eine Hypothek auf die kirchlichen Güter, denn, wie sich sein Sohn dem österreichischen Gesandten in Neapel Grafen Moritz Eszterházy gegenüber ausdrückte, war es schwierig, „ein Unternehmen von so hohem Werte ohne Hypothek und angesichts des gänzlichen Mangels materieller und moralischer Garantien, die die heutige päpstliche Regierung biete, einzugehen“.

Die ersteren Bedingungen wurden vom Papste sofort energisch zurückgewiesen, indem er sich weigerte, auch nur den Gedanken aufkommen zu lassen, solche Forderungen als Bedingungen gelten zu lassen. Er erklärte, er wolle sich lieber unbegrenzt lange der finanziellen Misère aussetzen, als sich vorwerfen lassen, ein zeitliches Interesse einem höheren übergeordnet zu haben. Für die zweitgenannte Bedingung waren Carl Rothschild in Gaeta günstigere Hoffnungen erweckt worden. Die Verhandlungen wurden in Neapel eifrig fortgesetzt. Schließlich erklärte aber Carl, da sich auch gegen die Hypothek starke Widerstände von seiten der hohen Geistlichkeit geltend machten, daß die Instruktionen seines Hauses überschritten seien; man möge sich nun an James Rothschild in Paris wenden, dieser werde die Verhandlungen weiterführen.

Pius IX. richtete nun unmittelbar an die französische Regierung die Bitte, auf das Haus Rothschild einzuwirken, und auf Einschreiten des Pariser Nunzius verwandten sich sowohl Louis Napoleon persönlich als auch das Pariser Kabinett bei James dafür, dem Papste annehmbare Bedingungen zu gewähren.[1] James sagte sich, daß dabei wohl nicht viel zu verlieren sei, denn die päpstliche Regierung stände ja knapp vor der Wiedereinsetzung, und ihr Weiterbestand würde durch die katholischen Großmächte gewährleistet. Auch James sprach dabei von den Wünschen der Juden in Rom, von dem Fall der Mauern des Getto und von der Beseitigung der außerordentlichen Steuern und der Hindernisse der Freizügigkeit. Diese Bedingungen machten zwar nach wie vor peinlichen Eindruck auf den Papst, da er darin eine Einmischung in die inneren Angelegenheiten seines Staates erblicken mußte. Dennoch wollte man päpstlicherseits den Abschluß der Anleihe dieser Forderungen wegen nicht gefährden. Man ließ daher James wissen, daß die Erleichterungen, die er für seine Religionsgenossen wünschte, zum großen Teil tatsächlich schon in Kraft seien, daß aber andererseits Seine Heiligkeit sich nicht dem Verdachte aussetzen könne, als religiös angesehene Konzessionen ob der finanziellen Verlegenheit, in der er sich befand, zugestanden zu haben.[2] Dann ließ er durch Monsignore Fornarini, den päpstlichen Nunzius in Paris, James

[1] Graf Moritz Eszterházy, österreichischer Gesandter am päpstlichen Stuhl an Fürst Felix Schwarzenberg. Neapel, 6. I. 1850. Wien, Staatsarchiv. — [2] Hübner an Fürst Schwarzenberg. Paris, 17. I. 1850. Wien, Staatsarchiv.

schriftlich versichern[1], daß der Heilige Vater von den besten Intentionen gegenüber den Juden seiner Staaten erfüllt, und daß der Nuntius autorisiert sei, ihm zu wiederholen, daß der Heilige Vater seine dahingehenden Versprechungen nicht zurückziehen werde. Es gehörte dazu auch ein Edikt bezüglich der Aufhebung des Gettos.

So waren die letzten Schwierigkeiten beseitigt, und das Anleihegeld[2] wurde zu für Rothschild sehr günstigen Bedingungen in die päpstlichen Kassen eingezahlt, womit das letzte und größte Hindernis für die Rückkehr Seiner Heiligkeit nach Rom aus dem Wege geräumt war.

Nach glücklichem Abschluß dieser schwierigen Angelegenheit nahm der Papst Abschied vom König von Neapel, der ihm in diesen schweren Zeiten ein Asyl geboten, und hielt am 12. April 1850 seinen Einzug in Rom.

Die Rothschild hatten also das Geld zur Rückkehr des Papstes gegeben, ohne die formelle Zusicherung der Besserung des Loses ihrer Glaubensgenossen in mehr als in allgemeinen Ausdrücken erreicht zu haben. Carl Rothschild begab sich einige Zeit später nach Rom, und bei dieser Gelegenheit hörte er wieder die schmerzlichsten Klagen über das trotz allem nicht gebesserte Los der Juden. Darum entschloß er sich, den Fürsten Schwarzenberg in Wien um Intervention beim päpstlichen Stuhl zu bitten.

„Bei meinem jüngsten Aufenthalte in Rom“, schrieb er dem Ministerpräsidenten[3], „hatte ich Gelegenheit aus persönlicher

---

[1] Monsignore Fornarini, Bischof von Nizza, apostolischer Nunzius an James. Paris, 24. I. 1850. Wien, Staatsarchiv. — [2] Das Anlehen umfaßte einen Betrag von 50 Millionen Francs zu 5%. Sofort beim Abschluß wurden 15 Millionen zu 75 garantiert, von denen alle vierzehn Tage eine Million bezahlt wurde. Weiterhin versprachen die Rothschild 13 Millionen zum Satze von $77^1/_2$, aber erst zwei Monate nach der Ratifikation. Den Rest sollten sie für Rechnung der päpstlichen Regierung bestmöglich verkaufen. Von den ersten 28 Millionen verlangten sie 3% Provision und die Kosten der Kommission. — [3] Carl Rothschild an Fürst Schwarzenberg. Neapel, 20. 5. 1850. Wien, Staatsarchiv.

Anschauung und den Vorstellungen der Vorsteher der israelitischen Gemeinde daselbst mich von dem höchst traurigen Lose derselben zu überzeugen, und konnte nicht umhin, auf ihre dringenden Vorstellungen zu versprechen, mich so viel es in meinen schwachen Kräften stünde, wegen der Verbesserung ihres Schicksales bei hohen und einflußreichen Personen, welche mir ein geneigtes Gehör gönnen, zu verwenden."

Er führte weiter aus, er und seine ganze Familie hätten das lebhafteste und schmerzlichste Mitgefühl mit jener Gemeinde und bäten die kaiserliche Regierung, die als herzerhebendes Vorbild allen Konfessionen gleichen väterlichen Schutz angedeihen lasse, dank ihrem Übergewicht und ihrem überaus großen Einflusse beim päpstlichen Stuhl um gütige Intervention. Schwarzenberg wies daraufhin den Grafen Eszterházy an, in Rom Vorstellungen zu erheben. Aber die Angelegenheit kam noch lange nicht zur Ruhe.

Auf einen Klagebrief der jüdischen Gemeinde in Rom an James[1] wandte sich auch dieser an die österreichische Regierung[2], wies darauf hin, daß der Papst wohl nicht wisse, daß die Juden doch wieder im Getto eingeschlossen und allen möglichen Einschränkungen unterworfen seien. Und wieder wurde Eszterházy angewiesen, die Angelegenheit wohlwollend beim Papste zur Sprache zu bringen, was sich später oft wiederholte. Grund dafür war, daß die österreichische Regierung eben damals wegen eines Pfundanlehens mit Rothschild in Verhandlung stand.

Außer mit der päpstlichen Regierung stand das Haus Rothschild, trotz seinen wiederaufgenommenen guten Beziehungen zu Österreich, auch mit dessen Widerpart Sardinien ständig in Anleiheverhandlungen. Dieser Staat litt schwer unter

[1] Die jüdische Gemeinde in Rom an James Rothschild. Rom, 27. VIII. 1851. Wien, Staatsarchiv. — [2] James an Hübner. Paris, 27. VIII. 1851. Wien, Staatsarchiv.

den Folgen des unglücklichen Krieges gegen Österreich, der nach Radetzkys Erfolgen bei Mortara und Novara dem König Karl Albert die Krone gekostet hatte. Da er an seinem Stern verzweifelte, mußte sein Sohn Victor Emanuel II. den Leidensweg des Friedensschlusses mit Österreich betreten, der am 6. August in Mailand unterzeichnet wurde. Wohl gelang es, eine Gebietsabtretung zu vermeiden, aber Österreich schrieb eine hohe Kriegsentschädigung vor, zu deren Bezahlung der sardinische Staat eine schwere Schuldenlast auf sich nehmen und auf dem internationalen Finanzmarkt als Anleihewerber auftreten mußte.

Damals war der Finanzminister Sardiniens der Bankier Giovanni Nigra, ein Mann, der es trotz mäßiger wirtschaftlicher Begabung wagte, in einem so schwierigen Moment die Leitung der Finanzen des Staates zu übernehmen. Er war mit dem Grafen Camillo Cavour, der damals noch kein öffentliches Amt bekleidete, aber bereits dem Parlament angehörte, befreundet. Mit ihm, dessen Autorität in diesen Dingen schon damals anerkannt war, besprach Nigra zumeist die wirtschaftlichen Fragen.

Noch vor dem Friedensschlusse war der Finanzminister mit Rothschild in Verbindung getreten, der sich bei ihm erkundigt hatte, wie groß die an Österreich zu zahlende Kriegsentschädigung sein würde. Doch erst nach dem Friedensschluß kam es zu ernsteren Verhandlungen, zu denen James aus Paris nach Turin kam, wo er mit Nigra verhandelte und auch mit Cavour in Verbindung trat. Rothschild und Cavour speisten auch einmal gemeinsam bei Nigra.[1] James war anfangs einigermaßen mißtrauisch, hatte sich Aufklärungen über die innere Struktur der sardinischen Finanzen geben lassen und war erst, als er überzeugt wurde, daß Ordnung und Genauigkeit im sardinischen Staatshaushalte herrschten, zugänglicher geworden.

[1] Am 30. IX. 1849.

Cavour meinte damals über Rothschild[1]: „Er hat im Grunde große Lust, mit dem Lande ernstlich zu verhandeln, und mir wiederholt gesagt, daß er trotz allem Piemont als ein gefestigteres Staatswesen ansehe als Österreich.“
Die Erfahrungen seines Bruders Salomon in Wien und die Ereignisse in Ungarn hatten James zu dieser Meinung gebracht. Nigra verhandelte aber auch ohne Cavour mit James Rothschild, der den italienischen Bankiers einen möglichst geringen Teil der Anleihe überlassen wollte. Cavour hoffte, daß den Turiner und Genfer Bankiers 10 bis 12 Millionen zugeteilt werden würden, wovon er einen Teil für den mit ihm befreundeten und in enger geschäftlicher Verbindung stehenden Schweizer Bankier namens de la Rüe zeichnen wollte. Am 4. Oktober 1849, abends, hatte Nigra eine lange Konferenz mit Rothschild, und dabei ließ sich Nigra überreden, den italienischen Bankiers nur 8 Millionen Francs von den 62 Millionen der Anleihe zu überlassen. Cavour wußte davon noch nichts und begab sich am selben Abend zu Rothschild, um ihn für de la Rüe um 600 000 Francs Rente zu bitten oder, besser gesagt, ihm anzukündigen, daß der Bankier diese Summe zeichnen werde.
„Der alte Jude“, berichtete Cavour darüber an de la Rüe[2], „hat mir lächelnd geantwortet, daß Sie sehr gut daran tun werden und daß es für Sie besser sein werde, in Turin und Genua als in Paris zahlbare Renten zu erwerben. Ich dachte, daß alles ausgezeichnet ginge, als mir Bombrini[3] später erst den Rückzug Nigras mitteilte. Bei dieser Lage der Dinge kann ich von Rothschild nichts mehr verlangen, denn das würde mich zum Mitschuldigen an einer Operation machen, welche ich den Interessen des Landes entgegengesetzt erachte. Ich werde keine Renten von ihm nehmen, wenn er solche nicht allen Häusern des Platzes gibt.“

---

[1] Cavour an de la Rüe, 4. X. 1849. Andrée Bert, C. Cavour, Nouvelles lettres inédites. Turin, 1889, S. 343. — [2] Cavour an de la Rüe. Turin, 5. X. 1849. Bert a. a. O., S. 344. — [3] Carlo Bombrini, Bankier.

„Ich bin wütend“, fuhr Cavour fort, „und habe allen Grund zur Annahme, daß sich Nigra von diesem alten geriebenen Schlaukopf Rothschild hat hereinlegen lassen ... Nigra[1] hat ohne mich verhandelt und mich erst im Moment der Unterschrift des Vertrages gerufen. Ich wage mir zu schmeicheln, daß ich an seiner Stelle bessere Bedingungen erreicht hätte. Ich hatte einen Plan zusammengestellt, mit Hilfe dessen man Rothschild hätte entbehren können. Ich habe mich dessen bedient, um einige seiner Ansprüche zu beseitigen, aber die Grundlagen des Vertrages nicht mehr verändern können, welche endgültig festgesetzt waren. Nigras großes Unrecht besteht darin, nicht genug Vertrauen in die Aufnahmefähigkeit der heimischen Häuser zu haben ... Heute morgen ist ein Herr von Landau[2] gekommen, mir von Seiten Rothschilds anzutragen, bei ihm so viele Renten „au prix coutant“ zu nehmen, als ich nur wollte. Wie Sie sich vorstellen können, habe ich das zurückgewiesen; dieses Angebot hat mir Gelegenheit gegeben, die Art und Weise zu beurteilen, wie die Geschäfte in der Mehrzahl der Kabinette Europas betrieben werden.“

Wenige Tage darauf war die Anleihe voll gezeichnet. Sie fand solchen Anklang bei der italienischen Bevölkerung[3], daß das Finanzministerium von einer Menge belagert war, die geradezu mit Gewalt ihr Geld loswerden wollte. In Turin hätte man allein weit mehr als neun Millionen unterbringen können.

„Man erhebt laute Klage (on jette les hauts cris) gegen Nigra,“ schrieb Cavour, „der arme Teufel war im allerbesten Glauben, als er meinte, das Land mit acht Millionen zufriedenstellen zu können. Ich habe die Überzeugung, daß, wäre das Anlehen am 1. d. M. eröffnet, und wie ich es vorschlug, Wechsel auf London und Paris in Zahlung ge-

[1] Cavour an de la Rüe. Turin, 6. X. 1849. Bert a. a. O., S. 346. — [2] G. Landau, Vertreter des Hauses Rothschild in Turin. — [3] Cavour an de la Rüe, 8. X. 1849. Bert a. a. O., S. 348.

20. Graf Camillo Cavour

nommen worden, man auf Rothschild hätte verzichten können."

Man sieht, wie sehr Cavour schon damals, obwohl noch nicht amtlich berufen, an den finanziellen Geschäften des Staates Anteil nahm und wie sehr er sich gegen die Tatsache auflehnte, daß sein Land in so starker Abhängigkeit von dem Hause Rothschild stand. Schon damals nahm er sich vor, wenn er jemals etwas zu sagen hätte, diese Verhältnisse gründlich zu ändern.

Nichtsdestoweniger wurde die Anleihe ein Erfolg für Sardinien, und das Land konnte sich zu seinen Beziehungen zum Bankhause Rothschild nur beglückwünschen.

Doch diese Anleihe genügte Sardinien nicht, um sich aller drückenden Verpflichtungen und des Defizits im Staatshaushalte zu entledigen. Nigra mußte sich daher neuerdings nach einer Anleihe umsehn. Diesmal wollte sein inoffizieller finanzieller Mentor Cavour schon mehr auf seinen ungeschickten Freund und Landsmann achthaben. „Nigra ist in ständiger Korrespondenz mit Rothschild", schrieb Cavour zu Beginn des Jahres 1850.[1] „Ich werde zusehen, daß er sich nicht hineinlegen läßt."

Rothschild, der schon entschlossen war, die zweite Anleihe zu übernehmen, aber Nigra gegenüber den Uninteressierten spielte, um dann bessere Bedingungen zu erreichen, tat alles, um den Kurs der ersten Anleihe an der Börse möglichst niedrig zu halten, damit er dann nicht einen allzu hohen Kurs für die neue bewilligen müsse.

Der niedrige Stand der Rente und die scheinbare Zurückhaltung Rothschilds beunruhigten Nigra sehr; er kam gar nicht auf den Gedanken, daß man auch einmal versuchen könnte, bei einem anderen Hause eine Anleihe unterzubringen.

„Wenn die Rente nicht steigt," urteilte Cavour[2], „so liegt der

---

[1] Cavour an de la Rüe, 11. I. 1850. Bert a. a. O., S. 367 — [2] Cavour an de la Rüe, 28. VIII. 1850. Bert a. a. O., S. 395.

Fehler bei Nigra, der bei einer Schuld von 21 Millionen an Rothschild sich nicht entschließen kann, über die neue Anleihe zu verhandeln. Sie werden verstehen, daß, solange der Baron sie nicht sicher in Händen hat, er die Hausse verhindern wird. Man muß so wenig schlau sein wie Nigra, um das nicht zu verstehen.“

Schließlich fürchtete James doch, die Anleihe am Ende wirklich nicht zu bekommen, und entschloß sich neuerdings, persönlich nach Turin zu reisen.

„Man hat mir“, berichtete Cavour am 21. September 1850[1], „die Ankunft des großen Barons in Turin als sicher bevorstehend mitgeteilt. Nigra ist darüber außerordentlich nervös. Ich verstehe nicht, warum; denn wenn Rothschild sich die Mühe nimmt herzukommen, so wird er nicht wieder wegreisen, ohne seine Anleihe abgeschlossen zu haben, wenn er sie auch um ein Prozent teurer würde bezahlen müssen.“

Cavour weilte damals fern von Turin, obwohl er schon allgemein als Ministerkandidat galt und in dieser Hinsicht schon eingehende Besprechungen pflog. Hätte er unter diesen Verhältnissen an den Anleiheverhandlungen persönlich teilgenommen, so hätte das den Anschein erweckt, als geriere er sich schon als Finanzminister, ohne es noch zu sein.

„Ich habe meine Abwesenheit von Turin verlängert,“ erklärte Cavour[2], „um nicht mit Rothschild sein zu müssen. Es schien mir wenig schicklich, mich in meiner nunmehrigen außergewöhnlichen Stellung in die Anleiheverhandlungen einzumischen.“

Am Tage, als Cavour dies schrieb, ließ Marchese d'Azeglio, der Ministerpräsident und Minister des Äußern Sardiniens, Cavour zu sich rufen und forderte ihn auf, das Portefeuille für Ackerbau, Handel und Marine zu übernehmen. Cavour

---

[1] Cavour an de la Rüe, 21. IX. 1850. Bert a. a. O., S. 398. — [2] Cavour an de la Rüe, 6. X. 1850. Bert a. a. O., S. 399.

stimmte zu, obwohl er von der Marine, wie er selbst sagte[1], nichts verstand. Nun, als Minister dem Kabinett angehörend, scheute der begabte Mann sich freilich nicht mehr, sich auch in die Finanzangelegenheiten und in Nigras Ressort einzumengen, obgleich er natürlich noch nicht bestimmend auf die Finanzangelegenheiten Einfluß nehmen konnte.
Die zweite Anleihe, 6 Millionen Rente, die einem Kapital von 120 Millionen entsprach, wurde noch von Nigra mit Rothschild abgeschlossen. Vier Millionen Rente wurden Rothschild zum Verkauf überlassen, zwei behielt sich Nigra zur freien Verfügung vor. Das ergab eine sehr enge Verbindung der sardinischen Staatsfinanzen mit dem Hause Rothschild, und es war Cavour gar nicht recht, daß sein Vaterland weiter so ganz unter dem finanziellen Einfluß Rothschilds stand.
Als das Parlament das Finanzministerium autorisierte, 18000 Stück Obligationen auszugeben, um Österreich gänzlich auszuzahlen, da versuchte Cavour, einen Weg zu finden, um sein Vaterland in dieser Sache wenigstens von den Rothschild unabhängig zu machen.
Cavour heckte einen besonderen Plan aus, diese Papiere in Wien und Frankfurt zu verkaufen, und wollte, daß de la Rüe dies seinen dortigen Geschäftsfreunden Goldschmidt und Sina mitteile. „Das ist ein Geschäft," meinte der Minister[2], „das ihnen passen müßte. Ich glaube, daß sie sehr geneigt wären, Rothschild einen Possen zu spielen, und ich wäre begeistert, diesem Juden, der uns den Hals abschneidet (jugule), einen Schabernack zu bereiten."
Cavours Einfluß aber war doch nicht so groß, wie er wohl gewünscht hätte. Noch war Nigra Finanzminister, und die Obligationen wurden nicht gleich begeben. Nigra war seiner Auf-

[1] Näheres und Ausführliches darüber siehe „Mémoires sur les Opérations financières exécutées sous le Ministère de Mr. de Cavour 1852" in Chiala, Lettere edite ed inedite di Camillo Cavour, I, S. 564. — [2] Cavour an de la Rüe, 24. 121. 1850. Bert. a. a. O.

gabe gar nicht gewachsen. Die Schuldenlast und das Defizit stiegen, und die Staatsfinanzen kamen immer mehr unter Rothschildschen Einfluß.

„Die finanzielle Frage“, urteilte Cavour Ende März 1851[1], „macht mir große Sorge; Nigra ist von erschreckender Unfähigkeit.“

Cavour kam bei seinem Eintritt in das Ministerium in immer größeren Gegensatz zum Finanzminister, der endlich so weit ging, daß Cavour gelegentlich der Besprechung von Handelsverträgen mit England und Belgien seine Demission anbot, wenn Nigra bei seinem System bliebe. Da Nigra selbst sein Amt als eine Last empfand, hatte dies die Wirkung, daß er und nicht Cavour demissionierte.

Nun wurde Cavour im April 1851 zum Finanzminister ernannt und erhielt Gelegenheit, zu zeigen, daß er nicht nur zu kritisieren verstand, sondern es auch besser zu machen wußte. Es war freilich kein sehr erfreuliches Erbe, das er da antrat. Von den von James Rothschild übernommenen vier Millionen Rente war bisher nur etwas über die Hälfte verkauft, und Nigra hatte von dem Hause Rothschild Vorschüsse genommen, so daß Sardinien diesem 25 Millionen schuldete. An Österreich waren noch Restbeträge der Kriegsentschädigung zu zahlen, und das Defizit des Staatshaushaltes betrug 68 Millionen.

Die Rothschild wünschten trotz der ungünstigen Lage am Pariser Markte, die den Verkauf der erst übernommenen vier Millionen Rente erschwerte, doch auch noch die zwei restlichen, die sich Nigra vorbehalten hatte, in ihre Hände zu bekommen, und machten dem neuen Finanzminister darüber ihre Vorschläge. Nun machte es sich bezahlt, daß Cavour ihnen gegenüber seine persönliche Freiheit und Unabhängigkeit bewahrt hatte. Er war sich klar darüber, daß man in Zukunft nur dann günstige Bedingungen für den Staat heraus-

[1] Cavour an de la Rüe, 22. III. 1851. Bert. a. a. O., S. 416.

schlagen konnte, wenn man den Rothschild bewies, daß sie kein Monopol auf die Staatsanleihen hätten und der Staat nicht so gänzlich von ihnen abhängig wäre, wie man es unter der Administration Nigras hätte annehmen können.

Cavour wollte den englischen Markt in Anspruch nehmen und wandte sich zu diesem Zwecke schon am 25. April 1851, also sechs Tage nach seiner Ernennung zum Finanzminister, an den Gesandten Sardiniens in London, den Marchese Emanuel d'Azeglio.

„Wir müssen uns“[1], schrieb er ihm, „um jeden Preis aus der peinlichen Lage befreien, in der wir uns gegenüber dem Hause von Rothschild befinden. Eine in England abgeschlossene Anleihe ist das einzige Mittel, unsere Unabhängigkeit wiederzugewinnen . . . Es ist nicht meine Absicht, schon von heute ab mit Rothschild zu brechen, sondern nur, ihm zu beweisen, daß wir ihn entbehren können. Es ist möglich, ja sogar wahrscheinlich, daß er, so wie er uns fest entschlossen sieht, versuchen wird, an der Operation teilzunehmen, die wir an der Londoner Börse zu machen wünschen. In diesem Falle hätte ich gar nichts dagegen, mit ihm zu verhandeln, wenn er nur mit anderen englischen Bankiers im Einvernehmen wäre. Wenn es uns nicht in Kürze gelingt, eine Anleihe in London abzuschließen, werden wir uns gezwungen sehen, neuerdings unter Rothschilds kaudinischem Joch durchzumüssen.“

„Die finanzielle Operation“, schrieb Cavour um dieselbe Zeit an den Deputierten Grafen von Revel[2], „hat eine Bedeutung, die man gar nicht hoch genug einschätzen kann; sie allein kann uns von der Abhängigkeit vom Hause Rothschild befreien, die seit einiger Zeit für unseren Kredit so vernichtend geworden ist.“

---

[1] Cavour an Marquis d'Azeglio. Turin, 25. IV. 1851. Nicomede Bianchi, La politique du Cte. de Cavour de 1852 à 1861. S. 1 und 2. — [2] Cavour an den Grafen Ottavio di Revel. Turin, Juli 1851. Chiala, Lettere, a. a. O., I, S. 447.

Nachdem nun Cavour vom Parlament die Vollmacht zur Aufnahme einer Anleihe erhalten, dachte er vornehmlich an das Haus C. J. Hambro & Sohn, eine ursprünglich dänische Firma aus Kopenhagen, die sich nach den Revolutionen von 1848 in England angesiedelt und dort naturalisiert hatte. Im Juli des Jahres gelang es Cavour tatsächlich, die Anleihe mit Hambro abzuschließen. Befriedigt verzeichnete er diesen Erfolg und meinte dazu[1]: „Wenn es uns nicht gelungen wäre, Geld in England zu bekommen, wäre die Regierung gezwungen gewesen, wieder in die Hände Rothschilds zu fallen und die Bedingungen anzunehmen, die es diesem beliebt hätte, dem Staate aufzuzwingen. Bedingungen, die, angesichts der Anstrengungen, die das Ministerium gemacht, um seinem Übergewicht zu entkommen, um so härter gewesen wären. Meine persönliche Autorität als neuer Finanzminister hätte überdies dabei schwersten Schaden genommen."

Die verschiedenen Häuser Rothschild hatten diesen Seitensprung Cavours mit großem Mißvergnügen mit angesehen und alles getan, um die Verhandlungen mit Hambro zu stören.

„Die Anleihe", schrieb Cavour an den Grafen von Revel[2], „ist zur rechten Zeit beendigt worden, denn es scheint mir, daß unsere Feinde schon so weit waren, die gesamte öffentliche Meinung gegen uns einzunehmen. Ich glaube, in dem Artikel der Times[3] die Hand Rothschilds zu erkennen. Der Baron James hat öffentlich verkündigt, daß wir scheitern würden; er erlaubte sich sogar ein Wortspiel über uns: l'emprunt était ouvert, mais non couvert."

Das letztere war allerdings richtig, denn von den 3600000 Pfund Nominale zu 85 blieben zu Anfang reichlich 1400000 Pfund

---

[1] Siehe Chiala, Lettere, a. a. O., I, S. 5–6. — [2] Cavour an den Grafen von Revel. Turin, 9. VII. 1851. Chiala, Lettere, a. a. O., I, S. 459. — [3] Die Times hatte damals einen Artikel über die ungünstige wirtschaftliche und politische Lage Sardiniens gebracht.

unverkauft. Es ging aber doch alles gut aus, denn die restlichen Papiere konnten später zu einem günstigeren Zeitpunkte zu besserem Kurse untergebracht werden. Die Bedingungen, unter denen Hambro die Anleihe abgeschlossen, waren günstiger als die der von Rothschild gegebenen früheren Anleihen. So konnte Cavour die letzten Kriegsentschädigungszahlungen an Österreich leisten und Rothschild zeigen, daß er nicht so unentbehrlich sei, wie er es bisher vielleicht geglaubt hatte.

Jetzt war Cavour auch versöhnlicher gegenüber dem Hause Rothschild und ließ die sechs Millionen Kriegsentschädigung, die noch an Österreich zu zahlen waren, durch sie nach Wien leiten, „denn", schrieb er, „bis jetzt waren es die Rothschild, die für uns zahlten und für Österreich einkassierten. Ich denke, es ist gut, um uns nicht gänzlich mit dieser großen Finanzmacht zu verfeinden, diese letzte Abschlagszahlung unseres Unglücks durch ihre Hände zu leiten".[1]

Aber die Rothschild waren über Cavours Vorgehen sehr erbost und wollten zeigen, daß sie nicht so leicht mit sich spaßen ließen. Sie taten alles, um die früheren, nunmehr schon abverkauften und nicht mehr in ihren Händen befindlichen Anleihen im Kurse zu drücken, und Anfang September waren die sardinischen Renten an der Pariser Börse tatsächlich auf einem ungewöhnlichen Tiefstand. Cavour, der etwas Ähnliches erwartet hatte, konnte sich natürlich darüber nicht freuen.

„Ich war mehr bekümmert als erschreckt", schrieb Cavour an Revel, „über den Rückgang unserer Bonds. Ich weiß, daß dieser ohne Zweifel zum großen Teil den Anstrengungen der Rothschild zu danken ist. Sicherlich hat er nicht auf die Scribs (Anleihescheine) direkt eingewirkt, dazu ist er zu schlau; aber er hat versucht, unsere frühere 5%ige Anleihe zu werfen, und das ist ihm gelungen. Tatsächlich hat er in Turin nicht durch

---

[1] Cavour an den Grafen von Revel. Turin, 5. VII. 1851. Chiala, Lettere, I, S. 455.

seine eigenen Agenten, sondern durch ein Haus, von dem man nicht weiß, daß es mit ihm in Verbindung steht, bedeutende Mengen von Renten verkaufen lassen . . . Es ist diese sehr geheim gehaltene Operation, die die große Baisse verursacht hat, welche bei uns eingetreten ist und auf den Pariser Markt rückgewirkt hat, der unglücklicherweise einer rückweichenden Bewegung nur allzu geneigt war. Aber dieses Manöver wird ein Ende haben müssen. Rothschild, der nun seit sechs Monaten verkauft, ohne neue Anleihepapiere zu bekommen, wird sich in einiger Zeit nahezu entwaffnet sehen. Dann wird die Hausse wieder Oberwasser gewinnen. Ich bitte Sie daher, mein lieber Graf, Mr. Hambro nur Mut zuzusprechen, indem Sie ihm vorstellen, daß uns der Krieg bis aufs Messer, den uns der große Baron liefert, nicht erschreckt . . . Man versichert mir, daß bei der Botschaft Sardiniens (in London) ein gewisser Corti[1] ist, der viel Intelligenz und Begabung besitzt; wir könnten ihn damit beauftragen, sich unserer weiteren Beziehungen mit Herrn Hambro anzunehmen."[2]

Cavour behielt recht. Es wurde nicht so schlimm mit den Renten; die Kurse besserten sich wieder, und im Januar 1852 standen sie an der Pariser Börse sogar verhältnismäßig sehr gut. In diesem Augenblick begann das Haus Rothschild sich wieder der piemontesischen Regierung zu nähern, und James sandte seinen Sohn Alfons nach Turin, um dem Grafen Cavour eine Anleihe von 40 Millionen Francs (2 Millionen Rente) zum außerordentlich günstigen Kurse von 92 anzutragen. Cavour hatte zwar noch nicht die Absicht, eine neue Anleihe aufzunehmen, freute sich aber außerordentlich über das hohe Angebot des Hauses Rothschild, in dem er mit Recht einen Erfolg seines englischen Seitensprunges sah.[3] Er brachte

---

[1] Graf Luigi Corti, später Minister des Äußern Italiens und Botschafter in London, ein Großoheim des Verfassers. — [2] Cavour an den Grafen Revel. Turin, 10. IX. 1851. Chiala, Lettere, a. a. O., I, S. 495. — [3] Graf Apponyi an Fürst Schwarzenberg. Turin, 20. I. 1852. Wien, Staatsarchiv.

den Antrag der Kammer vor, bemerkte aber gleichzeitig, daß er bis zu den ersten Monaten 1853 auch ohne Anleihe werde auskommen können. Daraufhin verwarf die Kammer, die eine vorzeitige Erhöhung der Staatsschulden nicht wünschte, das Angebot trotz seinen Vorteilen.

Indessen wurde nach einem kurzen Rücktrittsintermezzo Cavour am 4. November 1852 unter Beibehaltung des Finanzministeriums auch Ministerpräsident. In den ersten Januartagen des Jahres 1853 machte sich nun, wie erwartet, neuerdings das Bedürfnis nach Geld im piemontesischen Haushalt geltend, und Cavour wollte nunmehr jene zwei Millionen Rente, die noch Nigra von der Anleihe von 1851 zurückbehalten hatte, verkaufen.

James, der von jeher auch diesen Teil der von ihm seinerzeit gewährten Anleihe übernehmen wollte, scheute die Reise nach Turin nicht, bot 88, während Cavour 95 verlangte und gab schließlich doch 94,50, also um vier Punkte mehr als der höchste Preis, den Hambro je erzielte.[1]

Damit aber nicht genug, mußte Cavour auch an eine neue Anleihe denken, und diesmal sollte es eine dreiprozentige sein. Cavour war also nicht prinzipiell gegen das Haus Rothschild eingenommen, er versuchte bloß bestmögliche Bedingungen für sein Vaterland herauszuschlagen, wobei er in geschicktester Weise einen Finanzmann gegen den anderen ausspielte. Hambro fühlte sich zu schwach für ein zweites so großes Anleiheunternehmen, Graf Corti hatte in diesem Sinne aus London an Cavour gemeldet. Cavour beauftragte ihn nun, nach Paris zu reisen und mit Fould zu verhandeln, ob nicht der in heftiger Konkurrenz mit Rothschild stehende Crédit mobilier geneigt wäre, die Anleihe zu übernehmen. Er sandte Corti einen Einführungsbrief, den dieser am 21. Januar 1853 Benoît Fould in Paris übergab. Corti erklärte Fould, Cavour habe volle Freiheit, die Anleihe dort zu kontrahieren, wo sie am meisten

[1] Cavour an Revel, Turin, 8. I. 1853. Chiala, Lettere, a. a. O., II, S. 8.

im Interesse des Landes liege, und werde sie daher dort abschließen, wo er die besten Bedingungen bekomme.

„Ich glaube," antwortete Fould[1], „daß Sie die Plätze von Paris und London Ihrem Lande geneigt finden werden. Die Baisse, die in letzter Zeit wieder eingetreten ist, ist eine Folge der langen Manöver des Herrn von Rothschild und der Sicherheit, die jedermann hat, daß Sie wieder eine Anleihe machen wollen."

Corti meinte, Fould habe eine ausgezeichnete Meinung über Sardinien und sei sehr geneigt, die Anleihe en bloc zu übernehmen. Am nächsten Tage fand sich der erstere wieder bei Fould ein, der ihm von seinem Konsortium (Crédit mobilier) sprach, das so ausgezeichnet sei, daß man nirgendwo seinesgleichen finden könne. Er fragte dann nach den Bedingungen, und Corti warf die Ziffer 70 hin; Fould meinte, das wäre zu teuer, er müsse auf bessere Bedingungen bestehen. Trotzdem aber war zu erkennen, daß er brennend wünschte, die Anleihe zu übernehmen.[2]

Indessen hatte Cavour Cortis Brief erhalten.

„Herr Graf," antwortete er ihm, „ich habe mit großem Interesse Ihren Bericht über Ihre Unterredung mit Herrn Benjamin Fould gelesen, bei welcher Sie mit großem Geschick den Instruktionen gefolgt sind, die ich Ihnen gegeben habe. Ich fordere Sie auf, Herrn Fould neuerdings vor Ihrer Abreise aufzusuchen und ihn möglichst dazu zu bringen, einen Preis zu nennen. Sie können ihm sagen, daß ich eine Eröffnung von seiner Seite erwarte; Sie müssen ihm aber begreiflich machen, daß ich absolut nicht pressiert und entschlossen bin, wie er es mir rät, das Gewitter vorbeiziehen zu lassen, das über den Börsen von Paris und London wütet."[3]

---

[1] Graf Luigi Corti an Cavour. Paris, 21. I. 1853. Archiv des Marchese Gaspare Corti, Taino. — [2] Corti an Cavour. Paris, 22. I. 1853. Corti-Archiv, Taino. — [3] Cavour an Corti. Turin, 25. I. 1853. Corti-Archiv, Taino. Chiala, Lettere, a. a. O., II, S. 375.

Corti meldete weiter aus Paris[1], daß Fould immer noch sehr eifersüchtig auf Rothschild sei. „Cavour muß", sagte Fould einmal in einem lebhaften Augenblick zu Corti „zwischen mir und ihm wählen." Besonders aufgeregt war der französische Finanzier, als er hörte, daß Alfons Rothschild wieder eine Reise nach Turin angetreten habe. Er hatte auch allen Grund dazu, denn während Cavour seinen Sendling Corti mit Benjamin Fould und seinem Hause Fould-Oppenheim verhandeln ließ, tat der Minister selbst das gleiche in Turin mit Rothschild.

Da erschienen in den ersten Februartagen in mehreren Pariser Zeitungen Notizen, daß die neue sardinische Anleihe bereits mit dem Hause Rothschild abgeschlossen sei. Ganz aufgeregt interpellierte Fould Corti darüber, der wahrheitsgemäß erklärte, er habe davon keine Kenntnis.[2] Foulds Nachrichten stammten aber nicht nur aus den Zeitungen, sondern von Rothschild selbst, der Fould, ohne zu ahnen, daß dieser auch mit Sardinien verhandle, fragte, ob er nicht an der sardinischen Anleihe teilhaben wolle; er sei geneigt, ihm eventuell davon abzugeben. Fould antwortete ausweichend, er wolle sich in dieser Angelegenheit freie Hand bewahren, um auf eigene Rechnung zu handeln.[3] Er zeigte sich Corti gegenüber nun immer eifriger und interessierter, die Anleihe zu übernehmen. Indessen sagte Fould Rothschild unvorsichtigerweise, als dieser neuerdings die Beteiligung an der Anleihe vorschlug, selbstgefällig und etwas von oben herab, es tue ihm leid, aber er stehe selbst in solchen Verhandlungen. Darüber war Rothschild sehr betroffen und stellte mehrere Fragen an ihn, darunter jene, wie hoch der Preis wäre. Fould antwortete natürlich nicht, aber daß er sein Geheimnis verraten, sollte ihm teuer zu stehen kommen.

---

[1] Corti an Cavour. Paris, 28. I. 1853. Konzept Corti-Archiv, Taino. —
[2] Corti an Cavour. Paris, 10. II. 1853. Konzept Corti-Archiv, Taino. —
[3] Corti an Cavour. Paris, 14. II. 1853. Konzept Corti-Archiv, Taino.

Rothschild versuchte noch, auf dem Wege über den Finanzminister Herrn Bineau den von Fould verlangten und von ihm gebotenen Preis zu erfahren, und sandte dann seinen Sohn sofort nach Turin. Luigi Corti begab sich am 27. Februar zu Fould und nannte ihm nunmehr Cavours Forderung von 73, worauf jener sehr erschrocken tat und zum erstenmal die Gegenproposition von $66^2/_3$ machte.[1] Da erklärte Luigi Corti wieder, das sei unmöglich, er solle ihm doch einen annehmbaren Vorschlag machen, denn Rothschild sei in Turin und bereit, ihm das Geschäft vor der Nase wegzuschnappen. Tatsächlich war der junge Rothschild am 26. Februar 1853 abends in Turin eingetroffen, obwohl ihn Cavour keineswegs gerufen hatte. Seine Ankunft war dem Minister durch den Vertreter des Hauses Rothschild, G. Landau, avisiert worden. Dies stärkte Cavours Rückgrat außerordentlich.

„Herr Graf," schrieb der Ministerpräsident unter selbem Datum an Luigi Corti, „Herr Fould möchte unsere Anleihe im Sturm nehmen und von der Panik profitieren, die die Geister der Börsen von Paris und London erfaßt hat, um uns zu zwingen, unter wenig günstigen Bedingungen zu kapitulieren. Wir können aber weder, noch dürfen wir uns so beeilen. Sie müssen sich daher so einrichten, daß Sie Zeit gewinnen."[2]

Corti mußte also noch in Paris bleiben, und Cavour schrieb ihm scherzhaft: „Könnten Sie nicht irgendeiner jungen und reichen Erbin den Hof machen?"[3]

Indessen gingen die Verhandlungen zwischen Luigi Corti und Fould weiter. Dieser letztere und die von ihm vertretenen Bankhäuser wollten keine erheblich besseren Bedingungen

---

[1] Corti an Cavour. Paris, 27. II. 1853. Konzept Corti-Archiv, Taino. — [2] Cavour an Corti. Turin. 25. I. 1853. Corti-Archiv, Taino. Chiala a. a. O. I. S. 376. — [3] Cavour an Corti, Turin, 25. I. 1853, Corti-Archiv, Taino.

bieten. Der junge Diplomat hielt Cavour unter aller Vorsicht, damit die Korrespondenz nicht abgefangen würde, auf dem laufenden. Aber gerade im entscheidenden Moment war die telegraphische Linie Paris–Turin auf drei Tage unterbrochen.

Da bot Alfons Rothschild in Turin Cavour direkt 70 mit 2% Kommission, und Cavour schlug ein. „Ich denke," schrieb er seinem vertrauten Bankier, „daß es nicht möglich war, Besseres zu erreichen. Sie werden anerkennen, daß uns die Rivalität Foulds einige Millionen getragen hat."[1]

Cavour telegraphierte dann am 3. März an Corti[2], er habe mit Rothschild abgeschlossen, da dieser um soviel bessere Bedingungen geboten habe als Fould. Corti brach die Verhandlungen ab und verließ Paris, ohne noch Zeit gehabt zu haben, Cavours launigen Ratschlag zu befolgen. Er erzählte in späteren Jahren oft mit Begeisterung davon, wie klug und geschickt Cavour die verschiedenen geldgierigen Finanzleute gegeneinander ausgespielt habe. Der große Staatsmann blieb auch später skeptisch und vorsichtig im Verkehr mit dem Hause Rothschild und fürchtete sich stets davor, „d'être juivé par Rothschild", wie er sich ausdrückte.[3]

Cortis Hilfsdienste wurden von Cavour in warmer Weise anerkannt. „Ich danke Ihnen, Herr Graf," schrieb er ihm, „für die Art und Weise, wie Sie sich der Ihnen anvertrauten Aufgabe entledigt haben. Wenn auch der Kontrakt nicht durch Ihre Vermittlung abgeschlossen wurde, so haben Sie doch zu seinem Gelingen sehr viel beigetragen."

Das geschickte Vorgehen in dieser Anleiheangelegenheit zeigte den neu erstehenden Stern Cavour, den genialen Staatsmann der Einigung Italiens in ebenbürtigem, ja überlegenem

---

[1] Cavour an de la Rüe. Turin, 2. III. 1853. Bert a. a. O., S. 452. —
[2] Cavour an Corti. Turin, 3. III. 1853. Telegramm, Corti-Archiv, Taino. —
[3] Cavour an Corti. Turin, 2. III. 1853. Corti-Archiv. Chiala Lettere. a. a. O., II, S. 387.

finanziellen Kampfe mit Rothschild. Rothschild hatte Cavours Genialität imponiert; er tat alles, um sich dem erfolgreichen Staatsmanne und dem siegreichen Sardinien nach 1859 wieder zu nähern und nützlich zu erweisen. Darum überhäufte James den Botschafter Sardiniens in Paris, Nigra, mit Aufmerksamkeiten.

„Der Baron James von Rothschild,“ schrieb dieser einmal[1] an Cavour, „der mir viel Zuneigung bezeugt, frägt mich dabei aber oft Dinge, auf die ich ihm nicht antworten kann. Wenn Frankreich uns Renten zubilligt, ist er bereit uns Geld zu geben. Er hat dem Papst nichts geben wollen. ‚Was Sie betrifft,‘ sagt mir stets der gute Baron, ‚stelle ich alle meine Millionen zu Ihrer Verfügung und mich mit ihnen.‘“

James war einer der ersten, der trotz allem den frühen Tod von Italiens größtem Staatsmann aufrichtig bedauerte.

Ungefähr gleichzeitig, als Cavour und Rothschild ihre Kräfte maßen, trat auch der Staatsmann der Einigung Deutschlands, Bismarck, durch seine Ernennung zum Gesandten Preußens am Bundestage in Frankfurt in Beziehung zum dortigen Rothschild, der ja als Bankier des Bundes dessen finanzielle Geschäfte versah.

Solange Metternich am Ruder war, boten der Deutsche Bund und seine Vertretung, der Bundestag in Frankfurt, ein friedliches Bild, da Preußen und Österreich gleiche Tendenzen verfochten. Freilich, die Nation war mit der Wirksamkeit dieser Einrichtung nach innen und ihrer Ohnmacht nach außen keineswegs zufrieden. Die Ruhe und der Friede wichen mit einem Schlage, als die Revolutionen der Jahre 1848 und 1849 Europa erschütterten. Nun regte sich der Einigungsgedanke in Deutschland gewaltig, und nach der Episode der Nationalversammlung traten Preußen und Österreich auf den Plan, jedes mit der Absicht, die Führung

[1] Nigra an Cavour. Paris 7. V. 1860. Carteggio Cavour-Nigra a. a. O., III, S. 281. Bologna 1928.

Deutschlands an sich zu reißen. Während die preußische Regierung ihre Anhänger nach Erfurt rief, forderte Österreich alle deutschen Staaten zur Wiederherstellung und Wiedereröffnung der Frankfurter Bundesversammlung auf, wie sie vor der Revolutionszeit bestanden hatte. Österreich war des Aufruhrs in Italien, Ungarn sowie im Herzen der Monarchie, in Wien, siegreich Herr geworden, und sein neuer Führer, Fürst Schwarzenberg, wandte sich nun völlig der Wiedergewinnung der alten, dominierenden Stellung Österreichs in Deutschland zu. Dabei konnte er sich auf Rußland stützen; es hatte in Ungarn bewiesen, daß es gegen Revolution und Neuerung auch mit bewaffneter Hand einzuschreiten bereit sei. Preußens Kriegsmacht war zu jener Zeit nicht mächtig genug, um dem wiedererstarkten Österreich drohend die Türe zu weisen. So mußte es sich am 29. März 1850 den demütigenden Forderungen Schwarzenbergs beugen.

Ein Jahr darauf wurde die deutsche Bundesverfassung von 1815 wiederhergestellt, und auch Preußen meldete seinen Wiedereintritt in den Bundestag im Mai 1851 an.

Amschel Meyer Rothschild hatte die wechselnden Kämpfe um Regelung der deutschen Frage und Verfassung, die sich in seiner Heimatstadt abspielten, mit vorsichtiger Zurückhaltung beobachtet. Obwohl Bundesbankier und daher mit dem Schicksal des Bundes innig verknüpft, suchte der 1850 schon siebenundsiebzig Jahre alte Mann sich möglichst von allen Verwicklungen fernzuhalten. An Versuchen, ihn in die bewegten politischen Vorgänge hineinzuziehen, fehlte es nicht. Man ersuchte ihn z. B. um Geld zur Gründung von politischen Kampfblättern, aber damit wollte das Haus Rothschild nichts zu tun haben. Wenn es gelegentlich der Zeitungen bedurfte, so bediente es sich stets einzelner Redakteure, die die gewünschten Artikel brachten, aber selbst ein Blatt herauszugeben, in dem sich das Bankhaus auf eine bestimmte politische Richtung und ein klar umgrenztes Programm hätte festlegen müssen, kam ihm nicht in den Sinn. Amschel Meyer antwortete demgemäß unter dem 20. März 1849 einem solchen Bittsteller, daß sein Haus „immer Anstand genommen habe, an der Gründung politischer Blätter sich zu beteiligen", weshalb er wahrhaft bedauere, den ihm geäußerten Wünschen nicht nachkommen zu können. (Siehe Abbildung auf Tafel 21.)

Der Wiedereintritt Preußens in den Bundestag bedingte die Entsendung eines Vertreters. Am 10. Mai traf in Frankfurt a. M. der hierzu designierte kaum sechsunddreißigjährige Otto von Bismarck ein. Obwohl persönlich, ebenso wie Österreich, konservativ gesinnt, war er doch erfüllt von der Größe und stolzen Zukunft seines Vaterlandes und entschlossen, trotz allem, was vorgefallen, Preußen den gebührenden Platz in Deutschland zu schaffen und nötigenfalls auch zu erkämpfen.

Der erste Eindruck, den Bismarck von Frankfurt gewann, war nicht der beste; er fand es „gräßlich langweilig"[1] und seinen neuen Beruf, die Diplomatie, keineswegs erfreulich. Den Verkehr der Gesandten untereinander bezeichnete er im Grunde als nichts anderes als „gegenseitiges mißtrauisches Ausspionieren"; „kein Mensch", meinte er, „glaubt es, was für Charlatanerie und Wichtigthuerei in dieser Diplomatie steckt."

Bismarck suchte ein Quartier und empfing einstweilen seine Besuche in einer einfachen chambre garnie in der Stadt. Einer der ersten, der ihm einen Besuch abstattete, war der alte Amschel Meyer Rothschild, der sich mit dem Vertreter Preußens ebensogut zu stellen wünschte wie mit dem Grafen Thun, dem Vertreter Österreichs. Für Bismarck war die Erscheinung Rothschilds eine Kuriosität. Die vornehme Gesellschaft Frankfurts imponierte ihm im übrigen wenig.

---

[1] Bismarck an seine Gattin. Frankfurt 18. V. 1851. Fürst Bismarcks Briefe an seine Braut und Gattin. Stuttgart 1921.

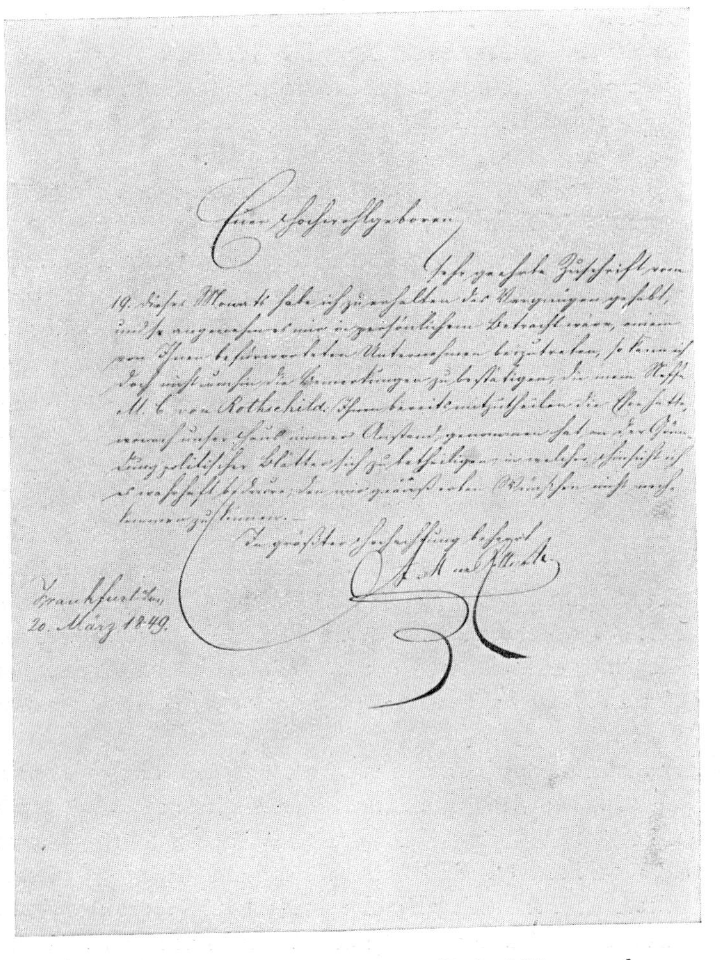

Euer Hochwohlgeboren

Ihre geehrte Zuschrift vom 19. dieses Monats habe ich zu erhalten das Vergnügen gehabt, und so angenehm es mir in persönlicher Betracht wäre, einem von Ihnen beschriebenen Unternehmen beizutreten, so kann ich doch nicht umhin die Bemerkungen zu bestätigen, die mein Neffe M. C. von Rothschild Ihnen bereits mitzutheilen die Ehre hatte, wonach unser Haus immer Anstand genommen hat an der Gründung politischer Blätter sich zu betheiligen, in welcher Hinsicht ich es lebhaft bedaure, den mir geäußerten Wünschen nicht nachkommen zu können.

Mit größter Hochachtung beharrt

A. M. v. Rothschild

Frankfurt den 20. März 1849.

21. Schreiben von Amschel Meyer von Rothschild wegen der Nichtbeteiligung an politischen Tagesblättern

„Vor der hiesigen Vornehmigkeit“[1], schrieb Bismarck seiner Frau, „fürchte Dich nicht; dem Gelde nach ist Rothschild der Vornehmste, und nimm ihnen allen ihr Geld und Gehalt, so würde man sehn, wie wenig vornehm jeder an und für sich ist; Geld tuts nicht und sonst – möge der Herr mich demüthig erhalten, aber hier ist die Versuchung groß, mit sich selbst zufrieden zu sein.“

Dem ersten Besuch Rothschilds folgten mehrere Einladungen in das Haus des greisen Bankiers. Damit Bismarck nur ja nicht absagen könne und sicher komme, lud ihn Rothschild zum ersten Diner sehr lange vorher ein. Darauf erwiderte Bismarck, er werde kommen, wenn er noch lebe. „Diese meine Antwort“, schrieb Bismarck seiner Frau[2], „hat ihn (Amschel) erschüttert, so daß er sie allen Leuten erzählt: Was soll er nich leben, was soll er doch sterben der Mann, is er doch jung und stark!“

Den Eindruck, den der alte Rothschild auf Bismarck gemacht, schildert dieser wenig später in einem Brief an seine Frau: „Einliegende Blättchen habe ich im Garten des alten Amschel Rothschild für Dich gepflückt, der mir gefällt, weil er eben ganz Schacherjude ist und nichts anders vorstellen will, dabei ein strengorthodoxer Jude, der bei seinen Diners nichts anrührt und nur gekauschertes ißt. ‚Johann, nimm mit Dir epps Brot, vor die Rehcher‘, sagte er zu seinem Diener, als er ging, mir seinen Garten zu zeigen, in dem zahmes Damwild ist. ‚Herr Beraun (Baron), die Pflanze koscht mich 2000 Gülden, uf Ehre 2000 baare Gülden, laß se Ihne for 1000, oder wolle Se (se) habe geschenkt, so soll er se Ihne bringe in Ihr Haus, waiß Kott, ich schätze Se aufrichtig, Herr Beraun, Se sind e scheener Mann, e braver Mann‘; dabei ist er ein kleines magres eisgraues Männchen, der Älteste seines Stammes, aber ein armer Mann in seinem Palast, kinderlos, Wittwer, betrogen von seinen Leuten und schlecht behandelt von

---

[1] Fürst Bismarcks Briefe an seine Braut und Gattin. Stuttgart 1921. –
[2] dto., a. a. O., S. 266.

vornehm französirten und englisirten Neffen und Nichten, die seine Schätze erben, ohne Dank und ohne Liebe."

Als Bismarck am 18. August 1851 endgültig zum preußischen Gesandten am Bundestage ernannt wurde, da bemühte sich Rothschild um so mehr, dem neuen Manne gefällig zu sein. Bismarck hatte noch immer keine Wohnung gefunden, die ihm erschwinglich schien. Amschel trug ihm eine elegante Rothschildsche Villa an, die ziemlich weit an der Chaussee nach Bockenheim lag.[1]

Am 1. Oktober bezog Bismarck das Haus Bockenheimer Landstraße Nr. 40, das allerdings nicht den Rothschild gehörte, dessen erster Stock und Parterre aber Carl Meyer von Rothschild bei seiner zeitweisen Anwesenheit in Frankfurt als Wohnung gedient hatte.

Kaum waren die persönlichen Angelegenheiten in Ordnung gebracht, da trat die Politik in ihre Rechte. Die Niederlage Preußens in Olmütz brannte Bismarck auf der Seele. Er war in seinem Innern genau so wie die führenden Männer in Berlin überzeugt, daß es ein Recht Preußens sei, die Herrschaft über Deutschland an sich zu reißen; Österreich hatte zwar unbestreitbar den formellen Vorrang in Frankfurt, um so entschiedener aber wollte Bismarck über alle Interessen Preußens wachen.

Es war klar, Wien wollte den Bund, dessen Staaten in der Mehrzahl für Österreich waren, zur Majorisierung Preußens benutzen, Bismarck aber wollte diese Vormachtstellung Österreichs schon damals, so gut es ging, bekämpfen. Dafür war eine Äußerung charakteristisch, die Bismarck kurz nach seiner Ernennung fallen ließ: man solle ihn nur gewähren lassen, er werde noch den Skalp von Österreich mit nach Hause bringen.[2] Bismarck trat dem Hause Rothschild mit

---

[1] Bismarck. Die gesammelten Werke, I, S. 43, Bismarck an Manteuffel. —
[2] Schwemer, Geschichte der freien Stadt Frankfurt. III, 61; erwähnt auch in Arnold Oskar Meyer, Bismarcks Kampf mit Österreich am Bundestag zu Frankfurt (1851–59). Leipzig 1927.

Vorsicht und einem gewissen Mißtrauen gegenüber, weil er Grund zur Annahme zu haben glaubte, das Bankhaus halte mehr zu Österreich als zu jedem anderen Bundesstaat.

Die Rothschild waren zu jener Zeit einmal in Geldangelegenheiten in Berlin gewesen[1] und hatten dabei den Wunsch zu verstehen gegeben, den Titel „preußische Hofbankiers" zu erhalten. Die Berliner Regierung forderte Bismarck auf, sich hierüber zu äußern, und dieser antwortete, er finde, daß die Herren von Rothschild für ihr etwaiges Wirken im preußischen Interesse hinlänglich durch Geldvorteile entschädigt seien. Daraufhin unterblieb eine weitere Verfolgung der Angelegenheit.

Bismarck ärgerte sich schon darüber, daß Österreich den Vorsitz auf dem Bundestage und sein Vertreter den Titel „Präsidialgesandter" führte. Bei jeder Gelegenheit zeigte sich der Gegensatz zwischen Preußen und Österreich, und oft gaben Fragen geringerer Bedeutung den Anlaß zum Prestigekampf.[2] Ein solcher war auch die Flottenfrage. Die Zentralgewalt in Frankfurt hatte nämlich im Jahre 1848 eine deutsche Flotte geschaffen, zu der zwar Preußen, nicht aber Österreich finanziell beigetragen hatte. Nun waren neue Gelder notwendig geworden, und der Präsidialgesandte Graf Thun mußte die Angelegenheit vor die Versammlung bringen. Es sollte eine Umlage ausgeschrieben werden, doch Preußen protestierte gegen jede neue Ausgabe, solange noch andere Staaten mit schon früher fälligen Zahlungen im Rückstande wären. So zog sich die Angelegenheit eine Zeitlang hin, bis endlich die Bedürfnisse der Flotte so dringend wurden, daß etwas geschehen mußte. Gegen Ende des Jahres war Bismarck beinahe schon bereit, der Umlage zuzustimmen, als er von Manteuffel eine scharfe Weisung erhielt, Einspruch zu erheben

---

[1] Zu ersehen aus Otto von Manteuffel an Bismarck, 30. XII. 1852. Anhang der Gedanken und Erinnerungen. Aus Bismarcks Briefwechsel, S. 111. — [2] Arnold Oskar Meyer, a. a. O., S. 73.

und sogleich nach Berlin zu kommen. Der preußische Gesandte fuhr am 3. Januar 1852 nach Berlin ab und betraute nach alter, früherer, nun aber fast widersinnig gewordener Gepflogenheit seinen Widerpart, den Grafen Thun, der durch die Haltung der preußischen Regierung und die Schwierigkeiten, die diese ununterbrochen bereitete, sehr erbost war, mit seiner Vertretung. Doch die Mannschaft und die Offiziere der Flotte brauchten ihre Bezüge. „Es mußte", wie Thun bemerkte[1], „schleunigst für die Deckung des Deficits gesorgt werden, wollte man sich nicht geradezu einer Meuterei auf den Schiffen oder einer schimpflichen Krida aussetzen."
So berief denn Thun, in Abwesenheit des preußischen Gesandten Bismarck, für den 7. Januar eine Bundestagssitzung ein, wo nach lebhafter Debatte zur Deckung dieses Erfordernisses unter Verpfändung der bei Rothschild deponierten Bundesgelder bei diesem Bankhause eine Anleihe von 260000 Gulden aufzunehmen beschlossen wurde. Thun, der Antragsteller, mußte als Vertreter Preußens gleichzeitig gegen den Beschluß protestieren! Von diesen Vorgängen erhielten die preußische Regierung und Bismarck durch den in Frankfurt zurückgebliebenen Legationsrat Wetzel telegraphische Kunde.
Graf Thun ließ gleich an dem auf den Beschluß folgenden Tage[2] mit Rothschild vertraulich darüber verhandeln, unter welchen Bedingungen er das erforderliche Geld vorstrecken würde. Der Bankier fand sich bereit, die Anleihe auf sechs Monate gegen vier Prozent und ohne Aufrechnung einer Provision zu gewähren, nur sprach er den Wunsch aus, daß er nicht genötigt sein möge, die Bedingungen schriftlich zu stellen, was den Schein auf ihn werfen könnte, als wollte er von der mißlichen Lage, in der sich die Flotte befand, Vorteil ziehen.

[1] Thun an Schwarzenberg, 12. I. 1852. Wien, Staatsarchiv. — [2] Thun an Schwarzenberg. Frankfurt, 12. I. 1852. Wien, Staatsarchiv.

Der Bundestag bewilligte sodann den sofort nötigen Betrag von 60000 Gulden und ließ ein Schreiben an das Haus Rothschild richten, in welchem um Zahlung dieser Summe ersucht wurde. Indessen telegraphierte am 9. Januar Bismarck an den Legationsrat Wetzel, er solle bei Amschel Meyer protestieren, und ergänzte diese Weisung am zehnten ausführlich: „Preußen betrachtet die beabsichtigte Gelderhebung nicht als Bundesanleihe; die bei Rothschild deponierten Bundesgelder hat man nicht das Recht ihrer tractatmäßigen Bestimmung zu entziehen. Protestieren Sie bei Rothschild gegen Verwendung oder Verhaftung dieses Geldes; wir behalten uns gegen das Haus Rothschild den Regreß für alle uns oder dem Bunde aus der Zahlung erwachsenden Nachteile vor. Präsidialverfügungen in Anleihesachen zu befolgen, hat Rothschild keine Pflicht.“[1]

Als Legationsrat Wetzel am Zehnten abends den Grafen Thun traf, der „nach einem mühevollen Tage noch etwas Luft schöpfen wollte“, da sagte ihm Wetzel, er habe eben beabsichtigt, zum Grafen zu kommen und ihm[2] „vertraulich mitzutheilen, daß er von Berlin den Auftrag erhalten, auf Rothschild dahin zu wirken, daß er verweigere, Geld auf die Flotte vorzustrecken“. Thun erwiderte hierauf, das sei seine Angelegenheit; obwohl er die höchst unangenehme Aufgabe habe, in diesem Augenblick Preußen in der Bundesversammlung zu vertreten, sei er doch nicht für dessen Schritte verantwortlich, sondern nur Postillion; er bezweifle übrigens, daß Rothschild dem Ansinnen Preußens Gehör geben werde, da die Aufforderung an ihn auf Grund eines Bundesbeschlusses in der gehörigen Form vom Präsidium ergehe und er von den Verhandlungen in der Bundesversammlung, den Divergenzen zwischen den verschiedenen Bundesgliedern keine Notiz zu

---

[1] Bismarck an Legationsrat Wetzel, 10. I. 1852. Bismarck, gesammelte Werke, I, 125. — [2] Thun an Schwarzenberg. Frankfurt, 12. I. 1852. Wien, Staatsarchiv.

nehmen habe. Wetzel sagte Thun, dies sei auch seine Ansicht, darum sei ihm dieser Auftrag um so unangenehmer, worauf sich die beiden trennten.

Da Thun indessen erwartete, daß ein solches Einschreiten der königlich preußischen Gesandtschaft bei Rothschild nicht ohne Einfluß bleiben würde, so ersuchte er einen seiner Herren, den Freiherrn von Nell, am Zehnten früh unter irgendeinem anderen Vorwand hinzugehen und sich nach Rothschilds Verhalten zu erkundigen. In der Tat kam Herr von Nell bald darauf zu Thun, um ihm zu melden, er habe Rothschild gänzlich umgestimmt gefunden, derselbe habe ihm unter anderem gesagt, er könne sich mit Preußen nicht verfeinden. Schließlich habe Rothschild erklärt, sich die Sache noch überlegen zu wollen, aber Graf Thun ersuchen lassen, ihm für morgen, den Elften, eine Stunde zu bestimmen, wo er ihn sprechen könne. Thun ließ ihn bitten, um zwölf Uhr zu kommen.

Rothschild war die Angelegenheit außerordentlich peinlich. Er wollte es natürlich ebensowenig mit Österreich wie mit Preußen verderben, wünschte Bundesbankier zu bleiben und in Ruhe seine Geschäfte zu machen, und nun stand er plötzlich vor einander widersprechenden Forderungen der beiden mächtigsten Staaten des Bundes und war gezwungen, für einen von ihnen Partei zu ergreifen. Das stellte er dem Grafen Thun in der Unterredung am 11. Januar in bewegten Worten vor. Thun hielt nach seinem Bericht Rothschild folgende Argumente entgegen: „Wer hat über die Geschäfte des Bundes zu entscheiden? Die Bundesversammlung. Wer ist das offizielle Organ der Bundesversammlung dritten Personen, also auch Ihnen gegenüber? Der Präsidialgesandte. Mithin hat die an Sie ergangene Aufforderung alle zu ihrer Ordnung nöthigen Bedingungen. Preußen kann meiner Ansicht nach gar nichts antworten, wenn Sie ihm entgegnen: was im Schoße der Bundesversammlung vorgeht, weiß ich nicht, meine legale

Autorität ist der Präsidialgesandte, der mich infolge eines gefaßten Bundesbeschlusses aufgefordert hat, ich habe sonach dieser Aufforderung genügt, wie es meine Stellung mit sich bringt." – Thun gab ferner Rothschild zu bedenken, daß, wenn er sich weigere, die gewünschte Zahlung zu leisten, er genötigt sein würde, gleich am nächsten Tag eine Sitzung abzuhalten. Die Mehrheit der Versammlung, die einen Beschluß gefaßt habe, könne sich unmöglich durch eine einzelne Regierung in der Ausführung hindern lassen, es werde sonach aller Wahrscheinlichkeit nach der Beschluß gefaßt werden, die Geschäfte des Bundes einem andern Bankhause in Frankfurt zu übertragen, welches bereit sei, die geforderten Gelder zu zahlen.

In hoher Erregung war der greise Amschel Meyer den Ausführungen des Grafen gefolgt und wollte den Schwierigkeiten dadurch ausweichen, daß er die Ermächtigung erbat, die gewünschten 60000 Gulden für Rechnung Österreichs zu überweisen. Aber Thun erklärte, darauf nicht eingehen zu können. Endlich gab Amschel Meyer dem Drucke des Grafen und den vereinigten Bemühungen seiner Umgebung nach und versprach die Zahlung zu leisten. Als der greise Mann das Vorzimmer des Grafen Thun verließ, begegnete er dem preußischen Legationsrat Wetzel, der in der gleichen Angelegenheit mit dem Präsidialgesandten sprechen wollte. Thun berichtet über die nun stattgehabte dramatische Unterredung mit dem preußischen Diplomaten wie folgt:

„Ich konnte mich nicht enthalten, ihm meine Ansicht ganz offen und unumwunden auszusprechen. Ich begann damit, ihm zu erklären, daß ich mich infolge der letzten, von Preußen unternommenen Schritte noch in einer solchen Aufregung befände, daß es mir unmöglich sein würde, mich vollkommen im Zaume zu halten; diese Aufregung sei noch dadurch vermehrt, daß ich nach meinen Begriffen von Pflicht und Ehre mir nie erlaubte, die andauernden Spaltungen und

Zerwürfnisse, die in den Bundesversammlungen eingetreten seien, dritte Personen auch nur im geringsten ahnen zu lassen, ich also in meinen bisherigen Gesprächen, namentlich mit Rothschild, mir die größte Gewalt angethan hätte; ich müßte ihn daher bitten, meine Ausdrücke nicht als offizielle ansehen zu wollen. Ich müßte ihm ehrlich gestehen, daß ich davon keinen Begriff gehabt hätte, eine Bundesregierung könne sich je bewogen fühlen, die Autorität des Bundes dermaßen in den Kot zu ziehen, daß sie bei einem Bankier Protest gegen einen Bundesbeschluß einlege und somit es in seine Hände lege, ob tags darauf nicht die ganze Stadt und ganz Deutschland davon unterrichtet sein werden. Wäre es Preußen nur darum zu tun gewesen, seine prinzipielle Stellung zu wahren, so hätte ein Protest in der Bundes Versammlung ausgereicht; ich sähe aber daraus, daß es Preußen nicht um das an sich geringfügige Objekt zu thun sei, sondern um die Durchführung seines meiner Ansicht nach gänzlich unbegründeten und unzulässigen Prinzips, – daß Preußen allein dem Bunde Gesetze vorzuschreiben habe; sei dieß der Fall, dann handele es sich um die Existenz des Bundes; die Fragen, die wir gewissenhaft bemüht waren, zu beseitigen, würden auf die Spitze getrieben und müßten zu einer Entscheidung gebracht werden, die aber leicht zu den äußersten Consequenzen führen könnte."

Thun gab dem Legationsrat auch zu verstehen, daß es ihm unter solchen Verhältnissen höchst peinlich, ja unmöglich sei, den preußischen Gesandten zu vertreten.

Der Präsidialgesandte war über das preußische Vorgehen auf das höchste empört. „Niemand dachte wohl daran," schrieb er an seine Regierung[1], „daß es selbst Preußen möglich sein werde, zu dem schmählichsten und schimpflichsten aller Mittel – einem Protest beim Juden gegen den Bund – seine Zuflucht zu nehmen. Durch die Wahl dieses Ausgangs scheint

[1] Thun an Schwarzenberg. Frankfurt, 12. I. 1852. Konzept. Wien, Staatsarchiv. Die Originalmeldung wurde aus den Akten ausgehoben.

mir die Sache dermaßen auf die Spitze getrieben, daß eine Aussöhnung und Verständigung wohl nicht mehr möglich sein wird. Der Bund konnte sich das natürlich nicht bieten lassen, und wäre Rothschild nicht zum Zahlen zu bewegen gewesen, so hätte ich nicht gewagt, die Sache auch nur vierundzwanzig Stunden unerledigt zu lassen, und wäre selbst der Krieg die unvermeidliche Folge gewesen: Preußen wird in dem nicht Glücken dieses Schrittes nur eine neue Demüthigung sehen, seine Gereiztheit wird noch mehr steigen und wie es jetzt noch umdrehen kann, ist mir selbst unerklärlich."
Dadurch, daß es ihm gelungen, Rothschild zur Zahlung zu vermögen, sei zwar für einige Tage Ruhe gewonnen, aber im Grunde wäre Preußens Zweck doch nur eine Demütigung des Bundes. „Wie gesagt," schrieb Thun weiter, „ich bin fest überzeugt, Preußen wird es zu einem Äußersten, d. h. Bruche, nicht kommen lassen, wenn es einen bestimmten Willen und festen Entschluß sieht, auch vor dem Äußersten nicht zurückzuschrecken. Dieses feste Auftreten scheint mir aber auf dem Punkte, wo die Sachen jetzt hingekommen sind, eine unabwendliche Nothwendigkeit."
Amschel Meyer Rothschild hatte, der Einwirkung Thuns entsprechend, dem Legationsrat Wetzel geantwortet, er würde „die Grenzen seiner geschäftlichen Wirksamkeit auf eine nicht zu verantwortende Weise überschreiten, wenn er sich ein Urtheil über eine in der hohen Bundesversammlung obwaltende Differenz anmaßen und den Vorschuß verweigern wollte, zu dessen Leistung er von der hohen Bundesversammlung durch das anerkannte Organ des Herrn Präsidialgesandten aufgefordert worden sei". Er könne daher von dem Protest keine Kenntnis nehmen und sei gezwungen, das Geld zur Verfügung zu stellen.
Wetzel berichtete demgemäß[1], daß Amschel Meyer aller Vor-

[1] Wetzel an Bismarck, 11. I. 1852. Bismarck, Gesammelte Werke, I, S. 126.

stellungen ungeachtet das Geld zahle; der Bankier wolle lieber das Geld opfern, um es nicht mit Österreich zu verderben. Graf Thun sei sehr aufgeregt, er halte den Protest für eine Beleidigung des ganzen Bundes und wolle daher der Vertretung Preußens enthoben sein.

Thun begnügte sich aber damit nicht, sondern schrieb auch direkt seinem preußischen Kollegen Bismarck nach Berlin. In diesem Schreiben hob er gleichfalls hervor, daß er nie gedacht hätte [1], eine deutsche Bundesregierung könne jemals die Autorität und das Ansehen des Deutschen Bundes dermaßen in den Kot ziehen, daß sie gegen einen Bundesbeschluß bei einem Juden protestiere . . . „Das gestehe ich,“ schrieb Thun, „darüber werde ich erröten so lange ich lebe. – Am Abend, wo mir Legationsrat Wetzel diesen Protest vorlegte, hätte ich weinen können wie ein Kind über die Schmach unseres gemeinsamen Vaterlandes.“

Sehr scharf antwortete Bismarck [2]: „Nicht uns fällt es zur Last, wenn der Bund, wie Sie sagen, durch Verhandlung mit einem Juden in den Koth gezogen wird, sondern denen, die die Geschäftsverbindung des Bundes mit einem Juden dazu benützt haben, auf eine verfassungswidrige Weise die im Gewahrsame des Juden befindlichen Gelder des Bundes ihrer tractatsmäßigen Bestimmung zu entziehen.“

Thun hatte noch etwas Weiteres zur Verschärfung des Konfliktes getan, indem er den preußischen Bundeskassenbeamten Crüger, der gegen die Auszahlung des Geldes durch Rothschild protestiert hatte, einfach für entlassen erklärte.

Indessen lief eine Depesche aus Wien ein, wo man über den ganz unerwarteten Konflikt mit Preußen entsetzt war. Thun erhielt eine sehr scharfe Zurechtweisung, und Schwarzenberg ließ ihn wissen, daß er nicht Gefahr laufen wolle, eines Tages

---

[1] Thun an Bismarck. Frankfurt, 13. I. 1852. Veröffentlicht im „Bismarck-Jahrbuch“, III, S. 58, und in Arnold Oskar Meyer, a. a. O., S. 77. – [2] Bismarck an Thun. Berlin, 19. I. 1852. Bismarck-Jahrbuch, III, S. 58f.

plötzlich durch den Telegraphen aus Frankfurt zu erfahren, daß Österreich gegen Preußen marschieren müsse. Diese kalte Dusche aus Wien wirkte zwar recht abkühlend auf den schwer beleidigten Thun, aber seine erste Unterredung mit dem am 23. Januar nach Frankfurt zurückgekehrten Bismarck verlief gleichwohl sehr bewegt. Bismarck schlug einen sehr entschiedenen Ton an und brachte auch die Angelegenheit Crüger zur Sprache, indem er Thun erklärte, seine Regierung werde „dem Präsidialgesandten nie das Recht zuerkennen, einen königl. preußischen Beamten zu entlassen".

Thun suchte seinen Standpunkt dem, wie er sich ausdrückte, „Schulmeisterton" Bismarcks gegenüber aufrecht zu halten. Als Bismarck beim Abschied wiederholte, er vermute in wenigen Tagen seine Koffer packen zu dürfen, entgegnete ihm Thun, er könne ihm nur gratulieren, aus einer Stellung herauszukommen, die für einen Ehrenmann gewiß nur eine höchst peinliche und unerquickliche sei, da die Regierungen selbst so wenig Gewicht auf die Erhaltung der Ehre und des Ansehens einer Versammlung legten, in welcher sie mitvertreten sind, daß sie gegen Beschlüsse derselben Protest bei einem Juden einlegten.[1]

Bismarck ließ nun die Rothschild seinen Zorn deutlich fühlen. Er leistete keiner der in dieser Zeit an ihn ergangenen Einladungen in deren Haus Folge und gab ihnen auf jede Weise zu erkennen, wie sehr er ihr Verhalten in dieser Angelegenheit mißbillige. So sehr sich auch die Rothschild bemühten, ihn wieder zu versöhnen, es half zunächst nichts, und Bismarck beschränkte sich nicht auf gesellschaftlichen Boykott, sondern wünschte in seinem Ärger darüber, daß Rothschild dem Bund trotz des preußischen Protestes Geld zur Verfügung gestellt, auch durchzusetzen, daß seine Regierung den Geschäftsverkehr mit diesem Hause völlig aufgebe.

[1] Thun an Schwarzenberg. Frankfurt, 29. I. 1852. Wien, Staatsarchiv.

„Wie E. E. bekannt,“ schrieb Bismarck am 11. März an den preußischen Ministerpräsidenten Manteuffel[1], „hat das hiesige Handelshaus Meyer Amschel von Rothschild und Söhne dem Proteste . . . jede Beachtung versagt und die Summe von 60000 Gulden, wie der Chef des Hauses selbst sagte, auf seine Gefahr gezahlt, um es mit der kaiserlich österreichischen Regierung nicht zu verderben. Der Protest hat zwar die Folge gehabt, daß man von voller Durchführung des Beschlusses, der den Militärausschuß zur Aufnahme eines Darlehens von über 260000 Gulden autorisierte, Abstand genommen hat. Allein, es wäre dem Hause Rothschild leicht gewesen, zur Verweigerung der 60000 Gulden einen Grund ausfindig zu machen, oder das Geld unter anderen Formen zu zahlen, ohne dadurch der kaiserlich österreichischen Regierung zu nahe zu treten. Wie der Chef des Hauses bemüht ist, sich der letzteren auf jede Weise gefällig zu erweisen, möge E. E. unter anderem auch daraus ersehen, daß er den kaiserlich österreichischen Gesandten sofort von jeder Anweisung in Kenntnis setzt, die er für die kgl. Bundestagesgesandtschaft erhält. Es ist vorgekommen, daß Graf Thun mir zu einer Zeit mitteilte, das Haus Rothschild sei zu einer Zahlung angewiesen, als ich noch nicht einmal amtliche Nachricht davon hatte. Das Verfahren des Hauses Rothschild bei der fraglichen Protestangelegenheit hat mich bestimmt, Einladungen des hiesigen Herrn von Rothschild keine Folge zu geben und ihm überhaupt die der kgl. preußischen Regierung bewiesene Unwillfährigkeit zu erkennen zu geben.

Für wünschenswert muß ich es aber auch erachten, daß der Geschäftsverkehr, in welchem die kgl. Bundestagsgesandtschaft bisher mit dem gedachten Hause gestanden hat, abgebrochen und einem andern hiesigen Hause übertragen werde. E. E. werden mit mir darin einverstanden sein, daß

[1] Bismarck an Manteuffel, 11. III. 1852. Bismarck, Gesammelte Werke, I, S. 146.

die Fortsetzung dieses Verkehrs zu unrichtigen Deutungen Anlaß geben und so ausgelegt werden könnte, als habe sich die kgl. Regierung davon überzeugt, daß das Haus Rothschild nicht habe anders handeln können."

Bismarck schlug sodann das Haus Moritz Bethmann vor, das man an Stelle des Rothschildschen Bankhauses mit den Geschäften betrauen könne. Aber nun zeigte es sich, daß die Rothschild in dem Präsidenten der preußischen Seehandlung namens Bloch einen Fürsprecher besaßen. Manteuffel wandte sich nämlich wegen des Bismarckschen Vorschlages an den preußischen Finanzminister Bodelschwingh und dieser wieder an Bloch. Preußen hatte sowohl im Jahre 1850 wie 1852 mit dem Hause Rothschild Anleihen abgeschlossen, und Bloch fand zwar das Haus Bethmann unbedenklich und solide, führte aber „andere Rücksichten im allgemeinen und namentlich im Interesse des Seehandlungsinstitutes gegen die „Entziehung" ins Treffen.[1] Die Seehandlung habe bei Rothschild sehr viele Kapitalien stehen, über die sie jederzeit frei verfügen könne, und es entstehe doch die wichtige Frage, „ob mit Rücksicht auf die bedeutenden Summen, um die es sich hier handelt, eine andere Firma auch dieselbe Sicherheit darzubieten im Stande sei als die von Rothschild unzweifelhaft gewährte".

Bloch betonte weiter, „daß während die Herren Bethmann ungeachtet der hierzu von ihm empfangenen Aufforderung weder bei der achtzehnhundertfünfziger noch bei der achtzehnhundertzweiundfünfziger Anleihe teilgenommen hätten, die Rothschild sich bei allen diesseitigen Anleihen mit sehr bedeutenden Summen beteiligten und bei Ausführung anderer Finanzoperationen des preußischen Staates stets bereitwilligst mitwirkten. Sie müßten daher in der plötzlichen Entziehung der in Rede stehenden Geschäfte eine offenbare Ver-

[1] Der Präsident der Seehandlung Bloch an den Finanzminister Bodelschwingh, 10. IV. 1852. Preußisches geheimes Staatsarchiv, Berlin.

letzung finden; überdies könnte möglicherweise der Fall eintreten, daß das Gelingen derartiger Finanzoperationen bei einem Entgegenwirken dieser, durch ihre umfassenden Mittel einen überwiegenden Einfluß auf den Geldmarkt ausübenden Bankiers vereitelt, ohne ihr Zutun aber wohl sehr erschwert werden würde".

Bloch führte noch aus, er sei „weit entfernt, den Herren von Rothschild das Wort zu reden, oder irgend einen Vorzug geben zu wollen, wenn es nicht im allgemeinen Interesse für zweckmäßig erscheine", und meinte, diese „möchten schwerlich Österreich vor Preußen einen Vorzug geben, da ihre Auffassung von den Geldtransaktionen gewiß nur vom kaufmännischen Standpunkt zu betrachten sei".

Er wäre daher mit Rücksicht auf die Geschäftsbeziehungen der Seehandlung mit Rothschild dafür, von der von Bismarck beantragten Maßregel abzusehen.

Manteuffel entschied daraufhin, daß die Geschäftsbeziehungen Preußens mit den Rothschild nicht abzubrechen seien. Diese wiederum erlahmten nicht in ihren Bemühungen, sich die Verzeihung Bismarcks und dessen früheres Wohlwollen wieder zu erwerben.

Carl Rothschild, dann Salomons Sohn Anselm, ja Salomon selbst, der damals zu kurzem Aufenthalt in Frankfurt weilte, erschienen nacheinander bei Bismarck, um ihr Bedauern über den Vorfall auszusprechen. Der junge Anselm ging sogar so weit, die Schuld daran lediglich auf die zunehmende Altersschwäche seines damals bereits siebenundsiebzigjährigen Onkels zu schieben, der von Thun so scharf bedroht worden sei, daß er sich schließlich zur Zahlung bestimmen ließ.

Die Flottenfrage wurde indessen dahin erledigt, daß Preußen keine Zahlungen mehr zu leisten hatte und man die Flotte überhaupt auflöste und versteigerte. Ja, Preußen wurde durch Überlassung von zwei Schiffen für seine früheren Mehrzahlungen entschädigt.

Die Wiederannäherung der Rothschild und Bismarcks wurde noch dadurch gefördert, daß der den Juden nicht sehr geneigte Graf Thun einer Beschwerde seine Unterstützung lieh, die zwölf katholische Frankfurter Bürger gegen die Erweiterung der staatsbürgerlichen Rechte der Juden vom 8. Oktober 1848 und 20. Februar 1849, die als „revolutionäre Gesetzgebung“ verschrieen war, eingebracht hatten.
Der Frankfurter Senat leitete diese Beschwerde an den Bundestag, und dieser beschloß am 5. August 1852, daß das wegen bürgerlicher und staatsbürgerlicher Gleichstellung der Juden erlassene Gesetz vom 20. Februar 1849 als „nicht legal herbeigeführt“ anzusehen und die freie Stadt Frankfurt aufzufordern sei, dessen Ungültigkeit ihrerseits zu verkünden.
Da der Antrag von der österreichischen katholischen Partei ausgegangen war, hatte er Bismarck zum Gegner, und der preußische Gesandte trat so an die Seite der Rothschild, die die weitere Entwicklung dieser Angelegenheit mit banger Sorge verfolgten.
Anselm Rothschild wandte sich in Wien mit dem dringenden Anliegen an Schwarzenberg, es möge der kaiserliche Hof dazu beitragen, daß der erwähnte Bundesbeschluß nicht etwa eine unbillige und durch Rücksicht auf das Gemeinwohl nicht gebotene Zurücksetzung der Juden in Frankfurt zur Folge habe. Von 57550 Bürgern seien nur sechs Prozent, also 3500 Juden, eine Furcht vor Majorisierung sei daher lächerlich.
Als Graf Thun Mitte November 1852 von Frankfurt abberufen wurde, fühlte sich Bismarck völlig als Sieger und ließ den Zwischenfall mit dem Rothschildschen Vorschuß auf sich beruhen. Er leistete wieder den Einladungen in das Rothschildsche Haus Folge, und seine Haltung ließ nicht nur auf eine Versöhnung mit dem Hause Rothschild, sondern auf einen völligen Umschwung in seiner Gesinnung zu ihren Gunsten schließen.

Als Manteuffel in der Folge neuerlich bei Bismarck wegen Ernennung der Rothschild zu preußischen Hofbankiers anfragte, stieß er nicht mehr auf Widerstand. Manteuffel betonte[1], „daß es nicht ganz leicht sein würde, einem so großartigen Bankiersgeschäfte etwaige Geldvortheile nachzurechnen", und wollte wissen, ob er den Rothschild den erstrebten Titel verleihen könne oder ob sie noch vorherrschend antipreußische Tendenzen verfolgten.

„Mein Interesse bei der Sache", schrieb Manteuffel, „besteht, im engsten Vertrauen gesagt, darin, daß man den Herrn von Rothschild von seinen hitzigen Bestrebungen, die Wiener Valuta zu bessern, einigermaßen abbringt, und daß man ihn für eine Eisenbahnanleihe, welche wir vielleicht machen werden, günstig stimmt."

Darauf antwortete Bismarck[2], daß er keine Bedenken gegen die Verleihung des Titels geltend zu machen habe und bei den Beteiligten eine lebhafte Empfänglichkeit für die ihnen zugedachte Ehre glaube voraussetzen zu dürfen. „Eine eigentliche antipreußische Tendenz", schrieb Bismarck, „haben die Rothschild nie verfolgt, nur haben sie sich gelegentlich eines Konflikts, der vor etwa Jahresfrist zwischen uns und Österreich über die Flüssigmachung von Depositen für die Flotte stattfand, vor Österreich mehr gefürchtet als vor uns. Da indessen der Mut, der den justum ac tenacem propositi virum dergleichen ardorem civium »prava jubentium«, wie Graf Thun ihn damals entwickelte, zurückweisen läßt, von Rothschild nicht füglich verlangt werden kann, die Mitglieder der Familie auch über das damalige Verhalten des von ihnen als altersschwach bezeichneten Baron Amschel (gestorben 1855) sich seither entschuldigt haben,

---

[1] Manteuffel an Bismarck. Berlin, 30. XII. 1852. Anhang der Gedanken und Erinnerungen, Bismarcks Briefwechsel, S. 111. — [2] Bismarck an Manteuffel, 5. I. 1853. Poschinger: Preußen im Bundestag 1851–1859, IV, S. 132.

22. Otto von Bismarck in der Frankfurter Zeit

so glaube ich, daß man diesen Fehler in Anbetracht der Dienste, welche diese Geldmacht zu leisten im Stande ist, der Vergessenheit übergeben kann.“

Bismarck tat aus eigenem Antrieb noch ein übriges. Er beantragte wiederholt mündlich und schriftlich die Zuwendung einer Auszeichnung an das Bankierhaus, das mit Ausnahme jenes einzigen Falles im Januar des Vorjahres im Geldverkehr mit der preußischen Gesandtschaft seine Bereitwilligkeit, der königlichen Regierung zu dienen, stets an den Tag gelegt habe. Damals sei, nach den Äußerungen von Mitgliedern des Hauses Rothschild selbst, bloß die Altersschwäche Amschel Rothschilds schuld gewesen, der sich durch die Drohungen des Grafen Thun habe einschüchtern lassen.

„Ich habe oft Gelegenheit gehabt,“ schrieb Bismarck[1], „mich zu überzeugen, daß die Leiter dieser Geldmacht einen solchen Wert auf eine ihnen von Preußen zu verleihende Auszeichnung legen würden, indem sie nicht nur für Ehrenbezeugungen persönlich sehr empfänglich sind, sondern auch eine nicht zu verachtende Stütze ihres Credits in offiziellen Beweisen des Wohlwollens der Regierungen zu finden glauben, namentlich solcher, deren Finanzhaushalt geordnet ist. Daß unter Umständen auch andere als rein kaufmännische Rücksichten für das Verhalten der Herren von Rothschild bei Finanzoperationen maßgebend sind, dafür glaube ich den Beweis in dem günstigen Erfolge zu finden, mit welchem Österreich sich die Gelddienste dieses Hauses dienstbar gemacht hat, indem ich überzeugt bin, daß neben den finanziellen Vorteilen, welche die österreichischen Finanzoperationen dem Hause Rothschild bieten, auch der Einfluß, den die Kaiserliche Regierung auf die Behandlung der Judenfrage in Frankfurt auszuüben im Stande war, mitgewirkt hat. Wie es scheint, ist es

[1] Bismarck an Manteuffel, 10. I. 1853. Im Original steht irrtümlich 1852. Bismarck, Gesammelte Werke, I, S. 278. Preußisches geheimes Staatsarchiv, Berlin.

den Bemühungen Rothschilds gelungen, dem Eifer ein Ziel zu setzen, ... mit welchem Österreich im Laufe des Sommers die Emanzipation der Juden betrieb ... Der jetzige Hauptdisponent des Hauses hier am Platze, Meyer Carl von Rothschild, hat mir wiederholt zu erkennen gegeben, wie sehr es in seinem Wünschen liege, den Roten Adler dritter Klasse zu erhalten, welchen nicht nur zwei seiner Untergebenen, von denen einer namens Goldschmidt in Wien, und – hierauf schien Herr von Rothschild das meiste Gewicht zu legen – der älteste der Gebrüder von Bethmann preußischer Konsul hier am Orte, besitzen.

Ich würde diese Verleihung an Meyer Carl von Rothschild für eine im Interesse des Staates wohl angewandte halten, trage aber bei E. E. darauf an, außer dieser Ordensverleihung noch die für alle Teilnehmer des Hauses Rothschild gleichermaßen ehrende Ernennung zum Kgl. Hofbankier bei Sr. Maj. dem Könige aus den oben angeführten Gründen gern befürworten zu wollen."

Der preußische Finanzminister war jedoch im Gegensatz zu Manteuffel den Rothschild nicht geneigt. Er hörte nicht auf die ihm bekanntgegebene Meinung des Präsidenten der Seehandlung und gab Manteuffel seine Ansicht zu wissen, wonach „das Handlungshaus der Gebrüder von Rothschild sich in neuerer Zeit den Interessen der diesseitigen Regierung zu entsprechen weniger geneigt bewiesen habe als früher". Infolgedessen könne weder der Rote Adlerorden noch der Hofbankiertitel verliehen werden. Der Finanzminister wollte offenbar mit dieser Verweigerung die Rothschild anregen, sich in finanziellen Dingen der preußischen Regierung noch willfähriger zu erweisen, um sich solcher Auszeichnung würdig zu machen.

„S. M. der König", schrieb Manteuffel darüber an Bismarck[1],

---

[1] Manteuffel an Bismarck, 20. I. 1853. Preußisches geheimes Staatsarchiv, Berlin.

„haben nichts dagegen, daß bei vorkommender geeigneter Gelegenheit den Angehörigen des Handlungshauses angedeutet werde, man bedauere unter den angedeuteten Verhältnissen die beabsichtigte Gunstbezeigung nicht eintreten lassen zu können und hoffe, daß das Haus die Regierung dazu bei anderen Anlassungen in den Stand setzen werde.“

Bismarck teilte den Rothschild mit, daß Manteuffel nicht abgeneigt gewesen sei[1], ihnen eine Auszeichnung zuzuwenden, daß aber „der Finanzminister über das Verhalten des Hauses in jüngster Zeit beim König geklagt habe“. Die Rothschild zeigten sich ob dieser Ausstellung sehr empfindlich und beteuerten, absolut nicht zu wissen, welchen Grund das haben könne. Nun brachten die Zeitungen damals die Nachricht, daß, da der Rote Adlerorden eine Auszeichnung in Form eines Kreuzes sei, für Juden eine besondere Form desselben eigens geschaffen werden solle.

„Wenn es gegründet ist,“ schrieb Bismarck darüber an Manteuffel, „so werden alle einigermaßen emanzipierten Juden, und solche sind die Rothschild mit Ausnahme des ganz alten Amschel, die Neigung verlieren, sich mit dieser Dekoration als Stempel des Judentums zu schmücken.“

Nun entbrannte in Berlin ein Kampf zwischen Manteuffel, der für die Rothschild eintrat, und dem Finanzminister, der gegen sie war, ein Kampf, der mit dem Siege des Ministerpräsidenten endete. Am 12. Februar 1853 wurden die Bankiers Meyer Amschel von Rothschild doch „als Merkmal des Allerhöchsten Wohlwollens“ zu Hofbankiers ernannt, und Manteuffel beeilte sich, dies Bismarck mitzuteilen, da er voraussetzen zu dürfen glaubte, daß es diesem angenehm sein würde, ihnen die erste Mitteilung davon zu machen.[2]

Bismarck berichtete, daß das geschehen sei, und knüpfte dar-

---

[1] Bismarck an Manteuffel, 21. I. 1853. Bismarck, Gesammelte Werke, I, S. 284. — [2] Manteuffel an Bismarck. Berlin, 12. II. 1853. Preußisches geheimes Staatsarchiv.

an finanzielle Erwägungen, von denen er im Hause Rothschild gehört hatte. Es herrschte damals am Frankfurter Platze ein solcher Überfluß an Geld, daß Rothschild der sächsischen Regierung eine Million Taler, die diese bei ihm zu zwei Prozent stehen hatte, kündigte und rückzahlte, da man nach seiner Angabe ohne eigenen Schaden nicht mehr als ein bis eineinhalb Prozent geben könne.

„Als Grund dieser Geldanhäufung", schrieb Bismarck[1], „führt Rothschild an, daß theils die Besorgnis vor Krieg, theils die Ungewißheit über die Zukunft des Zollvereins jeden Unternehmungsgeist im Handelsstande niederhalte und alle Kapitalien deshalb aus den Geschäften zurückströmten, ohne wieder angelegt zu werden. Rothschild sagte, er würde sehr dankbar sein für den Nachweis einer Möglichkeit, sein Geld zu dreieinhalb Prozent zu placiren ..... Falls die Kgl. Regierung augenblicklich irgend ein Geschäft mit dem Hause Rothschild machen wollte, bei welchem es auf persönlichen guten Willen von seiten des letzteren irgendwie ankäme, so erlaube ich mir, meinen gehorsamsten Antrag zu wiederholen, der so eben erfolgten kgl. Gnadenbezeigung noch die Verleihung des roten Adler Ordens dritter Klasse an den Baron Mayer Carl hinzuzufügen. Derselbe ist gegenwärtig innerhalb der Familie das einflußreichste Mitglied, und ich habe mich von neuem überzeugen können von dem hohen Wert, den er auf diese Auszeichnung seiner Person legt, und von der Lebhaftigkeit, mit der er sie erstrebt. Unbegreiflich war es ihm, wodurch er oder sein Haus dem Herrn Finanzminister, wie ich ihm neulich zu verstehen gab, Ursache zur Unzufriedenheit gegeben haben könne."

Bethmann, der sich schon mit der Hoffnung getragen hatte, preußischer Hofbankier zu werden und damit einen Sieg über seinen alten Rivalen Rothschild davonzutragen, geriet in

[1] Bismarck an Manteuffel, 15. II. 1853. Preußisches geheimes Staatsarchiv, Berlin.

heftige Aufregung, als er hörte, daß dieser doch die Ernennung durchgesetzt habe. Er eilte zu Bismarck und erklärte ihm, die Zurücksetzung, die er eben erfahren, könne nur durch eine Auszeichnung für ihn selbst kompensiert werden. Bismarck verhielt sich ablehnend. „Ich kann diese Notwendigkeit", meinte er dazu, „nicht einsehen und finde in seiner Auffassung nur einen Vorwand, um seine Eitelkeit durch Erlangen des Johanniterordens zu befriedigen, den er als zweckmäßige Kompensation verzeichnete. Ich kann ihn für einen geeigneten Träger des Ordens nicht halten ... Wollte er, wie er mir drohte, das Consulat aus Schmerz über Rothschilds Auszeichnung niederlegen, würden wir genug andere geeignete finden."

Bismarcks Gesinnungen gegenüber Österreich hatten sich indes nicht geändert. Bei jeder Lebensäußerung des Bundestages unterlegte er der österreichischen Regierung und ihrem neuen Vertreter Freiherrn von Prokesch-Osten irgendein geheimes und listiges Ziel. So auch bei der Behandlung der Judenfrage. Immer noch war jene Beschwerde der katholischen Bürger nicht erledigt, und Bismarck sprach den Verdacht aus[1], Österreich habe diese Sache selbst auf die Spitze treiben wollen, um, wenn einmal die Zurückhaltung oder die Beschleunigung der Angelegenheit vom Bundespräsidium abhing, ein Druckmittel bei finanziellen Unterhandlungen mit dem Hause Rothschild zu haben. Bismarck meinte damit, Österreich werde, je nachdem sich das Haus Rothschild diesem in finanziellen Dingen entgegenkommend erweise oder nicht, für die Beibehaltung der verfassungsrechtlichen Freiheiten der Juden oder dagegen stimmen.

„Die Bedeutung dieses Hilfsmittels", urteilte Bismarck[2], „kann man nur dann richtig würdigen, wenn man weiß, welchen auffallend hohen Wert alle Glieder der Familie Rothschild auf die Erlangung einer besseren politischen und sozia-

---

[1] Bismarck an Manteuffel, 6. XII. 1853. Bismarck, Gesammelte Werke, I, S. 395. — [2] Dto. 5. XII. 1853 dto.

len Stellung gerade in ihrer Heimatstadt Frankfurt legen. Besonders der hiesige Disponent des Hauses, C. M. von Rothschild, der dem Vernehmen nach entscheidenden Einfluß in der Familie ausübt, ist durch Rivalitäten mit christlichen Bankiers nach und nach zu einem hohen Grade von Reizbarkeit in diesem Punkte gesteigert worden."

Es war Bismarck in diesem Fall in keiner Weise recht zu machen. Trat Österreich gegen die Änderung der Stadtverfassung zum Schaden der Juden auf, so tat es das aus Liebedienerei für Rothschild und aus Abhängigkeit von diesem Juden, trat es dagegen dafür ein, so war das gleichbedeutend[1] „mit der Wiederherstellung des früheren Übergewichtes des österreichischen Einflusses im Stadtregiment". Letzteres aber war gefährlich. Bismarck blieb seiner Politik getreu, dem österreichischen Einfluß am Bundestage, wo er konnte, entgegenzutreten. Darum trat der preußische Gesandte gegen die Beschwerdeführer und für die Beibehaltung der Judenfreiheiten in Frankfurt ein und erlangte auch dadurch die Dankbarkeit des Hauses Rothschild.

Das persönliche Einvernehmen zwischen dem alten Bankhause und dem Gesandten, der noch eine so große Rolle in der Geschichte Deutschlands zu spielen bestimmt war, blieb fortan bis zum Ende von Bismarcks Wirken in Frankfurt im Jahre 1859 im allgemeinen sehr gut.

Es wurde auch durch zeitweilige Schwierigkeiten nicht getrübt, die sich während seiner Amtszeit in Frankfurt zwischen Preußen und dem Hause Rothschild ergaben. Am preußischen Hofe standen sich nämlich zwei Parteien gegenüber. Die eine, der Manteuffel und Kabinettsrat Niebuhr angehörten, war den Rothschild günstig gesinnt, während der Finanzminister Bodelschwingh aus seiner Abneigung gegen diese kein Hehl machte.

---

[1] Bismarck an Manteuffel, 9. XII. 1853. Bismarck, Gesammelte Schriften, I, S. 403.

Als im Frühjahr des Jahres 1854 – eben war die Kriegserklärung der Westmächte und der Türkei an Rußland erfolgt – die Möglichkeit, militärische Maßnahmen treffen zu müssen, an die preußische Regierung herantrat, da setzte Manteuffel beim Könige durch, daß Kabinettsrat Niebuhr, ohne daß der Finanzminister davon erfuhr, beauftragt wurde, beim Hause Rothschild wegen einer eventuellen Anleihe von fünfzehn Millionen Talern anzuklopfen.[1] Niebuhr bestimmte das neutrale Heidelberg als Besprechungsort, und alsbald fanden sich dort Meyer Carl und der damals schon leidende Nathaniel aus London ein. Niebuhr erkannte den großen Wert, den das Haus auf Abschluß des Geschäftes legte, daran, daß auch der alte James aufgefordert wurde, von Paris nach Heidelberg zu kommen. Er hoffte daher auf gute Bedingungen, doch zeigten sich die Rothschild sehr vorsichtig und redeten sich fortwährend auf den noch abwesenden James aus, bis nach dreistündigen Verhandlungen Niebuhr endlich die sehr energische Frage an sie stellte, ob sie das Geschäft überhaupt machen wollten; wenn nicht, so möchten sie nur nein sagen; es handle sich ja nicht um eine Höflichkeit, sondern um ein Geschäft, und er und seine Regierung möchten wissen, woran sie wären.[2] Niebuhr bekam darauf ein lebhaftes „Ja" zur Antwort, und nun begann man über den Übernahmspreis zu streiten. Rothschild boten neunzig, Niebuhr antwortete, das sei unmöglich, er wolle dreiundneunzig, so viel sei auch schon von anderer Seite geboten. Die Rothschild erklärten es für ausgeschlossen, daß ein solches Gebot von Leuten abgegeben worden sei, die das Geschäft ernstlich meinten. Niebuhr brach darauf die Verhandlungen vorläufig ab, fuhr mit Meyer Carl nach Frankfurt zurück und sagte diesem dort, daß der Minister Manteuffel aus Achtung

[1] Denkwürdigkeiten des Ministerpräsidenten Otto Freiherrn von Manteuffel. Herausgegeben von Heinrich von Poschinger. Berlin 1901, II, S. 468. – [2] Manteuffel-Denkwürdigkeiten, a. a. O., II, S. 469.

vor dem Hause Rothschild und in der Überzeugung, ein klares, sicheres Geschäft zu machen, die Anleihe gern mit ihm abgeschlossen hätte, es gehöre aber ein gewisser Mut dazu, da das öffentliche Vorurteil in Preußen gegen Geschäfte mit seinem Hause sei.

Am 8. Juni wurden die Verhandlungen in Hannover mit dem Pariser und Frankfurter Rothschild wieder aufgenommen. Die beiden wiederholten ihre früheren Anträge, zeigten sich aber über die politische Lage sehr beunruhigt und verlangten, daß bis zum Schlusse der Subskription keine preußische Mobilmachung angeordnet werde, die die Kurse notwendig zum Sinken bringen müßte. Schon waren die Vereinbarungen sehr weit gediehen, da erfuhr der Finanzminister von Bodelschwingh plötzlich von den hinter seinem Rücken geführten Verhandlungen und griff energisch ein. Er machte Manteuffel und Niebuhr die schwersten Vorwürfe und erklärte, daß die Rothschild „ganz nichtsnutzige" Bedingungen gemacht hätten.[1] Bodelschwingh setzte sofort durch, daß die weiteren Besprechungen mit den Rothschild abgebrochen wurden, und begab die Anleihe auf dem Wege privater Zeichnung, was auch leidlich gelang.

Meyer Carl kehrte darauf enttäuscht nach Frankfurt zurück und klagte Bismarck sein Leid, der sich seine Gedanken über die innerhalb seiner Regierung herrschende Zwiespältigkeit machte.

Zu jener Zeit bat der Regierungspräsident in Trier Bismarck um eine Fürsprache bei Rothschild für die Kölner israelitische Gemeinde. Bismarck mußte antworten, er wolle sich wohl persönlich und privat bei der Familie verwenden, amtlich und im Namen der königlichen Regierung könne er dies aber nicht tun[2], da „das Verhalten des Hauses Rothschild bei

[1] Bodelschwingh zu Gerlach, 21. VI. 1854. Manteuffel-Denkwürdigkeiten, a. a. O., II, S. 471. Anmerkung 2. — [2] Bismarck an Regierungspräsident Seebald in Trier, 5. VII. 1854. Bismarck, Gesammelte Werke, I, S. 463.

Gelegenheit der jüngsten preußischen Staatsanleihe nicht von der Art gewesen sei, daß es wünschenswert sein könnte, die Gefälligkeit dieser Herren im Namen der preußischen Regierung in Anspruch zu nehmen".

Dem preußischen Bundesgesandten waren diese Verstimmungen nicht willkommen, denn, nach wie vor darauf bedacht, den österreichischen Einfluß einzudämmen, beabsichtigte er, die Rothschild zu einer von ihm gegen die starke Verbreitung der österreichischen Werte in Süddeutschland geplanten Aktion zu verwenden. Da dort und insbesondere in Frankfurt alle Welt österreichische Werte besaß, hielt man des eigenen finanziellen Interesses halber auch politisch zu Österreich. Das sollte nach Bismarcks Ansicht abgestellt und zu diesem Zweck der Handel mit preußischen Papieren auf jede Weise erleichtert werden. Als Meyer Carl ihn bat, die Auszahlung der Kupons aller preußischen Staatsschuldscheine durch ihn besorgen zu lassen, was den Verkehr dieser Papiere in Süddeutschland beträchtlich erleichtern würde, ging Bismarck sofort darauf ein. Er berichtete in diesem Sinne an Manteuffel und bemerkte dazu, Rothschild gewähre hierfür sehr günstige Bedingungen, da „er die Übernahme des diesfallsigen Auftrages überdies aus dem Gesichtspunkte der Hebung seines Geschäftes betrachte".

„Sollte man daher", schrieb Bismarck[1], „höheren Orts geneigt sein auf die Erfüllung des mir von Rothschild wiederholt ausgesprochenen Wunsches einzugehen, so würde es, wie ich glaube, durch die gebotene größere Bequemlichkeit und Sicherheit gegen Verluste die jüdischen Kapitalisten zu einer größeren Beteiligung veranlassen."

Das stieß aber wieder auf den scharfen Widerstand des erbitterten Feindes der Rothschild, des Finanzministers von Bodelschwingh. Dieser hob hervor, daß Rothschild ohnedies

---

[1] Bismarck an Manteuffel, 22. I. 1857. Preußisches geheimes Staatsarchiv, Berlin.

schon die Kupons der Staatsanleihen von 1850 und 1852 sowie der Prämienanleihe von 1855 zur Auszahlung zugewiesen seien. „Hätte", führte er aus, „das gedachte Handlungshaus bei der 1854 unter äußerst schwierigen Verhältnissen abgeschlossenen Anleihe sich in angemessener Weise beteiligt, so wäre für diese Anleihe mutmaßlich dieselbe Einrichtung getroffen worden.

Daß es dem Hause Rothschild sehr angenehm sein würde, wenn ihm nachträglich derselbe Vorteil hinsichtlich der viereinhalbprozentigen Anleihen von 1854, 1855 und 1856 eingeräumt würde, obschon es für deren Vorbreitungen nichts getan hat . . . leuchtet ein. Ein solches Verfahren würde indessen dem Interesse der Finanz-Verwaltung nicht entsprechen."

Manteuffel freilich fand, daß Bodelschwingh viel dazu beigetragen habe, daß Rothschild an der Anleihe von 1854 nicht beteiligt war, aber dem Antrag Bismarcks wurde zunächst nicht Folge gegeben. Die Rothschild aber blieben hartnäckig, und auch Bismarck war nicht der Mann, der sich so schnell mit abweisenden Bescheiden zufrieden gab.

Meyer Carl richtete kurz nacheinander[1] zwei dringende Briefe an Bismarck, die an seinen Wunsch nach „Domizilierung" sämtlicher preußischer viereinhalbprozentiger Anleihen, auch der von 1856, bei seiner Bank erinnerten.

„E. E. ist bekannt," schrieb er, „daß es meinem Hause, das sich hiebei, wie stets, mit dem regsten Eifer und mit rastloser Thätigkeit der Förderung und Ausbreitung des Kgl. Preußischen Staats Finanz-Credits widmete – gelungen ist, dieser neuesten von der Kgl. Preußischen Bank übernommenen Staatsanleihe nicht allein Eingang hierorts zu verschaffen, sondern dafür einen so ergiebigen Markt in ganz Süddeutschland zu erzielen, daß es bereits den colossalen Absatz von sieben Millionen zu Stande gebracht hat."

---

[1] Meyer Carl Rothschild an Bismarck, 28. V. und 3. VI. 1857. Preußisches geheimes Staatsarchiv, Berlin.

Daraufhin setzte sich Bismarck in einem Schreiben an Manteuffel[1] warm für die Erfüllung der Rothschildschen Wünsche ein.

„Die Gründe," hieß es dort, „welche das Haus Rothschild abgehalten haben, sich an der im Jahre 1854 unter schwierigen Verhältnissen abgeschlossenen Anleihe in angemessener Weise zu betheiligen, sind mir nicht bekannt. Aber ich bin, als ich die Sache zur Sprache brachte, nicht von der Ansicht ausgegangen, daß es sich darum handele, ein Bankierhaus für sein geschäftliches Verhalten zu bestrafen oder zu belohnen, sondern habe nur den Zweck im Auge gehabt, eine Einrichtung zu finden, welche einer Verbreitung preußischer Staatspapiere im Auslande und einer Heranziehung auswärtiger Capitalien für unsere Bedürfnisse Vorschub leistet. Daß die angeregte Maßregel in diesem Sinne von Nutzen sein werde, scheint auch der Herr Finanzminister nicht in Abrede zu stellen, nur hält derselbe die Vortheile nicht für so erheblich, als sie geschildert sind. Daß aus dieser Einrichtung irgend welche Nachtheile für uns befürchtet werden, kann ich den Ausführungen des Herrn Finanzminister nicht entnehmen, zumal das Haus Rothschild bereit ist, auf jede Provision, selbst auf das früher geforderte mäßige Pausch-Quantum zu verzichten. Daß dieses Bankierhaus dennoch im eigenen Interesse Grund haben wird, den fraglichen Vorschlag zu machen, ist ohne Zweifel anzunehmen, denn dasselbe wird natürlich die damit verbundene Mühewaltung nicht lediglich aus Hingebung für Preußen übernehmen. Wenn aber sein Vortheil mit dem unsrigen Hand in Hand geht, so scheint mir darin kein Grund zu liegen, daß wir auf die unsrigen verzichten sollten."

Bismarck polemisierte noch weiter gegen Bodelschwingh und

---

[1] Bismarck an Manteuffel, 9. VI. 1857. Preußisches geheimes Staatsarchiv, Berlin. Veröffentlicht auch in „Preußen am Bundestage", III, S. 85f.

beantragte schließlich ganz gehorsamst, die Sache nochmals beim Finanzminister zur Sprache zu bringen. Das geschah, führte aber nicht zum Ziel. Bodelschwingh fand keine Veranlassung, auf die Rothschildschen Anträge einzugehen[1], ja er benutzte auch einen Brief darüber an Manteuffel, um Bismarck einen Seitenhieb zu versetzen, indem er zu beweisen suchte, daß dieser „den ganzen Vorschlag nicht klar erfaßt habe“.[2]

Als immer noch keine günstige Erledigung kam, wandte sich Meyer Carl direkt an Manteuffel; er nehme von vornherein den Satz der Entschädigung für seine Mühewaltung an, der hierfür zu gewähren für billig erachtet würde, da er lediglich im Auge habe, „die aufrichtige Dienstbereitwilligkeit und Hingebung seines Hauses im Interesse der preußischen Finanzen von Neuem zu bethätigen“.

Die Sache kam erst zur Entscheidung, als Bodelschwingh abtrat und ein neuer Finanzminister, von Patow, ernannt wurde. Obwohl Bismarck Frankfurt damals bereits verlassen hatte, setzte er sich auch beim neuen Minister für die Gewährung der Rothschildschen Bitte ein, die erst erfüllt wurde[3], als Bismarcks Nachfolger, Herr von Usedom, den gleichen Antrag stellte[4], und auch Rothschild sich beim Präsidenten von Camphausen dafür einsetzte, unter dem Hinweise, daß er neuerdings für mehrere Millionen preußische Staatspapiere an Kapitalisten verkauft und „auf diese Weise dazu beigetragen habe, die finanziellen Interessen Preußens und Süddeutschlands immer mehr und mehr zu verschmelzen“.

Auch in dieser Angelegenheit zeigte sich klar das gute Einvernehmen, das Bismarck in den letzten Jahren seines Frank-

[1] Manteuffel an Bismarck, 10. VII. 1857. Preußisches geheimes Staatsarchiv, Berlin. — [2] Bodelschwingh an Manteuffel, 9. VII. 1857. Preußisches geheimes Staatsarchiv, Berlin. — [3] Von Patow an von Usedom. Berlin, 18. I. 1860. Preußisches geheimes Staatsarchiv, Berlin. — [4] Von Usedom an Patow. Frankfurt, 14. XI. 1859. Preußisches geheimes Staatsarchiv, Berlin.

furter Aufenthaltes mit den Rothschild verband. Es wurde auch durch einen tragikomischen Vorfall nicht getrübt, der von Berlin ausging und für das Haus Rothschild recht peinlich war, für den aber Bismarck, wie jenes wohl wußte, nicht verantwortlich zu machen war.

Dem Bismarckschen Antrag, dem Freiherr Meyer Carl von Rothschild, dem in Frankfurt lebenden ältesten Sohne des Neapler Rothschild Carl Meyer, neben dem Titel eines Hofbankiers auch den Roten Adlerorden zu verleihen, wurde zwar Folge gegeben, aber man schuf tatsächlich eigens einen Roten Adlerorden für Nichtchristen in ovaler, statt in Kreuzesform. In den ersten Julitagen 1853 überreichte Bismarck Meyer Carl diesen Orden, den der Gesandte sehr geschmackvoll ausgeführt fand.[1] Rothschild schien dankbar, empfing aber die Auszeichnung mit gemischten Gefühlen, denn er, der unter anderem den griechischen Erlöserorden besaß, hätte offenbar lieber zu den Kreuzträgern gehört. In der Tat empfand das Haus Rothschild dieses Vorgehen eher als eine Zurücksetzung denn als eine Auszeichnung, und die Verleihung dieser Dekoration blieb stets ein Stachel in der Brust Meyer Carl Rothschilds. Er wurde noch schmerzhafter fühlbar, als der Bankier am 14. August 1857, knapp nach Übernahme der preußischen Regierung durch den Prinzen Wilhelm von Preußen, den Bruder des erkrankten Königs Friedrich Wilhelm IV., den Roten Adlerorden zweiter Klasse, aber gleichfalls in der für Nichtchristen geschaffenen Form, empfing.

Meyer Carl vermied das Tragen des Ordens, wo er konnte, da es ihm unangenehm war durch ihn gleichsam gezeichnet zu sein, doch fanden sich den Rothschild abgeneigte Leute, die dem neuen Regenten ins Ohr flüsterten, Rothschild trage den Roten Adlerorden in Kreuzesform. Eines Tages

[1] Bismarck an Manteuffel, 4. VII. 1853. Bismarck, Gesammelte Schriften, I, S. 343.

nun erhielt Bismarck zu seiner Überraschung folgendes Schreiben Manteuffels[1]: „S. Kgl. Hoheit der Prinz von Preußen haben in Erfahrung gebracht, daß der Hofbankier Freiherr von Rothschild zu Frankfurt am Main, dem mittels Kabinettsordre vom 11. August der Rote Adlerorden zweiter Classe in der für Nichtchristen bestimmten Form verliehen worden ist, denselben in Kreuzform tragen solle, und haben mich beauftragen lassen, hierüber Erkundigungen einzuziehen.“

Der Ministerpräsident ersuchte Bismarck, sich vertraulich zu äußern, ob die dem Prinzen hinterbrachte Nachricht zutreffe. Bismarck beeilte sich, darauf zu antworten:

„E. E. beehre ich mich auf den hohen Erlaß vom 25. d. M. ganz gehorsamst anzuzeigen, daß ich den Hofbankier Carl Meyer von Rothschild (soll richtig heißen Meyer Carl) mit Ordens Dekorationen noch nicht gesehen habe, da er überhaupt große Gesellschaften nicht besucht, und wenn er Orden trägt, mit Vorliebe den Kgl. griechischen Erlöser oder den spanischen Orden Isabellas der Katholischen anlegt. Auch bei der von mir gegebenen offiziellen Soirée zur Feier der Vermählung Sr. K. H. des Prinzen Friedrich Wilhelm am 25. v. M., wo er in Uniform hätte erscheinen müssen, ließ er sich durch Krankheit entschuldigen, vielleicht gerade nur deshalb, weil ihm das Tragen der Dekoration des Roten Adlerordens für Nichtchristen, die er an diesem Tage hätte anlegen müssen, peinlich ist. Ich schließe dies auch daraus, daß er, so oft ich ihn zum Diner eingeladen, nur mit dem Bande des Roten Adlerordens im Knopfloch erscheint. Daß Herr von Rothschild . . . die Dekoration für Christen getragen, habe ich nicht gehört, obschon die Aufmerksamkeit in Frankfurt sich mit Vorliebe auf dergleichen Gegenstände richtet und bei der Spannung, die zwischen den verschiedenen Geld-

[1] Manteuffel an Bismarck, 25. III. 1858. Preußisches geheimes Staatsarchiv, Berlin.

mächten herrscht, die Genugthuung christlicher Bankiers über die Thatsache, daß Herr von Rothschild die regelmäßige Ordensdekoration nicht tragen darf, keine geringe ist.
Ich werde indeß nicht verfehlen, meine Aufmerksamkeit der Sache zuzuwenden und weiteren Bericht erstatten, sobald ich die Wahrnehmung mache, welche in dem hohen Erlasse vom 25. d. M. angedeutet ist." [1] Mit dieser Meldung war die Sache abgetan, und man hörte nichts mehr darüber.

Bismarck hat einmal in späteren Jahren[2] von der einzigen Spekulation erzählt, die er einst auf Grund von Informationen begann, die er seiner diplomatischen Stellung verdankte. Preußen wollte nämlich damals den ewigen Streit um die Zugehörigkeit des Kantons Neuenburg eventuell auch mit Gewalt beenden. Dies konnte den Krieg mit der Schweiz bedeuten, der aber nur zu führen war, wenn der in der Flanke einer solchen Aktion stehende Kaiser Napoleon dem preußischen Vorgehen kein Hindernis in den Weg legte. Bismarck sollte nun in Paris persönlich erscheinen und den Kaiser befragen, wie er sich zu der ganzen Sache stelle. Nun wußte er aber, daß Napoleon nichts dagegen haben würde und daß daher ein preußischer Krieg mit der Schweiz sehr wahrscheinlich sei. Bismarck wollte daher dadurch bedrohte Wertpapiere verkaufen und ging zu diesem Zwecke zu Rothschild, der davon abriet, da diese Papiere gute Aussichten hätten. „Ja," erwiderte Bismarck, „wenn Sie den Zweck meiner Reise kennen möchten, würden Sie anders denken." Rothschild antwortete, es möge sein, wie es wolle, er könne zum Verkauf nicht raten; Bismarck veräußerte die Papiere dennoch und reiste nach Paris ab. Dort zeigte sich Louis Napoleon sehr entgegenkommend und hätte der Neuenburger Aktion kaum etwas in den Weg gelegt.

---

[1] Bismarck an Manteuffel. Frankfurt, 31. III. 1858. Preußisches geheimes Staatsarchiv, Berlin. — [2] Bismarck, Gesammelte Werke VII/423, Tischgespräch zu Versailles, 30. XI. 1870.

Indessen hatte der König von Preußen sich hinter dem Rükken Bismarcks anders besonnen und die Angelegenheit aufzugeben beschlossen. So kam es nicht zum befürchteten Kriege, und die bewußten Papiere stiegen seither ununterbrochen. Rothschild behielt recht, und der große Staatsmann verlor durch den vorzeitigen Verkauf viel Geld.

Bismarck, der den Tod des alten, von ihm so köstlich gezeichneten Amschel Meyer in Frankfurt miterlebte, blieb weiterhin mit allen dort lebenden Mitgliedern des Hauses in bestem Einvernehmen. Als er Frankfurt im Jahre 1859 verließ, um seinen neuen Posten in Petersburg anzutreten, da hofften die Rothschild, bei diesem, wie ihr Spürsinn sie vielleicht vorausahnen ließ, noch zu Großem berufenen Manne auch schon einen gewichtigen Stein im Brett zu haben.

ACHTES KAPITEL

VOM KRIMKRIEG ZUM ITALIENISCHEN KRIEG 1859

Das Wiener Haus Rothschild erhielt nach mehrjährigem Provisorium in Anselm, dem Sohne Salomons, einen Chef, der sich mühte, die durch die Revolution und die Flucht Metternichs fast völlig zerstörte Stellung des Hauses Rothschild im Kaiserstaate wieder aufzubauen. Mit ihm kam in dieser Stadt, wie in London, die dritte Generation seit Gründung des Bankhauses ans Ruder. Gleichwie Nathans Söhne sich schon durch ausgezeichnete Bildung und Erziehung von ihrem Vater abhoben, ohne allerdings seine finanzielle Genialität voll geerbt zu haben, war auch Anselm Rothschild bereits ein fein gebildeter Mann, der die deutsche Sprache, anders als sein Vater, stilistisch vorzüglich beherrschte und daneben auch Französisch und Englisch sehr gut sprach. Studien in Berlin, Tätigkeit im Pariser Hause, weite Reisen in alle Welt hatten den bescheidenen, überaus ernst und still angelegten Mann zu einer ausgesprochenen Persönlichkeit geformt. In Wien jedoch war er ganz fremd, denn auch in den letzten Jahren, als er nicht mehr studierte, war er in Frankfurt gewesen, wo er nur nebenbei auch die Pflichten eines österreichischen Generalkonsuls versah. Nun mußte er eifrig arbeiten, um seinem Hause unter den neuen, gänzlich veränderten Verhältnissen wieder eine feste Stellung zu schaffen. Erleichtert war dies im gewissen Sinne dadurch, daß Metternich Ende des Jahres 1851 nach Wien zurückgekehrt war und Kübeck, ein alter Bekannter der Familie aus dem Finanzministerium, immer noch großen Einfluß besaß. Metternichs Rückkehr zeigte auch äußerlich den Umschwung in der innerpolitischen Situation an. Die Reaktion erhob nun nach den Sturmjahren, in denen das Pendel so sehr nach links ausgeschlagen war, wieder ihr Haupt, die einzelnen Individualitäten der Regierung kamen wieder zur Macht, und damit waren auch die Vorbedingungen für Finanzleute, neuen politischen Einfluß zu gewinnen, günstiger geworden. Anselm benutzte jede Gelegenheit, durch große Spenden die Aufmerksamkeit auf sich zu lenken. Einen willkommenen Anlaß zu einer solchen Spende bildete die Rückkehr des Kaisers Franz Josef von einer längeren Reise durch seine nördlich gelegenen Erbländer. „Nach längerer Abwesenheit", schrieb Anselm dem Minister des Innern, „und am Ziele einer für die Monarchie segenbringenden Reise zieht der allverehrte Landesvater in seine Residenz ein, alle Herzen schlagen ihm entgegen, und Wien feyert einen Jubeltag. Aus Palästen wie aus Hütten jauchzt dem geliebten Herrscher ein Willkommenruf entgegen, der sein Echo in jeder Brust wiederfindet. An dem allgemeinen Jubel den tiefgefühltesten Antheil nehmend, wünschte ich, hochverehrter Herr Minister, einem Drange meines Gefühles folgend an diesem Tage mein Scherflein beizutragen zur Linderung der Noth von Wien's Hülfsbedürftigen und bitte Eurer Exzellenz anliegende fl. 5000 C.M mit dem ergebenen Ersuchen überreichen zu dürfen, hievon ganz nach Hochdero gütigem Ermessen den geeigneten Gebrauch machen zu wollen."

Anselms Spende kam in alle Zeitungen und trug ihm ein offizielles Dankschreiben ein. Doch der junge Kaiser blieb recht unnahbar, und keiner der neuen Minister war so sehr wie einst Metternich oder Kolowrat geneigt, Anselm politischen Einfluß einzuräumen. Freilich, auch wenn dies gelungen wäre, hätte es nicht die gleiche Wirkung gehabt, denn keiner, auch nicht der allzufrüh hinweggeraffte Schwarzenberg, besaß die gleiche Machtfülle wie einst Metternich.

Um die Finanzen Österreichs stand es allerdings sehr schlecht, und das war die Bresche, durch die es den Rothschild gelingen sollte, in Österreich wieder Einfluß zu gewinnen. Zu Anfang des Jahres 1852 hatte man überdies einen ehemaligen Professor der Physik, von Baumgartner, zum Finanzminister gemacht, der seiner Stellung nicht gewachsen war. Anselm Rothschild vermittelte ihm zwar im Mai 1852 die Aufnahme einer Anleihe in London, wobei auch das Frankfurter Haus einen namhaften Betrag zeichnete, doch das half wenig, und für das Jahr 1853 ergaben die Berechnungen immer noch ein Defizit, auch wenn außenpolitisch alles ruhig blieb.

Dabei war die Regierung und die Verwaltung den Juden in Österreich, obwohl diese die meisten führenden Stellen im Bank- und Finanzwesen inne hatten und durch ihre internationalen Beziehungen den Kredit des Staates günstig oder ungünstig beeinflussen konnten, keineswegs gewogen.

Im Herbst 1853 erneuerte man sogar das Verbot des Ankaufs liegender Güter durch Juden. Daraufhin bildete sich nach Berichten aus Paris[1] eine Art Koalition auf den Börsen von Paris und London, die sich zum Ziele setzte, den österreichischen Staatskredit zu schwächen.

Auch auf die Rothschild machte jene Maßnahme einen sehr schlechten Eindruck, und Anselm bekam von James Vorwürfe zu hören, daß er sich nicht rechtzeitig und mit genügendem Nachdruck diesem Erlasse entgegengestellt habe. James äußerte dem österreichischen Gesandten Hübner gegenüber seine Bestürzung: Die Aufregung an der Börse sei enorm, er wage als österreichischer Generalkonsul gar nicht, sich dort zu zeigen, um sich nicht den Angriffen seiner Glaubensgenossen auszusetzen, die ihm seine Ergebenheit für die österreichische Regierung zum Vorwurf machten; er befinde sich in einer peinlichen Lage. Österreichs Kredit sei in Frankreich und England durch diese Maßnahme erschüttert, kein

---

[1] Alexander Hübner an Graf Buol-Schauenstein. Paris, 27. X. 1853. Wien. Staatsarchiv.

Mensch wolle mehr etwas von den Métalliques wissen, es sei unmöglich, an eine Anleihe auch nur zu denken. „Mit einem Wort," meldete Hübner, „er ist außer sich."

Hübner hielt es für nützlich, daß die Regierung, wie er sagte, die Kinder Israels etwas besänftige; denn außer von der orientalischen Frage spreche man in Paris von nichts mehr als von dieser österreichischen Maßnahme gegen die Juden.

Indes hatte sich im Osten Europas ein neues Sturmzentrum gebildet. Rußland war der einzige Staat, der durch die Revolutionen der letzten Jahre nicht berührt wurde, ja sogar zu ihrer Niederwerfung außerhalb seiner Grenzen mächtig beigetragen hatte. Das Machtbewußtsein des Zaren wollte sich der zerrütteten Türkei gegenüber, die der Zar als „kranken Mann" bezeichnete, einen Ausweg schaffen. Eine Verständigung über die Teilung der Türkei scheiterte an dem Mißtrauen Englands, und auch alle übrigen Staaten fürchteten eine Machtvergrößerung Rußlands am Balkan. Die im Mai 1853 erfolgte Besetzung der Moldau und Walachei durch russische Truppen mußte besonders auf Österreich bedrohlich wirken, dem auswärtige Verwicklungen zu einer Zeit besonders unlieb sein mußten, da es mit seinen Finanzen sehr übel bestellt war.

Metternich ertrug es nicht, von den Staatsgeschäften ausgeschaltet zu bleiben. Der greise Staatsmann, der seine traditionellen Beziehungen zum Hause Rothschild mit dem Sohne seines einstigen Freundes Salomon wieder aufgenommen hatte, benutzte ab und zu den ihm noch ergebenen Kübeck, der das Ohr des Kaisers besaß, zu versteckter Einflußnahme. Am 2. Dezember 1853 teilte Metternich Kübeck das Ergebnis eines Besuches Anselms mit: „Herr A. von Rothschild," schrieb er, „den ich seit Wochen nicht gesehen hatte, hat mich besucht und von der Allgemeinen, durch die unselige russisch-türkische Geschichte so gefährlich gestalteten Lage gesprochen. Von derselben auf die finanzielle Lage des Rei-

ches übergehend, erklärte er dieselbe als sich einer unvermeidlichen Crisis nähernd, im Falle nicht die rechten Wege eingeschlagen werden, um derselben auszuweichen.
Ich bemerkte hierauf, daß, sollte der Fall, wie Herr von Rothschild ihn bezeichnet, wirklich in Aussicht stehen, ich nicht der Mann sey, welcher Hilfe zu bieten vermöchte, und ich nicht im Zweifel stehe, daß Herr Baumgartner, dessen Einsicht mir Rothschild selbst oft gelobt hatte, der Gefahr die Spitze zu bieten vermögen würde.
Rothschild erklärte, daß er von Herrn Baumgartner besseres vermuthet hätte, daß Baumgartner aber in Illusionen lebe und seiner Aufgabe nicht gewachsen seye. Ich erklärte, mir über diesen Thatbestand keine Meinung zu erlauben, weil ich die Lage nicht kenne und mich in derselben Lage, der Persönlichkeit des Herrn Baumgartner gegenüber ebenfalls befände.
Als wir in unserer Unterredung an diese Äußerung und Rückäußerung gelangt waren, wurde dieselbe durch einen Besuch des Nuntius unterbrochen; Rothschild nahm Abschied von mir, und während meiner Begleitung bis zur Thüre sagte Rothschild: ‚Legen Sie Werth auf meine Worte; man steht hier am Vorabend einer Crisis, und wird ihr nicht ein Damm gesteckt, so bezeichne ich ihren Zeitpunkt nicht über das neue Jahr hinaus!'
Diese Worte sind mir aufgefallen und deßhalb theile ich Sie Ihnen, als dem Manne, gegen den ich sie allein abgeben kann, mit. Ihren Werth und Unwerth werden Sie besser als Niemand anderer zu erkennen wissen."
Rothschild war also mit der Führung der Geschäfte in Österreich gar nicht einverstanden, wohl nicht nur wegen der Unfähigkeit Baumgartners, sondern auch darum, weil man ihn in finanziellen und politischen Dingen nicht zu Rate zog.
Rußlands Vorgehen erregte im Westen Europas, in England und Frankreich ein noch viel lauteres Echo als in der Kaiserstadt an der Donau. In England fürchtete man das Vordrin-

gen Rußlands an das Mittelmeer, in Frankreich fühlte sich der neue und darum besonders empfindliche Kaiser durch die Art seiner Anerkennung seitens des Zaren, der ihm nicht die unter Monarchen übliche Ansprache „mon frère“ zubilligte, sondern ihn nur als „Sire et bon ami“ anredete, tief verletzt. In dieser Formsache drückte sich deutlich aus, wie wenig der Zar dem Regime in Frankreich geneigt war. Auch mit dem Plan, eine Prinzessin aus souveräner Familie zu ehelichen, hatte Napoleon keinen Erfolg. Er quittierte die Absagen, die er in Stockholm und Berlin erhalten hatte, im Januar des Jahres 1853 damit, daß er mit großer Geste ein Mädchen zur Frau nahm, das nicht von ebenbürtiger Abkunft war. Eugenie von Montijo, die im Jahre 1852 mit ihrer Mutter nach Paris gekommen war, verkehrte in der glänzenden Hofgesellschaft Frankreichs und fesselte den Kaiser durch ihre Anmut und Klugheit. Sie war zudem die Tochter eines spanischen Edelmanns, der einst für Napoleon I. gekämpft hatte.

James Rothschild kannte die Damen sehr gut, da die Gräfin Montijo bei beschränkten Mitteln und großen Ausgaben wiederholt seinen Rat beanspruchte und mit ihrer Tochter oft an seinen Gastereien und Festen teilnahm. Aufmerksam verfolgte er Louis Napoleons wachsendes Interesse für die junge Spanierin. Er war einer der ersten, die an die Möglichkeit dachten, daß dieses strahlend schöne Mädchen eines Tages Kaiserin sein werde, und ließ sich genau über das Verhalten Napoleons berichten, der die Damen Montijo zugleich mit anderen Gästen nach Compiègne eingeladen hatte.

Dort hatte der Kaiser bei Jagd- und Landpartieen oft Gelegenheit, sich mit Eugenie zu unterhalten. Sie gab ihm rasch zu verstehen, daß sie nicht aus dem Holze geschnitzt sei, eine leichte Liaison einzugehen. Bald sprach man in Paris in allen Kreisen von der Zuneigung des Kaisers zu der jungen Dame, und schon flatterte das Gerücht auf, daß der Kaiser sie zu seiner Frau machen wolle. Sofort bildeten sich zwei Parteien, eine für, die andre gegen die Heirat. James Rothschild gehörte zur ersteren, und obwohl der Plan gerade in ministeriellen Kreisen die größte Gegnerschaft fand, hielt James, wohlunterrichtet, wie er war, an der Meinung fest, daß die Ehe zustande kommen werde. Am 31. Dezember 1852 berief Napoleon einen Ministerrat ein, bei welchem er unter dem Siegel des Geheimnisses seine Absicht kundtat, die junge Gräfin zu heiraten. Alle Minister suchten ihn davon abzubringen. Louis Napoleon soll ihnen geantwortet haben[1]: „Ja, meine Herren! so sehr auch meine Regierung redlich gestrebt hat, eine aufrichtige Solidarität für die Sache der Ordnung und des Friedens zwischen ihr und den übrigen Staaten von Europa zu begründen, ist es ihr nicht gelungen, die alte Diplomatie zu bestimmen, anderes als einen ‚Parvenu' in mir zu erblicken, obwohl acht Millionen Franzosen, d. i. das ganze Vaterland, mich auf den Thron erhoben haben. Der ‚Parvenu" darf also nicht hoffen, eine fürstliche Ehe zu schließen, es sei denn, daß er wie der verstorbene Herzog von Orléans, an allen Höfen um eine Frau betteln wollte, um zuletzt eine bisher unbekannte Prinzessin heimzuführen. Der ‚Parvenu', d. i. der Sohn des Volkes, ist angehalten, wenn er seine eigene Würde und jene der Nation, die ihm die Kaiserkrone verlieh, nicht bloß stellen will, ebenfalls eine ‚parvenue' als seine Braut zu wählen. Wenn die Monarchen Europas daran ein Aergernis nehmen sollten, so mögen sie es nicht mir, sondern ihren eigenen Diplomaten zuschreiben, welche mir keine andere Wahl lassen mögen. Wenn ich keine ‚politische' Allianz schließen soll, ist es wenigstens ein Trost für mich ‚un mariage d'inclination' schließen zu können. Da ich aber über mein Thun und Lassen Niemandem als der Nation, die mich auf den Thron setzte, Rechenschaft schuldig bin, so will ich

---

[1] Debraux an Freiherrn von Kübeck. Paris, 2. I. 1853. Wien, Staatsarchiv.

auch hierin an ihren Ausspruch appellieren, und zwar mittels einer besonderen Botschaft, welche ich am nächsten Sonnabend, da die Kammern geschlossen sind, an die Barreaux des Senates und des gesetzgebenden Corps richten werde."

In ministeriellen Kreisen war man sehr geneigt, in dieser Heirat im Grunde nur eine politische Demonstration gegen die fremde Diplomatie zu sehen, welche die Bewerbungen des Kaisers der Franzosen um die Hand der Prinzessin Wasa zu vereiteln gewußt und welche es, wie Louis Napoleon genau zu wissen behauptete, schon darauf angelegt hatte, jede Bewerbung, auch eine solche um die Hand der Prinzessin von Hohenzollern (Cousine der Prinzessin Wasa) scheitern zu lassen.

Die Minister hielten die Absicht Napoleons selbst vor ihren Frauen geheim, weil sie immer noch hofften, daß Napoleon seinen Entschluß nicht in die Tat umsetzen werde.

James aber befleißigte sich ganz besonderer Aufmerksamkeit gegen die Damen Montijo. Der Ball in den Tuilerien vom 12. Januar 1853 klärte ihn über die Richtigkeit seiner Vermutungen völlig auf. Hübner erzählt in seinen Erinnerungen folgende bezeichnende Episode: Beim Ball war das Betreten des Marschallsaales nur Bevorzugten gestattet. James Rothschild führte die schöne Andalusierin Fräulein von Montijo am Arm, während einer seiner Söhne ihre Mutter führte. Der letztere meinte, er könne den beiden Damen auf noch freistehenden Bänken Platz verschaffen. Die Frau eines Ministers, die den gleichen Sitzen zustrebte und die Heirat des Kaisers mit Fräulein von Montijo trotz allem, was man darüber sprach, für unmöglich hielt, bemerkte kurz angebunden zu Eugenie, die sich eben niederlassen wollte, daß diese Plätze für die Gattinnen der Minister reserviert seien. Der beiden spanischen Damen bemächtigte sich peinliche Verlegenheit. Sie sahen sich hilflos nach ihren Kavalieren um, denen die Sache gleichfalls höchst peinlich war. Da bemerkte Napoleon

23. Kaiserin Eugenie

die Szene, stürzte auf die Damen zu und wies ihnen Taburetts unmittelbar neben den Mitgliedern seiner Familie an. Das war deutlich und erregte Sensation. Alle Welt nahm diesen Vorgang als eine symbolische Erklärung, daß der Kaiser tatsächlich entschlossen sei, die junge Dame zur Frau zu nehmen. In der Folge sollte sich auch zeigen, daß das kluge Benehmen James Rothschilds zu einer Zeit, da Eugenie noch nicht den Gipfel ihres Glücks erklommen hatte, gute Früchte trug. Denn die spätere Kaiserin war dem Bankier Fould, dem Schützling ihres Gatten, stets abgeneigt und verhinderte in der Folge, daß man mit James völlig brach, der durch Fould, den Crédit mobilier und die Pereires in den Hintergrund gedrängt schien.

Erst am 22. Januar 1853 erließ Napoleon die am Silvestertag angekündigte Botschaft, in der er seinen Entschluß, Eugenie von Montijo zu heiraten, dem Volke als feststehend bekanntgab. Am selben Abend fand ein großes Diner bei Salomon Rothschild statt, der damals mit seiner Schwiegertochter in Paris weilte. Bei diesem Diner bildete die Heirat des Kaisers natürlich das einzige Gesprächsthema. Besonderes Interesse nahm man daran, daß Napoleon der Tugend seiner Braut öffentlich dadurch huldigte, daß er in der Botschaft von ihr sagte[1]: „Ich zog eine Frau vor, die ich liebe und achte." Baronin Charlotte, die Gemahlin Anselms von Rothschild, bemerkte dazu: „Man kann eine Frau lieben, ohne sie zu schätzen, aber nur dann, wenn man sie ehrt und achtet, nimmt man sie als Lebensgefährtin." Wie es der ausgegebenen Parole des Hauses Rothschild entsprach, bekannte man sich bei diesem Diner rückhaltlos zur Partei des Kaisers. Es war auch dafür gesorgt, daß ihm das bald zu Ohren kam.

Der österreichische Gesandte Hübner war James Rothschild, wie wir wissen, nicht gewogen. Dies beruhte durchaus auf

---

[1] Debraux an Freiherrn von Kübeck. Paris, 23. I. 1853. Wien, Staatsarchiv.

Gegenseitigkeit. James sagte, daß er es vorzöge, wieder einen „grandseigneur“ als Vertreter Österreichs in Paris zu sehen, der ein Haus mache und überhaupt standesgemäß lebe. Hübner war auf den österreichischen Generalkonsul auch wegen dessen, nun durch die Damen Montijo etwas verbesserter Stellung zum kaiserlichen Hofe, einigermaßen eifersüchtig. Er sah, wie es in der österreichischen Diplomatie üblich war, einen Generalkonsul schon von vornherein als ein untergeordnetes Wesen an und benörgelte James' Sonderstellung in Gesellschaft und Staat. Beiderseitige kleinliche Sticheleien waren die Folge. James suchte in Wien durch entsprechend gefärbte Berichte Dritter Hübners Stellung zu untergraben, während dieser wieder verhinderte, daß James am 30. Januar zur Trauung des Kaisers in der Notre-Dame-Kirche erschien. Auf besonderen Wunsch des Kaisers hatte nämlich der Oberst-Zeremonienmeister Herzog von Cambacérès dem Freiherrn James Rothschild eine Einladungskarte zugesandt, und zwar, wie solches gewöhnlich zu geschehen pflegte, durch den Kanzler der österreichischen Gesandtschaft. Herr von Hübner behielt aber die Einladung zurück. Der Kaiser erfuhr die Abwesenheit James' und ließ durch den Herzog nach der Ursache fragen, wobei sich herausstellte, daß es der österreichische Gesandte gewesen, welcher den Baron daran gehindert hatte, von jener Einladung Gebrauch zu machen. Der Kaiser war darüber ungehalten, und als er am 3. März abends auf dem Hofball in den Tuilerien Rothschilds gewahr wurde, ging er auf ihn zu und schüttelte ihm herzlich die Hand, während er an keinen fremden Gesandten ein Wort richtete. Kübecks geheimer Berichterstatter in Paris, der Hübner gleichfalls nicht gewogen war und Rothschild nahestand, berichtete darüber[1]: „Wie leider in Paris nichts lange geheim bleibt, weiß Napoleon III., daß zwischen Herrn Hübner und

[1] Debraux an Freiherrn von Kübeck. Paris, 5. III. 1853. Wien, Staatsarchiv.

Baron Rothschild unangenehme Reibungen bestehen, indem Herr Hübner den Freiherrn Rothschild aus dem diplomatischen Cirkel bei öffentlichen Aufwartungen entfernen will, obwohl von jeher in Frankreich die Consuln an der Seite ihrer betreffenden Gesandten bei Hof erscheinen. Napoleon III., davon unterrichtet, überhäuft den Baron Rothschild mit Beweisen des Wohlwollens, gerade um den Herrn Hübner fühlen zu lassen, wie wenig die Person des Letzteren, ihm angenehm ist."

Das war nun nicht wörtlich zu nehmen, denn es entsprach der Wühlerei des zeitweise beim österreichischen Generalkonsulat verwendeten Journalisten Debraux gegen Hübner. Gar so herzlich waren die Beziehungen zwischen Napoleon und James noch lange nicht. Nur fühlte sich der Kaiser James wegen dessen guten Beziehungen zu den Damen Montijo und der Haltung in der Heiratsfrage verbunden. In finanziellen Dingen schenkte er nach wie vor den Konkurrenten Rothschilds, Fould und Pereire und deren Crédit mobilier, obwohl dieser schon damals heftig kritisiert wurde, sein uneingeschränktes Vertrauen. Hübner hatte für Finanzleute, die eine große Rolle spielen wollten, kein Verständnis. „In anderen Ländern," bemerkte er verächtlich[1], „wo noch nicht alles durch sechzig Jahre Revolution nivelliert ist, wie hier in Frankreich, gibt es Gott sei Dank noch verschiedene Klassen; hier aber ist das Geld alles, und im Gefühle der Nation haben die Rothschild und die Fould den Vortritt vor den Montmorency und den Rohan."

Die Spannung, die zwischen Hübner und seinem Generalkonsul bestand, hatte die böse Folge, daß sich dem Gesandten eine ergiebige und wichtige Nachrichtenquelle verschloß. Denn Rothschild hatte sich in fast allen Kreisen der Pariser Bevölkerung eine außergewöhnliche Stellung geschaffen. Durch seine Verbindungen war er stets mit den besten Informationen

[1] Hübner an Grafen Buol. 25. XI. 1853. Wien, Staatsarchiv.

versehen. Daß sie nicht ans Ohr des Gesandten drangen, war gerade in einem Moment besonders bedenklich, da die außenpolitische Lage kritisch zu werden begann: Der vom Zaren gekränkte Kaiser Napoleon näherte sich England, um gegen Rußland und für die angegriffene Türkei Partei zu nehmen.
Nachdem die Sensation der Heirat des Kaisers sich einigermaßen gelegt hatte, beherrschte die Frage, ob Krieg oder Frieden, die Ministerien, die Salons, die Klubs und die Straße. Schon begann man vom unausbleiblichen Kriege zu sprechen, was Schrecken in das Haus James Rothschilds trug. Hübner fand James in jenen Tagen aus Angst vor dem Kriege geradezu „demoralisiert".[1]
In Wirklichkeit war es aber nicht so schlimm. Denn James wußte von seinem Neffen in England, daß auch dieses gegen Rußland vorzugehen beabsichtige, und hörte von Anselm aus Wien, daß, wenn auch Österreich vielleicht nicht aktiv eingreifen würde, es doch eher von Rußland abrücke und entschlossen sei, keinesfalls auf dessen Seite zu kämpfen. Wenn nun auch das Haus Rothschild einen Krieg als Störung seiner auf Frieden basierten Unternehmungen empfinden mußte, so sah es diesmal doch einen Trost darin, daß alle Rothschildschen Häuser auf einer Seite standen. Aber deutlich trat in ihr Bewußtsein, wie sehr ihr Einfluß seit dem Jahre 1840 gesunken war, denn es war gar nicht daran zu denken und wurde auch kaum von ihnen versucht, Napoleons Kriegspolitik zu durchkreuzen.
Am 12. März 1854 schlossen England und Frankreich mit der Türkei ein Bündnis, und als der Zar ihr Verlangen, die Donaufürstentümer zu räumen, nicht beantwortete, kam es zu dem Kriege, der nach seinem Schauplatze der Krimkrieg benannt wurde.

[1] Hübner, Graf von, Neun Jahre der Erinnerungen eines österreichischen Botschafters in Paris unter dem zweiten Kaiserreich 1851–1859. Berlin 1904, S. 203.

Als nun einmal der Stein im Rollen war, nahmen auch die Rothschild in vollem Maße Partei für die Länder, in denen sie lebten. Herzog Ernst von Coburg will in seinen Memoiren sogar wissen[1], daß Rothschild ihm bereits am 4. März erklärte, für einen Krieg gegen Rußland stünde jede Summe zu Gebote. Diese Haltung war gewiß auch darauf zurückzuführen, daß die Juden in Rußland besonders drückend behandelt wurden.

Während der Krieg seinen Lauf nahm, trat die Aktivität der Rothschild in immer schärfere Konkurrenz mit dem dank der Regierungshilfe mächtig aufstrebenden, an tausenderlei Unternehmungen beteiligten und nun auch schon über die Grenzen Frankreichs hinausgreifenden Crédit mobilier. Dieser wandte sich gerade dem in unklarer Politik hin und her schwankenden Wiener Kabinett zu, das für militärische Bereitstellungen großer Summen bedurfte. Österreich bedrohte Rußland, ohne es wirklich anzugreifen, verbündete sich platonisch mit den Westmächten, ohne mitzutun, und verfeindete sich durch diese überdies kostspielige Politik mit beiden Parteien. Als die Geldverlegenheiten des Staates einen großen Umfang annahmen, dachte die österreichische Regierung an den Verkauf der Staatsbahnen. Im Jahre 1854 besaß der österreichische Staat mit Ausnahme der Nordbahn, der Domäne der Rothschild, und der Wien–Raaber-Bahn, jener Sinas, alle in der Monarchie vorhandenen Bahnen. Die Rothschildschen Konkurrenten in Wien, Sina, Eskeles und Pereira waren es, die den Plan, die Staatsbahnen unter eigener Teilnahme und unter Ausschluß der Rothschild dem Crédit mobilier in die Hände zu spielen, eifrig verfolgten. Das mußte für die Rothschild sehr empfindlich sein: denn wenn alle übrigen Bahnen in Österreich, darunter auch die nörd-

---

[1] Ernst II., Herzog von Sachsen-Coburg-Gotha, Aus meinem Leben und aus meiner Zeit. Berlin 1888, Bd. II, S. 143. Die Memoiren des Herzogs sind jedoch vielfach mit großer Vorsicht aufzunehmen.

lichen Staatsbahnen, in den Besitz einer ihnen feindlichen Konkurrenzunternehmung kamen, wie der Crédit mobilier es war, so konnten daraus verhängnisvolle Folgen für die Nordbahn entstehen. Die Rothschild begannen daher sofort den Kampf gegen den schon weit gediehenen Plan, ohne aber seine Ausführung verhindern zu können.

In dem Verwaltungsrat der Unternehmung, die den Namen „k. k. privilegierte österreichische Staatseisenbahngesellschaft" annahm, waren die beiden Pereires, Adolphe Fould, der Halbbruder Napoleons, Herzog von Morny, und die Barone Georg Sina, Daniel Eskeles und Ludwig Pereira vertreten, lauter grimmige Feinde des Hauses Rothschild. Baron Eskeles fuhr nach Paris und ließ sich durch den Botschafter Hübner, der sich hütete, den Rothschild darüber etwas zu sagen, bei der französischen Regierung einführen. Diese hatte ein doppeltes Interesse daran, daß die Sache zustande kam. Einmal wollte sie dem vom Kaiser patronisierten Crédit mobilier zu einem guten Geschäft verhelfen und dann auch Österreich zu einem aktiven Eingreifen auf Seite der Westmächte bewegen. Nur beabsichtigte man in Paris damit noch etwas zu warten, damit nicht die eben begebene große französische Anleihe unter dem gewaltige Kapitalien erfordernden Eisenbahngeschäft litte.

Diese Verzögerung wollte der preußische Ministerpräsident dazu benutzen, seinerseits die österreichischen Eisenbahnen für ein preußisches Konsortium unter Führung der Seehandlung zu übernehmen. Aber das wünschte man in Wien nicht, da es vor den übrigen Bundesstaaten zu erniedrigend erschien. Da blieb man lieber bei dem mächtigen Frankreich[1], wenn dieses auch die Angelegenheit noch einige Monate hinausschieben wollte.

Das Haus Rothschild setzte der Sache alle nur irgend in seiner Macht liegenden Schwierigkeiten entgegen. Anselm in

[1] Graf Eszterházy an Graf Buol. Berlin, 3. XI. 1854. Wien, Staatsarchiv.

Wien sprach sich an allen Regierungsstellen und auch beim alten Metternich und bei Kübeck, der die Verschleuderung der Staatsbahnen[1] aufs heftigste verurteilte, gegen das Projekt aus. Das gleiche tat sein Onkel James in Paris, beide aber richteten nichts aus. Man sah in ihnen nur leer ausgegangene Konkurrenten, die den anderen den Erfolg streitig machen wollten.

Am 1. Januar 1855 kam es wirklich zum Verkauf eines Teiles der dem Staate gehörigen Bahnen für 200 Millionen Francs (etwa 77 Millionen Gulden Konventionsmünze) an den Crédit mobilier, während die Baukosten der Bahn sich auf 94 Millionen Gulden belaufen hatten.[2] Die Südbahn und die lombardisch-venezianische Bahn blieben noch im Staatsbesitz. Der Abschluß wurde bezeichnenderweise vor der Öffentlichkeit bis zur Unterzeichnung geheim gehalten. Die Rothschild fühlten sich aufs tiefste getroffen: sie, die den Grundstein zum Bahnnetz der österreichischen Monarchie gelegt, die so gern einst die Bahn vom äußersten Norden bis zum tiefsten Süden in ihrer Hand vereinigt hätten, mußten sehen, daß nun auch ihre Nordbahn von feindlicher Konkurrenz bedroht war.

Anselm Rothschild gab dem Freiherrn von Kübeck die genauesten Aufklärungen über die Art und Weise, wie dieses Geschäft abgeschlossen wurde und wie ungünstig es für den österreichischen Staat ausgefallen sei. Beide beurteilten die ganze Angelegenheit als ein „schmachvolles Geschäft".[3]

Nun entwickelte sich auch in Österreich ein scharfer Gegensatz zwischen Crédit mobilier und Rothschild: der erstere suchte an der Wiener Börse mit aller Macht die Nordbahnaktien herabzudrücken, während der letztere das gleiche mit den Aktien der neuen Staatseisenbahngesellschaft versuchte. Auch setzten bald Bestrebungen beider Teile ein, sich in den Besitz der noch übrigen, dem Staate gehörigen Bahnen zu

[1] Kübeck, a. a. O. Bd. II, S. 66. — [2] Birk, Alois von Negrelli. Wien 1925, S. 126. — [3] Kübeck, a. a. O. Bd. II, S. 80.

setzen, und das Haus Rothschild suchte in Erinnerung an die seinerzeit versäumte Gelegenheit vor allem die Südbahn in seine Hände zu bekommen.

Äußerlich zeigte Anselm den staatlichen Stellen gegenüber keine Verstimmung, und als im Februar 1855 die Kaiserin Elisabeth der Entbindung von ihrem ersten Kinde entgegensah, da beteiligte er sich, ebenso wie alle anderen großen Finanziers, an den großen wohltätigen Spenden anläßlich dieses freudigen Ereignisses. Nur eine, vielleicht zufällige Nuance zeigte an, daß Baron Sina im letzten Jahre günstigere Geschäfte mit dem Staate abgeschlossen, denn dieser spendete 5000 Gulden Konventionsmünze, während Anselm dem gleichen Zwecke bloß 4000 Gulden widmete.[1]

Im geheimen aber erwog Anselm, von seinem Onkel James in Paris angestachelt, Gegenaktionen gegen die bedrohliche Ausbreitung des Crédit mobilier, für die mit Hilfe Kübecks und Metternichs bald auch der Finanzminister gewonnen wurde und die sich bald auswirken sollten.

Der Krimkrieg nahm indessen seinen Lauf: die westlichen Häuser Rothschild unterstützten die Kriegführenden auf jede Weise; die britische Kriegsanleihe von 16 Millionen Pfund wurde von ihnen übernommen. An der großen französischen September-Kriegsanleihe von 750 Millionen Francs nahm James ausgiebig teil, und überdies gaben die Rothschildschen Häuser gemeinsam der Türkei ein Darlehen, das allerdings von England und Frankreich garantiert war.

Die Rothschild bezeigten durch die Tat ihr Vertrauen in den endgültigen Sieg der Alliierten, deren Feldzug in so weiter Ferne doch gewiß als ein Abenteuer zu werten war. Da besonders in England viele Kreise wegen des Krieges das Vertrauen zu den Staatspapieren verloren und sich von deren Ankauf zurückzogen, konnten die Rothschild die Papiere bil-

[1] Anselm Freiherr von Rothschild an den Innenminister Freiherr von Bach. Wien, 22. II. 1855. Wien, Staatsarchiv.

24. Carl Meyer von Rothschild

lig erwerben und auch die Anleihe zu einem vorteilhaften Kurse übernehmen. Sie täuschten sich nicht in ihrem zuversichtlichen Vertrauen in jede Unternehmung, in die sich England einläßt. Nach wechselvollen Kämpfen fiel im September die Festung Sebastopol, und der Tod des Zaren Nikolaus, sowie die Kriegsmüdigkeit in Rußland ließen eine baldige für die Westmächte siegreiche Beendigung des Feldzuges erhoffen. Wieder einmal hatten die Rothschild auf das richtige Pferd gesetzt, wobei es freilich in ihrer Lage gar nicht möglich war, die Wahl eines anderen zu erwägen. Sie hätten sich jedoch von jeder finanziellen Beteiligung und Förderung fernhalten können. Das taten sie, wie wir sahen, nicht. Sobald sie sich darüber klar waren, daß sie den Krieg nicht mehr verhindern konnten, stellten sie sich in den Dienst der Sache ihrer Länder. Da der Krimkrieg für diese glücklich ausging, so trug auch er zur Mehrung des enormen Vermögens und zur Erhöhung des Ansehens ihres Hauses mächtig bei.

In dieser Beziehung war das Jahr 1855 für das Bankhaus Rothschild erfreulich. Doch sollte es für die Familie ein Jahr der Trauer werden: Nicht weniger als drei von den fünf Brüdern wurden in diesem Jahr vom Tode ereilt. Als erster starb am 10. März 1855 Carl im Alter von 67 Jahren, nachdem er den Tod seiner klugen und geistvollen Frau Adelheid nur zwei Jahre überlebt hatte. Er hinterließ drei Söhne. Der älteste, Meyer Carl, war, da Amschel kinderlos blieb, für die wichtige Nachfolge in Frankfurt bestimmt. Der zweite, der damals siebenundzwanzigjährige Adolf, übernahm die Führung des Neapler Hauses, dessen Bedeutung schon damals sehr eingeschränkt war und dessen Bestand von der Fortdauer der Bourbonenherrschaft in Neapel abhing. Die Geschäfte mit Sardinien und dem Papst waren schon lange aus den Händen des Neapler in die des Pariser Bankhauses hinübergeglitten. Adolf war mit Julie, der Tochter Anselms aus Wien, vermählt.

Der nächste, der Carl im Tode folgte, war Salomon Rothschild, der alte Freund und Partner Metternichs, den, wie es der Staatskanzler vorausgesagt, bei dessen Sturz der Teufel aus Wien fortgeholt hatte. Nachdem er zeitweilig in Frankfurt gewohnt, hatte er sich schließlich in Paris niedergelassen, wo seine geliebte Tochter Betty als Gemahlin seines Bruders James weilte. Seit seinem Verschwinden vom Wiener Schauplatz hatte er auf die Führung der Geschäfte seines Hauses keinen Einfluß mehr und war seit 1849 schon deshalb lahm gelegt, weil die übrigen Mitglieder des Hauses mit seinem Verhalten während und nach der Revolution nicht einverstanden gewesen waren. Nun erst trat sein ältester Sohn Anselm in aller Form an die Spitze des Wiener Hauses. Anselm bemühte sich, möglichst viel von der alten Position seines Hauses zu retten. Sein Vater war noch nicht lange tot, da gelang ihm schon der erste Gegenschlag gegen den Crédit mobilier.
Isaac Pereire hatte mit Hilfe des österreichischen Botschafters in Paris der Regierung des Kaiserstaates Vorschläge gemacht, auch in Wien eine dem Crédit mobilier analoge Einrichtung zu schaffen. Dem aber war Rothschild, der eine Gruppe höchst einflußreicher Aristokraten, wie die Fürsten Fürstenberg, Schwarzenberg, Auersperg und den Grafen Chotek, zusammengebracht hatte, zuvorgekommen, und das österreichische Finanzministerium hatte der von Rothschild und Lämel geführten Gruppe gestattet, eine „Creditanstalt für Handel und Gewerbe" zu errichten, die zwar manche Wesenszüge des Crédit mobilier aufweisen sollte, jedoch von den Gründern durchaus als Mittel zur Verdrängung des in Österreich eingedrungenen Crédit mobilier gedacht war.
Von den 500000 Aktien à 200 Gulden wurden zwei Fünftel den Gründern mit dem statutenmäßigen Rechte, die Aktien für ein Drittel des Nominalwertes zu erstehen, reserviert. Der Rest wurde nach geschickter Propaganda vom Publikum glatt aufgenommen. Die Aktien stiegen bald in ungeahntem

Maße und erreichten in späteren Zeiten, den sogenannten Gründungsjahren, sogar das Doppelte des Nennwertes. Die Führung der Creditanstalt wurde aber umsichtiger und konservativer besorgt als die des Crédit mobilier, wie sich bald klar erweisen sollte.

Inzwischen war auch der älteste der fünf Brüder, der zweiundachtzigjährige Amschel Meyer, der Chef des Frankfurter Hauses, schwer erkrankt. Am 6. Dezember 1855 tat er seinen letzten Atemzug. In seinem hohen Alter waren die Züge seiner durch und durch orientalischen Physiognomie scharf hervorgetreten, und schneeweißes Haar bedeckte sein Haupt. Altjüdischer Sitte gemäß trug er stets den offenen langen Oberrock. Immer war er von den Gedanken an seine Arbeit und an sein Geschäft erfüllt. Bismarck liebte es in späteren Jahren, eine Anekdote zu erzählen, in der Amschel Meyer sich selbst scherzhaft kritisierte. Als er sich nämlich im einundachtzigsten Lebensjahre einmal krank fühlte und der Arzt kam, meinte Amschel Meyer, nun gehe es wohl zu Ende. Der Doktor untersuchte ihn und erwiderte: „Wo denken Sie hin, Herr Baron, Sie können noch hundert Jahre alt werden.“ Da meinte Amschel Meyer lächelnd: „Ach wo, wenn mich der liebe Gott kann haben zu 81, wird er mich doch nicht nehmen zu 100!“

Amschel hielt sich zeitlebens von Politik möglichst fern. Konservativ eingestellt, war er Österreich freundlich und wollte von weitausschweifenden Plänen, wie etwa dem Zionismus, nichts wissen; dem gab er im Jahre 1845 drastischen Ausdruck, als er dem Vorkämpfer des Zionismus Bernhard Behrend ausführlich auseinandersetzte, daß die Erlösung der Juden nur durch Gottes Willen geschehen könne, und daß er die Idee des Ankaufes eines zur Ansiedlung von Juden bestimmten Landgebietes in Nordamerika für einen „Stuß“ halte, auf den er sich nicht einlassen könne.[1]

[1] Dr. N. N. Gelber, Zur Vorgeschichte des Zionismus. Wien 1927, S. 87.

Der alte Amschel Meyer zeichnete sich durch scharfen Verstand und große Menschenkenntnis aus und behandelte kluge und reelle Menschen, wie er sagte, gern „al pari". Dabei nahm er das persönliche Interesse stets für die Haupttriebfeder menschlicher Handlungen. Bis in den Tod hielt er an seiner Religion fest, aß nur koschere Speisen und liebte es, theologische Themen zu berühren. Als Nachfolger kam der älteste Sohn des Neapler Rothschild Meyer Carl in Betracht, der ihn schon seit Jahr und Tag in der Führung des Frankfurter Bankhauses unterstützte.

Die Leitung der Frankfurter Firma kam nun in tüchtige, kaufmännische Hände. Zum Unterschied von seinem verstorbenen Oheim nahm Meyer Carl am politischen Leben teil und wurde auch 1866 in den Norddeutschen Reichstag gewählt. Ihm fiel mit dem Privatvermögen des Verstorbenen ein reiches Erbe in den Schoß, das er zum guten Teil zur Erweiterung seiner Kunstsammlungen benutzte.

Nun blieb nur noch einer aus der Generation der fünf Brüder, die sich über Europa verteilt hatten, übrig. Der jüngste, James Rothschild in Paris, nunmehr dreiundsechzig Jahre alt und von allen Mitgliedern seines Hauses stillschweigend als Chef angesehen.

Mit Sorge hatte dieser die Entwicklung des Krimkrieges verfolgt; doch als sich der Erfolg an die Fahnen der Verbündeten heftete, da beglückwünschte er sich und seine Brüder zu der Haltung, die sie während des Feldzuges eingenommen hatten. Der neue Zar war schneller, als Nikolaus es getan hätte, zum Abschluß des Friedens bereit. Ende Februar 1856 trat der Friedenskongreß an der Seine zusammen, und einen Monat später war der Friede geschlossen. Frankreich errang dadurch eine überragende Stellung auf dem Kontinent, und diese Erhöhung seines Prestige wirkte auch auf die Finanzen des Kaiserreiches wohltätig zurück. Der Crédit mobilier erreichte in dieser Zeit den Höhepunkt seiner Erfolge; die französische Rente stand sehr hoch, und die Aktie des Unternehmens, die 1852 10%, 1855 aber 44% abwarf, erreichte ihren Gipfelpunkt in dem Börsenkurse von 2000. Von da an sollte sie freilich ständig heruntergehen, bis der für ein Unternehmen mit so weit gespannten Zielen unvermeidliche Zusammenbruch erfolgte. Damals aber, nach siegreich beendigtem Krimkriege, schöpfte man überall in Frankreich neuen Mut und neuen Unternehmungsgeist.

Österreich, das während des ganzen Krimkrieges nicht wußte, was es wollte, hatte sich in große finanzielle Sorgen gestürzt, ohne hierfür einen reellen politischen Gewinn einzuheimsen. So mußte es daran denken, durch Abstoßung seines noch übrigen Besitzes an Staatseisenbahnen Bargeld zu gewinnen. Dabei verdiente sich die von der Rothschildgruppe gegründete Creditanstalt ihre ersten Sporen: Sie konnte den großen Erfolg verzeichnen, daß sie, zum großen Ärger der vom Crédit mobilier patronisierten, neugegründeten Staatseisenbahngesellschaft, das lombardisch-venezianische Eisenbahnnetz durch Kauf an sich brachte.

Am 14. Mai 1856 kam der Vertrag mit der Creditanstalt zustande, an dem außer Rothschild auch die Engländer Talbot und Laing, sowie der Franzose Herzog von Galliera teilnahmen, wobei Österreich einen Betrag von 100 Millionen österreichische Lire, in bequemen Jahresraten und teilweise selbst erst vom Erträgnis zahlbar, erhielt.

Durch diesen Erfolg zeigten die Rothschild dem Crédit mobilier, daß sie ihm in Österreich ein Paroli zu bieten vermochten. In dem Unternehmen waren das Londoner, das Pariser und das Wiener Bankhaus Rothschild und die an der Gründung der Creditanstalt beteiligten Fürsten Schwarzenberg und Fürstenberg vertreten.

Nun die Rothschild einmal einen namhaften Teil der Eisenbahnen in Österreich an sich gebracht hatten, schmiedeten sie andere, weit ausgreifende Pläne. Im September 1856 planten sie, im Anschluß an die österreichischen Bahnen in Siebenbürgen, solche auch in der Moldau und Walachei zu bauen und sie über Bukarest an das Schwarze Meer zu führen.[1]

Österreichischerseits stand man dem Wunsche nach Konzessionserteilung für die zu erbauenden Bahnstrecken, die an die walachische Grenze führten, freundlich gegenüber.

Mitten in diese weitausgreifenden Pläne fiel ein Ereignis, das das Pariser Haus empfindlich traf und großes Aufsehen hervorrief. Man hatte sich gewöhnt, das Bankhaus Rothschild und seine Unternehmungen als durchaus reell geführt und seine Beamten als unbedingt verläßlich zu betrachten, und war daher bestürzt, als im September 1856 der Rothschildsche Kassier der französischen Nordbahn namens Carpentier und ein zweiter Beamter nach Unterschlagung von Millionenwerten verschwanden. Die Diebe flüchteten nach Amerika; sie konnten zwar einige Zeit später dingfest gemacht werden, aber erst nachdem ein großer Teil des Geldes unwiederbringlich verloren war.

Das Pariser Haus nahm den Verlust auf sich, ohne die übrigen Häuser mit leiden zu lassen. Niemand aber hatte über diesen Vorfall eine größere Freude als die beiden Brüder Pereire, obwohl deren Erfolge gerade damals bedenklich abzuklingen begannen. Während sie ihre Unternehmungen immer weiter, ja bis nach Mexiko auszubreiten suchten, verloren sie gerade bei den solidesten Geschäftsfreunden beständig an Boden.

Die Nachrichten, die Anselm in Wien über diese Entwicklung erhielt, ermunterten ihn, dem Crédit mobilier immer schärfere Konkurrenz zu machen. Dabei vergaß er nicht, sich, wenn es notwendig war, wie einst sein Vater, für seine jüdischen Glaubensgenossen einzusetzen. So bat er am 8. August den Grafen

---

[1] Eingabe der Gebrüder Rothschild vom 12. IX. 1856 und Antwortschreiben des Handelsministeriums vom 28. IX. 1856. Wien, Staatsarchiv.

Buol-Schauenstein[1] um ein „warmes, angelegentliches Fürwort“ für die Juden in Rom. Mit einem gleichen Ersuchen[2] wandte er sich an den österreichischen Gesandten am Vatikan, da er eine flehentliche Bitte von der israelitischen Gemeinde in Rom erhalten hatte.

Auch Lionel, der Chef des britischen Hauses, stand damals im Kampfe um die Emanzipation der Juden in England. Seine glänzende soziale Stellung, das Geschick seiner Brüder Meyer und Anthony, die sich in der hohen Gesellschaft Englands durch Kunstliebe und Sport beliebt machten, stempelten ihn zum hervorragenden Vorkämpfer. Seine Gastmahle und Feste wurden mit erlesenster Pracht gegeben. Eben hatte er, im März 1867, seine Tochter Leonore mit dem künftigen Erben des Pariser Bankhauses und Sohne James, Alfons Rothschild, verheiratet.

In Gunnersbury-house, dem einstigen Herrschaftssitz der Prinzessin Amélie, der Tante König Georgs III., hatte Lionel eine prachtvolle Behausung erstanden. Wenn also jemand für die Emanzipation der Juden eintreten konnte, so war er es. Bis jetzt aber hatte man ihm, der schon dreimal ins Unterhaus gewählt worden war, die Ausübung seines Mandates mit der Begründung verweigert, daß er ablehne, den vorgeschriebenen Eid zu leisten, in dem er sich als Christ hätte bekennen müssen. Lionel wollte Jude bleiben und den Eintritt ins Unterhaus erzwingen. Ganz England interessierte sich für diesen Kampf, durch den eigentlich erst die Frage der Judenemanzipation in England aufgeworfen wurde.

Einen mächtigen Bundesgenossen fand Lionel dabei in dem Freund seines Hauses, Benjamin Disraeli, der, obwohl selbst zum Christentum übergetreten, warm und energisch für Lionels Wünsche eintrat. 1857 wurde Lionel zum vierten

---

[1] Anselm Rothschild an Graf Buol-Schauenstein. London, 8. VIII. 1857. Wien, Staatsarchiv. — [2] Anselm Rothschild an Graf Colloredo in Rom. Wien, 30. VIII. 1857. Wien, Staatsarchiv.

Male ins Unterhaus gewählt, immer noch weigerte sich aber das Oberhaus, die nun schon vom Hause der Gemeinen befürwortete Änderung der Eidesformel anzunehmen. Lord Derby, der im Jahre 1858 zum zweiten Male Ministerpräsident wurde und in dessen Ministerium Disraeli das Amt des Schatzkanzlers bekleidete, hatte sich bis dahin stets als Gegner der Judenemanzipation bekannt. Jetzt aber ließ er sich durch das unermüdliche Eintreten Disraelis gleich seinen übrigen Kollegen für ein Kompromiß gewinnen, das darin bestand, die Bestimmung der Art und Weise des durch ihre Mitglieder zu leistenden Eides jeder der beiden Kammern zu überlassen. So konnte das Unterhaus, wenn es wollte, für die Juden eine geeignete Formel finden, und das Oberhaus konnte sagen, daß es an der Zulassung solcher Mitglieder in der anderen Kammer unbeteiligt sei.

Dieser Antrag wurde schnell in beiden Häusern durchgebracht, und Rothschild konnte daher am 26. Juli 1858 den Eid in abgeänderter Form leisten. Als er den Sitzungssaal betrat, war das Unterhaus gedrängt voll. Unter tiefer Stille wurde Lionel von Lord John Russell, der stets für die Gleichberechtigung aller Bürger eingetreten war, zu dem Tische des Hauses geführt. Dort verneigte er sich vor dem Speaker und leistete den Eid auf die hebräische Bibel, wobei er die Worte „in the true faith of a christian" durch die Worte „so wahr mir Jehovah helfe" ersetzte. Daraufhin reichte ihm der Speaker die Hand, und er nahm, immer noch unter lautloser Stille, seinen Sitz auf der liberalen Seite der Kammer ein. Damit war ein elfjähriger Kampf beendet, der den Juden schließlich die Zulassung in das Unterhaus ermöglichte.

In der Folge trat aber Lionel politisch wenig hervor. Er widmete sich vorwiegend großen geschäftlichen Unternehmungen, zunächst solchen in Österreich. Dort hatte Anselm, ermutigt durch den Erfolg mit den lombardisch-venezianischen Bahnen, den alten Plan, die Südbahn, d. h. die Strecke

Wien–Triest, in die Hand zu bekommen, wieder aufgenommen. Die finanzielle Verwaltung dieser Strecke durch den österreichischen Staat war sehr schlecht gewesen, und das Geld für einen weiteren Ausbau fehlte.
Ungefähr die gleiche Gruppe unter Führung der Rothschild, die die lombardisch-venezianischen Bahnen erworben, richtete ihr Augenmerk auf die Südbahn. Sie erwog, damit ein Objekt an sich zu bringen, das sehr große Anlehen vertragen und dessen Aktien ein ausgezeichnetes Spekulationspapier abgeben würden. Dazu konnte man den Kaufpreis in Raten und auf Jahre hinaus abzahlen. So erwarb also die Gesellschaft die Konzession auch für die südliche Staatsbahn, wobei in der Folge die Bahnen Oberitaliens mit der Südbahn zu einem Ganzen verschmolzen werden sollten.
Die technisch-finanzielle Durchführung der Angelegenheit wurde in einer so geschickten und raffinierten Art durchgeführt, daß die unternehmende Gruppe einen großen und materiell höchst vorteilhaften Abschluß für sich zu buchen vermochte.
Diese Transaktion brachte es mit sich, daß zahllose fremde, besonders französische Beamte und Ingenieure in den Beamtenkörper jener Bahn eingereiht wurden, die die einzige und wichtigste Verbindung der italienischen Provinzen mit der Monarchie darstellte. Dies alles geschah knapp vor dem Feldzug von 1859, zu einer Zeit, da man schon längst mit Besorgnis auf die Tätigkeit des hochbegabten leitenden Ministers Sardiniens sah. Ein Beweis, wie wenig man aber an einen Krieg mit Frankreich dachte, war eben die Überlassung dieser wichtigen Bahn an eine Gruppe, der vornehmlich französische Kapitalisten angehörten.
Zielbewußt hatte Cavour inzwischen die Vorbereitung der Einigung Italiens unter dem Zepter der einzigen in einem italienischen Staate herrschenden eingeborenen Dynastie, unter dem eines liberalen, piemontesischen Königtums, be-

trieben. Der sardinische Staatsmann sah ein, daß sein und seines Volkes sehnlicher Wunsch nur durch Krieg erreichbar war, und bereitete diesen mit Bedacht durch Ausbau der wirtschaftlichen und militärischen Kräfte des Landes vor. Doch geschah dies alles insgeheim; oft mußten gerade die wirtschaftlichen Maßnahmen dazu dienen, seine Kriegspläne zu verhüllen.

Als Cavour 1856 einer Anleihe bedurfte, um die militärischen Kräfte des Staates zu stärken, da schützte er Bahn- und sonstige Bauten, insbesondere den Bau des Tunnels durch den Mont Cenis, vor, durch welchen die schnellste und kürzeste Verbindung Turin–Lyon geführt werden sollte. Ganz klar spricht Cavour diese Ideen in einem vertraulichen Briefe an den Generaldirektor des Staatsschatzes Grafen T. di S. Rosa aus.

„Ich teile", schrieb er ihm am 22. August 1856 aus Turin[1], „Ihre Ansicht, daß es nötig wäre, ein Anlehen aufzunehmen. Aber man muß diese Operation durch Motive rechtfertigen, die den Glauben nicht gelten lassen, daß wir sie in der Vorausahnung eines Krieges brauchen. Diesen Vorwand liefert die Überwindung des Mont Cenis in ganz natürlicher Weise. Wenn Sie also Rothschild von einem Anleiheprojekt sprechen, hüten Sie sich, auch nur ein Wort zu sagen, das ihn vermuten ließe, daß wir an die terza riscossa (dritte Wiederaufnahme des Kampfes) denken; sagen Sie ihm aber, daß wir den Tunnel durch den Mont Cenis schlagen und die Strecke von Bardonnêche nach Susa auf Staatskosten bauen wollen, was eine Ausgabe von 36 Millionen erfordern wird."

Cavour war sich klar, daß sein kleiner Staat von wenigen Millionen Einwohnern nicht allein den Kampf gegen Österreich aufnehmen konnte und daß er Bundesgenossen nötig habe. Nun machte sich die Teilnahme Sardiniens am Krim-

---

[1] Cavour an Graf T. di S. Rosa. Tunis, 22. VIII. 1856. Luigi Chiala, Lettere a. a. O. Bd. VI, S. 36.

kriege bezahlt. Napoleon bezeugte den Bestrebungen zur Einigung Italiens ein wohlwollendes Interesse; er stand damals nach dem siegreichen Krimkrieg auf der Höhe seiner Macht. Erst 1870 sollte er erkennen, welch schwerer Fehler dieser Krieg, der ihm den im Rücken Preußens stehenden Zaren zum Feinde machte, gewesen war. Österreich hatte an jenem Feldzug nicht teilgenommen, wohl aber Sardinien mit seinen nur etwas über fünf Millionen Einwohnern, das in der Krim, weiß Gott, nichts zu suchen hatte. Es war in weiser Voraussicht geschehen. Denn nur mit Hilfe Napoleons konnte es hoffen, dem österreichischen Kaiserstaate die Lombardei und Venetien abzunehmen. Napoleon zeigte sich den italienischen Einigungsbestrebungen geneigt, was natürlich auf die Beziehungen Frankreichs zu Österreich zurückwirkte. Es war Napoleon willkommen, Österreich für seine zweifelhafte Haltung im Krimkrieg zu bestrafen. Der Vertreter des Kaiserstaates in Paris, Graf Hübner, wie auch der Generalkonsul James Rothschild bekamen zuweilen recht unfreundliche Worte über Österreich zu hören.[1]

Aufmerksam verfolgten sowohl James wie auch Adolf in Neapel und Anselm in Wien diese gefährliche Entwicklung. Ein Krieg in Italien zwischen Frankreich und Österreich mußte für die in diesen drei Ländern heimischen Rothschildschen Häuser die größten Gefahren mit sich bringen, um so mehr, als diese eben erst an den Bahnen in den italienischen Provinzen des Kaiserstaates und in Österreich selbst ein so großes Interesse genommen hatten. Da konnte eine kriegerische Verwicklung geradezu katastrophale Folgen haben. Es galt also den drohenden Krieg zu verhindern. Adolf Rothschild war seinerseits fest überzeugt davon, daß, da Louis Napoleons Träume und Pläne sich von jeher mit Italien be-

[1] Graf Hübner, Neun Jahre der Erinnerungen eines österreichischen Botschafters in Paris unter dem zweiten Kaiserreich 1851–1859. 29. VI. 1857. Bd. II, S. 22.

schäftigten, es auch auf den König von Neapel abgesehen sei.[1]

Die von Cavour angezettelte Verschwörung ging indessen, vom ersten Minister Sardiniens eifrig geschürt, weiter ihren Weg. Das Attentat Orsinis auf Napoleon III. am 14. Januar 1858, das dem für Italiens Sache zu lauen Monarchen galt, beschleunigte den Entschluß des Kaisers, in der Tat seine Hand zur Einigung Italiens zu leihen. Cavours und Napoleons geheime Besprechungen wurden natürlich vor Österreich aufs strengste vertraulich gehalten. Am 10. Dezember 1858 schloß der Kaiser das geheime französisch-sardinische Bündnis endgültig ab und verpflichtete sich zur Hilfe für den Fall eines Angriffes Österreichs. Daß dieses dann endlich die Geduld verliere und feindselig gegen Piemont auftrete, wie es nötig war, um Österreich vor der Welt ins Unrecht zu setzen, dafür wollte Cavour schon sorgen.

Im Dezember 1858 setzte in der Pariser Presse[2] ein Federkrieg gegen Österreich ein, der James Rothschild sehr besorgt machte. Er erbat Audienz beim Kaiser, um ihn auf die Nachteile dieser Kampagne aufmerksam zu machen. Insbesondere zeigte er sich von einem Artikel beunruhigt, der am 4. Dezember im Moniteur erschienen war und weite Kreise in Erregung versetzte. Napoleon war über die Bemerkungen James' sehr betroffen; hatte er doch nach eigenen Angaben diesen Artikel schreiben lassen, was Rothschild allerdings nicht wußte. Der Kaiser zeigte sich bei dieser Unterredung mit James nachdenklich und wortkarg. Als dieser aber in ihn drang, ihm doch ein beruhigendes Wort zu sagen, versicherte der Monarch, er habe keine Absichten, in Italien Veränderungen vorzunehmen. Daraufhin zeigte sich James einigermaßen beruhigt, und die schon stark erschütterten Fonds gingen in bescheidenem Maße wieder in die Höhe. Aber

[1] Denkwürdigkeiten des Ministers Otto Freiherr von Manteuffel, a. a. O. Bd. III, S. 197. — [2] Hübner, a. a. O. Bd. II, S. 145.

ganz sorgenlos war James auch nach dieser Audienz nicht. Zudem sollte er bald durch eine Äußerung Napoleons beim Neujahrsempfang 1859 wieder in Angst versetzt werden. Denn nachdem der Kaiser bei dieser Gelegenheit allen anderen anwesenden Diplomaten überaus freundliche Worte gesagt hatte, wandte er sich zum österreichischen Vertreter Hübner und sagte zu ihm:

„Ich bedaure, daß unsere Beziehungen zu der Regierung Österreichs nicht mehr eben so gut sind wie früher, aber ich bitte Sie, dem Kaiser zu melden, daß meine persönlichen Gefühle für ihn unverändert sind.“

Die Diplomaten, darunter auch Hübner, sahen in dieser Bemerkung im ersten Augenblick nichts allzu Ungewöhnliches. Ganz anders aber urteilte man in Paris. Dort sprach man in allen Kreisen vom bevorstehenden Krieg mit Österreich, den der Kaiser offenbar plane. Auch James teilte Hübners ruhige Auffassung nicht. An der Börse und bei den großen Financiers trat panikartiger Schrecken ein. Da fand es Napoleon geraten, die Wirkung seiner Worte etwas abzuschwächen, und veranlaßte den Moniteur und die ihm ergebene Presse, beruhigende Erklärungen darüber abzugeben, was an der Börse auch einigermaßen wirkte.

Doch James blieb immer noch skeptisch. Am 8. Januar begab er sich wieder zu Napoleon, der ihm neuerdings die Lage in rosige Schleier gehüllt darstellte. Da ihm der Kaiser außerdem noch sagte, er habe beim Neujahrsempfang nicht die Absicht gehabt, Hübner zu kränken, kehrte James befriedigt heim und traf alle Maßnahmen für etwaiges Wiederansteigen der Fonds an der Börse. Der Panik schien Einhalt getan. Doch kaum hatten sich die Gemüter etwas beruhigt, so hörte man von der Verlobung des Prinzen Napoleon mit der Prinzessin Clotilde, der Tochter Viktor Emanuels. Das war eine Drohung für Österreich und ergab wieder eine furchtbare Baisse an der Pariser Börse, wo die Rente am 11. Januar von 72,30 auf 67,80 fiel. Darauf erschien im „Journal des Débats“ ein Frieden atmender Artikel, den man als Erfolg der konservativen öffentlichen Meinung und der großen finanziellen und handelspolitischen Interessen bezeichnete, deren höchst energische Sprecher James Rothschild und der Finanzminister Pierre Magne gewesen waren. Das ergab wohl wieder eine bessere Börse, aber Angst und Sorge blieben bestehen, und die mehrdeutigen Bemerkungen des Kaisers nährten sie nur. „Ich will den Frieden“, sagte er zum Beispiel dem Botschafter Spaniens.[1] „Ich will ihn ohne Zweifel. Aber man kann durch die Umstände mitgerissen werden.“

Als man dem Monarchen die furchtbaren Verluste vorhielt, welche die öffentlichen Werte durch die stete, außenpolitische Beunruhigung erlitten hatten, da meinte er: „Ich habe die Börse nicht für mich, aber ich habe Frankreich auf meiner Seite.“

Rothschild tat alles, was möglich war, um die Lage zu klären, da Österreich an das Bankhaus herangetreten war, um eine Anleihe zu erlangen, zu der eine Hausse an der Börse unbedingt notwendig war. Aber der Plan James’, diese herbeizuführen, ließ sich nicht verwirklichen: überall fehlte das Vertrauen. Neuerdings fragte James Napoleon gelegentlich einer Jagd in den kaiserlichen Revieren über seine Pläne in Italien, denn er zeigte sich sehr erschrocken darüber, daß nach Bologna und Ancona Truppen gesandt worden waren. Napoleon antwortete darauf, es scheine, daß Österreich die Absicht habe, Piemont anzugreifen. Rothschild blieb dabei, daß Napoleon auf unrechtem Wege sei; er erinnerte an das seinerzeitige Wort Napoleons in Bordeaux: „Das Kaiserreich ist der Friede.“ Auf einem damals in den Tuilerien gegebenen Hofball drehte Rothschild dieses Wort um: „Ententez fous[2],“ sagte er in seinem schlechten Französisch zu einem der Mi-

---

[1] Hübner an Graf Buol-Schauenstein. Paris, 14. I. 1859. Wien, Staatsarchiv. — [2] Hören Sie, kein Friede, kein Kaiserreich.

nister, „bas de baix, bas d'Embire.“ Der General de la Rue hatte den Mut, dem Kaiser diesen Ausspruch wieder zu erzählen, der aber darüber nicht lachte.
Österreich hatte damals einen Sendling nach London geschickt, um mit Rothschild wegen einer Anleihe in Unterhandlung zu treten. Lionel forderte James auf, sich daran zu beteiligen, dieser aber schwankte wegen der politischen Lage und der Gefahr, daß der um die Anleihe bemühte Staat sich in kurzer Zeit in einem Krieg verstrickt sehen würde.
James suchte neuerlich die Gesellschaft des Kaisers, um ihn zu fragen, ob er die österreichische Anleihe übernehmen oder sich daran beteiligen könne. Damit wollte er sich dagegen sichern, daß Napoleon darin eine unfreundliche Haltung des Hauses Rothschild gegenüber Frankreich erblicke und anderseits auch beobachten, wie sich der Monarch überhaupt zu der Angelegenheit stelle. Napoleon aber wußte sich zu beherrschen, er verzog keine Miene und gestattete James, nach Belieben in der Angelegenheit der österreichischen Anleihe zu verfahren. Im Innern freilich mochte er wohl denken, daß der sonst so kluge Bankier da ein äußerst riskantes Geschäft eingehe.
Am 29. Januar 1859 fand die Hochzeit des Prinzen Napoleon und der Prinzessin Clotilde von Savoyen statt. Die ungewohnte Hast, mit der diese Ehe geschlossen worden war, fiel allgemein auf. Man witterte dahinter mit Recht gefährliche politische Beweggründe. „Alle fürchten sich,“ meldete Hübner[1], „alles erregt Schrecken, und Furcht macht feige.“
In James Rothschild bekämpften sich zwei Strömungen. Einerseits war er für den Frieden und hielt es mit dem konservativen Österreich, von dem er durch Anselm wußte, daß ihm nichts unerwünschter war, als durch die italienischen Abfallsbestrebungen und Cavours Schachzüge zum Kampfe ge-

---

[1] Hübner an Graf Buol-Schauenstein. Paris, 31. I. 1859. Wien, Staatsarchiv.

nötigt zu werden. Anderseits war es ihm aber auch schmerzlich, zu sehen, wie ein so alter Kommittent wie Sardinien durch seine kriegerische Politik schließlich dem Rothschildschen Bankhause entglitt und anderen Finanzmännern in die Arme getrieben wurde. Noch war ja der Krieg nicht Tatsache. Vielleicht kam es gar nicht dazu, und dann wollte man doch Sardiniens Kundschaft nicht verlieren. Schon in der Mitte des Jahres 1858, als der Senat in Turin neuerdings eine Anleihe bewilligte, hatte Cavour Verhandlungen mit Rothschild angeknüpft, aber dieser schien dem Minister damals den Kopf zu hoch zu tragen. Nun, in den ersten Februartagen des Jahres 1859, ließ Rothschild selbst bei Cavour anfragen und ihm Vorschläge für eine Anleihe machen. James tat dies nicht zum wenigsten auch, um klar zu sehen, und war entschlossen, Cavour für den Fall, daß er wirklich den Krieg gegen Österreich wollte, das Geld trotz allem nicht zu geben, solange die Kriegsgefahr nicht beseitigt wäre.

Cavour aber freute sich darüber, daß diesmal Rothschild von selbst gekommen war. „Die Herren von Rothschild", schrieb er dem Prinzen Napoleon[1], „haben uns sagen lassen, daß sie bereit wären, uns Angebote zu machen. Sie haben in aller Eile ihren Turiner Vertreter nach Paris kommen lassen, und alles bringt mich dazu zu glauben, daß sie fürchten, ihren Händen das Monopol, das sie seit einer langen Reihe von Jahren in Bezug auf unsere Rente besitzen, entgleiten zu sehen. Wenn sie die Anleihe auf feste Abschlagszahlung übernehmen wollen, so wird man sich leicht mit ihnen verständigen können. Wenn sie aber, wie ich fürchte, die Sache nur in Kommission übernehmen wollen, dann wird man sich nach einer anderen Seite wenden müssen. Das Haus S. Paul hat uns seine Unterstützung angetragen. Da es unternehmender ist als die Rothschild, so ist es möglich, daß es das über-

[1] Il Carteggio Cavour-Nigra, Cavour an Prinz Napoleon. 13. II. 1859. Bd. II S. 13; auch in Chiala Lettere, a. a. O. Bd. VI, S. 365.

nimmt, was wir in Paris placieren wollen. Als letzte Ressource bleibt uns das Angebot des Crédit mobilier, das Bixio mir übermittelt hat. Man wird es annehmen müssen, wenn's nicht besser möglich ist."

Cavour hatte damals den Marchese Monticelli in Paris bevollmächtigt, über die Anleihe von fünfzig Millionen zu verhandeln. Er hoffte, dank der Hilfe des nunmehrigen Schwiegersohnes seines Königs, des Prinzen Napoleon, werde es so oder so gelingen; einen Teil wollte er ja in Italien selbst unterbringen.

Wohl waren die Bedingungen des Crédit mobilier ziemlich hart, aber, meinte Cavour, „wenn wir uns nach der Scheidung von Rothschild mit den Herren Pereire verheiraten, werden wir, glaube ich, zusammen eine sehr gute Ehe führen."[1]

Cavour hatte recht, mehr dem Crédit mobilier zu vertrauen; denn James Rothschild und mehrere Bankiers merkten bald, wozu Sardinien das Geld benötigte, und erklärten, kein Geld für einen Krieg hergeben zu wollen.[2] Graf Walewski, der Minister des Äußeren, der natürlich mit seinem kaiserlichen Herrn und mit Cavour im Einverständnis war, wollte sie dazu veranlassen und sagte ihnen: „Meine Herren, wenn dem nur so ist, so können Sie ruhig die Anleihe übernehmen, denn es wird keinen Krieg geben. Ich versichere Sie, es wird für den Moment keinen geben."

Dieses „pour le moment" war freilich nicht geeignet, James und die anderen Bankiers zu beruhigen. Ein friedlicher Artikel im Moniteur vom 5. März sollte den Worten des Ministers Nachdruck geben. Aber man glaubte nicht so recht daran. Fünf Tage darauf stand ein Brandartikel im „Constitutionnel", in dem es hieß, daß Österreich nicht nachgeben werde und könne.

---

[1] Il Carteggio Cavour-Nigra, a. a. O. Cavour an A. Bixio. 13. II. 1859. Bd. II, S. 11. — [2] Hübner an Graf Buol-Schauenstein. Paris, 27. II. 1859. Wien, Staatsarchiv.

„Die Fonds fallen," meldete Hübner[1], „zeitlich früh kommt Rothschild ganz bestürzt zu mir, nach ihm der Herzog von Galliera und eine Menge Neugieriger und Interessierter, die, da sie meine Zurückhaltung kennen, wenigstens aus meinen Mienen entnehmen möchten, ob man kaufen oder verkaufen soll."

Aber Sardinien hatte Foulds außerordentlich drückende Bedingungen nicht angenommen und die ganze Anleihe in Italien ohne Hilfe der Pariser Bankiers untergebracht.

„Man hat uns mehr Geld gebracht, als wir haben wollten", schrieb Cavour seinem vertrauten Bankier[2], und Nigra meldete er befriedigt: „Die Anleihe ist ganz ausgezeichnet erledigt. Die Bevölkerung ist in Massen zu den Zeichnungsstellen geeilt. Mit vielen kleinen Summen sind die Millionen zusammengebracht worden, die uns die Pariser Bankiers versagt haben. Bemerken Sie dem Prinzen (Napoleon), daß es uns unmöglich war, die Anträge anzunehmen, die uns Fould nach vierzehntägigem Warten und getäuschten Hoffnungen vorschlug.

Nach den Weigerungen des Crédit mobilier, der Rothschild, Foulds selbst und so vieler anderer, unsere Anleihe zu übernehmen, konnten wir es anständigerweise nicht wagen, sie in Frankreich zu öffentlicher Zeichnung aufzulegen . . . Wenn wir uns an die französische Öffentlichkeit gewendet hätten, wären wir Gefahr gelaufen, uns sagen lassen zu müssen, Piemont führe den Krieg mit den Männern und dem Gelde Frankreichs."[3] Das Ergebnis der Begebung in Italien übertraf so sehr die Hoffnungen Cavours, daß der sardinische Finanzminister sogar die hohe Genugtuung hatte, die eingelaufenen Zeichnungen der „hohen Bankbarone von Paris" zurückzuweisen.[4]

---

[1] Hübner a. a. O., 10. III. 1859. Bd. II, S. 193. — [2] Bert, Cavour, Nouvelles lettres, a. a. O. S. 547. — [3] Il Carteggio Cavour-Nigra, a. a. O. Cavour an Nigra. Turin. 4. III. 1859. Bd. II, S. 50. — [4] Il Carteggio Cavour an Nigra. Turin, 9. III. 1859. Bd. II, S. 71.

Nun war der Krieg in Sicht. Das hinderte aber nicht, daß in Frankreich so ziemlich jedermann außer der Armee friedlich gesinnt war und nicht einsehen konnte, warum ein Franzose eines ehrgeizigen sardinischen Ministers wegen seine Knochen zu Markte tragen sollte. Einen Augenblick schwankte sogar der Kaiser, und Cavour selbst wurde bei seiner Reise nach Paris zu Ende März um das Gelingen seiner Pläne sehr besorgt. Schließlich aber kam der Stein durch ein unkluges vorzeitiges Ultimatum Österreichs vom 23. April ins Rollen, durch das sich dieser Staat, den zu bekriegen Cavour nach seinen eigenen Worten fortwährend nach einem Vorwand gesucht hatte, selbst vor der Welt ins Unrecht setzte.

Die Rothschild mußten neuerdings erkennen, daß die Zeiten, in denen sie, wie anno 1830 und 1840, Kriege durch ihren Einfluß geradezu verhindern konnten, vorüber waren. Schon in der Revolutionszeit 1848/49 und beim Krimkrieg hatte sich das gleiche gezeigt. Nun versetzte die Kriegserklärung der letzten Apriltage des Jahres 1859 das ganze Haus Rothschild, insbesondere aber seine drei Zweige in Paris, Wien und Neapel in die allergrößte Bestürzung. Hatten sie doch – man denke nur – eben die ganzen lombardisch-venezianischen Bahnen, also gerade jene, die sich auf dem Kriegsschauplatz befanden, und die Südbahn, die nun ganz für Kriegszwecke verfügbar gemacht werden mußte, gekauft. Ganz abgesehen von den unzähligen anderen Anleihen, Projekten und Unternehmungen in den drei vom Kriege betroffenen Ländern. Das mußte unabsehbare Folgen haben. Schon war die französische Rente, die Mitte April noch auf 68 stand, am 3. Mai auf 60 gefallen.

Zornig sagte sich James, dieser Napoleon „dritter Klasse“, der sich da hohnlachend über seine mit Emphase vor aller Öffentlichkeit gemachten Friedensversprechungen hinwegsetzte, werde schließlich ein noch viel traurigeres Ende nehmen als sein großer Oheim, obwohl er bisher ständig außerordentliches Glück gehabt. Der alte James sah sich mit gebundenen Händen den Tatsachen als Zuschauer gegenüber. Kopfschüttelnd sah er den großen Erfolg der Kriegsanleihe mit an. Sollte er sich irren, fragte er sich, und sollten der Kaiser und seine waghalsigen, unsoliden Finanzleute, die Fould, Pereire und Mirès schließlich doch gegen seine soliden, konservativen und wohlbegründeten Ansichten recht behalten?

Die Ereignisse schienen diesen Erwägungen recht zu geben. Im Mai brach der Krieg aus. Österreichs Armeen, von einem unfähigen General geführt, erlagen den französischen und sardinischen Truppen, deren Vereinigung der General törichterweise nicht verhinderte, bei Magenta und Solferino.

Verhältnismäßig rasch kam es am 8. Juli 1859 zum Waffenstillstand von Villafranca, dem kurz darauf zur größten Enttäuschung Cavours, der nicht nur die Lombardei, sondern auch Venezien erringen wollte, die Friedenspräliminarien folgten.

Der für Österreich unglückliche Ausgang des Krieges hatte zur Folge, daß die Habsburgischen Sekundogenituren in Toskana, Parma und Modena vertrieben wurden. In allen diesen Staaten besaßen die Rothschild Geschäftsverbindungen, überall wurden ihre Interessen berührt, und wollten sie retten, was zu retten war, so warf man ihnen in Österreich vor, daß sie mit den in diesen Gebieten neu etablierten „revolutionären" Regierungen Geschäfte machten.

Als am 22. August 1859 französische Zeitungen die Nachricht brachten, die neue Regierung von Toskana habe mit dem Pariser Hause Rothschild eine Anleihe abgeschlossen, da telegraphierte Graf Rechberg entrüstet an den Nachfolger Hübners, den nach dem Waffenstillstand in Paris eingetroffenen Fürsten Richard Metternich, den Sohn des Staatskanzlers, er möge sofort Baron James interpellieren und melden, ob die Nachricht zutreffe.[1] James und sein ältester Sohn waren gerade nicht anwesend, und darum gab Gustav von Rothschild die Erklärung ab[2], daß es sich keineswegs um eine neue Anleihe handle, sondern um den Rest einer solchen, seit 1852 begebenen von hundert Millionen, die nur nach und nach auf den Markt gelangten. Jetzt habe die neue Regierung diesen Rest dem Bankhause Rothschild angetragen, weil es von früher her das ganze Geschäft in Händen hielt. Graf Rechberg mußte sich damit bescheiden. Der österreichische Einfluß in Italien war dahin. Das Wiener Haus Rothschild, das man eher noch hätte fassen können, redete sich auf das französische aus und erklärte, diesen Dingen vollkommen fern zu stehen.

Die Ernennung des Fürsten Richard Metternich, des Sohnes des großen Freundes Salomons, zum Botschafter in Paris, war den Rothschild hoch willkommen. Nun hofften sie mit diesem wieder in ein so gutes Verhältnis kommen zu können wie mit dem Pariser Vertreter Österreichs in der Zeit vor Hübner.

Die Machterhöhung Napoleons, die sich aus dem glücklichen Kriege ergab, erregte in England Besorgnisse und schuf eine Sphäre der Nervosität, die auf die Beziehungen zwischen England und Frankreich nicht ohne Wirkung blieb. Damals wurden die Gemüter durch Nachrichten aus Cuba erregt, in welcher Kolonie Spaniens sich eine Abfallsbewegung geltend machte, die den Anschluß Cubas an Nordamerika auf ihre Fahnen schrieb. In England nahm man eher für die Vereinigten Staaten, in Frankreich für die lateinische Schwester Partei. Auch dies vermehrte die zwischen den beiden Ländern herrschende Gereiztheit, die sich in scharfen Pressefehden diesseits und jenseits des Kanals äußerte.

---

[1] Telegramm Graf Rechbergs an Richard Metternich. 24. VIII. 1859. Wien, Staatsarchiv. — [2] Fürst Richard Metternich an Rechberg. Paris, 25. VIII. 1859. Wien, Staatsarchiv.

Schon sahen die Rothschild die Gefahr eines neuen Krieges an dem Horizonte aufsteigen. „James", meldete Richard Metternich am 28. Oktober 1859[1], „hat alle Zustände über die Gereiztheit, welche sich England gegenüber in der Presse und in der spanisch-amerikanischen Frage geoffenbart hat. Die revolutionärsten Attentate der französischen Politik würden die hiesige Finanzwelt nicht so erschüttern als ein Bruch mit England. Die Leute gestehen es ein."

Ende März 1860 folgte die Durchführung der Annexion von Nizza und Savoyen, der bittere, für die Hilfe Frankreichs zu bezahlende Kaufpreis. Immer noch hatte man in England gehofft, daß Frankreich aus dem Kriege von 1859 wenigstens ohne Gebietsvergrößerung hervorgehen werde. Nun aber hatte Napoleon seine Wünsche wirklich durchgesetzt.

„Das von Frankreich gegebene Beispiel", sagte Lionel Rothschild damals dem in London weilenden sächsischen Diplomaten Grafen Vitzthum[2], „ist bedenklich ansteckend. Man darf sich nicht wundern, wenn England die erste Gelegenheit benützt, um sich in den Besitz von Sizilien und Ägypten zu setzen. Ebensowenig wird man jetzt die Vereinigten Staaten an der Annexion von Cuba hindern können."

Die Rothschildschen Befürchtungen waren unberechtigt. Sie trauten Napoleon, der bisher noch mit allen seinen gewagten kriegerischen Unternehmungen Glück gehabt, auch die unsinnigsten Pläne zu. Überdies wußten sie genau, wie sehr Napoleon III. der Tendenz zuneigte, seinem großen Oheim nachzueifern und sein Tun nachzuahmen. Für 1812 hatte er schon im Krimkrieg Rache genommen. War es da nicht naheliegend, daß er jetzt auch an England, dem unerbitterlichsten Feinde des ersten Napoleon, Rache nehmen wollte?

Aber die Rothschild irrten sich. Es schien Napoleon noch

---

[1] Fürst Richard Metternich an Rechberg. Paris, 28. X. 1859. Wien, Staatsarchiv. — [2] Carl Graf Vitzthum von Eckstädt. St. Petersburg und London in den Jahren 1852—1864. Stuttgart 1886, Bd. II, S. 51.

keineswegs der Augenblick gekommen, mit England zu brechen. Er fühlte sich nicht stark genug und konnte auch nicht vergessen, daß Palmerston der erste gewesen, der ihn als Kaiser anerkannt hatte. Graf Vitzthum war mittlerweile von London nach Paris gefahren und hatte sich über die Absichten Napoleons besser unterrichtet.

„Die großen Financiers von Paris," schrieb er darüber[1] an Graf Rechberg, „insbesondere die Rothschild scheinen sich einer interessierten Panik hingegeben zu haben und schreien es über die Dächer, daß der Krieg zwischen den beiden großen Seemächten unausbleiblich sei. Alle Engländer, die hierher gekommen sind, um die Ostertage in Paris zu verbringen . . . sprechen sich in so scharfen Ausdrücken über den Kaiser aus, daß man wirklich daran glauben könnte, daß es unmöglich sei, gute Beziehungen (zwischen den beiden Ländern) aufrechtzuerhalten. Hier verbergen die Leute der Gesellschaft und die mehr oder weniger offiziellen Persönlichkeiten nicht die Gefühle der Abneigung, die sie für ihre Nachbarn jenseits des Kanals hegen. Und überall höre ich sagen: ‚Der Krieg mit England wird der in Frankreich wirklich populäre Krieg sein.' Und trotzdem zögere ich nicht aufrechtzuerhalten, daß der Kaiser ihn noch nicht will und der Bruch in diesem Jahre nicht stattfinden wird . . ."

Vitzthum behielt recht. Die Katastrophe eines englisch-französischen Krieges blieb den Rothschild erspart, dafür aber gab es sonst in der Welt Ereignisse genug, die tief einschneidenden Einfluß auf die Geschäftsführung der verschiedenen Rothschildschen Häuser ausübten.

Österreichs durch den Krieg geschwächte Position machte sich natürlich auch auf finanziellem Gebiete fühlbar. Als dieser Staat im April 1860 eine Anleihe von zweihundert Millionen Gulden aufnahm, die um so schwieriger durchzuführen war, als noch niemand wieder volles Vertrauen zum Kaiser-

[1] Graf Vitzthum an Rechberg. Paris, 23. IV. 1860. Wien, Staatsarchiv.

staate gefaßt, da ging der Finanzminister zu Anselm in Wien bitten, er solle möglichst viel davon zeichnen, und wies auch Metternich in Paris an, James dazu zu bringen, fünfundzwanzig Millionen von den zweihundert zu zeichnen.

James zeigte sich sehr entgegenkommend. „Er stellt"[1], meldete Metternich, „bereitwilligst den Namen seiner Firma zur Disposition der Kaiserlichen Finanzen. Er wird heute das Haus in Wien in diesem Sinne verständigen."

James, der am 8. April zugleich mit seinem ältesten Sohne Alfons, den er jetzt schon in die wichtigsten Geschäfte einführte, beim Fürsten Richard Metternich erschien, machte allerdings die Einschränkung, daß die fünfundzwanzig Millionen nicht von seinem Hause allein, sondern von dem Gesamthause der Brüder Rothschild übernommen würden, das seinen Namen hergebe, um zum Gelingen der Anleihe beizutragen, aber keinerlei Verantwortung dafür übernehme.[2]

Die Vorgänge, die knapp darauf mit dem Selbstmord des österreichischen Finanzministers Baron Bruck endeten, der fälschlich beschuldigt wurde, an Unterschleifen bei Armeelieferungen beteiligt zu sein, schadeten der Anleihe in hohem Maß. Es wurden zunächst nur sechsundsiebzig Millionen Gulden gezeichnet, und erst als die öffentliche Meinung sich wieder beruhigte und man erkannte, daß ernster Wille zur Ordnung der finanziellen Verwaltung des Staates vorhanden war, gelang es den Bemühungen Anselm Rothschilds in Wien, die Anleihe zu gutem Ende zu führen, wofür er im April 1861 mit der Ernennung zum lebenslänglichen Herrenhausmitglied belohnt wurde.

Indessen zog sich im Süden Europas ein Sturm über dem Bourbonenstaat Neapel zusammen. Die Einigungsbewegung in Italien, die wegen der französischen Besetzung Roms vor

---

[1] Fürst Richard Metternich an Rechberg. Paris, 8. IV. 1860. Wien, Staatsarchiv. — [2] Fürst Richard Metternich an Rechberg. Paris, 10. IV. 1860. Wien, Staatsarchiv.

25. Karikatur auf den Besuch Napoleons III. bei James Rothschild in Ferrières

den Toren dieser Stadt Halt machen mußte, wandte sich zunächst dem Königreich Neapel-Sizilien zu. Garibaldis Zug der Tausend im Mai 1860 brachte Sizilien zum Abfall, und bald verlegte der kühne Freischarenführer seine Unternehmungen auf das Festlandsgebiet Neapel. Am 4. September 1860 stand Garibaldi vor der Hauptstadt, in der der König und sein Bankier Adolf von Rothschild schreckerfüllt der Dinge harrten, die da kommen sollten. Am 6. September zog sich der König mit seinen treugebliebenen Truppen nach Gaëta zurück, und auch Adolf Rothschild verließ die ungastliche Stadt, in der kurz darauf Garibaldi einzog.

Als der König nach Gaëta fliehen mußte, gelang es ihm nicht, das in den Staatskassen deponierte Geld mitzunehmen, und er befand sich bald in großer finanzieller Verlegenheit. Adolf Rothschild half, so gut er unter diesen schwierigen Verhältnissen konnte, mit den ihm unmittelbar zu Gebote stehenden Mitteln aus. Aber das war nur ein Tropfen auf einen heißen Stein, und eine größere Anleihe konnte er ohne Befragung James Rothschilds in Paris und der Chefs der übrigen Bankhäuser nicht übernehmen. Der König sandte daher einen Kurier nach Paris, der dort um eine Anleihe von eineinhalb Millionen Francs bitten sollte.

Indessen hatte die österreichische Regierung, die sich begreiflicherweise für die Aufrechterhaltung der Bourbonenherrschaft in Neapel einsetzte, dem König sagen lassen, sie werde sich bemühen, ihm finanzielle Hilfsquellen zu verschaffen.[1] Sie dachte dabei an Anselm Rothschild und hoffte, daß dieser zu bewegen sein werde, dem König Franz eine Anleihe zu geben.

Daraufhin bat der König zunächst um 6–900000 Francs, gleich 150–200000 neapolitanischen Dukaten, und erhöhte kurz darauf das Ansuchen auf 500000 Dukaten.[2]

---

[1] Graf Rechberg an Graf Széchényi. 29. VIII. 1860. Wien, Staatsarchiv.

[2] Graf Széchényi an Graf Rechberg, Gaëta, 24. IX. u. 20. X. 1860. Wien, Staatsarchiv.

Bis Mitte Oktober 1860 hatte sich aber seine Situation außerordentlich verschlechtert. Piemont griff gegen Neapel militärisch ein, und König Viktor Emanuel reichte Garibaldi die Hand. Noch lag zwar Napoleons Flotte im Interesse des Königs von Neapel vor Gaëta, aber schon begann man in Paris und am kaiserlichen Hofe einzusehen, daß man sich der elementaren Einigungsbewegung in Italien, die auch in England Unterstützung fand, auf die Dauer nicht widersetzen könne. James war derselben Ansicht und erfuhr auch bald dank seinen Verbindungen, daß Napoleon beabsichtigte, seine Flotte aus Gaëta zurückzuziehen und den König von Neapel seinem Schicksal zu überlassen. Darum zeigte sich James der von Adolf gewünschten Anleihe für den bedrängten Monarchen abgeneigt und warnte auch Anselm in Wien, den Rechberg bestürmte, irgendwie Geld für das neapolitanische Königtum aufzuwenden. Rechberg erhielt also eine Absage und mußte nun dem König mitteilen, daß er, entgegen seinen Versprechungen, nicht helfen könne[1], Österreich sei selbst in finanziellen Schwierigkeiten und hätte nur durch Vermittlung eines Bankhauses unterstützend einspringen können.

„Doch," schrieb er, „darf man sich nicht verhehlen, daß der unglückliche Ausgang der letzten Kämpfe die diesbezüglichen Aussichten bedenklich vermindert hat."

So gestaltete sich die finanzielle Lage des bedrängten, mit seiner mutigen Gemahlin, der Königin Maria, in Gaëta tapfer ausharrenden Königs bald verzweifelt.

„Stellen Sie sich vor," sagte der König[2] zu dem bei ihm weilenden österreichischen Hauptmann Frantzl, „Rußland gibt mir nichts, um dem Kaiser Napoleon nicht zu mißfallen! O, das ist zu stark, das ist zu häßlich und die Königin Chri-

[1] Graf Rechberg an Graf Széchényi. Wien, 16. X. 1860. Wien, Staatsarchiv. — [2] Hauptmann Frantzl an Graf Széchényi. Gaëta, 4. XII. 1860. Wien, Staatsarchiv.

stine (von Spanien, lebte in Paris) ist auch eine gute Frau. Ich habe noch eine einzige Hoffnung, das ist mein Finanzminister in Rom (der sich bei dem Bankhause Torlonia bemühte). Wenn er mir nichts schickt, bin ich am Ende. Ich brauche jeden Tag 12000 Dukaten – wenigstens sind nun zwei mit Lebensmitteln beladene Schiffe angekommen – aber das Geld!"

Es kam, wie es kommen mußte. Alle an die Mächte Europas gerichteten Hilferufe blieben ergebnislos. Schließlich zog auch Napoleon am 20. Januar 1861 seine Flotte von Gaëta zurück. Nun war die Verproviantierung nicht mehr möglich, und der König entschloß sich am 13. Februar 1861 zur Kapitulation. Damit hatte das Königreich beider Sizilien sein Ende erreicht und ging in dem neuen Italien auf. Adolf Rothschild war dem bourbonischem Regime treu geblieben. Er hatte die tatsächliche Entwicklung nicht vorausgesehen und sich den neuen Verhältnissen nicht rechtzeitig anpassen können oder wollen. So war seines Bleibens in Neapel nicht länger. Die neapolitanische Niederlassung, die ohnehin für das Gesamthaus Rothschild schon seit langem unproduktiv war, wurde aufgelöst, Adolf kehrte mit seinen Brüdern nach Frankfurt zurück.

Mit den entthronten Majestäten unterhielt er aber bis an sein Lebensende sehr gute Beziehungen, was deutlich zeigt, daß es ihm für sein Verhalten in den Stunden höchster Gefahr dankbar war. Das Königspaar lebte zurückgezogen in Paris. Es besuchte nur wenige Familien, darunter aber die Adolfs, der gleichfalls nach Paris übersiedelte.

So waren von da an nur noch vier Bankhäuser Rothschild in Europa tätig, und als Italien im Jahre 1870 völlig geeint war, beschränkten sich die Häuser Rothschild darauf, in Rom einen Vertreter zu bestellen, der aber nicht der Familie angehörte.

NEUNTES KAPITEL

DIE KRISENJAHRE 1866 UND 1870/71

Die Rothschild hatten indessen in aller Herren Ländern Unternehmungen gegründet und Beziehungen angeknüpft. In Brasilien bauten sie Bahnen, im Süden der Vereinigten Staaten errichteten sie Kontors für den Ankauf von Wolle, die sie nach Frankreich verschifften und auf dem dortigen Markt verkauften. Mit ihren riesigen Kapitalien, die sie nicht mehr wie früher meist in Staatsanleihen anlegen konnten, kauften sie ganze Tabakernten für die Belieferung der Tabakregieen der verschiedenen Staaten. Eigene Schiffe vermittelten den gewaltigen Warentransport zwischen den Vereinigten Staaten und Frankreich. Es war begreiflich, daß die Rothschild bei solchen Handelsinteressen ängstlich die politischen Geschehnisse in beiden Ländern beobachteten. Als in Nordamerika der Sezessionskrieg, der Kampf gegen Nord und Süd ausbrach, hielten die Rothschild, da ihre Interessen hauptsächlich im Süden lagen, mehr zu den Konföderierten. Als diese unterlagen, erlitten sie einen schweren Rückschlag in ihren amerikanischen Geschäften.

Dem von Napoleon und der Kaiserin Eugenie in Mexiko gewagten Abenteuer der Gründung eines Kaisertums, dem Maximilian von Österreich und Charlotte von Belgien zum Opfer fielen, hatten die Rothschild von Haus aus skeptisch gegenüber gestanden. Sie beteiligten sich auch kaum an den damit zusammenhängenden mexikanischen Anleihen, die den vornehmlich französischen Zeichnern später so schwere Verluste bringen sollten. Das überließen sie dem Crédit mobilier der Brüder Pereire und den Finanzmännern, die ihnen von

Napoleon III. vorgezogen wurden und keineswegs auf so sicheren Füßen standen wie das aus politischen Gründen zurückgesetzte Bankhaus Rothschild, das nun bald auf eine hundertjährige Geschichte zurückblicken konnte.

Nach dem Kriege von 1859 war eine Überspannung der Kredite und der Unternehmungen des Crédit mobilier eingetreten. Der Börsenkurs bewegte sich um 800, und die 1859 noch ausgewiesenen Gewinnreserven waren 1860 aus der Bilanz verschwunden. Noch wurden große Dividenden gezahlt, um das Vertrauen zu erhalten, aber vom Kapital und nicht vom Gewinn. Gleichzeitig wurde das Unternehmen auch durch den Sturz eines anderen Konkurrenten der Rothschild, jenes berüchtigten, Hand in Hand mit einer skrupellosen Presse arbeitenden und von hohen Persönlichkeiten des Kaiserreiches gestützten Mirès, in Mitleidenschaft gezogen. Die Karriere dieses Börsenschwindlers war wahrhaft erstaunlich zu nennen. Außer der Erwerbung eines riesigen Vermögens war ihm auch der Schachzug gelungen, für seine Tochter einen Fürsten von Polignac zum Gatten zu gewinnen. Um so furchtbarer wirkte seine im Jahre 1861 erfolgte Verhaftung. Als die unzähligen Unregelmäßigkeiten, deren er sich schuldig gemacht hatte, nicht mehr zu vertuschen waren und bekannt wurde, daß auch der Herzog von Morny und andere dem Regime nahestehende Männer mit Mirès Geschäfte gemacht hatten, raunte man in Paris, daß die Regierung an alledem mitschuldig sei.

Für das Bankhaus Rothschild freilich, das sich dem Treiben der Mirès und Genossen schon aus Gründen der Konkurrenz, die diese den Rothschild zu machen versuchten, ferngehalten hatten, war dieser Sturz im gewissen Sinne ein Triumph, denn sie blieben völlig unberührt und ungeschädigt.

Im allgemeinen stand es damals mit den französischen Staatsfinanzen nicht zum besten. 1854, 1855 und 1859 hatte man Rentenanleihen um den Betrag von nicht weniger als zwei

Milliarden begeben, 1861 wieder für 132 Millionen Obligationen vom Publikum zeichnen lassen.

Auf die Dauer konnte man nicht mehr mit einer so willigen Mitarbeit des Publikums rechnen. In dieser schwierigen Lage suchte sich Fould, der seit November 1860 auch das seit 1852 bekleidete Portefeuille als Staatsminister niedergelegt hatte, wieder in den Sattel zu schwingen, und im September 1861 legte er dem Kaiser ein Memorandum vor, das die Finanzlage Frankreichs noch düsterer schilderte, als sie war, und gleichzeitig die Mittel und Wege angab, wie er sich die Regenerierung des Finanzwesens dachte.

Napoleon verschrieb sich noch einmal dem von ihm seit seinem Emporkommen bevorzugten Staatsmann, ließ sein Memorandum veröffentlichen und ernannte ihn sodann am 14. November 1861 zum Finanzminister mit dem Auftrag, die schwebende Schuld, die sich einer Milliarde näherte, auszugleichen.

Am meisten Freude erregte diese Ernennung bei den Leitern des Crédit mobilier, weil man dort hoffte, daß Herr Fould die Operationen erleichtern würde, die die Gesellschaft unternehmen wollte, um ihren Aktionären weiter Dividenden zahlen zu können. Unzufrieden war allein die Kaiserin, der Fould als einstiger Gegner ihrer Heirat, stets unsympathisch gewesen. Sie vergoß einige Tränen darüber und fand sich schließlich mit der Tatsache ab. Doch sie sollte recht behalten. Fould war nicht das Finanzgenie, als welches er sich Kaiser Napoleon gegenüber mit Erfolg aufzuspielen gewußt hatte. So viel war Fould doch schon klar geworden: Trotz aller staatlichen Unterstützung war der Crédit mobilier nicht imstande, den Kampf gegen das festgefügte, in so vielen Ländern Europas verzweigte und sich überall auf reelle große Vermögenswerte stützende Haus Rothschild siegreich durchzufechten.

Fould war diesem Unternehmen gegenüber, über das er durch

seinen dort tätigen Bruder genau Bescheid wußte, auch schon vorsichtig geworden, und als der Crédit mobilier bald darauf, durch Foulds Ernennung ermutigt, versuchte, ein Monopol auf staatliche Kreditgeschäfte, ein sogenanntes Omnium zu erwerben, da widerriet er dem Kaiser, diesem viel zu weitgehenden Verlangen nachzugeben.

Schon im Januar 1862, wenige Monate nach Antritt seines Amtes, gab Fould einen viel günstigeren Bescheid über die Lage der Finanzen, was insofern leicht möglich war, als er im ersten Bericht den schlechten Stand übertrieben hatte. Dann versuchte er das ungeheure Wagnis der Konversion der elf Milliarden Rente von viereinhalb auf drei Prozent. Die Sache ging recht mühsam und wäre völlig mißglückt, wenn nicht Fould sich in gewissem Sinne dem Hause Rothschild genähert hätte. Schon im Februar 1862 ging in Paris das Gerücht, daß dieses Fould zu Hilfe gekommen und daß der geheimnisvolle Käufer, der in der letzten Zeit zur Erzielung einer Hausse auf der Börse Rentenkäufe durchführe, niemand anderes sei als das Haus Rothschild. Foulds Erwägungen gingen dahin, man müsse den Kampf mit diesem Bankhause abklingen lassen. Er gestand sich selbst ein, die Rothschild seien eine Weltmacht. Hatte auch der Crédit mobilier auswärts, in Österreich, in Italien, in Spanien, ja selbst in Übersee festen Fuß gefaßt, so fielen doch alle Lasten auf die Zentrale in Paris zurück. Der Crédit mobilier konnte sich nicht wie die Rothschild auf eigene, jedes für sich über reiche Mittel verfügende Bankhäuser in den großen wirtschaftlichen Zentralen des damaligen Europa stützen. Auch Napoleon, der den Rothschild wahrhaftig nicht wohlgesinnt war, mußte das zugeben und wurde von seiner Frau, die jenem Hause geneigter war, darin bestärkt. Jedermann sinnfällig wurde dies aber erst, als Napoleon und Fould am 17. Februar 1862 James Rothschild auf seiner prächtigen Besitzung Ferrières einen Jagdbesuch abstatteten. Es war mehr als ein

Besuch, es war geradezu ein Gang nach Canossa. Für den Crédit mobilier bedeutete er einen harten Schlag; denn der Besuch war ein deutlicher Fingerzeig dafür, daß man an Allerhöchster Stelle von ihm abrückte. Allgemein sprach man davon, Rothschild werde nun dem französischen Staat mit einer Anleihe zu Hilfe kommen. Witzblätter bemächtigten sich dieses Ereignisses und gaben die Entrevue in köstlicher Weise bildlich wieder (Abbildung Tafel 25).

Sicher war, daß unter dem Vorwande der Jagd die Gelegenheit benutzt wurde, um zu besprechen, wie man den Finanzen Frankreichs aufhelfen könne. Die große Welt freilich erfuhr auch von dem Besuche nicht mehr, als was an Äußerlichkeiten sonst etwa bei Monarchenentrevuen dem Publikum bekanntgegeben wird; aber aus der Inszenierung und aus der Liste der Teilnehmer am Jagdausfluge, zu denen auch der englische und der österreichische Botschafter und die Minister des Äußeren und des Inneren, Walewski und Persigny, gehörten, konnte man schon ersehen, daß man es nicht mit einem alltäglichen Vorkommnis zu tun hatte. Das Schloß Ferrières liegt inmitten eines herrlichen, von reichem Wildbestande bevölkerten Parkes zwischen den Wäldern von Crécy und D'Armainvilliers. James Rothschild hatte das Gut Ende der zwanziger Jahre des 19. Jahrhunderts von einem verarmten Adeligen erworben und sofort damit begonnen, die alten bescheidenen Baulichkeiten niederzureißen und Park und Gärten zu verschönern. Nach und nach war der Besitz von den Rothschild zu einem fürstlichen Herrschaftssitz ausgestaltet worden, zu dem auch eine prachtvolle, holländische Milchwirtschaft, eine Merinoschafzucht und eine Bäckerei gehörten. Ställe voll ausgezeichneter Pferde, eine Reitschule und eine offene Reitbahn standen zur Verfügung.

Als Napoleon im Jagdanzuge in der Bahnstation von Ferrières eintraf, erwartete ihn James Rothschild in einem vierspännigen Wagen à la Daumont, alle Lakaien in neuer, dun-

26. Schloß Ferrières

kelblauer und goldgalonierter Galalivree. Die vier Söhne James' halfen ihrem Vater die Honneurs zu machen. Punkt zehn Uhr kam der kaiserliche Zug auf dem Bahnhof an, wo ein grüner, mit goldenen Bienen bestickter Samtteppich vom Waggon bis zur Equipage aufgelegt war. Als der Zug im Schlosse eintraf, ging die kaiserliche Standarte auf den Flaggenmasten der vier Türme des Schlosses in die Höhe. In der Halle waren die Familie James Rothschilds und Repräsentanten der Häuser von Frankfurt, London und Wien versammelt. Der Kaiser sprach zuerst mit den Damen und ließ sich sodann durch die Empfangsgemächer führen, von deren Wänden Originale von van Dyk, Velasquez, Giorgione und Rubens herabgrüßten. Die Kostbarkeiten aller Art, die rings in Vitrinen standen, die Kunstschätze aus aller Herren Ländern, besonders die alten und doch farbenleuchtenden Gobelins gaben ein Bild des ungeheuren Reichtums ihrer Besitzer. Auf dem Rundgang im Schloß folgte ein solcher in den Gärten, wo der Kaiser nach alter Sitte eine ihm vom Obergärtner gereichte junge Zeder pflanzte. In der Halle fand darauf ein glänzendes Déjeuner statt, bei dem die Speisen auf prachtvollem, ziseliertem Altsilber serviert wurden und die Gäste auf einem von Boucher bemalten Sèvres-Porzellan speisten. Rechts vom Kaiser saß die Hausfrau, die Baronin Betty, links James. Um $^1/_2$1 Uhr ging die Jagd in dem 1850 Hektar großen, von einer Mauer umgebenen Park vor sich. Von allen Seiten hörte man die Schüsse knattern, es war ein wahrer Kleinkrieg ausgebrochen, und der Kaiser, gefolgt von zwei Büchsenspannern, hatte acht Gewehre, um die zahllosen Fasanen, Rebhühner, Hasen und Kaninchen zur Strecke zu bringen. 1231 Stück Wild mußten für dieses kaiserliche Jagdvergnügen ihr Leben lassen.

Als sich die Gäste ermüdet wieder ins Schloß begaben, wartete ihrer ein Büfett mit erlesenen Leckerbissen. Während sie speisten, ertönte plötzlich von der die Halle überragenden

Galerie ein Sängerchor der Pariser Oper, der einen Jagdgesang intonierte, dessen Musik eigens für diese Gelegenheit von Rossini komponiert war. Als der Kaiser am Abend das Schloß verließ, fuhr er durch ein Fackelspalier, das bis zu den Gemarkungen des Schlosses reichte.

Bei diesem Besuche ward nicht weniger Prunk entfaltet wie damals, als Anton Fugger Karl V. in Augsburg in seinem berühmten Hause am Weinmarkt empfangen hatte. Das änderte aber nichts daran, daß Napoleon den Rothschild gegenüber auch fernerhin mißtrauisch blieb und diese ihrerseits des Kaisers Haltung ihnen gegenüber seit seiner Thronbesteigung nicht ganz vergessen konnten. Sie waren sich klar darüber, daß der Kaiser, wenn er sich ihnen wieder näherte, sehr genau wußte, warum er das tat. Er beabsichtigte, sich ihrer zu bedienen, und leistete hierfür eine Abschlagszahlung, indem er sie öffentlich ehrte. Nur der Kaiserin gegenüber, wenn sie auch nicht nach Ferrières mitgekommen war, blieben die Rothschild dankbar. Ihre Sympathie hielten sie für aufrichtiger und einem Gefühl der Dankbarkeit für ihre seinerzeitige Haltung entsprungen. Napoleon und die Rothschild blieben sich innerlich fern, wenn sie auch durch die Natur ihrer Interessen zeitweilig gezwungen waren, vereint zu marschieren.

In der auswärtigen Politik zeigten sich alsbald wieder die gegensätzlichen Auffassungen. Bei Napoleon spielten immer die Erinnerungen an seinen großen Oheim und das dunkle Gefühl mit, seinem Beispiel in vielen Dingen folgen zu sollen. Als im Januar 1863 in Polen neuerdings ein Aufstand gegen die drückende russische Herrschaft ausbrach, war Napoleon sehr versucht, zugunsten der Polen energisch einzugreifen. Die reichen Bankiers und Finanzleute, darunter auch Rothschild, waren gegen ein solches Abenteuer. Sie taten alles, um die kaiserliche Regierung zu bewegen, davon abzusehen. Und es unterblieb denn auch.

„Der Frieden der Welt", schrieb Disraeli damals einer befreundeten Dame[1], „ist diesmal nicht durch Staatsmänner, sondern durch Kapitalisten bewahrt worden."

Der Crédit mobilier machte indes weitere Rückschritte. 1864 war ein unglückliches Börsenjahr, und der Mißerfolg der mexikanischen Anleihe brachte Verluste. Nun zeigte sich schon deutlich, daß die Methoden der Brüder Pereire, die mit so hochtönenden Phrasen umkleidet waren, im Grunde doch nichts anderes als höchst gewagte Spekulationen darstellten. Schon gerieten sie mit geprellten Leuten in Streitigkeiten und Prozesse. Die Brüder hofften, Napoleon werde sie decken, und er wünschte dies auch, aber vor der großen Öffentlichkeit konnte er es nicht.

„Ich werde alles tun," sagte der Kaiser damals[2], „um sie zu stützen, weil das Kaisertum ihnen sehr viel verdankt; aber ich kann nicht den Lauf der Gerechtigkeit hemmen und mit dieser in Konflikt geraten."

Infolge dieser Verhältnisse sanken die Werte des Crédit mobilier beträchtlich, und mit ihnen schwand das Ansehen der beiden portugiesischen Brüder, das allzuschnell in den Himmel gewachsen war.

Während der Stern der Pereire sank, spielten die Rothschild in der Hofgesellschaft des zweiten Empire eine immer größere Rolle, und das war bei ihren Beziehungen zu fast allen Höfen und Monarchen Europas auch kein Wunder. Eben, am 10. Dezember 1865[3], war einer ihrer fürstlichen Gönner, König Leopold I. von Belgien, gestorben, der sein Leben lang mit ihnen in Verbindung gestanden und die im Jahre 1848 ihnen für alle Fälle anvertrauten fünf Millionen Francs zeitlebens bei Rothschild stehen gelassen hatte. Bei

[1] Disraeli an Mrs. Williams. 17. X. 1863. Abgedruckt in Froude, The Earl of Beaconsfield. London 1890, S. 186. — [2] C. d. B. an James Rothschild, Vertraulicher Bericht. Paris, 21. II. 1865. Wien, Staatsarchiv. — [3] Siehe die Biographie desselben Verfassers, Leopold I. von Belgien. Ein Weltgebäude Coburger Familienmacht. Wien 1922.

seinem Tode hatte diese Summe bereits die Höhe von zwanzig Millionen Francs[1] erreicht, die dann den Grundstock des gewaltigen Vermögens bildete, das die Kaiserin Charlotte bei ihrem, in jüngster Zeit, nach fast sechzigjähriger Geisteskrankheit erfolgten Tode hinterließ.

Auch König Leopold beschränkte sich zeitlebens nicht darauf, mit den Rothschild in finanziellen Beziehungen zu stehen, sondern zeichnete sie auch gesellschaftlich aus, worauf sie stets so viel hielten. So hatte auch er sie in Ferrières besucht, wovon gleichfalls ein von ihm gepflanzter Baum und sein Namenszug im Fremdenbuch des Schlosses noch heute Kunde gibt.

Lionel in England liebte es besonders, die nun erreichte soziale Höhe seines Hauses zur Schau zu stellen. Eine Gelegenheit bot sich dazu, als er seine zweite Tochter Evelina am 7. Juni 1865 dem Sohne Ferdinand des Wiener Rothschild Anselm vermählte. Seit Jahren hatte Lionel sich in Picadilly, also an einem der teuersten Punkte der Stadt, nahe beim Hause des Herzogs von Wellington, ein neues, prachtvoll ausgestattetes Palais erbauen lassen, das gelegentlich jener Hochzeit eröffnet wurde. Die Vermählung wurde mit ungeheurer Pracht nach alttestamentarischem Ritus in Gegenwart von britischen Ministern, vielen Fürstlichkeiten, des österreichischen und des französischen Botschafters gefeiert. Von den vierzehn Brautjungfern gehörten drei den Häusern Montgomery, Lennox und Beauclerck an. Eine Tafel zu 126 Gedecken vereinte die Teilnehmer, wobei der gewesene Schatzkanzler und Freund des Hauses Disraeli auf das Brautpaar, der Marineminister auf die ganze Familie Rothschild toastierte. Am Abend fand ein großer Ball statt, an dem der Herzog von Cambridge und andere Fürstlichkeiten, das gesamte diplomatische Korps und viele Politiker teilnahmen.

---

[1] Graf Zichy an Kaiserin Charlotte. 24. IV. 1866. Mexikanisches Archiv. Wien, Staatsarchiv.

Alle Parteirichtungen waren vertreten, von den schwärzesten Tories zu den radikalliberalsten Whigs. Höher konnten die Rothschild sozial kaum mehr steigen.

Auch die Damen Rothschild ließen es nicht daran fehlen, den Reichtum des Bankhauses zu repräsentieren. Beim Ball in den Tuilerien am 7. Februar 1866, einem herrlichen Kostümfest z. B., auf dem Kaiserin Eugenie ein Porträt der unglücklichen Königin Marie-Antoinette verkörperte, zeigten sich Betty, die Gemahlin James', und Leonore, die Frau seines Sohnes Alfons, in mit Juwelen bedeckten Renaissancekostümen.[1] So begann man in Paris ahnungslos, mit gesellschaftlichen Festen, in Prunk und Glanz ein Krisenjahr, in dem Napoleon seinen großen politischen Fehlern früherer Zeit den letzten verhängnisvollsten anfügte.

Mit dem Zaren hatte es Napoleon III. durch den Krimkrieg endgültig verdorben. Nun verstand er es bei dem 1866 ausbrechenden Konflikt zwischen Preußen und Österreich nicht, im Interesse Frankreichs klar und energisch Stellung zu nehmen.

Das finanzielle Barometer Frankreichs zeigte schon seit 1865 auf Sturm. Die abenteuerliche Unternehmung in Mexiko stand schlecht. Eine ungünstige Ernte verteuerte das Brot, und der Kurs der Rente, ebenso wie der der meisten anderen Werte, darunter besonders auch der Kurs der Aktien des Crédit mobilier, zeigten eine ständige Tendenz zum Fallen.

Bismarck war seiner antiösterreichischen Politik aus seiner Gesandtenzeit in Frankfurt treu geblieben; er wollte sein Preußen zur Herrschaft über das zu einigende Deutschland führen, und wenn Österreich, wie dies der Fürstentag zu Frankfurt, die Teilnahme am schleswig-holsteinischen Krieg und vieles andere bewies, seine Suprematie in Deutschland nicht sang- und klanglos aufgeben wollte, so mußte es nach

---

[1] Aufzeichnungen und Erinnerungen aus dem Leben des Botschafters Josef Maria von Radowitz. Berlin-Leipzig 1925, Bd. I, S. 85.

Bismarcks Meinung mit Blut und Eisen aus Deutschland vertrieben werden. Vorausdenkend hatte der preußische Staatsmann mit Italien ein Bündnis geschlossen, aber auch mit revolutionär gesinnten Untertanen des Kaisers von Österreich, mit Ungarn und Südslawen, Verbindungen angeknüpft. Auch für die finanzielle Vorbereitung des Krieges sorgte Bismarck rechtzeitig und bediente sich dabei der Hilfe des Bankiers Gerson von Bleichröder, der mit dem Pariser und dem Frankfurter Rothschild in engen geschäftlichen Beziehungen stand. Bismarck selbst war, gleich Metternich, in finanziellen Dingen wenig bewandert. „Das Finanztalent," sagt ein Zeitgenosse, „war dasjenige, welches bei Bismarck, ungeachtet seiner Universalität, verhältnismäßig am wenigsten ausgebildet war. Bei seiner Begabung kann nicht davon die Rede sein, daß er sich nicht auch in Finanzsachen vorzüglich zurecht gefunden hätte. Jedoch entsprach dieses Gebiet offenbar seiner Neigung nicht, und von allen Ministern war unter ihnen der Finanzminister in seinem Ressort verhältnismäßig der selbstständigste Bismarck gegenüber."[1]

Durch Gerson von Bleichröder, der schon lange in Verbindung mit den Rothschild die Gründung eines großen preußischen Kreditinstitutes plante und schließlich mit ihnen einen Bankkonzern, die sogenannte Rothschildgruppe, bildete, trat Bismarck auch mit dem Hause Rothschild in vorläufige Verbindung, um die finanziellen Vorsorgen für Rüstungen und Kriegsvorbereitung zu besprechen. Aber der preußische Ministerpräsident und Bleichröder mußten erfahren, daß die Rothschild zu solchen Zwecken kein Geld zu geben wünschten.

Als Bismarcks kriegerische Absichten immer mehr zutage traten, erregte dies, besonders auch in England, einen Sturm der Empörung gegen ihn. Der englische Minister des Äußeren, Lord Clarendon, äußerte sich dem österreichischen Botschaf-

[1] Wilmowski, Meine Erinnerungen an Bismarck. Breslau 1900, S. 190.

ter in London Graf Apponyi gegenüber in Ausdrücken über Bismarck, daß der Diplomat „sie kaum wiederzugeben wagte“. Er sprach von dem Einfluß, den dieser „dämonische Geist“ auf den alten König von Preußen ausübe, und fand „nichts verächtlicher“ als die Stellung dieses Monarchen, der sich „durch einen Abenteurer, einen Briganten wie Bismarck“ in einem seinen Traditionen und Empfindungen entgegengesetzten Sinne leiten lasse.[1]

Das englische Haus Rothschild, das stets die Politik der englischen Regierung zu der seinen machte, war demgemäß auch bismarckfeindlich eingestellt, und es war klar, daß der preußische Ministerpräsident von Rothschildscher Seite auf keine finanzielle Hilfe für seine Politik hoffen konnte, um so weniger, als ja auch Anselm in Wien alles unterlassen mußte, was geeignet war, die gegen sein Wirtsland Österreich gerichteten Bestrebungen zu fördern.

Nur was die österreichische Politik in Italien und den Wunsch Kaiser Franz Josephs, Venetien zu behalten, betraf, war man in London und Paris der Ansicht, es sei nun einmal die italienische Einheitsbewegung nicht einzudämmen. Österreich täte am besten, Venetien an Italien zu verkaufen. Damit würde es auch seinen ohnehin so sehr zerrütteten Finanzen wieder aufhelfen.

Auch die Rothschild traten für diese friedliche Lösung ein. Sie waren in Italien stark engagiert, und der Verkauf Venetiens mußte den Wert der österreichischen Papiere, von denen so viele in den Rothschildschen Portefeuilles lagen, erhöhen.

Auch Lord Clarendon empfahl dem österreichischen Botschafter das Projekt[2], weil Österreich, einmal von dieser Last befreit, die Hände in Deutschland freibekäme. Der Minister erwähnte verschiedene Autoritäten, die der gleichen Meinung

[1] Graf Apponyi an Graf Mensdorff. London, 7. IV. 1866. Wien, Staatsarchiv. — [2] Graf Apponyi an Graf Mensdorff. London, 7. IV. 1866. Wien, Staatsarchiv.

waren, und nannte unter ihnen auch James Rothschild, der glaubte, daß eine Summe von vierzig Millionen Pfund Italien nicht zu hoch erscheinen würde, um Venedig zu erwerben. Als ihm dabei jemand einwarf, daß Italien, das kaum seine Beamten bezahlen könne, diese Summe niemals aufzubringen vermöchte, erwiderte James, daß alle Bankiers Europas mit Freude und Eifer dazu beitragen würden, ein solches Resultat herbeizuführen, das eine starke Gewähr für den Frieden Europas bilden würde. Im übrigen könnten die Ersparungen, die Italien dann an seiner Militärmacht vorzunehmen in der Lage wäre, ausreichen, um die Zinsen für diese gigantische Anleihe zu bezahlen.

Österreich blieb diesem Projekt völlig abgeneigt, was den Sympathieen, mit denen man in Paris dessen Sache im Gegensatz zu jener Preußens verfolgte, beträchtlich schadete. Doch blieb das französische Haus Rothschild Preußen gegenüber nach wie vor zurückhaltend. Allerdings nahm man die Situation in Paris allzu leicht. Alle Welt vermeinte, Österreich werde Preußen spielend schlagen.

„In der Armee", meldete Richard Metternich[1], „zweifelt man vom Kriegsminister angefangen bis zum letzten Leutnant nicht an unserer Überlegenheit." Schon Mitte März hatte der preußische Gesandte von der Goltz an König Wilhelm berichtet: „Man sagt, das Haus Rothschild sei entschlossen, seinen ganzen Einfluß aufzubieten, um Preußen am Beginn des Krieges zu verhindern."[2]

Bismarck antwortete daraufhin: „Wir wünschen die wirkliche Kriegsbereitschaft zu verschieben, um vorher die finanziellen Operationen durchzuführen, die nach der größeren Spannung der Situation, die andere Rüstungen notwendig zur Folge

---

[1] Richard Metternich an Rechberg, privat. 17. IV. 1866. Wien, Staatsarchiv. — [2] Goltz an König Wilhelm. 17. III. 1866. Oncken, Die Rheinpolitik Kaiser Napoleons III. und der Ursprung des Krieges von 1870/71. Berlin-Leipzig 1926, Bd. II, S. 113.

haben würden, schwieriger werden müssen. In dieser Beziehung erwähne ich vertraulich, daß wir auch mit dem Hause Rothschild in vorläufige Besprechungen eingetreten waren, und daß die Wahrnehmungen, welche wir dabei gemacht, mit E. E. Bemerkungen über das Haus Rothschild im wesentlichen übereinstimmen. Es liegt in der Natur der Sache, daß das letztere den kriegerischen Eventualitäten abgeneigt ist und alles tun wird, um sie zu entfernen und den Ausbruch zu verhindern; ich kann E. E. auch speziell mitteilen, daß der Baron Rothschild gegen unseren Agenten geäußert hat, er sei vor einigen Wochen nicht abgeneigt gewesen, ein Geschäft mit Preußen zu machen, ja er würde dies vielleicht auch ganz von Herzen getan haben. Indes die veränderten Verhältnisse und namentlich eine Unterredung, die er mit E. E. gehabt habe, verhinderten ihn jetzt daran. Ich glaube diesen Umstand erwähnen zu sollen, weil er zeigt, wie vorsichtig die Beziehungen zu Rothschild zu behandeln sind."[1]

Indessen spitzte sich die Situation bedenklich zu. Preußen und Italien schlossen am 8. April einen „Offensiv- und Defensivvertrag", und die Rüstungen wurden in beiden Staaten mit Eifer betrieben.

Nun fanden sich die beiden Antipoden, die Rothschild und die Brüder Pereire, deren Crédit mobilier sich in krisenhafter Lage befand, in dem Wunsche nach Frieden zusammen. Am Abend des 11. April waren beide bei einer kaiserlichen Soiree in den Tuilerien eingeladen[2] und bestürmten den Kaiser flehentlich, das Gewicht seines mächtigen Wortes in die Schale des Friedens zu legen und damit das allgemeine Vertrauen wieder herzustellen. Sie entwarfen ihm das düsterste Bild von der Lage an der Börse und der der öffentlichen und

---

[1] Bismarck an Goltz, 13. III. 1866. Oncken, a. a. O. Bd. I, S. 120. — [2] Freiherr von Wächter an Freiherrn von Varnbühler. Paris, 11. IV. 1866. Der Freiherr hatte diese Nachrichten aus dritter Hand. Oncken, Napoleons Rheinpolitik, a. a. O. Bd. I, S. 132.

privaten Interessen. Sie fügten hinzu, daß, wenn der derzeitige Zustand der Unsicherheit auch nur noch kurze Zeit anhielte, es ihnen nicht mehr möglich wäre, die Börse in der Hand zu behalten, und dann furchtbare Katastrophen unvermeidlich würden. Der Kaiser versicherte aber kategorisch, daß es nicht in seiner Macht liege, etwas dagegen zu tun.

Bismarck verfolgte sein Ziel selbst gegen den eigenen König, dessen Gemahlin und den Kronprinzen mit unerbittlicher Konsequenz. Wieder wurde Österreich in geschickter Weise zum ersten militärischen Schritt gebracht: Es stellte seine Armee in Bereitschaft. Nun brachte Bismarck König Wilhelm leicht dazu, die dementsprechenden Befehle zu erteilen. Erst Anfang Mai entschloß sich Österreich in letzter Stunde, Venetien doch zu opfern, um Preußen durch die Versöhnung mit Italien zu isolieren und dann machtvoll zu schlagen. Nun wollte man das umsonst geben, wofür man etwas früher, wie es auch James Rothschild begrüßt hätte, so viel Geld erhalten konnte. Aber man hatte es für eine Ehrensache gehalten, nicht um Goldes willen auf eine Provinz und noch dazu die letzte italienische zu verzichten. Thiers erkannte damals klar, daß aus einem etwaigen Sieg Preußens und Italiens über den Kaiserstaat die Einheit jener beider Länder zum großen Schaden Frankreichs hervorgehen könnte. Denn Deutschland war ja doch der Erbfeind, und Italien mußte das noch von Franzosen besetzte Rom als Krönung seines Einigungswerkes ersehnen. Darum trat er in der Kammer dafür ein, daß die Grundsätze des Friedens von 1815, die die Zerstücklung Deutschlands und Italiens gewährleisteten, aufrecht blieben. Napoleon fühlte sich durch die mit großem Beifall aufgenommene Rede des Führers der Opposition um so mehr getroffen, als gerade die Verträge von 1815 den Sturz seines großen Oheims besiegelt und die Bourbonen wieder zur Herrschaft gebracht hatten.

Am 6. Mai spielte der Kaiser gelegentlich der Eröffnung einer Ausstellung auf die Thierssche Rede an: Er müsse sich entschieden dagegen aussprechen, daß man jene Verträge der französischen Politik als Grundlage aufzwingen wolle. Diese Äußerung wurde mißverstanden und wirkte in ganz Europa alarmierend. Man glaubte darin den Auftakt zu einem kriegerischen Beginnen zu sehen, gleichwie es mit den Worten der Fall war, die Napoleon beim Neujahrsempfang 1859 an Hübner gerichtet hatte.

Der preußische Legationssekretär von Radowitz berichtete[1], die öffentliche Meinung sei so erschreckt, daß die Rente gleich um einen Franc gefallen sei, und daß sich James Rothschild über die Wirkung der Rede sehr abfällig geäußert habe. Als tags darauf ein Ball in den Tuilerien stattfand, wo unter den Teilnehmern wegen der politischen Vorgänge große Aufregung herrschte, sprach James in pessimistischer Beurteilung der ganzen Politik Napoleons III., das später berühmt gewordene Wort: „L'Empire, c'est la baisse."

Die auswärtige Politik wurde sowohl in Paris wie in Wien von Männern geführt, die klaren Blick und Entschlossenheit vermissen ließen. Demgegenüber stand der zielbewußte, energische, die Lage scharf und klar erkennende preußische Ministerpräsident. Aber nicht bloß Bismarck verhielt sich gegen alle Versuche ablehnend, den Konflikt mit Österreich durch vermittelnde Schritte, Konferenzen oder sonstige diplomatische Mittelchen zu beschwören. Auch Österreich leistete starren Widerstand. Seine Politik wurde damals weniger durch den Kaiser und den Minister des Äußern als durch zwei Sektionschefs im auswärtigen Amt in höchst unglücklicher Weise geleitet. Durch die Ablehnung des Kongreßvorschlages, auf den James seine letzte Hoffnung, den Frieden zu erhalten, gesetzt hatte, verscherzte sich Öster-

---

[1] Aufzeichnungen und Erinnerungen aus dem Leben des Botschafters Josef Maria von Radowitz. Berlin und Leipzig 1925, Bd. I, S. 92.

reich auch die Sympathieen, die sonst jedem Angegriffenen gezollt werden.

James war empört darüber, daß seine fortwährenden Weisungen an seinen Neffen Anselm in Wien, dort an allen maßgebenden Stellen zum Frieden zu mahnen, wirkungslos blieben. Die Rothschild konnten sich weder in Wien noch in Paris und schon gar nicht in Berlin Gehör verschaffen. Die Zeiten von 1830 und 1840, wo sie an entscheidenden Stellen mit Erfolg für den Frieden eingetreten waren und das Vermeiden eines Krieges geradezu durch Verweigerung von Geld hatten erzwingen können, waren vorüber. Sie suchten wohl die mangelnde Rücksicht auf ihre Wünsche durch ebensolches geringes Entgegenkommen bei finanziellen Forderungen der beteiligten Staaten zu vergelten, aber auch das vergebens. Immerhin war es charakteristisch[1], daß das Haus Rothschild Ende Mai mit Vorbedacht einen Scheck des österreichischen Botschafters Fürsten Richard Metternich, der auf die Bagatelle von 5000 Franken lautete, mit der Begründung zurückwies, daß sein Guthaben zufällig nicht mehr soviel betrug. Diese Sache sprach sich in Paris herum, wobei die temperamentvolle Fürstin Pauline Metternich mit Ausfällen gegen die Rothschild nicht sparte, die sie nach ihrer Versicherung künftighin nur noch als Fournisseurs, nicht aber als Gentlemen behandeln wollte.

Am selben Abend, 27. Mai, fand ein großer Ball bei Alfons Rothschild statt, dem das Metternichsche Paar demonstrativ fernblieb. Doch das waren nur Stürme im Wasserglas. Im Juni brach der preußisch-österreichische Krieg aus, der mit der für England und Frankreich unerwarteten Niederlage Österreichs am 3. Juli auf dem Schlachtfelde von Königgrätz endete.

Bezeichnend für die Sorglosigkeit, mit der man dem Ausgang des Krieges in Wien, selbst in finanziellen Kreisen, entgegen-

[1] Radowitz, a. a. O. Bd. I, S. 93.

sah, war die Anwesenheit Anselms in Karlsbad gerade in der kritischen Zeit. Knapp vor der Schlacht hatte er noch 10000 Gulden für verwundete Krieger und zur Linderung des allgemeinen Notstandes gespendet. Nun kehrte er, gleichfalls von der Panik ergriffen, schleunigst nach Wien zurück, wo man ob der unerwarteten Hiobsbotschaft aus allen Himmeln gefallen war. Er mußte zusehen, daß die Interessen seines Hauses in dem allgemeinen Debakel, soweit es ging, gewahrt würden. Es war ein bitterer Triumph für ihn, daß man nun in Wien zugeben mußte, das Haus Rothschild, insbesondere dessen ältester Vertreter James in Paris, habe mit seinen Abmahnungen vom Kriege recht behalten. Nun konnte man auch nicht verlangen, daß die Rothschild Österreich und seinen verbündeten, mitunterlegenen deutschen Staaten bereitwillig Hilfe leisten würden, und doch nahm man ihre Dienste sofort in Anspruch.

Zunächst das mit Österreich eng verbündete Sachsen, dessen Gebiet von preußischen Truppen besetzt war. Als diese anrückten, rettete man den sächsischen Staatsschatz aus Dresden nach München. Nach der Schlacht von Königgrätz war er aber auch dort nicht mehr sicher. Man sandte Graf Vitzthum zur Sicherung des Geldes nach München. Er fand dort die Schätze des grünen Gewölbes und die Barbestände des Finanzministeriums in einem Schuppen ohne Eisengitter in hier und dort verstreuten Koffern und Kisten herumliegend.[1] Dabei hatten die Preußen schon Aschaffenburg besetzt und lieferten ein Gefecht bei Kissingen. Demnach bestand die dringende Gefahr, daß sie sich dieser Schätze als Kriegsbeute bemächtigen könnten. Man wollte die Dinge auf neutrales Gebiet, nach der Schweiz, retten, aber es waren zu viele Kolli, man mußte deren Anzahl nach Möglichkeit verringern. Zu der Sendung gehörten zahlreiche kleine Fässer, die aussahen,

---

Karl Friedrich Graf Vitzthum von Eckstädt. London, Gastein und Sadova, 1864–1866. S. 245.

als enthielten sie Spiritus, in denen sich aber in Wirklichkeit eine Million Silbertaler befand, die man nicht mehr in Gold hatte umsetzen können.

„In der Absicht," berichtete Vitzthum darüber[1], „dies impedimentum zu beseitigen, erkundigte ich mich beim Agenten des Hauses Rothschild und erfuhr, daß ein Kurier desselben eben eingetroffen sei und in wenigen Stunden nach Paris zurückreisen werde. Ich sandte daher mit dem Kurier die obgedachten Spiritusfässer an den mir wohlbekannten Baron James Rothschild mit der Bitte, dieselben rue Laffitte zu deponieren, wo ich nächstens selbst eintreffen würde."

Der alte Baron James hatte dabei die harten Taler in Franken umrechnen wollen, was natürlich ganz unnötige Kommissionskosten verursacht haben würde. Vitzthum bestand darauf, bewußte Million Taler in natura zu deponieren und deren Rückgabe in gleicher Geldsorte zu verlangen. Baron Rothschild meinte, das sei kein Geschäft, und er kenne nur Franken. – Und ich nur Taler, antwortete Vitzthum. Dann versuchte James den Grafen einzuschüchtern, fragte, was denn werden solle, wenn die Preußen Beschlag auf Sachsens Kassen legen.

„Oh," erwiderte Vitzthum, „das hat gute Wege, dem ist vorgebeugt. Eintretenden Falles aber würde ich Sie einfach an den Ursprung und die Tradition Ihres Hauses erinnern. Als der Kurfürst von Hessen, von Napoleon vertrieben, seinen Schatz Ihrem Vater anvertraute, dachte dieser nicht daran, den König Jerôme von Westphalen mit diesen Geldern zu bereichern, sondern er stellte nach dem Frieden dem Kurfürsten das anvertraute Geld zurück. Der König von Sachsen beweist Ihnen dasselbe Vertrauen, und ich bin sicher, daß Sie es nicht enttäuschen werden."

Das hieß die Rothschild mit ihren eigenen Waffen schlagen, denn da sie selbst der Legendenbildung um ihr Benehmen

[1] Vitzthum, a. a. O. S. 246.

gegenüber dem Kurfürsten von Hessen Vorschub geleistet hatten und es gerne sahen, daß man allgemein von der damals bewiesenen Treue sprach, mußte James nun wohl oder übel gute Miene zum bösen Spiel machen. Er übernahm also das Geld, das Sachsen später, als alles wieder in Ordnung war, anstandslos zurückerhielt.

Indessen waren die preußischen Truppen bis knapp vor Wien gerückt. Was nutzte es, daß im Süden gegen Italien ein Sieg erfochten wurde, wenn man auf dem Hauptkriegsschauplatze die Entscheidungsschlacht verlor. Österreich mußte schon am 26. Juli entmutigt die Friedenspräliminarien unterzeichnen.

Jetzt, da sich Preußen machtgeschwellt auf eine siegreiche Armee stützen konnte, die kaum mehr einen ernstzunehmenden Gegner vor sich hatte, verlangte Napoleon in Berlin die Gebiete am linken Rheinufer mit Mainz. Aber in der preußischen Hauptstadt wollte man von dergleichen nichts mehr wissen. Bismarck tat, als hätte er nie geahnt, daß Napoleon solche Wünsche äußern werde.

In England glaubte man, Preußen werde diese Forderungen sofort bewilligen. Anthony Rothschild in London versicherte dem Grafen Vitzthum, die Pariser Börse, die ein sicherer Barometer sei, deute auf schönstes Wetter, Preußen werde keine Schwierigkeiten machen und die bescheidene Rechnung bezahlen. Die britischen Minister aber schüttelten den Kopf über diesen Optimismus und meinten, Preußen werde ablehnen. Anthony soll damals Vitzthum gegenüber Bemerkungen gemacht haben, die bezeichnend wären für die auch noch in der dritten Generation herrschende materielle Denkungsweise der Rothschild.

„Je früher wir alle unsere Kolonien los sind," so weit soll er in seiner Bemerkung vom 12. September 1866 gegangen sein[1], „desto besser für England. Wir wollen Frieden um jeden

[1] Vitzthum, a. a. O. S. 350. 13. IX. 1866.

Preis. Alle unsere Staatsmänner sind dabei interessiert. Nehmen Sie zum Beispiel Lord Derby. Er verdankt sein Einkommen von 120000 Pfund dem Umstande, daß sich seine Güter in Irland und Lancastershire mit Fabriken und Fabrikstädten bedecken. Wie sollte er einer kriegerischen Politik das Wort reden? – Und so sind sie alle. Was kümmern uns Deutschland oder Österreich, Belgien? Überwundener Standpunkt!"

War der Krieg für Österreich, dessen gänzlichen Ausschluß aus Deutschland er besiegelte, von schwersten Folgen gewesen, so war er dies nicht viel weniger für das Ansehen des Kaisers Napoleon. In ganz Frankreich fühlte man instinktiv, Napoleon habe den günstigen Augenblick versäumt, um eine Macht, die Frankreich noch höchst gefährlich werden konnte, zu einer Zeit zu bekämpfen, wo sie anderweitig engagiert war. Diese Erkenntnis, die sich in allen Kreisen Frankreichs durchsetzte, drückte sich auch in der immer ungünstiger werdenden finanziellen Lage des napoleonischen Kaisertumes aus.

Der Crédit mobilier, der in den stark gesunkenen österreichischen Werten und auch sonst weit über seine Kräfte engagiert war, konnte trotz Napoleons Gunst und trotz Staatshilfe seine schlechten Geschäfte nicht mehr länger verbergen. Vom Kapital Dividenden zu zahlen, mußte in einem, auf die Wohlmeinung der Börse und des Publikums angewiesenen, wie nunmehr offenbar geworden, auf rein spekulativer Basis beruhendem Unternehmen, von vernichtenden Folgen sein. Der Aktienkurs war bis zum Dezember 1866 schon auf 600 zurückgegangen. Im April 1867 mußte der Crédit mobilier für das Jahr 1866 schon einen Verlust von acht Millionen Francs ausweisen, und das Papier war bis zum gleichen Zeitpunkt bereits auf den Kurs von 350 gesunken. Man beschwor Napoleon, die Pereires nicht länger zu halten, die Regierung würde sich vor aller Welt an dem nicht mehr zu verbergenden Debakel des Crédit mobilier mitschuldig machen. Nun

27. Alfons von Rothschild

war die offene Feldschlacht[1] zwischen den beiden großen jüdischen Finanzgruppen, den Pereires und den Rothschild, zugunsten der letzteren entschieden. Diese hatten den Crédit, wie Scheffer sagt[2], stets als einen Fremdkörper angesehen, den man, da er nicht für ihre Zwecke nutzbar zu machen war und nur als Konkurrenzunternehmen auftrat, unbedingt vernichten mußte. Nun war es soweit. Am Abend seines Lebens hatte James recht behalten. Alle seine Warnungen waren eingetroffen, der Gegner räumte besiegt das Feld, die Brüder Pereire zogen sich zurück, und der Zusammenbruch dieses gewaltigen Unternehmens, dessen Aktien im Oktober 1867 nur noch auf 140 Francs standen, bedeutete eine unerhörte persönliche Niederlage des Kaisers, die dieser freilich auch seinem finanziellen Vertrauensmann Achille Fould verdankte, der schon im Januar 1867 von seinem Ministerposten zurückgetreten war und im Oktober darauf unerwartet starb.

In Österreich trat nach dem unglücklichen Kriege ein Systemwechsel in der Leitung der auswärtigen Politik ein, die nunmehr von dem sächsischen Freiherrn von Beust geleitet wurde. Mit den Rothschild schon seit langem bekannt und ein Freund dieses Hauses, nützte der neue Minister diese Beziehungen aus, um in der traurigen Lage Österreichs, das vergebens an die Türen der Geldgeber pochte, seine dringenden Anleiheansuchen anzubringen.

Österreich plante damals, die drückende Zinsenlast seiner Staatsschuld durch Konvertierungen herabzusetzen. Dies erzeugte großen Unmut bei den zahlreichen ausländischen, insbesondere französischen Besitzern österreichischer Rente, die nach dem Kriege von 1866 ohnedies schon fühlbare Kurseinbußen erlitten hatte. Man sprach sogar davon, daß die österreichischen Werte von der Pariser Börse gestrichen werden würden. Da beschloß Beust, sich mit der Bitte um Inter-

[1] Scheffer, Der Siegeszug des Leihkapitals, a. a. O. S. 181. — [2] dto., a. a. O. S. 182.

vention unmittelbar an den greisen James Rothschild zu wenden.

„Ich beauftrage den Grafen von Vitzthum," schrieb ihm der Minister[1], „Ihnen von unserer finanziellen Lage zu sprechen und von dem, was man tun soll, um zu verhindern, daß die österreichischen Werte von der Kotierung an der Börse ausgeschlossen würden. Ich hoffe, daß Sie uns ein wenig mit Ihren Ratschlägen und mit Ihrem Einfluß unterstützen werden. Wenn man in Paris die Anforderungen unserer Stellung besser verstehen könnte, würde man vielleicht die durch die k. k. Regierung angekündigten Maßregeln weniger streng beurteilen ... Ich wünsche sehr, daß man nach reiflicher Prüfung in Frankreich zu einer besseren Meinung über uns gelangt, und Sie würden uns einen wahren Dienst leisten, wenn Sie dazu beitragen könnten, dieses Resultat herbeizuführen."

James, in letzter Zeit von einem Gallensteinleiden sehr geplagt, fühlte aus dieser Bitte heraus, daß man auch in Wien erkannte, daß seine Stellung in Paris durch den Sturz seiner Gegner ganz bedeutend gestärkt worden war. Er versicherte[2] dem österreichischen Botschafter, er werde sein möglichstes tun, um die weitere Aufrechterhaltung der Kotierung der österreichischen Werte zu gewährleisten; aber er gab gleichzeitig den Rat, Österreich solle die in Paris und London aufgenommenen Anleihen durch besondere Maßnahmen bevorzugen. Dieser Rat und die bezüglich der österreichischen Werte unternommenen Schritte waren unter den letzten geschäftlichen Maßnahmen, deren Entscheidung James noch beschieden war.

Im Sommer des Jahres 1868 erkrankte er schwer; zu seiner schmerzhaften Krankheit gesellte sich auch ein Leberleiden und Gelbsucht. Am 15. November 1868 starb er im Alter

[1] Beust an James Rothschild. 28. V. 1868. Abschrift. Wien, Staatsarchiv. — [2] Richard Metternich an Beust. 30. V. 1868. Wien, Staatsarchiv.

von $76^1/_2$ Jahren, einen Tag nach dem Tod seines Freundes, des Komponisten Rossini. Solange es seine Kräfte überhaupt gestatteten, hatte er die Geschäfte noch geleitet, und nur der Tod war imstande, die unerhörte Aktivität, die er sein ganzes Leben hindurch gezeigt, zu brechen.

„Rothschild ist tot, es lebe Rothschild!" so hieß es am französischen Hof in Anlehnung an das bekannte Wort beim Tode eines Königs, und ein solcher war er in seinem Fache und in seiner Sphäre zweifellos gewesen. Für eine Demokratisierung von Finanzoperationen hatte er kein Verständnis. Er blieb sein Leben lang der im Schatten von Fürstenhäusern hochgekommene Bankier, der seine Kunden unter den Monarchen ganz Europas suchte und fand.

Da in Paris das Börsenspiel zur wahren Lebensfrage vieler Klassen der Bevölkerung geworden war, so stand die Börse stets im Brennpunkt der Ereignisse. Wenn nun James Rothschild vorsichtig, bedächtig und verschwiegen, dabei höchst selbstgefällig, aber doch Personen gegenüber, die ihn zu behandeln wußten, gutmütig, in seinen letzten Lebensjahren ein- bis zweimal wöchentlich auf der Börse erschien, da geriet alles in Aufregung. Ein Gemurmel ging durch die Menge der Börsenbesucher, und sofort war er von einem Schwarm von Anhängern und Beamten umgeben; jede seiner Gebärden wurde beobachtet, jedes Wort von ihm aufgeschnappt, und er konnte Leute glücklich machen, wenn er von ihnen den Kurszettel oder sonst eine gleichgültige Gefälligkeit erbat. Bei seinem Tode schrieb der Korrespondent der Kölnischen Zeitung in Paris einen Artikel, in dem er ausführte, James sei 1812 etwa mit einer Million Francs nach Paris gekommen, nun aber schätze man sein Vermögen auf etwa zwei Milliarden Francs. Eingeweihte englische Finanzleute, bemerkte der Journalist, hätten versichert, daß es im ganzen vereinigten Königreich kein gleiches Vermögen gäbe. — Die Ziffer war natürlich aus der Luft gegriffen. James' Sohn Alfons wäre wohl selbst in Verlegenheit geraten, hätte er sein Erbe mit einer Ziffer angeben sollen. Aber die Veröffentlichung dieses Artikels, gleichzeitig mit den Schilderungen des großartigen Leichenbegängnisses, bedeutete eine gewaltige Reklame für das Haus Rothschild.

Nach dem Wunsche des Verstorbenen hätte ein einfaches Begräbnis zweiter Klasse ohne Prunk und ohne die Teilnahme von Truppen, die ihm als Besitzer des Großkreuzes der Ehrenlegion gebührten, stattfinden sollen. Aber die ungeheure Teilnahme der Bevölkerung machte die Leichenfeier zu einem großartigen Ereignis und brachte halb Paris auf die Beine. Napoleon ließ sich durch den Oberzeremonienmeister Herzog von Cambacérès vertreten. Der König der Belgier sandte einen Ordonnanzoffizier. Die königliche Familie von Orléans, Kaiser Franz Joseph und der Präsident der Vereinigten Staaten kondolierten telegraphisch. Auf dem alten jüdischen Friedhof des Père Lachaise erhielt James einen einfachen Grabstein, der nur den lateinischen Buchstaben „R" trug. Die Blätter aber brachten lange Berichte und Biographieen.

Damit war der letzte der fünf Brüder, die ihr Haus zu so beispielloser Höhe emporgeführt, dahingegangen.

Nun folgte in der Führung des Pariser Hauses James' ältester Sohn Alfons. Im Jahre 1827 geboren, hatte er in jungen Jahren am Collège Bourbon studiert, wo er sich mit dem jungen Léon Say, dem späteren berühmten Finanzminister der dritten Republik, anfreundete. Mit neunzehn Jahren ward er zum Studium der Organisation der Eisenbahnen nach England gesandt und später bei der Nordbahngesellschaft verwendet, deren Präsident er nach dem Tode seines Vaters wurde. 1855 war er von Napoleon in den Conseil de Régence der Bank von Frankreich berufen worden. Alfons war bereits naturalisierter Franzose, und während sein Vater zeitlebens ein elendes Französisch sprach, über das sich ganz Paris lustig machte, zeigte Alfons vollendete Kenntnis der Sprache in Wort und Schrift. Er war berufen, an der Spitze des Pariser Hauses die Sturmzeit mitzumachen, die den Sturz des kaiserlichen Regimes mit sich brachte, den sein Vater so oft vorausgesagt, aber nicht mehr erlebt hatte.

Diese Katastrophe näherte sich nun mit Riesenschritten. Bismarck arbeitete mit heißem Eifer an seinem Lebenswerk, der Einigung aller Deutschen unter preußischer Führung. Wer ihm dabei nützlich sein konnte, den zog er in seinen Bann. Das materielle Moment war nicht das letzte, das auch da wieder ein gewichtiges Wort mitzusprechen hatte. Das Verhältnis Bismarcks zu Bleichröder, dem geschickten Finanzier, war seit 1866 immer enger geworden. Angesichts des Erfolges Preußens über Österreich hatte der Sieger auch in der Wertung der Rothschild einen höheren Rang erhalten, und sie knüpften ihre schon seit Jahren bestehende Verbindung mit Bleichröder noch enger. Die gemeinsamen Bankpläne wurden zur Wirklichkeit, die sogenannte Rothschildgruppe mit dem Hause Bleichröder zusammengefügt. Da das Haus Rothschild in Berlin nicht wie in den anderen Hauptstädten Europas ein Mitglied der Familie zur Verfügung hatte, wurde Bleichröder mit der Vertretung des Hauses in Berlin und ganz Preußen betraut.

Er erhielt nun nach der Gepflogenheit des Hauses Rothschild die dessen Vertretern stets zugehenden politischen Informationen aus London, Paris und Wien. Dadurch war Bleichröder besonders auch über die Situation Napoleons III. stets auf das genaueste unterrichtet. Da Alfons Rothschild Zutritt zum Kaiser besaß, war Bismarck die Möglichkeit gegeben, vertrauliche Mitteilungen auf inoffiziellem Weg zu des Kaisers Ohren gelangen zu lassen. Anderseits erfuhr der Ministerpräsident wichtige geheime Nachrichten, die nur einem Rothschild bekannt werden konnten. Freilich war dabei Vorsicht geboten, denn Alfons Rothschild zeigte sich durchaus als französischer Patriot, und man mußte achtgeben, ob die im Grunde stets aufrecht gebliebene allgemeine Antipathie der Rothschild gegen das Napoleonische Regime den französischen Patriotismus, der in dem nunmehrigen Chef des Hauses lebte, überwog.

Bleichröder hatte bei Bismarck Einfluß in finanziellen und handelspolitischen Dingen, und dieser hatte auch Befehl gegeben, Bleichröder über die politische Lage auf dem laufenden zu erhalten. Er tat es mit einer größeren Zurückhaltung und Vorsicht, als es etwa Metternich mit Salomon Rothschild getan, benutzte Bleichröder und seine Verbindungen mit Rothschild für seine Zwecke, konnte aber doch darüber schließlich mit Recht sagen[1]: „Man braucht sich aber die Juden nicht über den Kopf wachsen zu lassen oder sich finanziell von ihnen in einem Maße abhängig zu machen, wie es in vielen Ländern leider der Fall ist. Bei meinen Beziehungen als Minister zur jüdischen Hautefinance ist immer diese, niemals bin ich der verpflichtete Teil gewesen."

Bismarck horchte auf dem geheimen Verbindungsweg, der Bleichröder zur Verfügung stand, aufmerksam nach Paris hinüber, wo man seit dem Unglücksjahre 1866 mit dem kaiserlichen Regime immer unzufriedener geworden war. Napoleon wünschte die indirekte Niederlage, die er damals erlitten, durch die friedliche Erwerbung Luxemburgs zu verdecken und die Aufmerksamkeit auf diese Weise von der wachsenden Opposition im Innern abzulenken. Aber das gelang nicht. Der französische Kaiser fand den Norddeutschen Bund auf seinem Wege. Luxemburg wurde neutral erklärt, und der Abmarsch der preußischen Garnison war nur ein schwacher Trost. Bismarck aber mußte sich sagen, daß Napoleon ein mächtiges und einiges Deutschland, wie der preußische Minister es erträumte, niemals zulassen würde. Da er aber dieses

[1] Hermann Hofmann, Fürst Bismarck. 1890–1899. Stuttgart 1913, Bd. I, S. 149.

um jeden Preis zusammenzuschmieden wünschte, so bedeutete das über kurz oder lang den Krieg.

Napoleon war zu krank und zu unentschlossen, einen solchen Kampf vom Zaun zu brechen, und Bismarck hoffte vielleicht doch, ohne blutige Auseinandersetzung zum Ziele zu kommen. Da nahm ein Zwischenfall, der das französische Nationalgefühl hell auflodern ließ, beiden Führern ihrer Völker das Heft aus der Hand und beschleunigte den Eintritt der Katastrophe.

In dem ruhelosen, stets von politischen Kämpfen durchtobten Spanien wollte man endlich eine endgültige Lösung finden. Einer Republik war man nicht gewogen. Ebensowenig sprachen die gemachten Erfahrungen für eine bourbonische Dynastie. Da man wegen der erwünschten eventuellen Vereinigung Portugals mit Spanien einen Verwandten des portugiesischen Könighauses bevorzugte, kam man auf den Prinzen Leopold von Hohenzollern-Sigmaringen, dessen Frau eine Tochter des portugiesischen Königs war. Bismarck unterstützte die Kandidatur, da sie ihm im Interesse Preußens zu liegen schien. In Frankreich aber erregte diese Absicht einen Sturm der Entrüstung. Schon sah man sich von Deutschland und von Spanien her zwischen die beiden Hebel einer Zange genommen.

Als am 3. Juli in Paris bekannt wurde, daß der Prinz die Kandidatur angenommen hatte, geriet das französische Volk außer sich. „Rache für Sadowa" verlangte man laut in den Straßen und gab damit zu, daß man sich 1866 in Österreich selbst geschlagen fühlte. Auch der Hof und der Kaiser konnten sich solchen Eindrücken nicht entziehen. In dieser Schicksalsstunde sandte Napoleon nach dem Chef des Hauses Rothschild, um durch ihn England nahelegen zu lassen, daß es diesen Anschlag auf Frankreichs Ehre und Sicherheit zunichte mache. Der Minister des Äußern Herzog von Gramont hatte dem britischen Botschafter Lord Lyons bereits gesagt, Frankreich werde und könne diese Beleidigung nicht ertragen. Als Alfons Rothschild, eilends vom kaiserlichen Adjutanten geholt, am 5. Juli 1870 im Schlosse von St. Cloud vor dem Monarchen erschien, befand er sich in hoher Aufregung, denn noch nie war er in so ungewöhnlicher Form und zu so ungewöhnlicher Stunde berufen worden.[1] Der Kaiser erklärte dem Bankier, da es momentan in England keinen Minister des Äußern gebe – Lord Clarendon war am 27. Juni gestorben, und Lord Granville wurde erst am 6. Juli ernannt –, wünsche er durch ihn eine Nachricht an den Ministerpräsidenten Gladstone zu richten. Das war eine etwas plumpe Erklärung, denn man hätte sich offizieller Vermittler bedienen können, aber Napoleon zog den privaten Weg durch die Rothschild vor. Der Kaiser wollte auf diesem Wege Gladstone verständigen, daß die Hohenzollernkandidatur für Frankreich unerträglich sei, und daß Gladstone alles tun möge, um ihre Zurückziehung zu bewirken.

Alfons Rothschild telegraphierte dies sofort chiffriert nach London an Lionel, dessen Sohn, der spätere Lord Nathaniel Rothschild, das Telegramm für seinen Vater dechiffrierte und es dann eigenhändig schleunigst nach Carlton-House Terrace trug. Dort fand er Gladstone, der eben zur Königin nach Windsor wollte, stieg mit ihm in den bereitstehenden Wagen und fuhr bis zur Eisenbahnstation mit.

Nach Kenntnisnahme des Telegrammes schwieg Gladstone eine Weile, dann aber meinte er, wenn er auch keineswegs mit der Kandidatur einverstanden sei, so sei er doch nicht geneigt, sich in das freie Recht des spanischen Volkes, nach Belieben seinen eigenen Souverän zu wählen, einzumischen.

Das Telegramm, in dem Lionel den Bescheid des Ministerpräsidenten mitteilte, erregte im Pariser Bankhause furchtbare Aufregung.

Bleichröder erhielt bereits am 7. einen Brief von Alfons, in

[1] Morley, The Life of W. E. Gladstone. London 1911, Bd. II, S. 246.

dem dieser einen Notschrei über die drohende Kriegsgefahr ausstieß.[1] Gleichzeitig war ein ähnlicher Alarmbrief an Anselm nach Wien abgegangen, in welchem die Lage in den düstersten Farben geschildert war und die der Situation entsprechenden finanziellen Maßnahmen angedeutet wurden. Auch im Wiener Bankhause geriet man in Schrecken. Anselm, dessen Geschäft sich eben erst von dem Rückschlage im Jahre 1866 erholt hatte, sah sich nun den unabsehbaren Konsequenzen eines bewaffneten Zusammenstoßes zwischen Preußen und Frankreich gegenüber, in den nur allzu leicht auch wieder Österreich hineingezogen werden konnte. Er soll in helle Wut über die, wie er meinte, abenteuernden und kurzsichtigen Politiker und Generale geraten sein, die Europa in ein solches Unglück stürzten, und nahm sich vor, wenn er schon die Entwicklung im Westen nicht hindern konnte, alles zu tun, um wenigstens Österreich von der unmittelbaren Teilnahme daran abzuhalten.

Bleichröder beurteilte bereits am 11. die Lage als hoffnungslos und beauftragte seinen Londoner Korrespondenten Worms an diesem Tage telegraphisch, alle seine Fonds um jeden Preis zu verkaufen, was auch mit großen Verlusten geschah.[2]

Trotzdem schien sich noch einmal alles zum Guten wenden zu wollen. Als am 12. Juli der Prinz von Hohenzollern freiwillig auf die Kandidatur Verzicht leistete, telegraphierte Alfons Rothschild höchst befriedigt an Gladstone[3]: „Der Prinz hat seine Kandidatur aufgegeben; die Franzosen sind zufriedengestellt."

Aber Alfons jubelte zu früh.

Lionel war sofort mit allen leitenden Stellen in London in Verbindung getreten, von denen er einen Einfluß auf die Lage am Kontinent erwarten konnte, um sie im friedlichen

---

[1] Oncken, Rheinpolitik a. a. O. Bd. III, S. 416. Thile an Abeken. 77 (870). —
[2] Graf Apponyi an Beust. London, 12. VII. 1870. Telegramm. Staatsarchiv. — [3] Morley, a. a. O. Bd. II, S. 249.

Sinne zu bearbeiten. So waren er und sein Sohn Nathaniel auch bei ihrem Freunde Disraeli gewesen und hatten dort mit dem die Gladstonesche auswärtige Politik bekämpfenden früheren Ministerpräsidenten eingehend besprochen, was im Sinne des Friedens unternommen werden könnte. Disraeli interpellierte daraufhin die britische Regierung über die wahren Konfliktsgründe, fragte an, ob sie sich nicht einer Vermittlung befleißigen wolle, und schloß mit einigen beredten warnenden Worten über die ungeheure politische und moralische Verantwortlichkeit, die ein Souverän auf sich nehme, der in diesem Augenblick den Frieden Europas störe und der die empörte öffentliche Meinung der ganzen zivilisierten Welt gegen sich haben werde.

Nichts aber konnte den im Rollen befindlichen Stein mehr aufhalten. Wieder blieben die Bemühungen der Rothschild völlig erfolglos, und eines der größten Dramen der Weltgeschichte begann, von ihnen ungehemmt, seinen Lauf. Sobald der Krieg erklärt war, zeigte sich Alfons Rothschild in Paris nur noch als Franzose. Er hoffte, trotz der Mißverständnisse seines Hauses mit Napoleon, von ganzem Herzen auf den Sieg Frankreichs.

In einer für die deutsche Regierung wenig höflichen Form[1] entledigte er sich der bis dahin bekleideten Würde eines preußischen Generalkonsuls und half auch in finanzieller Beziehung, soweit er konnte, zu energischer Führung des Krieges gegen Preußen.

Der Feldzug nahm indessen einen überraschend schnellen Verlauf. In kurz aufeinanderfolgenden Schlägen wurde zum Staunen Europas das französische Heer überwunden, das Kaiserreich zertrümmert, Napoleon III. gefangen genommen. Am 1. September kapitulierte der Monarch mit seiner Armee bei Sedan; am 4. September stürzte die Revolution in Paris das kaiserliche Regime, die Kaiserin floh, die Republik wurde

[1] Busch, Tagebuchblätter, Bd. I, S. 317.

proklamiert und ein „gouvernement de la défense nationale" errichtet, dem der General Trochu als Präsident und Jules Favre als Minister des Äußern angehörten. Wenig später standen die Preußen vor Paris, und am 19. September des Jahres 1870 war die Einschließung der Stadt vollendet. Am selben Tage noch bezog das preußische Oberkommando, König Wilhelm, Bismarck und Moltke mit ihrem glanzvollen Gefolge, auf dem Rothschildschen Landsitze Ferrières Quartier. Das prachtvolle Renaissance-Schloß mit seinem wundervollen Park, dem Teich, auf dem Schwäne und Enten friedlich dahinzogen, und seinem Wildgehege, wo Rehe, Hirsche und Fasanen in Menge hausten, paßte wenig zu dem kriegerischen Lärm und Kanonendonner, der durch die Gegend hallte. Die durch ihre bisherigen Quartiere in den Schlössern Frankreichs wohl nicht wenig verwöhnten Mitglieder des Hauptquartiers waren trotzdem von der Pracht, die sie hier fanden, ganz betroffen. Als ob tiefster Friede wäre, standen die Ställe voll mit den herrlichsten Pferden und Kühen. Unter Glas reiften Trauben von unglaublicher Größe an den Stöcken, in den Treibhäusern blühten Orchideen. Als der König, von Lagny kommend, ins Schloß Ferrières einritt und die Prachträume betrat, da meinte er zu seiner Umgebung[1]: „Das kann unsereins nicht, dazu muß man Rothschild sein." Alfons Rothschild hatte nur eine Art Kastellan und wenige weibliche Dienstboten zurückgelassen. Der König vermied es, in dem prunkvollen Schlafzimmer des Besitzers Quartier zu nehmen. Er ließ sein eisernes Feldbett in einem bescheidenen kleinen Raume aufstellen und verbot seinem Gefolge auf das strengste, irgend etwas anzurühren. Sogar das Wild im Parke sollte vollkommen unangetastet bleiben, eine Bestimmung, die besonders den passionierten Jäger Bismarck schmerzlich traf. Kaum war das deutsche Hauptquartier in Ferrières installiert, da traf Jules Favre am 19. September 1870 im Schlosse ein,

[1] H. Salingré, Im großen Hauptquartier 1870—1871, S. 91.

um mit Bismarck über Waffenstillstand und eventuelle Friedensbedingungen zu verhandeln.

Als diese Zusammenkunft ergebnislos verlief, da die französischen Unterhändler von dem Gedanken geleitet waren, keinen Fußbreit Landes abzutreten, mußte man sich darauf einrichten, bei der Fortdauer des Krieges längere Zeit in Ferrières zu verweilen. Dabei gab es natürlich Reibereien mit dem Rothschildschen Verwalter, der sich unter anderem weigerte[1], Wein herauszugeben, obwohl man ihm Bezahlung dafür bot. Die Differenzen gingen so weit, daß sie schließlich zu den Ohren Bismarcks gelangten. Dieser ließ den Verwalter kommen und verwies ihm das ungebührliche Benehmen, mit dem er die Ehre quittiere, daß der König in Ferrières abgestiegen sei. Als der Rothschildsche Beamte immer mehr Schwierigkeiten machte, fragte ihn Bismarck, ob er wohl wisse, was ein Strohbund sei. Der Verwalter schwieg verdutzt, worauf Bismarck erklärte, dies sei ein Ding, auf das halsstarrige und freche Verwalter so gelegt würden, daß die Rückseite nach oben sehe. Das Weitere könne er sich vielleicht vorstellen. Darauf gab der Beamte nach, lieferte den Wein aus, benutzte aber eine sich ihm bietende Gelegenheit, seinem Herrn in Paris zu wissen zu tun, daß ihn die Deutschen geradezu mit Schlägen bedroht hätten.

Alfons Rothschild erwähnte dies mit einem Witz auf Kosten der Deutschen einem seiner Pariser Bekannten gegenüber. Dieser schrieb hierüber an eine Gräfin von Moustier in der Provinz. Der Brief wurde durch die damals zur Verbindung mit der Außenwelt benutzten Luftballons befördert. Ein solcher wurde jedoch von den deutschen Belagerungstruppen abgeschossen und fiel mit seiner ganzen Post in deren Hände. Die erbeuteten Briefe wurden bei den deutschen Kundschaftsstellen auf militärisch wertvolle Nachrichten hin ge-

[1] Busch, Tagebuchblätter, Bd. I, S. 213ff. Bismarck, Gesammelte Werke, Bd. VII, S. 350.

prüft, wobei jener Brief eines Unbekannten an die Gräfin von Moustier vom 28. Dezember 1870 gefunden wurde. Darin stand folgender Satz[1]: „In der Umgebung von Paris sind die Preußen namentlich begierig nach Fasanen; Rothschild erzählte mir gestern, daß sie bei ihm in Ferrières genug davon hätten, aber daß sie seinen Intendanten hätten schlagen wollen, weil die Fasane nicht mit Trüffeln gefüllt herumflögen."

Dieser Passus kam zur Kenntnis des Hauptquartiers, und Bismarck fühlte sich dadurch betroffen, weil er einer der wenigen, wenn nicht der einzige gewesen, der trotz des Verbotes des Königs in dem Parke einige Fasanen geschossen hatte. Er bemerkte, „was will man mir machen, arretieren, nein; denn dann haben sie ja niemand, der den Frieden besorgt".[2] Bismarck ließ sich in scharfen Worten über Rothschilds in diesem Briefe gemachte Bemerkung aus und meinte, der alte Baron James hätte mehr Lebensart gehabt.

Indessen war der erste Versuch Jules Favres, Waffenstillstand und Frieden anzubahnen, mißglückt. Die Bismarckschen Forderungen wurden als unannehmbar bezeichnet und der allgemeine Volkskrieg bis zum Letzten und Äußersten proklamiert. In Paris organisierte General Trochu den Kampf bis aufs Messer durch Aufgebot auch des letzten waffentragenden Mannes.

Der König verlegte indessen sein Hauptquartier von Schloß Ferrières nach Versailles. Die tapfere Gegenwehr in der Hauptstadt und der Provinz half jedoch nichts mehr. Die Franzosen mußten schließlich erkennen, daß weiterer Widerstand nutzlos war, und Thiers und Jules Favre, die Vertreter der neuen Regierung, sahen sich gezwungen, am 21. Februar 1871 den Weg nach Versailles anzutreten, um dort von Bis-

---

[1] Wiedergegeben in Hermann Salingré, Im großen Hauptquartier 1870 bis 1871. Berlin 1910, S. 144. — [2] Busch, Tagebuchblätter. Bismarck, Gesammelte Werke, a. a. O. Bd. VII, S. 352.

marck die Bedingungen des Präliminarfriedens, die Abtretung Elsaß-Lothringens und die Zahlung einer Kriegsentschädigung von sechs Milliarden Francs zu erfahren. Über die finanzielle Seite dieser Frage hatte Bismarck mit seinen Vertrauensleuten, Bleichröder und Henckel von Donnersmark, beraten, die ins Hauptquartier nach Versailles berufen worden waren. In seiner Unterredung mit Jules Favre und Thiers am 25. Februar 1871 gab Bismarck nähere Daten, wie er sich die Zahlung dieser Summe denke, und lud die französischen Unterhändler ein, diese seine finanziellen Vertrauensleute darüber zu hören.

Die Franzosen fanden Bismarcks Vorschläge ganz neu und technisch kompliziert. „Sie haben sie", erwiderte Thiers Bismarck[1], „von langer Hand mit hervorragenden finanziellen Beratern vorbereitet. Wir verlangen nun für uns das gleiche. Herr Alfons von Rothschild ist in Paris; Sie würdigen, wie ich, seine hohe Erfahrung und seine volle Offenheit. Ich werde ihm ein Telegramm schicken, und nachdem ich mit ihm gesprochen habe, werde ich mehr Sicherheit haben, daß ich mich nicht irre."

Bismarck konnte diesen Wunsch nicht recht abschlagen, aber er rief bei ihm ein sichtbares Mißvergnügen hervor. Aufgeregt meinte er, die Unterhändler wollten alles in die Länge ziehen, Frankreich den ihm auferlegten Bedingungen entziehen. Mit all den Vorschlägen und Ausreden, meinte Bismarck erzürnt, erschöpften sie langsam die Geduld seines königlichen Herrn. Preußens großer Staatsmann wies darauf hin, er sei krank — er litt damals an einem Hexenschuß—, er sei am Ende seiner Kräfte und unfähig, mit Unterhandlungen fortzufahren, die man offenbar unfruchtbar gestalten wolle. Bismarck spielte seine Entrüstung mit klugem Vorbedacht. Eine Explosion seiner Gefühle vortäuschend, rief er, mit großen Schritten in

---

[1] Gouvernement de la défense nationale par Jules Favre. Paris 1875, Bd. III, S. 112.

seinem Salon auf und ab gehend, den französischen Unterhändlern zu:
„Ich bin sehr entgegenkommend, wenn ich mich der Mühe und Plage aussetze, zu der Sie mich verdammen; unsere Bedingungen sind ein Ultimatum, man muß sie annehmen oder sie zurückweisen. Ich will mich nicht mehr einmischen, bringen Sie morgen einen Dolmetsch mit, in Zukunft werde ich nicht mehr französisch sprechen" – und Bismarck begann auch wirklich mit äußerster Heftigkeit deutsch weiter zu reden.
Während dieser peinlichen Szene war Thiers ruhig geblieben und wartete schweigend ab, daß sich der Zorn seines Gegners lege. Glücklicherweise war es indessen fünf Uhr geworden, und man meldete, daß das Diner serviert sei. Die französischen Unterhändler wurden eingeladen, daran teilzunehmen, lehnten aber ab, obwohl Thiers seit dem frühen Morgen nichts gegessen hatte.
Das Telegramm an Alfons Rothschild war abgegangen, und die beiden Unterhändler warteten nun dessen Ankunft ab. Um 7$^1/_2$ Uhr desselben Tages, des 25. Februar 1871, traf er endlich ein. Thiers setzte ihn sofort von der ungeheuren Geldforderung Bismarcks und von den deutschen Vorschlägen über die Zahlung in Kenntnis, und der Bankier teilte vollkommen die Ansicht Thiers', der sich natürlich immer noch gegen die drückenden Bedingungen wehrte.
Bismarck war erbost darüber, daß von seiten Rothschilds, dessen Familie doch schließlich aus Deutschland stammte, auch nur Schwierigkeiten gemacht wurden und dieser sich genau so als Franzose gebärdete wie die beiden anderen Unterhändler.
Als der kleine und schmächtige Alfons Rothschild dem großen Staatskanzler gegenübertrat und ihn französisch ansprach[1], da kam ihm Bismarck schroff abweisend, ja grob

[1] Siehe Heinrich Otto Meißner, Kaiser Friedrich III. Kriegstagebuch von 1870/1871. Berlin 1926, S. 410.

entgegen, während er die beiden anderen Unterhändler, um sie seine früheren Ausfälle vergessen zu machen, freundlicher behandelte. Er ärgerte sich über die Sekundantenstellung Rothschilds neben Thiers, über die Geschichte von Ferrières und auch darüber, daß dieser aus deutsch-jüdischer Familie stammende Mann nun so tat, als wäre er Vollblutfranzose und spräche gar nicht deutsch.

Bismarck wollte schnell zum Ende kommen und war daher auch darüber erbost, daß Alfons Rothschild nicht mit Bleichröder und Henckel die nötigen Vorschläge hatte besprechen und noch am selben Abend zu Ende führen können. Rothschild behauptete, es seien ihm von Thiers nicht genügende Unterlagen gegeben[1], und so kamen die Abmachungen erst tags darauf zur Unterschrift. Man hatte dabei in großen Zügen festgelegt, wie man sämtliche großen Geldmäkler Europas zu Garanten der mittlerweile auf fünf Milliarden herabgesetzten Kriegsentschädigung heranziehen wollte.

Während die Unterhändler Frankreichs diese Verhandlungen pflogen, durchliefen Paris die wildesten Gerüchte über tolle Forderungen Bismarcks; Abtretung mehrer Provinzen, Zahlung von zehn Milliarden Kriegsentschädigung usw. Der dort zurückgebliebene Bruder Alfons Rothschilds, Gustav, der nach dem Tode James' das österreichische Generalkonsulat übernommen, hatte gemeinsam mit seinem Bruder die Pariser Belagerung mitgemacht. Graf Vitzthum fand Gelegenheit, diesen Mann, von dem er sagte[2], daß er in den vordersten Reihen gestanden und Menschen und Dinge von nächster Nähe gesehen habe, Mitte Februar zu sprechen. Gustav Rothschild ließ sich Vitzthum gegenüber sehr streng über den Verteidiger von Paris, den General Trochu, aus: „Er ist ein ehrlicher Mann," sagte Gustav Rothschild, „aber

[1] Poschinger, Fürst Bismarck und der Bundesrat. Stuttgart 1898, Bd. II, S. 43. — [2] Graf Vitzthum an Graf Beust. Brüssel, 24. II. 1871. Wien, Staatsarchiv.

28. Anselm von Rothschild

schwach, unentschieden und weich; ein Mann, der den 4. September zuließ, anstatt die Emeute niederzuschlagen und die Regentin (Kaiserin Eugenie) zu zwingen, die durch die Unfähigkeit der Minister und Generale des Kaiserreiches geschaffene Situation zu liquidieren. Dann hätte man immer noch die Regierungsform wechseln können, nachdem man die kaiserliche Regierung gezwungen, den Frieden zu unterzeichnen. Der General Trochu, der am 4. September Herr von Paris geworden, hat niemals diesen ersten Fehler zu verbessern gewußt. Durch Belleville[1] terrorisiert, hat er einen äußerst schädlichen Einfluß auf die durch einen unerfahrenen Advokaten erbärmlich geführten Unterhandlungen von Ferrières ausgeübt. Die unglückselige Phrase: ‚Keinen Fußbreit unseres Territoriums, keinen Stein unserer Festungen' stammt vom General Trochu, der meinte, die Faubourgiens zu entwaffnen, indem er sie gleichzeitig mit seinen famosen Kriegsplänen unterhielt, die niemals existierten. Ängstlich bei jedem Aufruhr hat sich der General Trochu vor dem Feinde stets unentschieden gezeigt."

Gustav Rothschild war überzeugt, daß gegen Ende Oktober, sechs Wochen nach der ersten Einschließung, die bewaffneten Kräfte der Hauptstadt ausgereicht hätten, um die Linien der Angreifer zu durchbrechen und sie zu zwingen, die Belagerung aufzuheben. Er meinte auch, daß der Ausfall vom 2. Dezember 1870 alle Aussicht auf Erfolg gehabt hätte, wenn ein energischerer und fähigerer General sich an der Spitze der französischen Truppen befunden hätte.

Der österreichische Botschafter Fürst Metternich und der englische Lord Lyons hatten sich seinerzeit aus Paris entfernt, um sich an den Sitz der französischen Regierung nach Tours zu begeben. Gustav Rothschild sprach von dem schlechten Eindruck, den diese Abreise in Paris hervorgerufen

---

[1] Stadtteil im XX. Arrondissement, dessen Bewohner durch ihre radikale Gesinnung bekannt sind.

habe, denn man hatte geglaubt und glaubte es damals noch immer, daß die Anwesenheit dieser beiden Botschafter in Paris die seinerzeit mißglückten Unterhandlungen von Ferrières erleichtert und die Schrecken der Belagerung gemildert hätte, indem sie unter anderem vielleicht das Bombardement hätten verhindern können. Gustav Rothschild besprach mit dem Grafen Vitzthum auch die Zukunft und die wahrscheinlichen Friedensbedingungen.

„Der Moment," sagte er, „für Österreich und England aktiv und energisch einzugreifen, ist gekommen. Wenn die neutralen Mächte alles gehen lassen, wie es geht, werden sie ihre Enthaltung teuer bezahlen. Es ist ein Irrtum zu glauben, daß die Geldfrage der territorialen vorausgeht. Die beiden Fragen hängen mehr miteinander zusammen, als man glaubt. Ich spreche Ihnen nicht von den zehn Milliarden, es ist einfach eine Unmöglichkeit für Frankreich, sich eine solche Summe zu verschaffen. Aber ich bitte Sie, folgende These wohl festzuhalten: Wenn Preußen sich großmütig zeigt und auf jede Annexion verzichtet, wird man leicht eine hohe Summe finden, um es für seine Kriegskosten zu entschädigen. Wenn man aber darauf besteht, uns die Vogesenlinie von Belfort bis Metz und Longwy zu entreißen, wird es sehr schwierig sein, auch nur eine viel geringere Summe aufzubringen, und ich will Ihnen erklären, warum.

Verstümmelt und erniedrigt wird Frankreich nur einen Gedanken haben, und dieser ist Rache, d. h. Krieg. Respektiert und unversehrt dagegen, wird es wiedererstehen und seine Niederlagen und seine Opfer auf Rechnung des Kaisertums setzen und nur einen dauerhaften Frieden wünschen, der durch eine feste und im Innern sparsame Regierung garantiert ist. Es gibt keinen Financier in Europa, der das nicht weiß und der infolgedessen nicht den Kredit, den man Frankreich geben kann, nach den Bedingungen ermißt, die man dem Lande auferlegt. – Die Phrasen Herrn Favres sind absurd, es ist für Frankreich nicht unehrenhafter als für jede andere Macht, eine Provinz nach einem mißglückten Kriege abtreten zu müssen. Einverstanden! Aber wir Geldleute, wir müssen rechnen und sind gezwungen, die Eigenschaften und Fehler der Völker, die Anleihen benötigen, in unsere Rechnung einzustellen. Der Kredit regelt sich nach diesen Erwägungen.

Herr von Bismarck ist imstande, Frankreich zu ruinieren. Ich glaube aber nicht, daß dies im Interesse Deutschlands und schon gar nicht im Interesse Österreichs, Rußlands oder Englands liegt. Ich stelle Ihnen die Dinge so dar, wie sie sind. Wenn es Österreich nicht gelingt, einen vernünftigen Frieden zu erreichen, dann möge es sich auf einen Verzweiflungskampf, auf einen Krieg ohne Aufhören, auf Kämpfe ohne Ende, auf eine barbarische Tyrannei gefaßt machen, die in der Geschichte ohne Beispiel dasteht."

Gustav Rothschild war übrigens der Ansicht, daß der Friede nach Sedan oder in Ferrières vielleicht noch vernichtender geworden wäre, weil der lange Widerstand nach seinen Worten die Nation wieder aufrichtete, sie von vielen Illusionen heilte und die rote Partei zerstörte. Mit Genugtuung bemerkte Gustav Rothschild, daß die bonapartistische Partei als solche bei den Wahlen ein gänzliches Fiasko erlitten habe.

„Die Waffenbrüderschaft," meinte er, „die Selbstverleugnung der Reichen und die Tapferkeit der Aristokraten haben in Paris die Furcht verschwinden lassen, die man vor einer zweiten Junischlacht hätte haben können. Ich bin alle Tage in meinem Brougham durch Belleville und die übelberüchtigtesten Bezirke gefahren und bin niemals von der Menge insultiert worden, die ihren alten Haß gegen die Aristokraten vergessen hat. Wenigstens dafür war das Unglück gut."

Als Graf Vitzthum Gustav Rothschild mitteilte, daß Changarnier, der alte Freund seines Hauses, nach Bordeaux abgereist sei und die Absicht habe, dort „Es lebe der König, es lebe Heinrich V.“ zu rufen, da schien Gustav Rothschild zuerst erstaunt. Dann sagte er mit einem Male, sich der guten Beziehungen seines Hauses zu den bourbonischen Königsfamilien erinnernd: „Meiner Treu, der General hat recht, nur das allein kann man tun!“

Dieses Gespräch Gustav Rothschilds war in mehr als einer Beziehung von Interesse. Auf der einen Seite konnte man darin den Versuch des Hauses Rothschild erblicken, in letzter Stunde zugunsten Frankreichs in die im Gange befindlichen Friedensverhandlungen aktiv einzugreifen, und dann zeigte es deutlich genug, wie wenig das Haus Rothschild für das kaiserliche Regime übrig gehabt hatte. Freilich, über die Stimmung der Massen in Paris täuschte sich Gustav Rothschild, er sollte wenige Monate später durch den Kommuneaufstand eines Besseren belehrt werden.

Inzwischen hatten Thiers, Jules Favre und Alfons Rothschild die Verhandlungen über den Präliminarfrieden in Versailles beendet. Schweren Herzens mußten die Bismarckschen Bedingungen, Elsaß-Lothringen und fünf Milliarden, zugestanden werden. Alfons Rothschild garantierte im Verein mit anderen Bankiers die finanziellen Operationen, die zur Verproviantierung der Stadt nötigen Summen und die als Kontribution von der Stadt Paris geforderten Millionen.

Die englische Regierung hatte wirklich, wie es Disraeli und sein Hintermann Lionel Rothschild so sehnlich wünschten, in letzter Stunde versucht, eine schiedsgerichtliche Entscheidung über die Höhe der geforderten Kriegsentschädigung vorzuschlagen. Aber sie kam zu spät, man nahm keine Rücksicht mehr auf Englands Einschreiten.

So wurde am 26. Februar 1871 der Präliminarfriede von Versailles geschlossen, der einem der folgenschwersten Kriege des 19. Jahrhunderts ein Ende machte.

Eine kleine persönliche Rache versagte sich Bismarck Rothschild gegenüber nicht. Als drei Tage nach Unterzeichnung des Präliminarfriedens Thiers' Ordonnanzoffizier d'Hérisson in Versailles bei Tische mitspeiste, erzählte Bismarck absichtlich von dem ungehörigen Betragen des Rothschildschen Verwalters in Ferrières und sprach dann im allgemeinen von den Rothschild, deren Ahnherr Hofjude der Kurfürsten von Hessen und Hausjude zahlreicher Adelsfamilien gewesen sei.[1]

Am 11. März verließen Kaiser Wilhelm und das deutsche Hauptquartier Versailles. Noch aber sollte Paris schwere und blutige Tage durchleben.

Gustav Rothschild hatte die sozialen Gegensätze zu optimistisch beurteilt. Knapp vor und während der Friedensverhandlungen kam es in Paris zu Unruhen, die sich gegen die neue Staatsgewalt richteten. Am 18. März brach der unter dem Namen „Commune" bekannte Aufstand in voller Stärke aus. Die Regierung zog es vor, die Hauptstadt zunächst zu räumen und sich nach Versailles zurückzuziehen, wohin seit kurzem die Nationalversammlung verlegt worden war. Mit der Regierung verließ auch Alfons Rothschild, der in fortwährendem die Finanzen betreffenden Kontakt mit Thiers stand, die Hauptstadt und stieg bei der Überfüllung dieses Städtchens in einem Zimmer des Hotel des Reservoirs ab, das durch Wandschirme in eine Art Appartement verwandelt wurde.

Dort verlebte Alfons Rothschild die Schreckenszeit der Pariser Kommune, in deren Verlauf zahlreiche Kämpfe mit den Regierungstruppen just an den Barrikaden vor dem Rothschildschen Palais und dem zunächstgelegenen, den Pereires gehörigen Hotel stattfanden. Wunderbarerweise erlitten die Rothschildschen Wohnungen und Besitztümer, obwohl in

[1] Bismarck, Gesammelte Werke, Bd. VII, S. 489. Tischgespräch in Versailles. Busch, Tagebuchblätter.

Paris furchtbar gehaust wurde und selbst die Tuilerien in Flammen aufgingen, diesmal fast keinen Schaden.

Endlich gelang es den Regierungstruppen, Ende Mai des Aufstandes Herr zu werden und durch energisches Zugreifen in Paris Ordnung zu schaffen. Die Regierungsstellen und die Flüchtlinge aller Art, darunter die Rothschild, kehrten in die Hauptstadt zurück und mußten nun darangehen, die Friedensbedingungen nun auch wirklich zu erfüllen.

Hieran, besonders natürlich an den Modalitäten der Zahlung der Kriegsentschädigung, waren die Rothschild in weitgehendem Maße beteiligt. Thiers und Favre hatten sie vor anderen Bankiers zu den Friedensverhandlungen zugezogen, weil sie wußten, daß hinter den Pariser Rothschild, die ebenso wie alle anderen französischen Bankiers durch den Krieg schwere Verluste erlitten hatten, deren Vettern in den übrigen Großstädten Europas, insbesondere die in London und Frankfurt, standen. Bei der unvergleichlichen Stellung, die sich Lionel nicht zuletzt ob seiner Freundschaft mit Disraeli, der so lange Schatzkanzler und 1868 auch schon Ministerpräsident gewesen, hatte verschaffen können, mußte dessen finanzielle Unterstützung für Frankreich von höchstem Werte sein. Lionel entsprach den in ihn gesetzten Erwartungen, indem er an die Spitze des Syndikates englischer Bankiers trat, die durch Erhaltung des Wechselkurses die französischen Kriegsentschädigungszahlungen erleichterten.

Auch bei den Anleiheoperationen, die es Frankreich ermöglichten, die fünf Milliarden volle zwei Jahre früher abzuzahlen, als vorgesehen war, und dadurch das von den Deutschen besetzte französische Gebiet um diesen Zeitraum früher frei zu bekommen, beteiligte sich das englische und das französische Rothschildhaus in weitgehendem Maße.

Dadurch verpflichteten sich die Rothschild die neuen Staatslenker und die neue Staatsform, die Republik. Napoleon III. weinten sie keine Träne nach und konnten sich, da nun einmal die schönen Tage der Bourbonenherrschaft endgültig begraben schienen, unter diesen Verhältnissen auch mit der Republik befreunden.

Finanziell unerschüttert und als Männer, die auf ihren bewiesenen französischen Patriotismus hinweisen konnten, gingen die Pariser Rothschild aus den Stürmen des Krieges 1870/1871 hervor.

So gelang es ihnen, ihre Stellung und ihren Reichtum in Frankreich zu wahren und auch unter den neuen Verhältnissen im politisch-finanziellen Leben der dritten Republik, wenn auch nicht entscheidend, so doch in bedeutender Rolle einzugreifen.

AUSBLICK

DIE ROTHSCHILD AM AUSGANG DES 19. UND IM ERSTEN VIERTEL DES 20. JAHRHUNDERTS

In dem halben Jahrhundert, das dem Deutsch-Französischen Kriege folgte, entwickelte sich das Haus Rothschild nicht mehr in dem stürmischen Tempo wie früher, ist aber auch nicht von seiner erreichten sozialen und wirtschaftlichen Höhe herabgestiegen. Die gesellschaftliche Stellung der Familie ist, zumal in ihren Sitzen außerhalb Deutschlands, auf einer Höhe angelangt, die angesichts der Herkunft dieser Familie überraschen muß, ja als einzigartig zu bezeichnen ist. Wirtschaftlich wußten sie durch alle Wechselfälle der modernen Zeit ihren Reichtum auf imponierender Höhe zu erhalten, wiewohl sie den Vorzug, die reichsten in Europa zu sein, an andere abtreten mußten.

Gestützt auf ihre soziale Stellung und finanzielle Kraft, getragen von den internationalen Verbindungen, die dem Judentum so sehr zustatten kommen, und in geschickter Anpassung an die Strömungen des Tages, wußten sie bis in unsere Zeit auf die wichtigen politischen und wirtschaftlichen Ereignisse wenn nicht gerade entscheidenden Einfluß zu üben, so doch tätig daran teilzunehmen. Heute noch kann man in den Ländern, in denen die Familie ansässig ist, nicht an ihnen vorübergehen. Immerhin hat sich die allgemeine Stellung des Hauses gegenüber früher etwas geändert. Seitdem die fünf Brüder der zweiten Generation vom Schauplatz verschwunden waren, hat sich der früher so enge Zusammenhalt und die innige Zusammenarbeit einigermaßen gelockert. Das war schon dadurch bedingt, daß die

Angehörigen der dritten Generation sich den Nationen, in deren Schoße sie lebten, fast völlig angepaßt hatten und in ihrer Mitte national und patriotisch fühlten. In England sowohl, wie in Frankreich und in Österreich hatten sich die Mitglieder der Familie Rothschild naturalisieren lassen. Von der höchsten Gesellschaft dieser Länder in ihren Kreis aufgenommen, war es nur zu begreiflich, daß sie bestrebt waren, sich nicht weniger als jeder eingeborene Engländer, Franzose oder Österreicher, dessen Familie schon seit urdenklicher Zeit im Lande ansässig war, patriotisch zu erweisen. Auch in vermögensrechtlicher Beziehung machten sich diese Verhältnisse fühlbar. Während zur Zeit der fünf Brüder alle drei bis fünf Jahre Bestimmungen vereinbart worden waren, auf Grund deren jeder an allen Geschäften mit Gewinn und Verlust partizipierte, hatte nun jedes der vier noch bestehenden Häuser sein eigenes Privatvermögen und selbst seine eigenen Geschäfte. Nur was gewisse große Unternehmungen betrifft, die ein Zusammenwirken erheischen, blieben die vier Häuser nach besonderen Vereinbarungen immer noch einig und gleichsam ein einziges Geschäftshaus. Das hinderte nicht, daß jedes Haus das andere auch in seinen Spezialgeschäften durch Informationen oder tätige Hilfe unterstützte, sowie es dazu Gelegenheit hatte. Die bedeutendsten Männer der Zeit erkannten, oft wider Willen, die von den Rothschild erworbene Sonderstellung an.

Bismarck, den wir ihnen wiederholt bald skeptisch, bald wohlwollend gegenübertreten sahen, sagte einmal gelegentlich eines Reichstagsdiners beim Kronprinzen, an dem auch Meyer Carl, der Frankfurter Rothschild, teilnahm, er vermisse ihn in Berlin, er sollte dort öfter weilen, mehr Haus machen und Diners geben, das sei er seinem Hause schuldig. Als Rothschild fragte, ob er Diners im Gasthause geben solle, antwortete Bismarck, es wäre noch besser, wenn er sich in Berlin ein eigenes Haus hielte. Denn mit den Rothschild in

Paris und in London sei es ja doch nichts Ordentliches mehr, und da sollte der Frankfurter in Berlin etwas tun.[1] Damit bestätigte Bismarck die tatsächliche Entwicklung, daß die Rothschild nach 1870 nicht mehr ausschließlich ein internationales Bankhaus bildeten wie früher, sondern mehrere nationale Firmen darstellten, die allerdings immer noch in gewissem Zusammenhang standen.

Es kam zu keinem Berliner Etablissement, ja das Frankfurter Stammhaus trat unter dem Kaiserreich an Bedeutung mehr und mehr zurück.

Meyer Carl, der Chef des Frankfurter Hauses, hat sich gegen die sonstige Gepflogenheit der deutschen Rothschild aktiv politisch betätigt. 1867 ward er Abgeordneter von Frankfurt im Reichstag des Norddeutschen Bundes, später Mitglied des preußischen Herrenhauses und des Reichstages im neuen Kaiserreich. Ja, er war sogar zwei Jahre Stadtverordneter von Frankfurt, was nicht lange vorher für einen Juden unerhört gewesen wäre. Meyer Carl arbeitete in enger Verbindung mit seinem Bruder Wilhelm, während Adolf, der in Neapel gewesen war, sich in Paris ansässig machte. Meyer Carl empfand es als ein schweres Mißgeschick, daß ihm kein Sohn, sondern nur Töchter beschieden waren. Auch sein Bruder Wilhelm hatte keine männlichen Nachkommen. Der Ehrgeiz Meyer Carls, im Kaiserreiche Wilhelms I. eine hohe und geachtete Stellung einzunehmen, zeigte sich auch in späterer Zeit in einem wahren Ordenshunger. Der nunmehrige Kaiser war mittlerweile von seiner strengen Auffassung, Orden mit christlichen Emblemen Juden nur in abgeänderter Form zu verleihen, abgekommen, und launig schrieb er eines Tages, als Meyer Carl auf ein Großkreuz mit breitem Bande aspirierte, an Bismarck[2]:

---

[1] Siehe Bismarck, Gesammelte Werke, ein bei Busch wiedergegebenes Tischgespräch. VII./466. — [2] Anhang zu den Gedanken und Erinnerungen von Otto Fürsten von Bismarck, Stuttgart–Berlin, 1901. Kaiser Wilhelm an Bismarck, Berlin, 16. I. 1875.

„Carl Meyer Baron von Rothschild ist stark an Band-Wurm erkrankt beim Herannahen des Ordensfestes. Diese Krankheit vermag ich nicht zu heilen, aber Kreuzschmerzen ließen sich kurieren. Es wäre dafür anzuführen, daß er allerdings in dem Kriegsjahre enorm viel für die Wohltätigkeitszwecke getan hat, wofür seine Frau das Verdienstkreuz erhalten; sie hat natürlich das Geld verwendet, was der Mann ihr gab, während er keine Auszeichnung erhielt."

Geschäftlich und politisch verlor das Frankfurter Haus in den folgenden Jahrzehnten bedeutend an Einfluß. Als Meyer Carl im Jahre 1886 starb, wurde sein Bruder Wilhelm Chef des Bankhauses Meyer Amschel Rothschild und Söhne. Doch war er keineswegs aus jenem Holz geschnitzt, um die Frankfurter Firma wieder aufblühen zu lassen. Als er im Jahre 1901 starb, erlosch die Stammfirma.

Heute lebt sie indirekt in dem Goldschmidt-Rothschildschen Bankhause weiter. Die Tochter Wilhelms von Rothschild, Minna Caroline, hatte nämlich Maximilian von Goldschmidt geheiratet, der in Frankfurt ein selbständiges Bankhaus betrieb und nach der Heirat seinem Namen den Namen Rothschild anfügte. Da dieses Paar einen großen Teil des ungeheuren Vermögens des vom Schauplatze verschwundenen Stammhauses erbte, gewann bald auch das Bankhaus von Goldschmidt-Rothschild große Bedeutung.

Von der Größe dieses Nachlasses kann man sich aus den Steuerleistungen ebenso wie aus einer gelegentlichen interessanten Schätzung Bismarcks ein Bild machen. Dieser hatte schon 1875, als er den Krieg gegen Rom führte, darüber gesagt[1]: „Wenn ich den Jesuitenorden zur Einkommensteuer einschätzen sollte, würde ich ihn augenblicklich nicht ganz so hoch wie das Vermögen des verstorbenen Rothschild, aber doch über die Hälfte desselben, das heißt etwa auf 250 bis

[1] Ernst Ludwig von Gerlach, Aufzeichnungen aus seinem Leben und Wirken 1795–1877. Herausgegeben von Jakob v. Gerlach, II/391.

280 Million Thaler, also ca. 1 Milliarde Francs im Capital einschätzen."

Kaiser Wilhelm II. soll nach den Tagebüchern des französischen Botschafters George Louis im April 1908, als er einst an Bord der „Hohenzollern" im Hafen von Palermo weilte, einen eben mit seiner Jacht eingetroffenen jungen Pariser Rothschild empfangen und ihm, wie einst Bismarck es getan, nahegelegt haben, ein Mitglied seiner Familie nach Berlin zu verpflanzen.[1] Der Botschafter behauptete, der Monarch habe in einem mehr als einstündigem Gespräch dem jungen Mann gegenüber die Größe seines Hauses und die von ihm geleisteten Dienste gerühmt und bedauert, daß das Haus, das doch aus dem deutschen Frankfurt stamme, in Deutschland nicht mehr vertreten sei. Es möge doch ein Glied der Familie wieder nach Deutschland kommen; er, der Kaiser, hege keinerlei Religions- oder Rassenvorurteile und werde einem solchen Zweige der Rothschild in Deutschland eine Stellung geben, welche die der Häuser in Paris und London noch überrage. Eine Anfrage bei einer Kaiser Wilhelm sehr nahestehenden Persönlichkeit ergab dagegen, daß diese Erzählung George Louis' vollkommen aus der Luft gegriffen war, der Kaiser niemals ein solches Gespräch geführt und daher auch niemals eine solche Aufforderung an ein Mitglied des Hauses gerichtet habe. Wie dem immer sei, die Tatsache blieb bestehen, daß es nun in Deutschland, aus dem die Rothschild zur Eroberung Europas ausgezogen waren, kein eigentliches Haus mehr gab und von den fünf ursprünglichen Niederlassungen nur noch die von London, Paris und Wien blühten.

Dagegen hatte Anselm in Österreich das Ansehen des dortigen Geschäftshauses und die Bedeutung seiner Familie, die unter der Flucht Salomons im Jahre 1848 so sehr gelitten hatten, wiederherzustellen gewußt. Als nach dem Deutsch-Französischen Krieg ein wahres Gründungsfieber und eine

[1] Louis, Carnet. Paris 1924. I./15. Tagebucheintragung vom 9. V. 1908.

beispiellose Überspekulation auch in Österreich einsetzte, verurteilte Anselm diese Bestrebungen und hielt sich soweit wie möglich davon ferne. Ohne den großen finanziellen Rückhalt der Rothschildschen Häuser zu besitzen, glaubten es viele der von Rothschild gegründeten Kreditanstalt gleichtun zu können, deren Aktien im Kurse unerhört gestiegen waren. Das führte schließlich zu dem berüchtigten großen Krach vom 8. Mai 1873, in den Anselm nach großen Abgaben vorbereitet eintrat, während ringsum die Neugründungen und Banken vernichtet zu Boden sanken. Da einzig das Haus Rothschild ohne größeren Schaden aus diesem Zusammenbruch hervorging, erwuchsen ihm viele Feinde und Kritiker. Als Anselm im Juli des Jahres 1874 starb, war sein Vermögen gegenüber seinem Erbe beträchtlich angewachsen, doch war das mehr auf vorsichtige, auf Erhalten der bestehenden Werte gerichtete Gebarung sowie auf natürliche Vermehrung des bestehenden großen Vermögens als auf neue großzügige Unternehmungen zurückzuführen.

Die Stiftung des Währinger israelitischen Krankenhauses erinnert heute noch an seinen Namen. Anselm hatte drei Söhne, deren ältester, Nathaniel, den Geschäften durchaus abhold, der Geselligkeit und Kunstliebhaberei lebte. Das ging nicht ohne Konflikte mit dem Vater ab. Anselm verteilte in seinem Testament das Haus in Paris, Rue Laffitte 17, den „Römischen Kaiser“ in Wien, das Haus in der Renngasse, den Gundelhof am Bauernmarkt und die Besitzungen Schillersdorf und Beneschau unter seine Kinder. Dabei schärfte er ihnen ausdrücklich ein, diese Besitztümer niemals zu verkaufen oder zu verpfänden, sondern getreulich in der männlichen Nachkommenschaft zu erhalten. Er berücksichtigte auch die verschiedenen Neigungen seiner Söhne. Nathaniel und Ferdinand hatten gleich ihm, wie er schrieb, eine besondere Vorliebe für die Kunst, namentlich für solche Kunstgegenstände, welche aus der Kunstepoche der Renaissance

herrühren. Dagegen liebte es sein Sohn Albert, sich mehr mit geschäftlichen und technischen Dingen abzugeben.
Anselm sprach in seinem Testament des weiteren von der Notwendigkeit der Erhaltung des „lebhaften Sinnes für brüderliche Eintracht, welche bisher bestand und gewiß auch in alle Zukunft fortbestehen wird, von dem Eifer für gedeihliches Zusammenwirken in der Familie und von der sorglichen Pflege aller Familieninteressen".
Anklänge an den letzten Willen des Gründers des Bankhauses finden sich in den Artikeln 20 und 21 des Anselmschen Testamentes. „Ich ermahne [1]", schrieb er dort, „meine sämtlichen lieben Kinder stets in größter Einigkeit zu leben, die Familienbande nicht lockern zu lassen, alle Streitigkeiten, mißliebige Erörterungen und Prozesse untereinander zu meiden, gegenseitig Nachsicht und Milde zu üben, und sich nicht zu Heftigkeiten hinreißen zu lassen. Diese Bethätigungen eines sanften Gemütes und freundlicher Ruhe wie solche meine Kinder besonders an ihren trefflichen Großeltern vor sich gesehen haben, sind die sicheren Bedingungen des Glücks und der Blüthe der ganzen von Rothschildschen Familie immer gewesen und meine lieben Kinder mögen nie und nimmer diese Familien-Überlieferung außer Augen setzen.
Die Ermahnungen meines seligen Vaters, ihres sie aufrichtig liebenden Großvaters in dem Artikel 15 seines Testamentes gleich mir folgend, mögen sie und ihre Nachkommen dem väterlichen Israelitischen Glauben stets unwandelbar und unabänderlich treu bleiben.
Ich untersage ausdrücklich und auf das Bestimmteste für alle und jede Fälle die Aufnahme eines gerichtlichen oder sonstigen öffentlichen Inventariums über meine Nachlassenschaft . . . ferner jede gerichtliche Einschreitung und jede Veroffenbarung des Nachlaßbestandes . . . Wer diesen Vor-

[1] Testament des Freiherrn Anselm von Rothschild. Stadtarchiv. Frankfurt a. M.

schriften zuwiderhandelt und in irgend einer Form Anträge stellt, welche jenen Untersagungen widerstreiten, soll ohne weiteres so angesehen werden, als hätte er das Testament angefochten, und soll die für diesen Fall bestimmte Verwirkung erleiden."

Auch Anselm wünschte also nicht, daß die Gerichte allzu tiefen Einblick in die finanziellen Verhältnisse des Hauses Rothschild gewännen, was ja unvermeidbar ist, wenn gerichtliche Streitigkeiten zwischen Familienmitgliedern auszutragen sind.

Nun wurde Albert Salomon von Rothschild, der drittjüngste Sohn Anselms, Chef des Wiener Hauses, während die beiden älteren Söhne, Nathaniel, der Kunstsammler, und Ferdinand, der Sportsmann großen Stils, ihren Liebhabereien lebten. Im Jahre 1844 geboren, absolvierte Albert das Gymnasium in Wien, die Universität in Bonn und eine Bankpraxis in Hamburg und unternahm weite Reisen, bis er 1874 an die Spitze des Wiener Hauses trat. Zwei Jahre später heiratete er die Tochter Alfons Rothschilds aus Paris und folgte so dem Beispiel seiner Vorfahren, die mit wenigen Ausnahmen immer wieder nur Mitglieder ihrer eigenen Familie geheiratet hatten.

Seine Stellung in der Finanzwelt und in der Wiener Gesellschaft war viel bedeutender als die seines Vaters. Vor allem in Ungarn betätigte er sich bei der Konversion der 6%igen Goldrente von 1881. In Wien hatte er sich gegen einen großzügigen Versuch des finanziellen Faiseurs Bontoux zu wehren, der als Gegengewicht gegen die Rothschild mit Unterstützung der Regierung die Länderbank gründete.

In der auswärtigen Politik verloren die Rothschild gewaltig an Einfluß, um sich dagegen finanziell und sozial auf unveränderter Höhe zu erhalten. Ihr Häuser- und Grundbesitz in der Monarchie wuchs in ausgedehntem Maße. In Wien erbaute sich Nathaniel das Palais in der Theresianumgasse, dessen prachtvolle Einrichtung es zu einer Sehenswürdigkeit der Stadt stempelt. Der Wert der Kunstwerke und der der historisch bedeutsamen Gegenstände ist kaum abzuschätzen. So sind zum Beispiel im Speisesaal [1] vier Bilder von Vanloo in die Boiserie eingelassen, die die vier bildenden Künste darstellen und einst im Auftrage der Marquise Pompadour für ihr Schloß Bellevue gemalt wurden. In einer Nische steht ein kleiner ovaler Louis-seize-Tisch mit Porphyrplatte, der aus dem Besitz der Königin Marie Antoinette stammt und ihr Monogramm mit der Krone trägt. In einer der elektrisch beleuchteten Vitrinen prangt ein aus zwölf prächtigen Stücken bestehendes emailliertes sogenanntes Mediciporzellan aus dem sechzehnten Jahrhundert. Auf einer roten Tafel liegt ein Degen mit reich vergoldetem Griff, der einst Wallenstein gehörte. Das Palais birgt auch ein Reise-Necessaire aus Gold in einer Rosenholzkassette mit dem Wappen Napoleons I., das der Kaiser nach Waterloo im Reisewagen hatte liegen lassen. Supraporten sind mit Malereien von Fragonard und Boucher geschmückt, und von den Wänden grüßen eine Prinzessin von Hannover von Lawrence, „The laughing girl“ von Reynolds, die Mutter Louis Philippes von Lampi, das Bild der Pompadour von Nattier und unzählige andere kostbare Gemälde.

Das Palais, das sich Albert Rothschild im Louis-seize-Stil in der Prinz-Eugen-Straße errichten ließ, macht von außen den Eindruck, als wäre es mit Vorbedacht so gebaut, daß ein etwaiger Überfall von der Straße her nicht leicht zu bewerkstelligen sei. Schon der steinerne Sockel, auf dem das viele Meter hoch aufragende, starke Umfassungsgitter ruht, ist größer als die normale Höhe eines Passanten. Das Palais selbst ist etwas zurückgezogen, und nach Passieren des Gitters ist eine größere freie Fläche zu überschreiten. Diese

---

[1] Fritsche, Viktor von, Bilder aus dem österreichischen Hof- und Gesellschaftsleben, Wien 1914. S. 227.

29. Freiherr Meyer Carl von Rothschild und Freiherr von Eckardstein auf dem Hofball

Nach einer Zeichnung von Anton v. Werner

Maßnahmen mögen wohl in den schlimmen Erfahrungen der 1848er Revolution in Paris und Wien begründet sein. Innen freilich ist das Palais nicht minder prächtig eingerichtet als das in der Theresianumgasse.
Weithin bekannt sind die sog. Wiener Rothschildgärten auf der hohen Warte, die ein wahres Paradies darstellen, wo zu jeder Jahreszeit kostbarste Blüten und Obstsorten in voller Entwicklung zu sehen sind.
Kein Wunder, daß sich mit solcher äußerer Lebensführung auch der Wunsch verband, gesellschaftlich immer höher zu steigen. Insbesondere suchten die Rothschild, gleich den bevorzugten höchsten Adelsfamilien des Landes, die volle Hoffähigkeit zu erlangen. Mit allem Eifer wurde versucht, diesen Wunsch durchzusetzen. Die Rothschild hatten sich zahlreiche Angehörige des hohen Adels zu verpflichten gewußt. Alfons in Paris setzte den dem Kaiser Franz Joseph befreundeten König Albert von Sachsen in Bewegung, um seinem Schwiegersohne die Auszeichnung zu verschaffen. Doch er stieß anfänglich auf harten Widerstand, und es bedurfte noch mannigfacher, den Finanzen des Staates und wohltätigen Zwecken gewidmeter Dienste und Opfer, bis man sich im Winter 1887 entschloß, für Albert Rothschild und seine Frau eine Ausnahme zu machen und sie für hoffähig zu erklären. Auch die übrigen Glieder des Hauses errangen mit der Zeit diese Auszeichnung. Seither fühlen sich die Rothschild als gleichberechtigte Mitglieder der sogenannten „Wiener Hofgesellschaft", in deren Kreisen sie bis auf den heutigen Tag fast ausschließlich verkehren.
Der Kaiser selbst blieb, wie aller Welt, auch ihnen gegenüber der kühle, gemessene Herrscher, der ihnen weder mit Abneigung noch mit besonderem Wohlwollen entgegentrat, anderseits aber ihre Position und finanzielle Bedeutung nicht übersehen konnte.
Kaiserin Elisabeth stand dagegen mit den weiblichen Mit-

gliedern des Hauses Rothschild in freundschaftlichen Beziehungen. Baronin Julie Rothschild, die Tochter Anselms, die an den in Paris lebenden Baron Adolf verheiratet war, erfreute sich ihrer besonderen Gunst. Julie Rothschild besaß in Pregny am Genfer See eine entzückende Villa mit ausgedehnten Glashäusern, in denen sie ihrer Blumenliebhaberei leben konnte. Da auch die Kaiserin Blumen über alles liebte, so konnte dies zum Anlaß für eine Einladung der Kaiserin nach Pregny genommen werden. Es war das schicksalschwere Jahr 1898. Eben war die Kaiserin nach einer Kur in Nauheim, wo sie ihrem schwachen Herzen aufhelfen wollte, in München eingetroffen und hatte in ihrem einstigen Mädchenzimmer in der Residenz übernachtet. Von dort reiste sie nach der Schweiz, wo sie am 9. September bei Baronin Julie in Pregny eintraf. Am Eingang der Villa empfing die Baronin, eine sympathische distinguierte Dame[1], ihren hohen Gast, der von der Grafin Sztáray begleitet war. Im Speisesaal stand ein üppiges Dejeuner bereit, das auf Altwiener Porzellan und in alten geschliffenen Kristallgläsern serviert wurde. Anfangs fühlte sich die Kaiserin durch die fortwährend um den Tisch bemühte, reich gekleidete Dienerschaft geniert. Aber die unbefangene Heiterkeit der Hausfrau und die von einem verborgenen Orchester leise ertönenden italienischen Weisen brachten die sonst sehr diffizile Monarchin in eine so gute Stimmung, daß sie, was sie sonst sehr selten tat, mit einem Glas Champagner mit der Hausfrau anstieß. Dann ging es in den Garten, um die unvergleichliche Pracht der Glashäuser zu besichtigen. Da war die herrlichste Flora, nach Ländern und Zonen gruppiert, in üppiger, blendender Farbenpracht zu bewundern. Insbesondere die Orchideen erweckten das helle Entzücken der Kaiserin. Als man Elisabeth beim Abschied das Gästebuch überreichte, schrieb sie

[1] Gräfin Irma Sztáray, Aus den letzten Jahren der Kaiserin Elisabeth. Wien 1909. Seite 214ff.

zuerst mit festem Zug ihren Namen und blätterte dann, für die Hausfrau unerwartet, eine Seite weiter. Plötzlich überzog Blässe ihr auch im Alter noch schönes Gesicht, und wortlos reichte sie das Buch der Gräfin Sztáray, die zu ihrem Schrecken auf der aufgeschlagenen Seite den Namen „Rudolph" fand. Dieser Zwischenfall brachte wohl die Kaiserin dazu, nach dem sonst so fröhlich verlebten Tage bei der Rückfahrt mit der Gräfin Sztáray über Religion und Tod zu sprechen. Als die letztere bemerkte, daß sie diesem mit Vertrauen entgegensehe, antwortete Elisabeth: „Ich aber fürchte ihn, obschon ich ihn oft ersehne; doch dieser Übergang, diese Ungewißheit macht mich erzittern und besonders der furchtbare Kampf, den man bestehen muß, ehe man dorthin gelangt." Ahnungslos verbrachte die Kaiserin die Nacht im Hotel Beaurivage in Genf. Am folgenden Tage traf sie der nadeldünne, spitze Dolch des Anarchisten Luccheni mitten ins Herz. Sie war sich selbst nicht darüber klar, was geschehen war, und der gefürchtete Todeskampf blieb ihr erspart.

Albert Rothschild starb am 24. März 1892, und seither leiten von seinen fünf Söhnen Alfons und Louis die Geschicke des Wiener Hauses.

Die Rothschild in Frankreich beharrten indessen in ihrer Deutschland feindlichen Einstellung, was zusammen mit ihren finanziellen Diensten ihre Stellung bei den neuen republikanischen Machthabern befestigte. Der deutsche Botschafter von Arnim sah sich sogar einmal zu scharfer Stellungnahme gegen die Rothschild veranlaßt. Die Gemahlin Alfons' hatte nämlich in einer Gesellschaft eine den Kaiser Wilhelm verhöhnende Anekdote erzählt. Das führte zu einer erregten diplomatischen und gesellschaftlichen Kontroverse. Die Dame verlegte sich allerdings aufs Leugnen.

Solange der konservative Thiers am Ruder war, ging alles gut. Die Rothschild fanden sich mit der neuen Staatsform ab, die ihnen weit mehr zusagte als das Regime Napoleons. Noch freudiger hätten sie freilich eine bourbonische Restauration, am liebsten des Hauses Orléans begrüßt, doch hüteten sie sich, mit diesem Wunsche irgendwie hervorzutreten. Weniger einverstanden waren sie mit dem monarchisch-klerikalen Regime des Marschalls Mac Mahon. Sie hielten ihn auch nicht für begabt genug, um an der Spitze des Staates zu verbleiben.[1]

Das Jahr 1877 brachte nach aufgeregten Parteikämpfen in Frankreich den endgültigen Sieg des republikanischen Gedankens und ein neues Ministerium, in dem der Freund des Hauses Rothschild, Léon Say, der seinen liberalen Grundsätzen treu geblieben war, wieder die Finanzen übernahm. Er galt allgemein als Vertrauter des Hauses Rothschild, und das Bankhaus zog aus dieser Verbindung manchen Vorteil. Zu Beginn der achtziger Jahre, in der Amtszeit Gambettas, wehte wieder eine den Rothschild ungünstigere Luft. Der Präsident war gegen die Privatgesellschaften eingenommen, die die Bahnen Frankreichs in Händen hielten, und daher auch gegen die Rothschild, die ja die größten privaten Eisenbahnunternehmer in Frankreich waren. Mit seinem Sturz und Tod im Jahre 1882 waren sie dieser Sorge ledig. Zwischen dem französischen Staat und den sechs großen Eisenbahngesellschaften wurde ein Vertrag abgeschlossen, wonach der erstere sich verpflichtete, für dreißig Jahre von seinem Recht auf Rückkauf der Privatbahnen gegen Rückzahlung seiner Vorschüsse keinen Gebrauch zu machen. Dem

[1] Der Abgeordnete Lucius schrieb im Jahre 1876, als das republikanische Regime wieder die Oberhand in Frankreich bekam, über den Marschall an Bismarck: „Mac Mahon ist — wie selbst so vorsichtige und wenig zu Kraftausdrücken geneigte Leute wie der Pariser Rothschild sagen, ‚ein reines Rindvieh‘. Er kann nicht drei Worte zusammenhängend sprechen, läßt sich vorher aufschreiben, was er sagen soll, und kann das dann nicht richtig herausbringen. In den Zeitungen steht dann freilich das, was er hätte sagen sollen.“ Bismarck, Die gesammelten Werke, Band VIII. S. 211.

General Boulanger, der den Rachekrieg gegen Deutschland predigte, waren die Rothschild trotz ihrer sonst unverändert patriotischen Einstellung in aller Vorsicht wenig geneigt, denn sie fürchteten einen neuen Krieg und die Kontinuität ihrer Geschäfte störende Unruhen. Alfons führte nach wie vor mit sicherer Hand die Geschicke des Pariser Hauses.

Der Gegensatz zwischen Frankreich und England wegen Ägyptens und des Suezkanals brachte das Pariser und Londoner Haus Rothschild, die ihre Regierungen dabei finanziell unterstützten, in manche Verlegenheit. Als diese Frage endgültig zugunsten Englands gelöst war, wurde der Weg frei für eine Annäherung zwischen den beiden Staaten. Schon 1877 hatte der Prinz von Wales, der spätere König Eduard VII., die Idee einer Entente aufgegriffen und durch seine persönlichen Freunde in Paris, darunter insbesondere Alfons Rothschild, dafür Stimmung zu machen versucht.[1]

Damals allerdings noch ohne Erfolg. Später machte ein Wechsel in der Weltlage Frankreich für die Idee empfänglicher. Aus der französischen Besetzung von Tunis ergab sich ein Gegensatz zwischen Italien und Frankreich, und im Mai 1882 wurde der erste Dreibund zwischen Deutschland, Österreich und Italien geschlossen. Das löste Besorgnisse in Frankreich vor einem möglichen Zweifrontenkriege aus, und Frankreich war bemüht, die geheimen Bestimmungen des Dreibundvertrages in Erfahrung zu bringen und womöglich Italien, das nur halben Herzens mit Österreich ging, wieder aus dieser Verbindung herauszumanövrieren. In den folgenden Jahren setzten die ersten Bestrebungen ein, Frankreich und Rußland zu einer Verständigung zu führen.

Die Verbindung mit Rußland war schon sehr weit gediehen, als man in Paris im April 1891 beschloß, energischer den Abfall Italiens vom Dreibund zu betreiben. Dazu benützte man auch den Vertreter des Hauses Rothschild in Rom, einen

[1] Sidney Lee, King Edward VII., London 1925, S. 347.

gewissen Padova.[1] Italien war nämlich damals auf dem französischen Finanzmarkt mit Anleihewünschen aufgetreten, und Padova sollte erklären, daß man einem Staate kein Geld leihen könne auf die Gefahr hin, daß er es gegebenenfalls in feindseliger Weise gegen die Heimat des Geldgebers verwende. Auf solche Weise versuchte man die militärischen Bestimmungen des Dreibundvertrages in Erfahrung zu bringen. Der österreichisch-ungarische Botschafter in Rom meldete sogar, er wisse aus zuverlässiger Quelle, daß ein Vertreter des Hauses Rothschild weitgehende Versprechungen finanzieller Natur in Aussicht gestellt habe, falls Italien in einem deutsch-französischen Krieg neutral bleiben oder sich im Falle der Rückeroberung von Elsaß und Lothringen reserviert verhalten würde.[2]

Gegenüber der französisch-russischen Annäherung hielten sich die Rothschild zunächst zurück. Schon die preußische Diskontogesellschaft, Bleichröder und die Frankfurter Rothschild hatten sich bei russischen Anleiheansuchen — die finanzielle Lage war einer der Hauptgründe, die das Zarentum Rußland in die Arme der Republik Frankreich trieb — ablehnend verhalten. Nicht zuletzt auch, weil die Juden in Rußland unter Verfolgungen zu leiden hatten. Als aber die Verbindung zwischen Frankreich und Rußland festere Gestalt annahm, die beiderseitigen Geschwader sich im Juli 1891 in Kronstadt verbrüderten und es nun als eine patriotische Pflicht erschien, die russischen Geldwünsche zu fördern, da erkannten die Pariser Rothschild, daß sie über die jüdischen Sonderklagen und Sonderinteressen hinwegsehen und sich im Interesse ihrer Stellung in Frankreich von der Beteiligung an den großen Anleihen, die Frankreich Rußland zur Verfügung stellte, nicht ausschließen könnten.

---

[1] Siehe Näheres darüber in dem Dokumentenwerk: Die große Politik der europäischen Kabinette usw. VII. S. 91. — [2] Pribram, Die politischen Geheimverträge Österreich-Ungarns 1879—1914. Wien—Leipzig 1920. S. 221.

Deutschland gegenüber schoben sie freilich die veränderte Haltung hauptsächlich darauf, daß sie nun – während sie bisher Rußland Anleihen wegen der Judenbedrückung versagten – versuchten, im Gegenteil, durch Zubilligung solcher, bessere Lebensbedingungen für die russischen Juden zu erreichen. Der Botschafter Deutschlands in Paris, Graf Münster, meldete darüber am 23. Oktober 1892 an den Reichskanzler von Caprivi: „Wenn ich bis jetzt auch immer angenommen habe, daß sich S. M. der Kaiser von Rußland der demokratischen Republik gegenüber niemals binden und nicht auf einen Allianzvertrag einlassen würde, so bin ich jetzt doch nicht mehr ganz sicher, ob nicht gewisse Abmachungen vereinbart wurden. Die Rothschild, die bisher stets behaupteten, daß nichts der Art existiere, stellen dieses nicht mehr so in Abrede, haben ganz plötzlich ihre abwehrende Haltung Rußland gegenüber geändert und verhandeln über eine 500-Millionen-Anleihe. Die Rothschild, die bisher Royalisten waren, haben sich der Republik genähert und gehen jetzt Hand in Hand mit der Regierung, da sie dadurch wieder Einfluß erlangen. Die Aussicht auf Gewinn und, wie Alphonse Rothschild behauptet, die Hoffnung, für die Juden in Rußland bessere Bedingungen zu erreichen, haben das hiesige Haus veranlaßt, auf die Anleiheverhandlungen einzugehen. Daß das Londoner Haus nichts mit dieser Anleihe zu tun haben will, zeigt, wie schlau diese großen Juden sind und wie sie sich immer eine Hintertür offen halten . . . Daß die Frau des neuen Finanzministers Witte, die mir von hiesigen Russinnen als eine kluge, sehr intrigante Jüdin geschildert wird, viel zur Verständigung mit den jüdischen Bankiers beiträgt, halte ich auch nicht für unmöglich. Die Pariser Börse fürchtet durch die Berliner überflügelt zu werden, die großen Juden glauben, daß, wenn sie Geld verdienen, sie den kleinen Juden am besten helfen können, und so geben die Franzosen, trotzdem daß der französische Markt mit russischen Werten übersättigt ist, gute Franken für schlechte Rubel."

Die internationale Stellung des Hauses brachte naturgemäß oft die Möglichkeit politischer Indiskretionen mit sich, die von weittragender Bedeutung sein konnten. So wissen wir heute aus den Memoiren des Fürsten von Eulenburg, daß die geheime Verständigung zwischen Frankreich und Italien über die Mittelmeerfragen, die den schließlichen Abfall Italiens vom Dreibund einleitete, durch den Bruder des Wiener Rothschild, Nathaniel, der die Nachricht von seinem Pariser Vetter hatte, noch ehe der Vertrag perfekt war, in Wien und Berlin bekannt wurde.[1]

Die soziale Stellung des Hauses Rothschild erhielt sich nach wie vor auf der höchsten erreichbaren Höhe. Die männlichen Mitglieder heirateten zumeist nur in der eigenen Familie oder zumindest Mädchen aus rein jüdischen Häusern, während die Töchter, gleichwie in England, vielfach Persönlichkeiten aus der Aristokratie ehelichten. So vermählten sich zum Beispiel Marguérite und Bertha Rothschild, die eine im Jahre 1878 mit dem Herzog Agenor von Gramont, die andere mit Alexandre Berthier, Herzog von Wagram, einem Nachkommen des berühmten Generalstabschefs Napoleons I.

Alfons Rothschild war, wie alle Mitglieder seiner Familie, deren Reichtum mit der Zeit einen geradezu sagenhaften Ruf erlangte, ein Opfer täglicher anonymer Drohbriefe. Bei ihm aber versuchte man die Drohungen auch tatsächlich auszuführen. Es mag sein, daß der Schuß, der eines Tages bei einer Jagd in Ferrières auf ihn abgegeben wurde, nur ein Unglücksfall war. Mit dem Paket jedoch, das an seine Adresse gerichtet war und bei der Eröffnung durch einen Sekretär explodierte, hatte man es gewiß auf sein Leben abgesehen.[2]

---

[1] Johannes Haller, Aus dem Leben des Fürsten Philipp zu Eulenburg-Hertefeld. Band II, S. 135. — [2] Constance Battersea, Reminiscences, London, 1922.

Neben seinem Amt als Chef des Pariser Hauses war Alfons auch Präsident der französischen Nordbahn. Zu seiner großen Freude wurde er sogar unter die vierzig Unsterblichen in der französischen Akademie aufgenommen. Er starb am 26. Mai 1905, und sein Sohn Eduard trat sein Erbe als Chef des französischen Bankhauses an. Alfons' Bruder Edmund hat sich durch sein Eintreten für den Zionismus und die jüdische Kolonie in Palästina bemerkbar gemacht.[1]

In der neuesten Zeit nahmen und nehmen die englischen Rothschild die überragende Stellung unter allen Zweigen der Familie ein. In der Zeit nach dem Deutsch-Französischen Kriege war dies besonders auf die engen Beziehungen Lionels zu Benjamin Disraeli, Earl of Beaconsfield, zurückzuführen. 1874 war dieser Staatsmann nach dem Rücktritt Gladstones wieder an die Spitze der Regierung getreten und hatte sich die besondere Zuneigung der Königin Victoria zu erwerben gewußt. Die jüdische Herkunft Disraelis, der allerdings zum Christentum übergetreten war, trug viel dazu bei, daß die Freundschaft mit Lionel, die schon aus der Jugendzeit stammte, höchst innig wurde. Beaconsfield schrieb einmal: „Ich bin immer der Meinung gewesen, daß es nicht genug Rothschild geben könne."[2]

Dem tat auch nicht Abbruch, daß Lionel der liberalen Partei und Disraeli der konservativen angehörte. Bankier und Minister verstanden sich sehr gut, und handelte es sich um die Frage der Emanzipation der Juden, so geschah es gewöhnlich, daß der konservative Minister gegen seine eigene Partei stimmte. Es ist klar, daß die Freundschaft mit dem Premierminister dem Hause Rothschild nicht zum Schaden gereichte, aber auch umgekehrt zog die britische Regierung und damit England aus dieser Verbindung Vorteil. Dies zeigte sich besonders gelegentlich der Frage des Einflusses auf den Suez-

---

[1] Siehe hierüber das eben erschienene Buch: Druck, Baron Edmond Rothschild, New York 1928. — [2] Battersea a. a. O. S. 48.

kanal. In Ägypten hatte der Khedive Ismail Pascha, der Enkel Mehemed Alis, der von 1863—1879 regierte, eine gewaltige Schuldenlast aufgehäuft. Wohl leitete er in seinem Lande eine Ära unerhörten Fortschrittes ein, aber er erhöhte auch die Schuldenlast von 300 Millionen Mark bis zum Jahre 1875 auf etwa 2 Milliarden, wobei auch seine persönliche Verschwendung eine Rolle spielte. Schließlich sah sich der Herrscher genötigt, die 177602 Stück Suezkanal-Aktien [1], die in seinem Besitze waren, zu veräußern, um für die dringendsten Erfordernisse Geld zu bekommen. Dieses mußte aber sofort zur Verfügung gestellt werden, und der Khedive war schon mit französischen Kapitalisten in Verbindung getreten. Von dem geplanten Geschäft erfuhr Lionel durch Heinrich Oppenheim, einen Bankier, der schon oft dem Khedive Geld geliehen hatte, und den Journalisten Frederik Greenwood. Disraeli hatte schon lange daran gedacht, seinem Lande durch den Ankauf einer großen Menge von Suezkanal-Aktien Einfluß auf diese Wasserstraße zu verschaffen. Doch nun tat Eile not. Denn wegen der Verhandlungen des Khediven mit französischen Kapitalisten durfte das englische Angebot nicht säumen. Das Parlament tagte aber nicht und konnte auch nicht so schnell versammelt werden. Anderseits konnte man aber vier Millionen Pfund nicht wohl ohne parlamentarische Bewilligung den Kassenbeständen entnehmen. Disraeli setzte sich angesichts der Wichtigkeit des Gegenstandes über alle Bedenken hinweg. „Wir haben kaum Zeit zu atmen, wir müssen die Geschichte durchführen“, schrieb er der Königin [2] und brachte, unterstützt von seinem Freunde Lionel Rothschild, die gesamte Summe ohne Einwilligung des Parlaments auf. Am Nachmittag des 26. Novembers 1875 war der Kauf perfekt. Die Rothschild hatten das Geld zu

[1] Ungefähr die Hälfte der gesamten Aktien, während die andere Hälfte meist in französischen Händen war. — [2] André Maurois, La vie de Disraeli. Paris 1927. S. 274f.

3% vorgestreckt, und Ismail verpflichtete sich, alljährlich 5% zu zahlen, bis die Dividenden wieder in ihre Rechte träten.[1] Die britische Regierung hatte so ein wichtiges politisches und ein ausgezeichnetes finanzielles Geschäft gemacht.

Disraeli meldete der Königin: „Madame, die Sache ist gemacht, Sie haben das Geld ... 4 Millionen Pfund. Es gab nur ein Haus, das das machen konnte: Rothschild. Sie haben sich wunderbar benommen und das Geld zu einem sehr niedrigen Zins geliehen. Der ganze Anteil des Khedive ist nun in Eurer Majestät Hand."

Die Verbindung Lionel Rothschild–Disraeli wurde durch diese Angelegenheit auch im Ausland bekannt. Deutsche Staatsmänner wie Graf Münster[2] und Hohenlohe[3] sprachen von den englischen Rothschild nur als von den intimsten Freunden des Premiers.

Aber nicht nur Disraeli stand in guten Beziehungen zu den englischen Rothschild. Auch der damals 34jährige Prinz Eduard von Wales verkehrte mit ihnen in freundschaftlicher Weise. Die Königin war geradezu chockiert von der intimen Freundschaft[4], die ihr Sohn mit den jüdischen Finanzmännern Lionel, Anthony und Meyer und später mit der jüngeren Generation, Nathaniel, Ferdinand und Leopold, pflog. Der Prinz war ein häufiger Gast auf deren herrlichen Schlössern. Der Biograph Eduards VII., Sidney Lee, schrieb darüber[5]: „Des Prinzen Geschäftssinn ließ ihn den finanziellen Scharfsinn des Rothschildschen Stammes würdigen, doch war er zu deren Gliedern mehr durch ihr ausgedehntes Wohltun, ihre politischen Informationen, ihre Gastfreundschaft, ihr Sportmäzenatentum und ihren Eifer im Sammeln von Kunst-

---

[1] Dies geschah erst wieder 1891. — [2] Graf Münster an Kaiser Wilhelm, 25. VI. 1876. Wertheimer, Graf Andrássy, Stuttgart 1913. B. II./314. — [3] Hohenlohe, Denkwürdigkeiten a. a. O., B. II. S. 234. — [4] Sidney Lee, King Edward VII., London 1925, S. 176. — [5] Ebenda.

werken hingezogen.“ Der Prinz nahm sogar an der Hochzeit Leopold Rothschilds mit Marie Perugia im Jahre 1881 als Gast teil, wobei er ganz unter dem Eindruck der ihm bis dahin unbekannten jüdischen Hochzeitszeremonieen stand. Auch bei den Rothschildschen Bällen erschien er wiederholt.
Während die Söhne bei der häuslichen Vorschrift blieben, nur Mädchen jüdischen Stammes zu heiraten, vermählten sich, wie in Frankreich, Töchter des Hauses Angehörigen der höchsten englischen Aristokratie. So die Tochter Constanze des zweiten Bruder Lionels, Anthony, die 1877 den Lord Battersea heiratete, und Anna, die sich 1873 mit dem Hon. Elliot Yorke, aus dem Hause der Earls of Hardwicke, vermählte. Eine Tochter des vierten Bruders Lionels, Meyer Nathan, ehelichte 1873 Archibald Philip Primrose Earl of Rosebery, der 1881 unter Gladstone Unterstaatssekretär im Ministerium des Innern, dann wiederholt Minister des Auswärtigen und 1894 als Nachfolger Gladstones Premierminister wurde. Bei solchen Verbindungen war es begreiflich, daß die Rothschild dem Gange der großen Politik nicht ferne blieben.
Als 1878 der Berliner Kongreß zusammentrat und man befürchtete, der Weltfriede werde durch den englisch-russischen Konflikt im Orient bedroht werden, da war es Lionel, der, von Beaconsfield informiert, seine Geschäftsfreunde in aller Welt beruhigte. Immer noch stand das Haus Rothschild mit Bleichröder in Berlin in engster Verbindung, und als am 15. Juni des Jahres 1878 Fürst Chlodwig zu Hohenlohe-Schillingsfürst, damals Botschafter in Paris, in Berlin weilte und Bleichröder einen Besuch abstattete, konnte ihm dieser einen gerade aus London eingetroffenen Brief Lionels zeigen, der versicherte, Beaconsfield sei mit den friedlichsten Absichten nach Berlin zum Kongresse gereist.[1]

[1] Denkwürdigkeiten des Fürsten Chlodwig zu Hohenlohe-Schillingsfürst, Stuttgart 1907. S. 234f.

Beaconsfield versäumte auch nicht, auf dem Kongresse für die Interessen des Judentums einzutreten. Er verlas vor der Versammlung ein Schreiben, das Lionel an ihn gerichtet, worin er im Namen der Humanität und der Zivilisation zum Eintreten für die mißhandelte Judenschaft im Osten Europas aufforderte. In gleichem Sinne ließ Lionel durch Bleichröder auf Bismarck einwirken und richtete einen Appell an den französischen Vertreter Waddington und den italienischen Vertreter Grafen Luigi Corti mit dem Erfolg, daß der Artikel 44 der Berliner Kongreßakte in der Tat die Gleichberechtigung aller Konfessionen in den neuerrichteten Balkanstaaten aussprach. Der österreichisch-ungarische Vertreter Graf Andrássy war in gleicher Weise vom Wiener Rothschild bearbeitet worden.

Lionel war der eigentliche siegreiche Vorkämpfer der Judenbefreiung in England. Sir Moses Montefiore hatte ihn hierbei werktätig unterstützt. Als Lionel am 18. März 1869 der Einweihung des Londoner jüdischen Tempels beiwohnte, rief er in seiner Rede aus: „Wir sind emanzipiert; allein, wenn die Emanzipation uns im Glauben erschüttert hätte, wäre sie für uns ein Fluch statt eines Gewinnes.“ Sein höchster Stolz war es, daß er ins Unterhaus gelangt war. Zuletzt hatte er 1874 seinen Sitz infolge seiner Opposition gegen die Aufhebung der Einkommensteuer, die Gladstone damals durchführen wollte, verloren. In den letzten Jahren litt er so stark an Gicht, daß er seine Füße kaum gebrauchen konnte. Trotzdem blieb er in den mehr als vierzig Jahren, in welchen er dem Londoner Hause vorstand, stets von höchster Aktivität. Nach einem epileptischen Anfall starb er am 3. Juni 1879.

Von seinem Vater aufs sorgfältigste für seinen Beruf vorbereitet, hatte Lionel zeitlebens das Bankhaus mit gesundem Urteil geleitet und das Rothschildsche Vermögen in ungeahntem Maße vergrößert, während seine Brüder durch Pflege von Kunst, Sport und Repräsentation die Staffage herstellten, die die bescheidene Herkunft der Familie verdeckte. Etwa achtzehn britische Staatsanleihen hatte er im Laufe seines Lebens untergebracht und sich zeitlebens auch mit dem Gemahl der Königin Victoria, dem prince-consort, gut zu stellen gewußt.

Nun folgte ihm sein ältester Sohn Nathaniel Meyer Rothschild, der die Baronety seines Onkels Anthony erbte. Er war in seiner Art und Weise ganz Engländer, ruhig, schweigsam, nur der englischen Sprache mächtig, dabei aber bescheiden, warmherzig und stets Kavalier. Er interessierte sich außerordentlich für Geschichte, so daß Beaconsfield, als er einst in seinem Palais, Picadilly 148, speiste, von ihm sagte: „Wenn ich ein historisches Datum wissen will, so frage ich immer Natty.“ (Abkürzung für Nathaniel.)[1]

Im Jahre 1881 starb Beaconsfield, und die Rothschild verloren in ihm einen der besten und mächtigsten Freunde, die sie je gehabt. Doch ihre Stellung war schon so fest verankert, daß auch das Verschwinden dieses Mannes für sie nur eine betrübliche Episode bedeutete.

In der Zeit der ägyptischen Krise, die der im Jahre 1882 erfolgten Besetzung Ägyptens durch England voranging, leisteten die Rothschild der britischen Regierung, nicht ohne dabei auch ihrer eigenen finanziellen Interessen zu gedenken, erwünschte Dienste, indem sie der ägyptischen Regierung, allerdings unter der Garantie Englands, eine Anleihe von $8^1/_2$ Millionen Pfund vermittelten. Die britische Regierung unter Gladstone lohnte dies durch die Erhebung Nathaniels zum Peer von England. Er war der erste Jude, der im Hause der Lords einen Sitz bekam. Selbst die Königin Victoria, die sich bisher den Rothschild gegenüber noch am kühlsten verhalten hatte, streckte nun die Waffen, und Ferdinand Rothschild, der Schwiegersohn Lionels, hatte am 14. Mai 1890 die Ehre, die Königin von England in seinem Hause zu emp-

[1] Battersea a. a. O. S. 39.

fangen, wo schon deren Tochter, die Kaiserin Friedrich, und der Schah von Persien seine Gäste gewesen waren. Ferdinand war ein Sohn des Wiener Rothschild Anselm, der sich nach seiner Verheiratung in England angesiedelt hatte.

Festgefügt, ungeheuer reich und sozial angesehen stand das Haus Rothschild da, während ringsumher fast alle einstigen großen Konkurrenten verschwanden. Wo waren die Fries, Geymüller, Arnstein-Eskeles, die Fould, die Pereire? Die Rothschild hatten sie alle überlebt.

In der allgemeinen Politik blieben die Rothschild nach wie vor auf den Frieden eingestellt. Mit Sorge betrachteten sie den Gegensatz, der sich zwischen dem in seinen Äußerungen unvorsichtigen, impulsiven Kaiser Wilhelm II. und dem persönlich empfindlichen, alternden Prinzen von Wales einstellte. Mit Sorge betrachteten sie auch das Ansteigen der Eifersucht Englands auf Deutschland. Als 1895 Jameson in Transvaal einfiel und die Buren den Friedensstörer aus dem Lande wiesen, brachte das Glückwunschtelegramm des Deutschen Kaisers die englischen Rothschild in wahre Verzweiflung, denn sie glaubten schon damals, daß dies den Krieg auslösen würde. Alfred Rothschild, der jüngere Bruder Lord Nathaniels, bildete sich zu einer Art inoffiziellen, diplomatischen Agenten aus, der innig mit der britischen Regierung zusammenarbeitete, aber auch der deutschen Botschaft und deren Leiter, dem Grafen Hatzfeld, nahestand.

Wir wissen heute aus den Veröffentlichungen des Freiherrn von Eckardstein, daß Alfred Rothschild einer der Förderer des Gedankens eines Bündnisses zwischen England und Deutschland war. Angesichts der englisch-russischen Rivalität in Asien (Port Arthur) und der englisch-französischen (Faschoda) im letzten Jahrzehnt des neunzehnten Jahrhunderts ergaben sich Augenblicke, wo eine solche Kombination keineswegs ausgeschlossen war, und Ende Februar des Jahres 1898 fanden, meist im Hause Alfred Rothschilds, geheime Besprechungen zwischen dem Grafen Hatzfeld und dem englischen Kolonienminister Chamberlain statt, der im Auftrage seines Ministers des Auswärtigen, Lord Salisburys, verhandelte. Aber all diese Bemühungen waren umsonst. Im Gegenteil, es kam Ende 1898 zu einem englisch-deutschen Konflikt wegen der Zugehörigkeit Samoas, und Wilhelm II. gab schon seine Zustimmung zur Forderung nach Entsendung einer Kommission aus je drei Vertretern der Schutzmächte und einem unparteiischen Mitglied, widrigenfalls deutscherseits die Beziehungen abgebrochen würden. Der Botschafter Graf Hatzfeld übermittelte die Forderung nicht gleich offiziell, da er die Folgen eines solchen Schrittes fürchtete. Er wollte lieber auf Umwegen das englische Ministerium [1] über die möglichen ernsten Folgen einer weiteren unfreundlichen Haltung warnen. Zu solchen Missionen waren die Rothschild stets besonders geeignet, und Hatzfeld bediente sich ihrer in so geschickter Weise, daß Salisbury den deutschen Vorschlag annahm. Die Rothschild hatten so nicht wenig dazu beigetragen, daß die Samoafrage friedlich gelöst wurde. Allerdings war die Nachgiebigkeit Englands von dem vor der Türe stehenden Burenkrieg beeinflußt.

Die britische Regierung bediente sich gleichfalls sehr oft der Rothschild zu Maßnahmen, deren Wirkung sie zwar wünschte, zu denen sie sich aber nicht offiziell bekennen wollte. Als im Januar 1900 der deutsche Dampfer „Bundesrat" in der Delagoa-Bai von britischen Schiffen angehalten und durchsucht wurde, wandte sich Deutschland mit Vorstellungen an die britische Regierung. Die Rothschild in London wurden nervös, denn sie sahen darin schon [2] ein leises Anzeichen einer europäischen Verwicklung. Diese Angst wurde noch ver-

[1] Brandenburg, Von Bismarck zum Weltkriege. S. 109. — [2] Die große Politik der europäischen Kabinette. XV. S. 473. Eckardstein privat an Holstein 15. I. 1900.

30. Lionel von Rothschild

mehrt, als sie im März 1900[1] von ihren Vettern in Paris ein Telegramm erhielten, Deutschland hätte den Versuch gemacht, Frankreich zur Intervention im südafrikanischen Kriege zu bewegen. Als Kaiser Wilhelm davon Kunde erhielt, rief er aus: „So eine freche Lüge!“ Die Londoner Rothschild aber sahen darin nur einen von der französischen Regierung auf Umwegen unternommenen Versuch, Deutschland und England zu verhetzen, ein Unternehmen, das gar nicht in ihre Pläne paßte. Auch die Times gebärdete sich sehr deutschfeindlich und benützte die Affäre des „Bundesrat“ zu heftigen Angriffen auf Deutschland. Die britische Regierung dagegen besaß damals kein Interesse, sich zu ihren Verlegenheiten in Südafrika auch noch einen Konflikt mit Deutschland aufzuladen. Anderseits wollte sie sich nicht der Times gegenüber durch allzu großes Entgegenkommen für Deutschland kompromittieren. Darum benützte sie wieder die Rothschild und veranlaßte Alfred[2], dem stellvertretenden deutschen Botschafter Grafen von Metternich zu erklären, die Presse stehe der Regierung sehr unabhängig gegenüber. „Baron Rothschild“, meldete Metternich, „hat mir vertraulich mitgeteilt, daß, da diese (Timesangriffe) dem Foreign office unangenehm seien, ein Kabinettsminister ihn dringend ermahnt hat, sein möglichstes zu tun, um in diesem Sinne einen Druck auf die Times auszuüben. Baron Rothschild sah in nächster Zeit einer Zusammenkunft mit Mr. Buckle, Hauptredakteur der Times, entgegen und beabsichtigte, wie er mir sagte, ihm in diesem Sinne energisch den Text zu lesen. Die eigenmächtige und selbständige Zeitung wäre durch einen Druck der Regierung in ihrem Widerstande nur bestärkt gewesen, daher ein Minister durch Vermittlung Rothschilds versuchte, auf die Times einzuwirken.“

[1] Die große Politik der europäischen Kabinette XV. S. 534. Graf Metternich an Fürst Hohenlohe, 20. III. 1900. — [2] Ebenda a. a. O. XV. S. 496. Graf Metternich an Fürst Hohenlohe, 24. III. 1900.

Die damals der englischen Regierung des Burenkrieges wegen willkommene Annäherung an Deutschland war ganz im Sinne der Rothschildschen Wünsche, und jede Gelegenheit, die sich bot, um sie zu fördern, wurde von ihnen ausgenützt. So, als die Frage des gemeinsamen Oberbefehles der zur Niederwerfung des Boxeraufstandes in China entsandten internationalen Truppenmacht auftauchte. Da war es wieder Alfred Rothschild, der alles tat, um die Zubilligung dieses Kommandos an Deutschland zu fördern.[1] Er erhoffte sich davon eine wesentliche Besserung in den Gesinnungen des gerade auf seine Militärmacht so stolzen Kaisers Wilhelm gegenüber England, der im fernen Osten maßgebendsten Macht.

Wie Alfred Rothschild dachte, ist am besten aus einem seiner Briefe zu ersehen, den er an den deutschen Botschaftsrat, Freiherrn von Eckardstein, zur Weitergabe an den Reichskanzler Fürsten Bülow richtete und dessen Hauptstellen wie folgt lauten[2]: „... Ihre Freunde (mein lieber Eckardstein) wissen aus Erfahrung, wie ich seit vielen, vielen Jahren das Interesse der beiden Länder am Herzen habe, und obgleich während dieser Zeit mannigfaltige Diskussionen zwischen den zwei Regierungen stattgefunden haben, hat doch im großen und ganzen in den allerhöchsten Kreisen, in den Ministerien und im Lande selbst, das beste Wohlwollen gegen Deutschland geherrscht, und suzzessive Ministerien haben immer alles getan, um den Wünschen Deutschlands entgegenzukommen; daß dieses der Fall ist, kann ich persönlich beweisen, denn ich bin in allen Fällen mehr oder weniger hinter den Kulissen gewesen, und ich habe stets mein Bestes getan, um ein befriedigendes Resultat herbeizuführen. — Fürst Bismarck wünschte seinerzeit einen Repräsentanten auf der ägyp-

---

[1] Die große Politik a. a. O. XVI./12. — [2] Hermann Freiherr von Eckardstein, Lebenserinnerungen und politische Denkwürdigkeiten. II. S. 381. Brief Alfred Rothschilds aus London vom 20. II. 1892.

tischen Caisse de la Dette zu haben, und dieses geschah sofort, später hatte er eine Kolonialpolitik, die nach Diskussion mit Lord Derby auch von der englischen Regierung gebilligt wurde – über Samoa ist man zu einem Einverständnis im Sinne Deutschlands gekommen, und ganz kürzlich sind auf den besonderen Wunsch der deutschen Regierung die englischen Truppen in China unter den Oberbefehl des Grafen Waldersee gestellt worden – kurz und gut, soweit ich mich erinnern kann, hat die englische Regierung immer alles getan, um den Wünschen der deutschen stets entgegen zu kommen.

Wie ist jetzt heutzutage die Lage; seit einigen Monaten, man könnte selbst sagen seit ein paar Jahren, hat die deutsche Presse beständig gegen England geschrieben und in einem solchen Grad, daß man in hohen Kreisen anfängt, sich zu fragen, was ist der Zweck dieser aggressiven Politik, und kann nicht Graf Bülow oder die deutsche Regierung etwas tun, um dieses zu verhindern. Ich weiß ganz gut, daß die Presse in Deutschland sowohl wie in England eine freie ist, und daß man ihr keine besondere Politik vorschreiben kann, aber wenn die Presse eines Landes Gerüchte verbreitet in betreff einer freundlichen Macht, die absolut falsch sind, so könnte die Regierung ganz gut die erste beste Gelegenheit benutzen, um zu erklären, wie sehr sie es bedauert, daß solche falsche Nachrichten verbreitet werden.

Dieses ist der Fall gewesen in betreff unserer Armee in Südafrika, und diese Gerüchte haben nicht nur die in diesem Lande wohnenden Deutschen empört . . . Man hätte auch gern hier gesehen, daß die Karikaturen unserer königlichen Familie, die in den öffentlichen Straßen verkauft werden, von der Polizei angehalten und konfisziert worden wären – kurz und gut, in der letzten Zeit ist die Politik Deutschlands England gegenüber eine Art „Pin prick“-Politik gewesen, und obgleich eine Stecknadel nicht ein sehr imponierendes

Instrument ist, können doch wiederholte Stiche eine Wunde hervorbringen, und da ich von ganzem Herzen hoffe und flehe, daß keine ernste Wunde zum Vorschein kommt, so erlaube ich mir, diese Zeilen an Sie zu richten in der Hoffnung, daß Sie dem Grafen Bülow klar auseinandersetzen, wie schwierig meine Lage in dieser Angelegenheit der englischen Regierung gegenüber geworden ist, nachdem ich während so vieler Jahre alles mögliche getan habe, und daß ich jetzt spüre, daß man bei Ihnen nicht völlig anerkennt die großen Vorteile eines aufrichtigen Einverständnisses mit England. Vielleicht weiß Graf Bülow nicht, daß mehrmals verschiedene Botschafter Deutschlands in meinem Privathaus berühmte englische Staatsmänner getroffen haben, und es ist nicht sehr lange her, daß der verstorbene Graf Hatzfeld mehreremal Mr. Chamberlain bei mir getroffen hat und daß sie beide absolut derselben Meinung waren über die allgemeine Politik beider Länder im Interesse der beiden.
Wenn ich, mein lieber Eckardstein, sehr privat diese Details erwähne, ist es, um zu beweisen, daß ich nicht sans connaissance de cause spreche, und es würde mir unendlich leid tun, wenn das kleine refroidissement, welches jetzt herrscht und absolut keine raison d'être hat, dauern und selbst möglicherweise sich vergrößern sollte, — und dieses halte ich aber für absolut unmöglich, und es würde nur sehr wenig bedürfen seitens des Grafen Bülow, um die kleine Wolke, die augenblicklich schwebt, fortzublasen. Vielleicht können Sie S. Excellenz dazu bewegen, mir etwas in Antwort auf meine Bemerkungen zu schreiben, diese Zeilen würde ich selbstverständlich nur in den allerhöchsten Kreisen zeigen und nur davon den allerdiskretesten Gebrauch machen, ich bin überzeugt, daß ein freundliches Eclaircissement würde den allerbesten Erfolg hervorbringen — und sofort. — Wenn Sie Gelegenheit haben sollten, mein lieber Eckardstein, legen Sie mich gefälligst zu den Füßen des Kaisers, Sie wissen, welche

Verehrung ich für Seine Majestät habe! Ihr ergebener Alfred von Rothschild."

Von Frankreich her meldete man andere Informationen über die Londoner Rothschild nach Berlin. Der Botschafter in Paris meinte bei der Besprechung der Stellung der Londoner Rothschild zur Frage einer englisch-russisch-französischen Annäherung, die Gesamtheit der Rothschild sei aus sozialen Gründen Deutschland nicht günstig gesinnt, weil sie in diesem Staate gesellschaftlich von jeher am schlechtesten behandelt worden seien. Allerdings sei auch die Abneigung der Londoner Rothschild gegen Rußland wohl bekannt.[1]

Wenig später meldete Eckardstein aus London[2], der Chef des Londoner Hauses zeige sich empfindlich, denn er halte sich von deutscher Seite für schlecht behandelt. Bülow meinte dazu in einem Schreiben an den Kaiser, das Haus Rothschild habe früher wertvolle Vermittlungsdienste bei Differenzen mit der englischen Bank und anderen Dingen geleistet.

„Ob Euer Majestät", schrieb Bülow an Kaiser Wilhelm II., „über die Mittel zur Abwendung einer etwaigen Verstimmung Rothschilds, sowie über noch andere Punkte der Eckardsteinischen Darstellung E. M. Botschafter in London noch besonders fragen lassen wollen, darf ich ehrfurchtsvoll anheimstellen."

In Berlin war man über die Hinneigung Rußlands zu den beiden Westmächten und über die Förderung solcher Pläne recht besorgt geworden und fragte beim Grafen Metternich in London an, ob die Behauptungen des Botschafters in Paris in bezug auf die Gesinnungen der Londoner Rothschild Rußland gegenüber richtig wären. Graf Metternich meinte in seiner Antwort vom 2. Juni 1903[3], die Finanzpolitik des russischen Ministers

---

[1] Fürst Radolin an Bülow, 18. V. 1903. Die große Politik a. a. O. XVII/582. — [2] Fürst Bülow an Kaiser Wilhelm 20. V. 1903. Die große Politik a. a. O. XVII/582. — [3] Graf Metternich an Fürst Bülow, 2. VI. 1903. Die große Politik a. a. O. XVII/582.

Witte sei wohl auf Umgarnung Englands gerichtet. Aber dennoch sei für den Moment keine Aussicht auf eine Rothschildsche Anleihe für Rußland. Eben hätten jüdische Massacres in Rußland stattgefunden. Überhaupt schrieb Münster, daß die Machtstellung der Rothschild in London sehr zurückgegangen sei: „Das Londoner Haus genießt zwar auf Grund seiner Vergangenheit großes Ansehen, entriert aber schon lange keine neuen Geschäfte mehr und begnügt sich mit der sicheren Anlage seines Kapitals. Auswärtige Anleihen großen Stils übernimmt es schon lange nicht mehr. Nur mit Brasilien macht es eine Ausnahme und leiht diesem Staate hin und wieder Geld. Andere hiesige große Firmen, wie die Barings kommen viel mehr in Betracht als die Rothschild. Wenn sie aber auch wollten, wären sie gar nicht in der Lage, eine Anleihe unterzubringen.“ [1]

Mit dem Ende des Burenkrieges und der England vielfach aufreizenden Haltung des Kaisers Wilhelm und der öffentlichen Meinung in Deutschland rückte England von 1903 an merklich von Deutschland ab. Diese Verstimmungen zeigten sich zuerst deutlich in der Frage des Baues der Bagdadbahn. Auch bei diesem Anlaß war bei Alfred und Leopold von Rothschild in London, und zwar von deutscher Seite angeklopft worden, ob sich England finanziell daran beteiligen wolle. Doch die Frage war ein zu eminentes Politikum. Die Rothschild erfuhren an zuständiger Stelle, daß England davon nichts wissen wolle, und bald merkte man, daß es dem Bau möglichste Schwierigkeiten in den Weg legte.

Die Thronbesteigung des Prinzen von Wales am 22. Januar 1901 als König Eduard VII. trug angesichts der Freundschaft, die der nunmehrige Monarch stets für das Haus Rothschild hegte, mächtig zur Stärkung ihrer Stellung bei, machte sie aber auch vorsichtiger in ihren Maßnahmen zur Herbeiführung eines deutsch-englischen Einvernehmens. Denn, von

[1] Metternich an Bülow, 2. VI. 1903. Die große Politik a. a. O. XVII.

Kaiser Wilhelm persönlich wiederholt vor den Kopf gestoßen, vertrat Eduard die Hinneigung zu Frankreich, und nur dessen Bündnis mit Rußland, das immer noch in Asien den Weg nach Indien bedrohte, stand einem engen Einvernehmen im Wege. Da beseitigte die Niederlage Rußlands im Kampfe gegen Japan diese Gefahr. Auch dieser Krieg war den Rothschild nicht erwünscht gewesen. Sie hatten bis zum letzten Augenblick gehofft, daß er zu vermeiden sei. Kurz vor Weihnachten 1903 fand bei Alfred Rothschild ein Diner statt, dem nebst Nathaniel und Leopold Rothschild auch der Herzog von Devonshire beiwohnte, der überzeugt war, daß der Krieg zwischen Rußland und Japan nahe bevorstehe. Leopold wettete um einen Spazierstock dagegen und behauptete, in den nächsten fünf Jahren werde es nicht zu diesem Kriege kommen.

Baron Eckardstein, der dieser Szene beiwohnte, erzählte von dieser Wette kurz darauf dem japanischen Botschafter Grafen Hayashi, der lachend meinte, der Herzog werde gewinnen, er glaube nicht mehr an eine friedliche Lösung. Dies schrieb Eckardstein an Rothschild, der sich mühte, seine Brüder zu überzeugen. Am 20. Januar fand sich Graf Hayashi bei Alfred ein und bat ihn um finanzielle Unterstützung der Sache Japans. Alfred versicherte sich dessen, daß die englische Regierung damit einverstanden war, sprach dann von seiner Sympathie für die Sache Japans und stellte die Unterstützung des Hauses Rothschild bei späterer Gelegenheit in Aussicht. Am 8. Februar 1904 erfolgte der plötzliche japanische Angriff auf die russische Flotte in Port Arthur. Der Krieg nahm seinen Lauf. Rußland seinerseits versuchte das französische Haus Rothschild für finanzielle Unterstützung zu gewinnen. Doch fand es dort wenig Gegenliebe. Der deutsche Botschafter Fürst Radolin berichtet darüber[1]:

---

[1] Fürst Radolin an Fürst Bülow, 9. VIII. 1904. Die große Politik der europäischen Kabinette a. a. O. XIX./208.

„Das Pariser Haus Rothschild steht Rußland feindlich gegenüber und hält sich zur Zeit noch von den russischen Operationen ziemlich fern. Baron Alphonse sagte mir unlängst, es würden ihm von Rußland die schönsten Zusicherungen einer guten Behandlung seiner Glaubensgenossen gemacht, wenn er nur Geld gäbe, er stehe aber noch auf dem Standpunkte, daß dies leere Versprechungen seien. Da er aber als guter Franzose an der russischen Allianz – wie ich annehme – mehr oder weniger festhalten zu sollen glaubt, wird er schließlich sich möglicherweise erweichen lassen, seine Kassen zu öffnen, wie ungünstig er immer die momentane Lage ansieht."

Diese wenigen, kurz skizzierten Andeutungen zeigen zur Genüge, daß das Haus Rothschild auch bis in die neueste Zeit von den Großmächten umworben war und die große Politik in seine geschäftlichen Maßnahmen nach wie vor gewaltig hineinspielte. Es muß einer späteren Zeit vorbehalten bleiben, dies ausführlicher darzulegen.

In dem folgenden Jahrzehnt bis zum Weltkriege, in welchem sich die Mächtegruppen entwickelten, die dann gegeneinander in den Kampf traten, schlugen sich die Pariser und Londoner Rothschild gänzlich auf die Seite der Politik ihrer Wirtsländer. Doch hofften sie und das im Lager des Dreibundes stehende Wiener Haus bis zum letzten Augenblick, den großen Konflikt vermeiden zu können. Die Politik der Rothschild seit dem Sturze Napoleons, oder besser, seitdem sie ein großes Vermögen besaßen, immer für den Frieden einzutreten, unter dessen Schutz sie ihr Geld erhalten und ihre weltumspannenden Geschäfte ungestört weiterentwickeln konnten, blieb auch in der Zeit vor dem Weltkrieg unverändert. Wenn einmal die Archive über die neueste Zeit sich öffnen werden, so wird man wohl dokumentarisch feststellen können, was man heute nur aus der Kontinuität Rothschildscher Politik seit hundert Jahren und aus mannigfachen Anzeichen und Mitteilungen einiger weniger Eingeweihten erschließen kann: daß knapp vor Ausbruch des Weltkrieges die Rothschild, und zwar besonders die Londoner (viel weniger die Pariser) alles mögliche getan haben, um die Katastrophe zu verhindern, die ja die immer noch in gewissem Sinne bestehende Einheit ihres Hauses aufs schwerste bedrohen mußte.

Doch da trat ihr Unvermögen, in die Entscheidungen der Weltpolitik neuester Zeit mit Erfolg einzugreifen, klar zutage. Man hörte nicht mehr auf sie, und als schließlich der Mord in Serajewo den Staatsmännern allüberall die Lenkseile aus den Händen riß, mußten auch die Rothschild sich, wie alle Welt, dem Verhängnis beugen. Sie sahen sich nun wieder einmal einer ihnen nicht mehr neuen, aber deswegen nicht weniger heiklen Situation gegenüber: sie standen wieder in beiden Lagern; bei der Entente die Häuser von London und Paris, bei den Mittelmächten das von Wien. Die männlichen Angehörigen der verschiedenen Zweige, die im kriegsdienstfähigen Alter standen, leisteten jenen Staaten Kriegsdienste, deren Bürgerschaft sie besaßen. Ein Mitglied des Londoner Hauses, Evelyn Rothschild, fiel sogar im November 1917 in Palästina im Kampf gegen die Türken. Im übrigen verhielten sich die Bankhäuser Rothschild, der Lage entsprechend, sehr vorsichtig und zurückhaltend. Der endliche Ausgang des Weltkrieges bedeutete den für sie günstigeren Fall, denn bei der siegreichen Entente waren zwei, und zwar die mächtigeren und reicheren Häuser Rothschild, während bei den Geschlagenen nur eines von den Folgen der Niederlage betroffen wurde.

Das Wiener Haus freilich hatte auch, wie jedermann sonst in den besiegten Staaten, furchtbare Vermögensverluste durch Effekten- und Geldentwertung erlitten. Aber kaum war der Friede geschlossen und der innige Verkehr zwischen den drei Rothschildhäusern wieder möglich, da geschah alles mögliche von Seite der beiden im Lager der Sieger stehenden, um dem schwerbetroffenen Wiener Zweig zu helfen. Ein besonders glücklicher Wurf gelang dabei gelegentlich der Stützung des stark gefallenen Franken im Jahre 1924 durch das Bankhaus Morgan. Das Bankhaus Rothschild in Paris war daran beteiligt, konnte sich daher auf den Tag ausrechnen, wann der Frank steigen werde, und verständigte natürlich das Wiener Haus Rothschild, mit der Mahnung, in Franken à la hausse und nicht, wie fast alle Welt in Europa sonst, auf Baisse zu spekulieren.

In einer, selbst für einen Laien mit gesundem Menschenverstand ganz unverständlichen Weise konterminierten auch die sonst gewiegtesten Finanzleute in Deutschland und Österreich, aber auch in vielen anderen europäischen Staaten die Währung des mächtigsten kontinentalen Siegerstaates. Man prophezeite dem Frank einen ähnlichen Sturz ins Bodenlose wie den eben erlebten der Mark. Als nun die Stützungsaktion zu wirken begann und der Frank, anstatt zu fallen, um fast ein Drittel des Wertes stieg, da behaupteten die Rothschild und die von ihnen abhängige Creditanstalt in Wien, die ihren Kommittenten von der Francs-Spekulation abriet, siegreich das Feld, während sich eine Unzahl Spekulanten, darunter insbesondere neue Reiche, mit furchtbaren Verlusten geschlagen bekennen mußten. Mit diesem einen Schachzug neben unzähligen anderen haben die Wiener Rothschild einen großen Teil ihrer Kriegsverluste wieder wettmachen können, und der Ruf ihres Reichtums und ihrer sozialen Stellung ist auch unter den neuen Verhältnissen in der kleinen Republik Österreich unerschüttert geblieben.

Die Rothschild sind heute, etwa anderthalb Jahrhunderte seit Gründung des Bankhauses, noch festgefügt. Ihr Reichtum und ihr Name ist aller Welt bekannt. Es ist müßig, ihren Besitz zahlenmäßig angeben zu wollen, denn der Betrag eines solchen Vermögens wechselt unaufhörlich und kann wohl auch von den Eigentümern selbst nicht beziffert werden. Die Zahlen, die ab und zu in Zeitungen zu lesen sind, sind völlig aus der Luft gegriffen. Es genügt zu wissen, daß der Reichtum der Gesamtfamilie immer noch enorm ist und sich von selbst weiter vermehrt, wenn auch zahlreiche Vermögen in England und Amerika entstanden, die dem ihren überlegen sind.

Der Reichtum der Familie ist sprichwörtlich geworden. Wenn man im Altertum von einem Krösus sprach, um einen besonders reichen Mann zu bezeichnen, so pflegt man heute, um das gleiche auszudrücken, und zwar auch im niederen Volke, den Namen Rothschild zu gebrauchen. Wie diese Geldmenge erworben wurde, haben wir zu ergründen versucht; stets geschah es im innigsten Kontakt mit den jeweiligen Leitern der Geschicke der Welt und in geschickter, anpassungsfähiger Ausnützung der Weltgeschehnisse. Die Rothschild setzten sich fast nie in Opposition zu den gerade herrschenden Staatsgewalten, sondern suchten sich mit ihnen abzufinden, so unwillkommen sie ihnen auch manchmal waren. Das bedingte freilich häufig weitgehenden Opportunismus, aber der Erfolg erhöhte die Stellung und die Macht der Familie. Die Rothschild sind heute eine Dynastie mit allen Vor- und Nachteilen einer solchen.

Am Ausgangspunkte jeder Dynastie stehen entweder hervorragend kluge oder hervorragend tapfere, sicherlich aber stets außerordentlich aktive Männer. Das war auch bei ihnen in ihrer Art der Fall. Aber die Inzucht, die sie in noch weit gefährlicherem Maße betreiben als so viele Herrscherhäuser, nagt auch an ihrem geistigen und körperlichen Kapital. Der Vorteil, durch die Heiraten unter Verwandten Macht und Besitz zusammenzuhalten, überwog allerdings bisher. Bismarck hat sich einmal darüber ausgesprochen[1]: „Ich habe

---

[1] Bismarck, Gesammelte Werke. Band VIII. S. 291. Tischgespräch Bismarcks in Friedrichsruh.

viele Mitglieder des Hauses gekannt; auffallend ist mir bei ihnen immer das Jagen nach Gold gewesen; – das kommt daher, daß jeder von ihnen immer den Wunsch hat, jedem seiner Kinder soviel zu hinterlassen, wie sein eigenes Erbteil gewesen, und das ist doch ein Unsinn ... Die Rothschild sind ein sprechendes Beispiel. Aber auch die N.N." Und dabei nannte Bismarck den Namen eines hervorragenden preußischen Adelsgeschlechtes. „Vor 100–150 Jahren gaben die N. dem Staate ausgezeichnete Staatsmänner und Generale, und es waren tüchtige Menschen. Heute ist ein N ... kaum mehr als subalterner Beamter oder als Secondelieutnant zu gebrauchen."

Die Zukunft wird zeigen, ob diese Entwicklung auch bei den Rothschild zu ähnlichem Ende führen wird. In den fast sechzig Jahren, die seit dem Deutsch-Französischen Kriege von 1870 bis 1871 verflossen sind, hat die Welt grundlegende Umwälzungen mitgemacht. Die Technik revolutionierte alles; die unerhörte Entwicklung der Presse, die Erfindung des Automobils, des Flugzeugs, des Radios und tausend anderer Dinge veränderten die Lebensbedingungen, beeinflußten das Geschäftsleben und die Technik des Geld- und Handelsverkehrs. Eines aber blieb sich durch alle Jahrhunderte gleich: die Macht des Geldes. Sie ist eher noch gestiegen. Denn die ungleiche Verteilung desselben, die, seit die Welt besteht, immer vorhanden war, ist in ihren Wirkungen empfindlicher fühlbar geworden, da die Zahl der Menschen und damit derer, denen es fehlt, unverhältnismäßig gewachsen ist.

Da sich die Rothschild ihren Reichtum und ihre schwer errungene soziale Stellung bewahrten, so ist es fehlerhaft, zu glauben, daß sie in unseren Tagen jeden Einfluß auf die Politik verloren haben. Freilich ist er mit dem, welchen sie etwa im zweiten Drittel des neunzehnten Jahrhunderts in Europa ausübten, nicht zu vergleichen; aber wenn einmal Dokumente über die Geschehnisse von heute ebenso zur Verfügung stehen werden wie über die von gestern und vorgestern, wird die hier ausgesprochene Vermutung wohl bekräftigt werden können.

Eines aber ist sicher, daß es für Björnsons Wort: „Eine Familie, die zusammenhält, ist unüberwindlich“ keine bessere Illustration gibt als die Familie Rothschild.

LITERATURVERZEICHNIS[1]

Alison Archibald, Sir, History of Europe. London 1858.
Andiganne, Les chemins de fer en Europe et en Amérique. 1855.
Andlau, Mein Tagebuch. Frankfurt 1862.
Andréades, A., History of the Bank of England 1640 to 1903. London 1924.
Anonym, Le Gouvernement de Juillet. Paris 1835.
d'Antioche Cte de, Changarnier, Paris 1891.
Anton, Alfred, La politique financière du gouvernement provisoire février-mai 1848. Paris 1910.
Ashley, The Life and Correspondence of Viscount Palmerston. London 1879.
Aycard, M., Histoire du crédit mobilier. Paris 1867.
Bapst, Le Maréchal Canrobert, souvenirs d'un siècle. Paris.
Barrauld, Lettre de E., Rédacteur du tocsin des travailleurs. Paris, Août 1848.
Battersea, Lady, Reminiscences. London 1922.
Baxter, Robert, The panic of 1866. London 1866.
Belli-Gontard, Lebenserinnerungen 1872.
Bert, André, C. Cavour, Nouvelles lettres inédites. Turin 1889.
Bertrand et Ferrier, Ferdinand de Lesseps. Paris 1887.
Bettelheim, Anton, Balzac. München 1926.
Betz, Heine in Frankreich. Zürich 1895.
Bewer, Max, Bismarck und Rothschild. Dresden 1891.
Bianchi, Nicomede, La politique du Comte de Cavour de 1852 à 1861. Turin 1885.
Birk, Alfred, Alois von Negrelli. Wien-Leipzig 1925.
Bismarcks Briefe an seine Gattin aus dem Kriege 1870–1871. Stuttgart-Berlin 1903.
Bismarck, Denkwürdigkeiten aus dem Leben des Fürsten. Leipzig 1890.
Bismarck, Aus Bismarcks Briefwechsel. Stuttgart-Berlin 1901.
Bismarck, Anhang zu Gedanken und Erinnerungen. Kaiser Wilhelm I. und Bismarck, Cotta 1901.
Bismarck, Die gesammelten Werke. Berlin 1928.
Bocher, Charles, Mémoires 1760–1848. Paris.
Boehm, Max von, Vom Kaiserreich zur Republik. München 1921.

[1] Die im ersten Bande bereits aufgeführten Bücher sind hier nicht wiederholt.

Böhm, Gottfried von, König Ludwig II. von Bayern. Berlin 1922.
Börne, Pariser Briefe, Ausgabe Ludwig Geiger, VI. Band.
Brandenburg, Von Bismarck zum Weltkrieg. Berlin 1924.
Busch, Moritz, Tagebuchblätter. Leipzig 1899.
Cambridge Modern History, The. Cambridge 1909.
Camp, Maxime de, Paris, Ses organes, ses fonctions et sa vie. t. IV. Paris 1873.
Carteggio Cavour-Nigra, Il, dal 1858 al 1861. 3 Bände. Bologna 1926–1928.
Caussidière, Mémoires de, expréfet de police et représentant du peuple. Paris 1849.
Chiala, Luigi, Lettere edite ed inedite di Camillo Cavour. Torino-Napoli 1887.
Clapham, J. H., The economic development of France and Germany 1815–1914. Cambridge 1921.
Clermont-Tonnerre, E. de, Mémoires. Paris 1928.
Commandini, Il principe Napoleone nel risorgimento italiano. Milano 1922.
Considerazioni sulla convenzione dell' 15 giugno 1862 stipulata trai signori Ministri delle finanze e dei lavori pubblici ed i signori Barone Rothschild e P. Talbot per la concessione di strade ferrate nelle provincie meridionali e nella Lombardia. Torino 1862.
Constitutionnel, Le. 12. X. 1840.
Corti, Egon Caesar Conte, Leopold I. von Belgien. Wien 1922.
Corti, Egon Caesar Conte, Maximilian und Charlotte von Mexiko. Wien 1924.
Cromer, The Earl of, Modern Egypt. London 1911.
Dairnwell, Histoire édifiante et curieuse, de Rothschild Ier Roi des juifs, suivie du récit de la catastrophe du 8 Juillet, par un témoin oculaire. Paris 1846.
Damaschke, Adolf, Zeitenwende. Aus meinem Leben. Leipzig-Zürich.
Débats, Journal des, 5. VIII. 1836.
Die große Politik der europäischen Kabinette 1871—1894. Berlin 1922—1928.
Diest-Daber, Otto von, Bismarck und Bleichröder. München 1897.
dto, Geldmacht und Sozialismus. Berlin 1875..
dto., Lebensbild eines mutigen Patrioten. Berlin 1891.
Diethen, Aus Schleiermachers Leben. In Briefen, IV. Band. Berlin 1863.
Dino, Duchesse de, Chronique de 1831–1862. Paris 1909.
Druck David, Baron Edmond Rothschild. New York 1928.
Duncker, Politischer Briefwechsel aus seinem Nachlasse. Herausgegeben von Dr. J. Schulze. Stuttgart 1925.
Dunder, Denkschrift über die Wiener Oktoberrevolution. Wien 1849.
Eckardstein, Hermann Frhr. v., Lebenserinnerungen und politische Denkwürdigkeiten. Bd. I u. II. Leipzig 1919.

Eckardstein, Hermann Frhr. v., Die Isolierung Deutschlands. Bd. III. Leipzig 1921.
dto., Persönliche Erinnerungen an König Eduard. Dresden 1927.
Eisenbahnen der österreichisch-ungarischen Monarchie, Geschichte der, Wien 1898.
Embden, Heinrich, Heines Familienleben. Hamburg 1892.
Ernst II., Herzog von Sachsen-Coburg-Gotha, Aus meinem Leben und meiner Zeit. Berlin 1888.
Escott, D. H. S., City Characters under several reigns. London 1922.
Fanta, Der Verkauf der Südbahn. Wien 1863.
Favre, Jules, Gouvernement de la défense nationale. Paris 1871.
Ferronaye, Mémoires de Mme. de la. Paris 1900.
Figard, Jean, Lendemains financiers d'une guerre. Paris 1915.
Francis, La bourse de Londres, Chroniques et Portraits. Paris 1854.
Frankfurter Nachrichten, 2. Beiblatt Sonntag 13. XI. 1927.
Friedjung, Heinrich, Historische Aufsätze. Österreich von 1848 bis 1860. Stuttgart-Berlin 1912.
Friedjung, Heinrich, Das Zeitalter des Imperialismus 1884–1914. Berlin 1922.
Friedrich III., Kaiser, Das Kriegstagebuch von 1870–1871. Herausgegeben von Meissner, Berlin 1926.
Fritsche, Victor von, Bilder aus dem österreichischen Hof- und Gesellschaftsleben. Wien 1914.
Fröbel, Julius, Ein Lebenslauf. Stuttgart 1890.
Fronde, J. A., The Earl of Beaconsfield. London 1890.
Garnier-Pagès, Histoire de la révolution de 1848. Paris 1861–1872.
Gelber, Dr. N. M., Zur Vorgeschichte des Zionismus. Wien 1927.
Gerlach, Ernst Ludwig von, Aufzeichnungen aus seinem Leben und Wirken. 1795—1877. Schwerin 1903.
Goldschmidt, Hermann von, Einige Erinnerungen aus längst vergangenen Tagen. Wien 1917.
Gooch, G. P., History of modern Europe 1878—1919. London 1925.
Guizot, M., Mémoires pour servir à l'histoire de mon temps. Paris 1861.
Gutzkow, Öffentliche Charaktere. Hamburg 1835.
Guyot, La première entente cordiale. Paris 1926.
Haller, Johannes, Aus dem Leben des Fürsten Philipp zu Eulenburg-Hertefeld. 2 Bände. Berlin 1923/24.
Hayward, Le dernier siècle de la Rome Pontificale. Paris 1928.
Heigel, Ludwig I., König von Bayern. Leipzig 1872.
Heine, Heinrich, Memoiren. Herausgegeben von Karpeles. Berlin 1909.
Heine, Heinrich, Lutezia, Frankreich, II. 1840—43.
Heine, Heinrich, Über Ludwig Börne. Hamburg 1840.
Heine, Salomon, Von Joseph Mendelssohn. Hamburg 1845.
Helfert, Frhr. v., Die Wiener Oktoberrevolution 1848. Wien 1910.

Herzfeld, Michael, Leben und Wirken des Baronet Sir Lionel von Rothschild. Wien 1879.

Hillebrand, Geschichte Frankreichs.

Hirth, Friedrich, Heine und Rothschild. Deutsche Rundschau. Januar-März 1915 und Oktober-Dezember 1915.

Hofmann, Hermann, Fürst Bismarck 1890–98. Stuttgart 1913.

Hohenlohe-Schillingsfürst, Denkwürdigkeiten des Fürsten Chlodwig zu. Stuttgart 1907.

Hohlfeld, Geschichte des Deutschen Reiches 1871–1924. Leipzig 1924.

Holzmann, Michael, Ludwig Börne. Berlin 1888.

Hübner, Graf von, Neun Jahre der Erinnerungen eines österreichischen Botschafters in Paris unter dem zweiten Kaiserreich 1851–59. Berlin 1904.

Jackman, W. T., The Development of transportation in modern England. Cambridge at the University Press. 1916.

Janssen, Johannes, Johann Friedrich Böhmers Briefe. Freiburg 1868.

Jenks, Leland Hamilton, The Migration of British Capital to 1875. New York 1927.

Jugement rendu contre J. Rothschild et contre Georges Dairnwell par le tribunal de la saine raison. Paris 1846.

Jung, Prof. Dr. R., Bismarcks Wohnungen in Frankfurt a. M. 1851–59. Frankfurter Zeitung.

Karpeles, Dr. G., Heinrich Heine. Berlin.

Kayserling, M., Die jüdischen Frauen in der Geschichte, Literatur und Kunst. Leipzig 1879.

Keudell, Robert von, Fürst und Fürstin Bismarck. Berlin-Stuttgart 1902.

Koechlin, Les donations de la famille Rothschild.

Kohl, Horst, Die Reden des Ministerpräsidenten und Reichskanzlers Fürsten von Bismarck im preußischen Landtage und deutschen Reichstage 1881–83. Stuttgart 1894.

Kohut, Dr. Adolf, Heinrich Heine und die Frauen. Berlin 1888.

Kohut, Dr. Adolf, Berühmte israelitische Männer und Frauen. Leipzig.

Konrad, Johann, Der Glückssoldat. München 1913.

Kraus, Karl, Veröffentlichungen Heinescher Briefe an die Familie Rothschild. „Die Fackel" Oktober 1915.

Kreppel, J., Juden und Judentum von heute. Wien 1925.

Kronfeld, Führer durch die Dr. Alfons Frhr. v. Rothschildschen Gärten auf der Hohen Warte. Wien 1912.

Kupka, P. F., Die Eisenbahnen Österreich-Ungarns 1822–67. Leipzig 1888.

Lange, Dr. Georg, Geschichte der freien Stadt Frankfurt a. M. Darmstadt 1837.

Lassalle, Briefe von und an, bis 1848. Herausgegeben von Gustav Mayer. Stuttgart-Berlin 1921.

Lavisse, Ernest, Histoire de la France contemporaine. Paris.
Lee Sidney, King Edward VII. London 1925.
Lloyd, Fünfundzwanzig Jahre österreichischer. 1860.
Loewe, Dr. L., Diaries of Sir Moses and Lady Montefiore. London 1890.
Lónyay, Graf Melchior, Graf Stefan Széchényi und seine hinterlassenen Schriften. Budapest 1875.
Louis, Georges, Les Carnets de. Paris 1924.
Lowell, Edward Jackson, The Hessians and the other German auxiliaries of Great Britain in the revolutionary war. New York 1884.
Mac Carthy, Justin, A History of our own times. Leipzig 1880.
Matter, Bismarck et son temps. Paris 1905.
Matthes, Dr. Peter, Im großen Hauptquartier 1870–71. München 1892.
Maurois, André, La vie de Disraeli. Paris 1927.
Meyer, Arnold Oskar, Bismarcks Kampf mit Österreich am Bundestag zu Frankfurt 1851–59. Leipzig 1927.
Michaud et Villeneuve, Histoire du Saint-Simonisme et de la famille de Rothschild. Paris 1847.
Michel, Léon Say, sa vie, ses œuvres. Paris 1899.
Mirès, Der Börsenschwindel und die öffentliche Korruption in Frankreich. Wien 1861.
Mirès, M. et M. de Rothschild. Paris 1861.
Monypenny, The Life of Benjamin Disraeli Earl of Beaconsfield. London 1912.
Morgand et Fatout, Le baron James de Rothschild. Paris 1881.
Morley, John, The life of William Ewart Gladstone. London 1911.
Myers, Gustavus, Geschichte der großen amerikanischen Vermögen. Berlin 1916.
Nolte, Vincent, 50 Jahre in beiden Hemisphären. Hamburg 1854.
Nordbahn, Die ersten 50 Jahre der Kaiser-Ferdinand-Nordbahn 1836 bis 1886. Wien 1886.
Oncken, Die Rheinpolitik Kaiser Napoleons III. von 1863–1870 und der Ursprung des Krieges von 1870–71. Berlin-Leipzig 1926.
Oncken, Das Zeitalter Kaiser Wilhelms. Berlin 1890.
Ouvrard, H. J., Mémoires de, Sur sa vie et ses diverses opérations financières. Paris 1926.
Papiers secrets du second empire, Les. Bruxelles 1870–71.
Paul, Herbert, History of modern England. London 1904.
Penzler, Kaiser und Kanzlerbriefe. Leipzig 1900.
Pepoli, Marquis J. N., Les finances pontificales. Paris 1860.
Plener, Erinnerungen von Ernst Frhr. v., Stuttgart 1911.
Plenge, Dr. Johann, Gründung und Geschichte des Crédit mobilier. Tübingen 1903.
Poschinger, Heinrich von, Preußen am Bundestag 1851–59. Leipzig 1882.

Poschinger, Heinrich von, Bankwesen und Bankpolitik in Preußen. Berlin 1878.
—, Bismarck in Frankfurt. Leipzig 1885.
—, Fürst Bismarck als Volkswirt. Berlin 1890.
—, Denkwürdigkeiten des Ministers Otto Frhr. v. Manteuffel. Berlin 1901.
—, Aus großer Zeit. Erinnerungen an den Fürsten Bismarck. Berlin 1905.
Pribram, Alfred Francis, Die politischen Geheimverträge Österreich-Ungarns 1879–1914. Wien 1920.
Pribram, Alfred Francis, Urkunden und Akten zur Geschichte der Juden in Wien. Wien-Leipzig 1918.
Radowitz, Aufzeichnungen aus dem Leben des Botschafters Josef Maria von. Leipzig 1925.
Raumer, Friedrich von, Briefe aus Frankfurt und Paris 1848–49. Leipzig 1849.
Reschauer, Das Jahr 1848, Geschichte der Wiener Revolution.
Richer, M. Paul, Notice sur la vie et les travaux de Mr. le baron Alphonse de Rothschild. Séance de l'académie 19. XII. 1908.
Robert, S. Paul, La vérité sur la maison Rothschild. Paris 1846.
Roon, Denkwürdigkeiten aus dem Leben des General-Feldmarschalls und Kriegsministers Grafen von. Breslau.
Rothfels, Hans, Bismarcks englische Bündnispolitik. Berlin 1924.
Rothschild, Le baron James de, Extraits des journaux. Paris 1869.
Rothschild, Le baron James de, Exposé des travaux scientifiques du Dr. Henri de. Paris 1909.
Rothschild, Le baron James de, Réponse de Rothschild Ier Roi des Juifs à Satan dernier Roi des imposteurs. Paris 1846.
R.....M.P. de, Nouvelle réponse du prince des Israélites Rothschild Ier à un pamphlétaire, suivie d'une dissertation sur la catastrophe du 8. juillet. Paris 1846.
Salingré, Im großen Hauptquartier 1870–71. Berlin 1910.
Scheffer, Egon, Der Siegeszug des Leihkapitals. Wien 1924.
Schneider, Oswald, Bismarcks Finanz- und Wirtschaftspolitik. München und Leipzig 1912.
Schneider, Oswald, Aus dem Leben Kaiser Wilhelms... Berlin 1888.
Smital, Geschichte der Großgemeinde Floridsdorf. Floridsdorf 1903.
Stern, Alfred, Geschichte Europas von 1848–1871. Stuttgart 1924.
Strach, Geschichte der Eisenbahnen der österreichisch-ungarischen Monarchie. Wien 1898.
Stricker, Wilhelm, Goethe und Frankfurt a. M. Virchow-Sammlung Serie XI, Heft 261. Berlin 1876.
Strodtmann, Heines Leben und Werke. Berlin 1873–74.
Stummer, Josef, Bildliche Darstellung der Geschichte der ausschließlich privilegierten Kaiser-Ferdinands-Nordbahn. Wien 1855.

Stürmer, Geschichte der Eisenbahnen. Bromberg 1872.
Sztáray, Gräfin Irma, Aus den letzten Jahren der Kaiserin Elisabeth. Wien 1909.
Thil, Freiherr du, Denkwürdigkeiten aus dem Dienstleben des Hessisch-Darmstädtischen Staatsministers. 1803–48.
Tolstoi, J., La révolution de 1848 en France. Leningrad 1926.
Toreno, José Maria, Oneipo de Llano Conde de, Historia del levantimiento, guerra y revoluzión de España. Madrid 1840. Mit hier in Betracht kommender Biographie Torenos.
Varigny, Les grandes fortunes en Angleterre. Revue des deux mondes. Juin 1888.
Vial, Changarnier. Paris 1877.
Viel Castel, Mémoires du Comte Horace de, sur le Règne de Napoléon III. 1851–64. Paris 1883.
Vitzthum, Graf, St. Petersburg und London in den Jahren 1852–64. Stuttgart 1886.
Vitzthum, Graf, London, Gastein und Sadowa 1864–66.
Wagener, Der Niedergang Napoleons III. Berlin 1889.
Waldbüchl, Wilhelm von, Das Leben berühmter Werkmeister. Frankfurt a. M. 1853.
Werner, Anton von, Erlebnisse und Eindrücke 1870–1890. Berlin 1913.
Wertheimer, E. v., Graf Andrássy. Stuttgart 1913.
White, Andrew D., Aus meinem Diplomatenleben. Leipzig 1906.
Wilmowski, Meine Erinnerungen an Bismarck.
Wolff, Theodor, Pariser Tagebuch. Berlin 1927.
Zanichelli, Cavour. Firenze 1926.

Berichtigungen

Der als Bevollmächtigter der englischen Regierung wiederholt genannte Herr von Limburger war nicht, wie in der ersten Auflage des ersten Bandes irrtümlich gesagt wurde, jüdischen Ursprungs, sondern entstammte einer zuerst katholischen, später protestantischen Familie, die bereits im 15. Jahrhundert unter dem Namen Laurentius urkundlich bezeugt wird. Der älteste bekannte Ahne war Georg Michael Laurentius, Müller in Limburg a. L.; sein Enkel, Müller in Hattenheim, nahm den Namen Limburger an.

Auf Seite 467 des zweiten Bandes Zeile 15 v. u. soll es heißen: Albert Rothschild starb am 11. Februar 1911 (statt am 24. März 1892). Dasselbe Datum ist auch in der Stammtafel am Ende des Buches zu berichtigen.

C.

NAMENREGISTER
für den ersten und zweiten Band

BILDERVERZEICHNIS